DIE FRÜHCHRISTLICHEN WANDMALEREIEN AUS DEN GRABBAUTEN IN CIMITILE/NOLA

ZUR ENTSTEHUNG UND IKONOGRAPHIE ALTTESTAMENTLICHER DARSTELLUNGEN

VON

DIETER KOROL

JAHRBUCH FÜR ANTIKE UND CHRISTENTUM
ERGÄNZUNGSBAND 13 · 1987

ASCHENDORFFSCHE VERLAGSBUCHHANDLUNG
MÜNSTER WESTFALEN

Die Ergänzungsbände zum Jahrbuch für Antike und Christentum
werden im Auftrag der Rheinisch-Westfälischen Akademie der Wissenschaften
herausgegeben im Franz Joseph Dölger-Institut zur Erforschung der Spätantike
an der Rheinischen Friedrich-Wilhelms-Universität zu Bonn
von
Ernst Dassmann, Klaus Thraede, Josef Engemann

D 5

Gesamtherstellung: Aschendorffsche Verlagsbuchhandlung GmbH & Co., Münster, 1987

Kart. ISBN 3–402–08516–X
Leinen ISBN 3–402–08517–8

UXORI PARENTIBUSQUE

VORWORT

Die vorliegende Untersuchung ist die erweiterte Fassung meiner im Frühjahr 1983 bei der Philosophischen Fakultät der Rheinischen Friedrich-Wilhelms-Universität Bonn eingereichten Dissertation.

Soweit möglich wurden Ergebnisse von Überprüfungen verschiedener Monumente am Original und Literatur zu den einzelnen Bereichen nachgetragen bzw. eingearbeitet. Das auf den Tafeln 14a. 15. 16b sichtbare Terrain in Cimitile wurde in seiner Gesamtheit erst Mitte 1984 im Zuge von Restaurierungsarbeiten der Soprintendenza per i Beni Ambientali e Architettonici della Campania/Napoli ausgegraben, so daß sich diese Fundkomplexe ohne eine weitergehende Untersuchung vor Ort nicht mehr gebührend berücksichtigen ließen.

Danken möchte ich allen, deren Hilfe ich während der Entstehung und bei der Veröffentlichung dieser Arbeit erfahren habe: in erster Linie meinem Lehrer, Herrn Prof. Dr. Josef Engemann, der die vorliegende Untersuchung stets mit großem Interesse verfolgt und mit seinem Rat und fördernder Kritik betreut hat; sodann Herrn Prof. Dr. Hans-Jürgen Imiela, der Familie Chierici und vor allem Herrn Dr. Pietro Borraro (†), die mir großzügigerweise die unveröffentlichten Forschungsunterlagen zu Cimitile von Prof. Dr. Friedrich Gerke und Dr. Heinz-Ludwig Hempel sowie vom Ausgräber, Prof. Gino Chierici, überließen; in besonderem Maße dem Soprintendente per i Beni Ambientali e Architettonici della Campania, Aldo Grillo, der mir die amtliche Erlaubnis gab, die Grabmonumente in Cimitile fotografisch wie zeichnerisch aufzunehmen und dieses Material zusammen mit Plänen und Fotografien aus der Grabungszeit zu publizieren; weiterhin den Herren Prof. Dr. Hans Belting, Dr. Nicola Ciavolino, Dipl.-Theol. Peter Dahmen, Prof. Dr. Ernst Dassmann, Dr. Johannes-Georg Deckers, Prof. Dr. Friedrich Wilhelm Deichmann, S. E. Mons. Felice Cece (Bischof von Calvi/Teano), Prof. Dr. Umberto Fasola, Prof. Dr. Hanns Gabelmann, Prof. Dr. Reiner Haussherr, Frau Dr. Ursula Heimberg, Prof. Dr. Karl Hoheisel, Dr. Alois Kehl, Prof. D.Dr. Heinrich Karpp, Frau Ulrike Koenen M.A., Prof. Dr. Ernst Kirsten, Prof. Dr. Harald Mielsch, Prof. Dr. Valentino Pace, Prof. Dr. Walter Nikolaus Schumacher, Prof. Dr. Johannes Straub und Dr. Arcangelo Mercogliano, von denen ich wertvolle Anregungen und Hinweise erhalten habe. Für mannigfache Hilfen bei der Vorbereitung zur Drucklegung sei den Mitarbeitern des F. J. Dölger-Instituts, vor allem Herrn Gerhard Rexin, herzlich gedankt.

Herrn Professor Dassmann verdanke ich die Aufnahme der Arbeit in die Reihe der Ergänzungsbände zum »Jahrbuch für Antike und Christentum«, dem Verein zur Förderung des F. J. Dölger-Instituts die Gewährung eines Druckkostenzuschusses, der zusammen mit einem für die Dissertation verliehenen Preis der Gesellschaft von Freunden und Förderern der Rheinischen Friedrich-Wilhelms-Universität Bonn die Publikation in diesem Rahmen ermöglichte.

Nicht zuletzt bin ich der Studienstiftung des Deutschen Volkes für die Gewährung eines Studien- sowie eines Promotionsstipendiums sehr zu Dank verpflichtet.

Ohne die in vielerlei Hinsicht gewährte Unterstützung von seiten meiner Frau und meiner Eltern hätte die Arbeit nicht in dieser Form entstehen können. Daher ist ihnen dieser Band gewidmet.

BONN, im Oktober 1985   DIETER KOROL

INHALTSVERZEICHNIS

Vorwort 3

I. Einführung 7

  1.   Stand der Forschung 7

  2.   Die antiken Grabbauten im Umkreis der ›Basilica dei Ss. Martiri‹ im Lichte der historischen und topographischen Entwicklung der nördlichen Nekropole Nolas .   14
  2.1   Das Coemeterium und das Felixgrab 14
  2.2   Die Grabbauten 10 bis 14 und ihre Datierung 25

II. Die Malereien der Grabbauten 13 und 14 38

  1.   Deutbare Darstellungen 38

  1.1   Adam und Eva hören das Verbot Gottes 38
  1.1.1 Beschreibung und Stil 38
  1.1.2 Der Bibeltext in Gen 2,16f bzw. 3,3 und Gen 3,8/10 41
  1.1.3 Verwandte antike und frühmittelalterliche Darstellungen 42
      a) Asymmetrisch gestaltete Menschenpaardarstellungen 42
        aa) Frühchristliche Beispiele 43
        bb) Vorläufer im paganen Bildzusammenhang 44
        cc) Ergebnisse einer Gegenüberstellung der Monumente und Folgerungen daraus für das Bild in Cimitile 52
      b) Antike Adam-und-Eva-Darstellungen mit einer Beifigur 54
      c) Frühmittelalterliche Vergleichsbeispiele 57
  1.1.4 Zusammenfassung 60

  1.2   Adam und Eva nach dem Sündenfall 61
  1.2.1 Beschreibung und Stil 61
  1.2.2 Der Bibelbericht in Gen 3,6/7 64
  1.2.3 Die frühesten Darstellungen von Adam und Eva 65
  1.2.4 Folgerungen aus dem Vergleich der frühen Adam-und-Eva-Szenen 70
  1.2.5 Die Vorlagen und der Entwicklungsstand des Bildtypus' in Cimitile 72

  1.3   Joseph schwört, Jakob im Lande Kanaan zu bestatten 76
  1.3.1 Beschreibung und Stil 76
  1.3.2 Überprüfung bisheriger und neuer Deutungen dieses Bildes 79
      a) »Jakob ringt mit dem Engel am Jabbok« 79
      b) Untersuchungen zu Körperhaltung, Gewandform und Insignien 84
      c) Weitere Deutungsvorschläge 91
  1.3.3 Die Episode in Gen 47,29/31 93
      a) Der Bibelbericht 93
      b) Die Bildbeispiele 94
  1.3.4 Schlußfolgerungen für die Darstellungsform in Cimitile 97

  1.4   Jakob segnet Ephraim und Manasse 100
  1.4.1 Beschreibung und Stil 100
  1.4.2 Der Bibelbericht in Gen 48,1/20 103
  1.4.3 Exkurs: Zur Frage des Einflusses jüdischer Schriften auf bildliche Darstellungen dieses Themas 104
  1.4.4 Die antike und frühmittelalterliche Ikonographie dieser Szene 109
      a) Die Einzelmonumente 109
      b) Folgerungen aus der Analyse dieser Darstellungen 123

1.4.5 Ergebnis der Untersuchung für das Bild in Cimitile 128

1.5   Die drei Bilder aus dem Jonaszyklus 130
1.5.1 Beschreibung und Stil 130
      a) Der Meerwurf mit herannahendem Ketos 130
      b) Meerwurf, Verschlingen und Ausspeiung 132
      c) Die Ruhe unter der Kürbislaube 134
1.5.2 Zur biblischen Jonasgeschichte und entsprechenden außerbiblischen Texten . . . 135
1.5.3 Bildanalyse und Vergleich mit anderen Jonasdarstellungen 142
1.5.4 Zur Aussageintention der Jonasbilder in Cimitile 146

2.   Undeutbare oder nicht eindeutig identifizierte Darstellungen 148
2.1   Das nordöstliche Arkosolbild im Mausoleum 13 148
2.2   Die Malereireste im Grabbau 14 151

3.   Entstehungszeit der Malereien 161

III. Zusammenfassung 171

     Sommario 177

Verzeichnis der Abkürzungen und der abgekürzt zitierten Literatur 183

Abbildungsnachweis 187

Register 189

Anhang 197
     Tabellen 1/3 199
     Abbildungen 1/34 203

Tafeln

I. EINFÜHRUNG

1. Stand der Forschung

In der vorliegenden Arbeit sollen in erster Linie die Malereien aus zwei Grabbauten behandelt werden, die in der bisherigen Literatur immer zum frühesten Bestand der christlichen Bildkunst gerechnet wurden, aber bis heute noch keine ausreichende Publikation erfahren haben.

Die Grabbauten befinden sich innerhalb einer kaiserzeitlichen, zur Stadt Nola gehörenden Nekropole, auf deren Gebiet seit dem 4. Jh. eine umfangreiche und weitbekannte Wallfahrtsstätte um das Grab eines verehrten Heiligen, eines gewissen Felix, entstand. Später bildete sich daraus der heutige Ort Cimitile (eine Dialektform des Wortes Coemeterium)[1]. Seit dem Mittelalter entwickelte sich in bzw. über den betreffenden Grabbauten eine christliche Kultstätte, die sogenannte Basilica dei Ss. Martiri[2].

Das älteste schriftliche Zeugnis, das uns – leider nur sehr allgemein – »von ausgemalten Gräbern« in diesem Bereich Kunde gibt, stammt von CARLO GUADAGNI, der 1676 in einem Buch von seinen Grabungen und Bauveränderungen innerhalb dieser Kirchenanlage berichtet[3].

Erst durch die 1933–35 und 1954–60[4] unter der Leitung des Architekten GINO CHIERICI durchgeführten Grabungen innerhalb des gesamten antiken Komplexes konnte u. a. diese Notiz bestätigt werden. Da es über diese zehnjährige Tätigkeit und deren Ergebnisse zum großen Teil nur sehr knapp gehaltene oder widersprüchliche Vorberichte gibt, also keine ausführliche Dokumentation von Befunden und den verschiedenen daraus abgeleiteten Thesen vorhanden ist, blieben nach dem Tode CHIERICIS im Jahre 1961 zahlreiche Fragen offen[5]. Manche Ausgrabungsergebnisse aus diesen Jahren wurden überhaupt nicht veröffentlicht; ebenso steht es mit den Ergebnissen von Grabungskampagnen, die in den

---

[1] So zB. H. BELTING, Die Basilica dei Ss. Martiri in Cimitile und ihr frühmittelalterlicher Freskenzyklus = Forsch. z. Kunstgesch. u. Christl. Archäol. 5 (Wiesbaden 1962) 17; E. KIRSTEN, Süditalienkunde 1. Campanien und seine Nachbarlandschaften (Heidelberg 1975) 613; allgemein B. KÖTTING, Art. Grab: RAC 12 (1983) 386.

[2] Für eine ausführliche Beschreibung der Topographie und Bauentwicklung s. u. S. 25/36.

[3] C. GUADAGNI, Relazione e modo di visitare il S. Cemeterio e le cinque basiliche di S. Felice in Pincis (Napoli 1676) 100f. Da mir dieses Werk nicht zugänglich war, verweise ich für einen Auszug aus dem betreffenden Text auf BELTING, Basilica 5f$_{22}$ (vgl. auch P. MANZI, Carlo Guadagni e le basiliche di Cimitile [Rapallo 1960] 95f: Hinweise auf die gesamte Bautätigkeit in diesem Bereich). Nach BELTING scheint es unklar zu sein, auf welchen der beiden Grabräume sich diese Angaben beziehen.

[4] Die zeitlichen Angaben zum Anfang und Ende der zwei Grabungsphasen differieren schon in den Veröffentlichungen CHIERICIS. Für die ersten Grabungskam-

pagnen am ausführlichsten und daher wohl am genauesten G. CHIERICI, Sant'Ambrogio e le costruzioni paoliniane di Cimitile: Ambrosiana. Scritti di storia, archeologia ed arte pubblicati nel XVI centenario della nascita di sant'Ambrogio (Milano 1942) 331$_5$. Die Daten der zweiten Phase lassen sich durch die Grabungstagebücher (u. Anm. 44) bestätigen.

[5] Vgl. zB. die Zusammenfassung bei P. TESTINI, Cimitile. L'antichità cristiana: L'art dans l'Italie méridionale. Aggiornamento dell'opera di Émile Bertaux sotto la direzione di A. PRANDI 4 (Rome 1978) 163/76, bes. 164, und schon früher D. MALLARDO, Iscrizione sepolcrale di un ignoto vescovo Nolano del sec. VI: RendicNapoli 30 (1955) 207; F. W. DEICHMANN: ByzZs 51 (1958) 498; B. KÖTTING, Peregrinatio religiosa^2 = Forsch. z. Volksk. 33/35 (Münster 1980) 247$_{902}$; R. C. GOLDSCHMIDT, Paulinus' churches at Nola (Amsterdam 1940) 19f; A. GRABAR: CahArch 17 (1967) 249; G. TOSCANO/G. MOLLO, Contributo allo studio della basilica di San Felice in Pincis a Cimitile (sec. IV–V): 2° Convegno gruppi archeologici di Campania, Maddaloni 24–25 aprile 1981 (Napoli oJ.) 160.

Jahren 1963–67 von der Soprintendenza per i Beni Ambientali e Architettonici della Campania/Napoli durchgeführt wurden[6].

Was die hier interessierenden Bauten anbetrifft, lassen sich CHIERICIS Angaben folgendermaßen zusammenfassen: Eine »edicola pagana«, die ursprünglich nur Arkosolgräber enthielt und isoliert dastand, datiert er – mit Unterstützung von G. LUGLI und R. KRAUTHEIMER – vom Mauerwerk und der Baustruktur her gegen Ende des 2. Jh. nC. (nr. 13 in Abb. 4)[7]. Die in zwei Arkosolien noch gut erhalten gebliebenen Malereidarstellungen setzt er in die gleiche Zeit (»antoninisch«) und deutet sie als alttestamentliche Szenen (Taf. 1f), die hier eine Präsenz von Christen für das 3. Jh. (sic!) belegen und diesen Ort möglicherweise als »Treffpunkt von Glaubensgenossen« ausweisen könnten[8]. An diese »edicola« seien nacheinander weitere Grabräume angebaut worden. Während zwei Bauten im Westen (nr. 11 und 12 in Abb. 4) nur ornamentale Malereien aufweisen (Taf. 21f), birgt der östliche Bau (nr. 14 in Abb. 4) neben Jonas-Szenen in den zwei Arkosolien noch Malereien auf der Nord- und Südwand, die CHIERICI nur allgemein als »parti inferiori di corpi in movimento, o raggruppati in capanelli, o seduti« beschreibt und als »tratti di episodi di miti pagani o di scene della vita reale« deutet (Abb. 14. 25f)[9]. Während er anfangs diese Darstellungen in die ersten Jahre des 3. Jh. datiert, meint er später, daß sie auf der gleichen Stilstufe wie die Malereien der »edicola« stünden[10]. Entschieden wendet er sich später auch gegen die – erstmals von ihm selbst ähnlich vertretene – These von A. GRABAR, daß es sich bei den Bodengräbern (speziell in der »edicola«) um Bestattungen von lokalen Märtyrern handele[11]. Trotzdem nimmt er an, daß gerade dieser Raum schon in der ersten Hälfte des 4. Jh. in eine christliche, den Märtyrern geweihte Kirche umgewandelt worden sei und daher zu den fünf von Paulinus von Nola um 399/400 erwähnten

[6] Für die Grabungen nach 1935, die der Architekt Civeletti »per qualche tempo« weitergeführt hatte, s. CHIERICI, Sant'Ambrogio 333[5.21] und den 1941 datierten Grundriß (hier Abb. 9). – Als Beispiele für nach 1961 unternommene – da nicht in den Grabungstagebüchern (u. Anm. 44) aufgeführte – Freilegungen s. den mit x bezeichneten Raum und die Eingangsanlage im Süden von Grabbau 13 in Abb. 4. Aus Grabungsnotizen von G. MERCOGLIANO aus der Zeit vom 15. 1. – 24. 6. 1963 (vgl. u. Anm. 18) geht hervor, daß auch im betreffenden Bereich noch gearbeitet wurde. Zahlreiche Restaurierungen wie auch der in Abb. 3 wiedergegebene Plan sind – nach den Jahresangaben auf Plänen und Fotos (s. u. Anm. 44) – erst um 1967 ausgeführt worden.
[7] G. CHIERICI, Cimitile I. La necropoli: RivAC 33 (1957) 103. 115; ders., Metodo e risultati degli ultimi studi intorno alle basiliche paleocristiane di Cimitile: RendicPontAcc 29 (1956/57 [1958]) 140[2] (Hinweis auf die Bestätigung durch KRAUTHEIMER und LUGLI; letzterer studierte das Mauerwerk der Grabbauten und ihrer Gräber auch vor Ort: Eintrag im Grabungstagebuch [s. u. Anm. 44] vom 9. 5. 1955); ders., Cimitile. La seconda fase dei lavori intorno alle basiliche: Atti del 3° Congresso Internazionale di Studi sull'Alto Medioevo, Benevento-Montevergine-Salerno-Amalfi 14–18 ottobre 1956 (Spoleto 1959) 131.

[8] CHIERICI: RivAC 33 (1957) 113/5 Fig. 7; ders., Cimitile: ASTL 2,2 (1959 [1960]) 160; ders., Art. Cimitile: EAA 5 (1963) 538.
[9] CHIERICI, Sant'Ambrogio 322 Taf. 48,2; 50,2; ders.: RivAC 33 (1957) 119f; ders.: RendicPontAcc 29 (1958) 141 Fig. 3. – Der westliche Teil dieses Raumes muß schon bei den ersten Grabungskampagnen freigelegt worden sein, wie es die ersten Pläne und Fotos zeigen: CHIERICI, Sant'Ambrogio 323. 325 Taf. 48,2 und ders., Di alcuni risultati sui recenti lavori intorno alla basilica di S. Lorenzo a Milano e alle basiliche pauliniane di Cimitile: RivAC 16 (1939) 64 Fig. 7f; wieder abgedruckt: Atti del IV Congresso Internazionale di Archeologia Cristiana, 16–22 ottobre 1938, II (Città del Vaticano 1948) 39 Fig. 7f; vgl. auch den Zustand auf den Grund- und Aufrissen aus der Zeit (hier Abb. 9/11. 14). U. a. damit läßt sich der schlechtere Erhaltungszustand der dortigen Malereien erklären.
[10] CHIERICI: RendicPontAcc 29 (1958) 141; ders.: ASTL 2,2 (1960) 160.
[11] A. GRABAR, Martyrium. Recherches sur le culte des reliques et l'art chrétien antique 2 (Paris 1946) 420[1]. 421; ähnlich schon CHIERICI, Sant'Ambrogio 320; dagegen aber ders.: RendicPontAcc 29 (1958) 142.

»Basiliken« (s. S. 37) gerechnet werden könne[12]. Diese Vermutung wurde in ähnlicher Form bis in neuere Zeit auch von anderen Autoren ausgesprochen[13].

H. BELTING hat dagegen in seinem 1962 erschienenen Buch über die mittelalterlichen Malereien der Kirchenanlage am Ende der Bauanalyse festgestellt, daß sich »nirgends ... ein Anzeichen für eine ... frühere christliche bzw. kultische Benutzung des Baues feststellen« läßt, und wohl die meisten »Veränderungen der antiken Anlage zur Tätigkeit Leos III.« (um 900) gehören[14]. Auf Grund seiner besonderen Themenstellung geht BELTING nur kurz auf die antiken Arkosolbilder in den zwei Grabräumen ein; bei denjenigen in der »edicola« wendet er sich gegen die Frühdatierung CHIERICIS und schlägt einen Zeitansatz »um 300« vor[15]. In einer 1968 erfolgten Publikation, in der er u. a. »die Baugeschichte ... weitgehend unter neuen Gesichtspunkten erörtert und präzisiert« und durch eigene, den mittelalterlichen Zustand dokumentierende Zeichnungen ergänzt, ordnet er jedoch die »Grabkammern« dem 2. und 3. Jh. zu[16].

Kurz vor der ersten Veröffentlichung BELTINGS ist 1961 ein Aufsatz von H. L. HEMPEL erschienen, in dem von sensationellen Entdeckungen berichtet wird[17]: Im Zuge einer »photographischen Bestandsaufnahme« der bei BELTING veröffentlichten mittelalterlichen Fresken durch das Mainzer Kunsthistorische Institut hatte HEMPEL zusammen mit F. GERKE im genannten Jahr Cimitile besucht und dabei »auf Grund eines Hinweises des Custoden« und Grabungsgehilfen von CHIERICI, G. MERCOGLIANO, Reste von Malereien in einem Arkosol der »edicola« und an den Wänden im östlich anschließenden Grabraum gefunden, die der Ausgräber – im Gegensatz zu vier Arkosolbildern aus diesen Bauten – nur zum Teil und sehr unzureichend beschrieben hatte (s. o.); diese wurden nun als Teile eines alttestamentlichen Zyklus' gedeutet[18]. »Da die Publikation im einzelnen vom Mainzer Institut aus erfolgen« sollte, beschränkte sich HEMPEL »auf die Aufzählung der deutbaren Szenen und ... einige Gedanken über die Bedeutung des Fundes«; insgesamt kam er auf einen Bildbestand von zwölf »erkennbaren« Darstellungen, von denen elf mehr oder weniger »mit Vorbehalt deutbar sind«[19]. In Anlehnung an die Argumentation des Ausgräbers (s. o.) galt für ihn die Datierung der Malereien beider Grabräume in das »ausgehende 2. Jh.« als »sicher«, und somit wären sie »die ältesten ... christlichen Wandmalereien ..., die wir bis heute überhaupt kennen«. Schließlich stünde »neben den

[12] G. CHIERICI, Cimitile: Palladio N.S. 7 (1957) 69; ders.: RendicPontAcc 29 (1958) 140; ders.: ASTL 2,2 (1960) 160. 162 und Plan; ders.: EAA 5 (1963) 538. Zur neuesten Datierung von Paulinus, carm. 18,178 s. S. 17[60].

[13] ZB. schon A. AMBROSINI, Delle memorie storico-critiche del cimiterio di Nola 1 (Napoli 1792) 16. 343; S. ORTOLANI, Inediti meridionali del ducento: Boll. d'Arte 33 (1948) 310[8]; A. WEIS, Die Verteilung der Bildzyklen des Paulin von Nola in den Kirchen von Cimitile (Campanien): RömQS 52 (1957) 133[18]; R. KRAUTHEIMER, Early Christian and Byzantine architecture[3] (Harmondsworth 1979) 207 (»remodelled ... c. 300«); S. DE CARO / A. GRECO, Campania = Guide archeologiche Laterza 10 (Bari 1981) 208. Vgl. auch u. S. 37[182]. 73[230].

[14] BELTING, Basilica 13. 16. Für neuere Lit. zur mittelalterlichen Anlage s. u. Anm. 16 und H. BELTING, Cimitile. Le pitture medioevali e la pittura meridionale nell'Alto Medioevo: L'art dans l'Italie méridionale (o.

Anm. 5) 183/8; L. PANI ERMINI, Cimitile. La fase medioevale: ebd. 177/82.

[15] BELTING, Basilica 12.

[16] H. BELTING, Studien zur beneventanischen Malerei = Forsch. z. Kunstgesch. u. Christl. Archäol. 7 (Wiesbaden 1968) 93[2] Fig. 35/8. Vgl. auch A. VENDITTI, Architettura bizantina nell'Italia meridionale 2 (Napoli 1967) 540 (»edicola«: »forse ... al II sec.«) und o. S. 8[7].

[17] H. L. HEMPEL, Zum Problem der Anfänge der AT-Illustration: ZAW 73 (1961) 299/302, wiederabgedruckt bei J. GUTMANN (Hrsg.), No graven images (New York 1971) 110/3.

[18] HEMPEL 300f. Von G. MERCOGLIANO (†) habe auch ich 1979 am Ort freundlicherweise einige wichtige Hinweise erhalten. Zur Würdigung vgl. A. FERRUA, Le iscrizioni paleocristiane di Cimitile: RivAC 53 (1977) 122.

[19] HEMPEL 301f; für die Einzelbeschreibungen s. u. Kap. II.

... primär symbolisch ... zu deutenden biblischen Darstellungen ... auch in der christlichen Kunst schon von Anfang an eine zweite, mehr zyklisch erzählende Gruppe von alttestamentlichen Bildern«, die seiner Meinung nach wahrscheinlich »von illustrierten Manuskripten« bzw. letztlich von »jüdischen Quellen« abhingen[20].

Diese Schlußfolgerungen wurden seither in mehreren Veröffentlichungen mit mehr oder weniger Vorbehalt wiedergegeben[21]. Darüber hinaus sind noch weitere Vermutungen ausgesprochen worden.

So meint A. GRABAR, der in verschiedenen Schriften auf diese (»um 200« zu datierenden) Malereien eingeht, dabei aber seine Aussagen zT. als vorläufig bezeichnet, daß das ikonographische Programm zwar das gleiche wie in den römischen Katakomben sei, aber mehr biblische Themen enthalte[22]. Die Malereien in Cimitile seien außerdem mehr »deskriptiv« bzw. »narrativ« als jene und ständen daher der Darstellungsart in der Hauskirche in Dura[23] oder den Katakombenbildern in der via Latina nahe; hiernach wäre es grundsätzlich vom jeweiligen Ort und der Epoche abhängig, welche Darstellungsweise (»image-signe« oder »image narrative«) gewählt wurde[24].

H. BRANDENBURG, der diese Malereien im Zusammenhang mit der Frage nach dem Ursprung der frühchristlichen Bildkunst behandelt und dabei die »Arkosolbilder ... der ersten Hälfte«, die übrigen Darstellungen aber »dem Ende des dritten Jahrhunderts« zuweist, schreibt[25]: »Es ist immerhin möglich, daß der Osten früher als der Westen eine ausgebildete christliche Ikonographie besaß – eine Hypothese, die ... gestützt werden könnte« u. a. durch die »Arkosolbilder von Cimitile in Campanien, das früher und stärker noch als die Hauptstadt unter dem Einfluß der Kunst der östlichen Reichshälfte gestanden hat«. An anderem Ort[26]: »Doch unterscheiden sich die Bilder ... selbst hinsichtlich Bildauffassung, Qualität und Stil kaum von den gleichzeitigen römischen Beispielen, so daß wir auch hier keine Kriterien zu einer eventuellen Differenzierung der frühesten christlichen Kunst im griechisch sprechenden Osten ... von der im lateinischen Westen gewinnen können«. Bei diesen Überlegungen klammert er die anderen »noch nicht genügend untersuchten und publizierten« Darstellungen in Cimitile aus, die aber seiner Meinung nach immerhin »u. U. unser Bild von der Themenauswahl der frühchristlichen Malerei des dritten Jahrhunderts noch bereichern könnten«[27].

J. FINK, der 1975 die Malereien vor Ort studierte, geht in einem 1978 erschienenen Buch im Zusammenhang mit der Frage nach den »Spuren« einer frühen Bibelillustration

[20] HEMPEL 302.
[21] Red., Art. Cimitile: EAA 5 (1963) 539; H. STRAUSS, Jüdische Quellen frühchristlicher Kunst: ZNW 57 (1966) 118f; E. DINKLER, Älteste christliche Denkmäler: ders., Signum Crucis. Aufsätze zum NT und zur Christlichen Archäologie (Tübingen 1967) 146f; E. DASSMANN, Sündenvergebung durch Taufe, Buße und Martyrerfürbitte in den Zeugnissen frühchristlicher Frömmigkeit und Kunst (Münster 1973) 17f; TESTINI 167; KIRSTEN 613. 621; DE CARO / GRECO (o. Anm. 13) 208.
[22] A. GRABAR, Le premier art chrétien (Paris 1966) 81; ders., L'art de la fin de l'Antiquité et du Moyen Âge (Paris 1968) 1186 (vJ. 1961/62).
[23] A. GRABAR, Christian iconography. A study of its origins (Princeton 1968) 22; so auch ders., Les voies de la création en iconographie chrétienne. Antiquité et Moyen Âge (Paris 1979) 11. 16.
[24] GRABAR, L'art de la fin de l'Antiquité (o. Anm. 22) 1186.
[25] H. BRANDENBURG, Überlegungen zum Ursprung der frühchristlichen Bildkunst: Atti del IX Congresso Internazionale di Archeologia Cristiana, Roma 21–27 settembre 1975, 1 (Città del Vaticano 1978) 335. 352f.
[26] H. BRANDENBURG, Frühchristliche Kunst in Italien und Rom: B. BRENK (Hrsg.), Spätantike und frühes Christentum = Propyläen Kunstgesch. Suppl. 1 (Frankfurt/Berlin/Wien 1977) 108.
[27] BRANDENBURG, Überlegungen 335. Vgl. ähnlich DASSMANN (o. Anm. 21) 398.

erstmals wieder etwas ausführlicher auf sie ein[28]: »Vielleicht dürfen einige Beispiele eines Hypogäums in Cimitile bei Nola hinzugefügt werden. Doch sieht man [ihnen] die Buchillustration nicht unmittelbar an. Im zeitlichen Umkreis von Dura Europos, nicht früher, eher später mögen sie entstanden sein«. Zum vorgefundenen Bildbestand schreibt er: »Die Aufsehen heischenden Mitteilungen Hempels weckten Vorstellungen, die über die Wirklichkeit hinausgingen«. Außer drei Darstellungen in den Lunetten von Arkosolien und einer mit Vorbehalt gedeuteten Szene (s. S. 91) konnte er in den betreffenden Grabräumen keinen »weiteren frühchristlichen Bilderbestand ... ausmachen«, in einem Grabbau allenfalls noch »Fragmente erkennen«, wie etwa »Malreste von Beinen von Mensch und Pferd« (hier Taf. 7b) oder einen »schönen (nicht zu fotografierenden) Kopf« (vgl. hier Taf. 6c). Auch bei seinen Nachforschungen nach Unterlagen zu der angekündigten, aber »tragischerweise nicht zur Ausführung gelangten Publikation« konnte er im Mainzer Kunsthistorischen Institut keine »auf Cimitile bezügliche Ausarbeitungen oder Notizen« finden; das dort vorhandene, noch unveröffentlichte Fotomaterial war »mit einer Ausnahme nicht auf die Grabkammern beziehbar und betrifft spätere Malereien wahrscheinlich aus einem anderen Cimitile-Komplex«[29].

H. KAISER-MINN, die in einem 1981 veröffentlichten Buch auf eine der Lunettenmalereien in der »edicola« einging, wendet sich bei dem betreffenden Bild (hier Taf. 32a) gegen die Annahme einer zyklischen Vorlage[30], da »der episodisch narrative Charakter der Sündenfalldarstellung in Cimitile ... auch anders und ... einleuchtender« mit einer paganen Bildvorlage erklärt werden könne. Mit der Datierung der Malereien schließt sie sich dem Vorschlag von BELTING (s. o.) an.

Zuletzt hat sich F. W. DEICHMANN zu diesen Malereien geäußert[31]: »In einem Mausoleum (nr. 13) zu Cimitile bei Nola in Campanien gibt es Bilder des ersten Menschenpaares, vom Meereswurf des Jonas und von Noah. Die wohl dem Beginn des 3. Jh. angehörenden Malereien auf farbigem Grund sind von besonderer Qualität, und die nackten Gestalten Adams und Evas zeigen besonders eindringlich, daß sie der mythologischen Bildwelt entnommen sind. Sie bezeugen daher auf das nachhaltigste die Zugehörigkeit dieser christlichen Bildkompositionen zur Formenwelt der spätantoninischen bis severischen Malerei«.

Wie schon die angeführten Beispiele zeigen, wird zwar bisher allgemein eine Datierung der Malereien vor dem 4. Jh. nC. angenommen, aber der genaue Zeitpunkt ihrer Entstehung ist umstritten; wenn man die zu dieser Frage recht zahlreichen Äußerungen in der übrigen Literatur hinzunimmt, lassen sich drei Hauptrichtungen aufweisen[32]: Eine Frühdatierung in den Zeitraum entweder vor 180 oder um 200[33], ein

---

[28] J. FINK, Bildfrömmigkeit und Bekenntnis (Köln/ Wien 1978) VII. 58f_{238f} Abb. 11.

[29] Zu den dennoch vorhandenen Manuskripten in den im Mainzer Institut aufbewahrten »Arbeitsmappen von HEMPEL« s. u. Anm. 44.

[30] H. KAISER-MINN, Die Erschaffung des Menschen auf den spätantiken Monumenten des 3. und 4. Jahrhunderts = JbAC Erg.-Bd. 6 (Münster 1981) 89_{39}. 113_{148}. Anhang 2 Taf. 49a.

[31] F. W. DEICHMANN, Einführung in die Christliche Archäologie (Darmstadt 1983) 119. 157: Hinweis auf CHIERICI: RivAC 53 (1957) 113f.

[32] Nur allgemein vorkonstantinisch bzw. nicht nach Anfang 4. Jh. datieren: ORTOLANI (o. Anm. 13); B. BRENK: BRENK (o. Anm. 26) 32; W. WISCHMEYER, Die vorkonstantinische christliche Kunst in neuem Lichte. Die Cleveland-Statuetten: VigChr 35 (1981) 259_{54}. DINKLER (o. Anm. 21) 147 schreibt, daß für eine Datierung ins 2. Jh. »eindeutige Kriterien fehlen«.

[33] Vgl. die o. Anm. 8 und 10 genannten Arbeiten von CHIERICI; HEMPEL; F. GERKE, Spätantike und frühes Christentum (Baden-Baden 1967) 20. 23 und Abb. S. 105; GRABAR, L'art de la fin de l'Antiquité (o. Anm. 22) 1186; L. DE BRUYNE, La »cappella greca« di Priscilla:

erst in neuerer Zeit geäußerter Ansatz in die erste Hälfte des 3. Jh.[34] und schließlich als
spätester Zeitpunkt eine Entstehung in der zweiten Hälfte des 3. Jh. bzw. um 300[35].

Bei diesen Datierungen ist anzumerken, daß ein Großteil der Autoren sie meist nur
allgemein für die beiden mit figürlichen Malereien ausgestatteten Grabbauten angibt;
wenn man einmal von CHIERICIS erstem Vorschlag absieht (s. S. 8), wird aber nur in zwei
Fällen ein Unterschied zwischen den einzelnen Raumausstattungen gemacht[36]. BELTING,
der – ähnlich wie vier andere Autoren[37] – allein die Arkosolmalereien in der »edicola«
datiert, hat jedenfalls schon 1962 darauf hingewiesen, daß man bei »weiteren Untersuchungen ... auch die Malereien von cubiculum 14 ... hinzunehmen und auswerten
müßte«[38]. Was die besonders hohe Frühdatierung anbelangt, so hat P. TESTINI in seinem
1978 erschienenen Resümee zum Forschungsstand des gesamten ergrabenen Komplexes
in Cimitile darauf aufmerksam gemacht, daß dafür keine »objektiven« Daten vorhanden
sind[39]. Mit seinen die meisten Publikationen zu Cimitile zusammenfassenden und nur in
einigen Punkten durch eigene Beobachtungen erweiterten Ausführungen hat er begonnen, Grundlagen zu schaffen für eine seit 1967 in der Forschungsliteratur und bei
verschiedenen Kongressen häufig geforderte Wiederaufnahme intensiver Studien über die
verschiedenen, »bisher so ungenügend veröffentlichten« Funde an diesem Ort[40]. Immerhin ist dieser Ort zu einem sehr »wichtigen Beispiel für den Übergang von der heidnischen
zur christlichen Spätantike geworden«, wie schon E. KIRSTEN 1975 in seiner (mit neuen
Plänen versehenen) Zusammenfassung des Forschungsstandes schreibt[41]. TESTINI hat nun
in der oben genannten Arbeit eine Publikation der Monumente in Cimitile bis zur
Langobardischen Epoche von seiten des »Istituto di Archeologia Cristiana« der Universität

RivAC 46 (1970) 291/330, bes. 316. 323 (»probabilmen-
te ancora anteriori« der von ihm um 180 datierten
Malerei in der genannten Kammer in Rom; skeptisch
gegen eine solche Frühdatierung schon F. W. DEICH-
MANN: ByzZs 64 [1971] 263 und u. Anm. 133); A.
ULRICH, Kain und Abel in der Kunst (Bamberg 1981)
80f[98] folgt HEMPEL und CHIERICI, nicht aber BELTING;
DEICHMANN, Einführung aO. (o. Anm. 31) 119. – Vgl.
auch Lit. u. Anm. 36; DE CARO / GRECO (o. Anm. 13) und
Art. Cimitile (o. Anm. 21). – Korrekturzusatz: Nach M.
SOTOMAYOR, Sarcófagos romano-cristianos de España
(Granada 1975) 46 können die Malereien beider Grabkammern spätestens in den ersten Jahren des 3. Jh.
entstanden sein, wenn sie nicht sogar noch ganz dem
2. Jh. angehören. Vgl. auch u. S. 73[280].
[34] TESTINI 168; U. M. FASOLA / P. TESTINI, I cimiteri
cristiani: Atti del IX Congresso Internazionale di
Archeologia Cristiana, Roma 21–27 settembre 1975, 1
(Città del Vaticano 1978) 132; BRANDENBURG, Überlegungen 335. 352f. L. PANI ERMINI, Testimonianze
monumentali di Paolino a Nola: Atti del convegno
XXXI cinquantenario della morte di S. Paolino di Nola
(431–1981), Nola, 20–21 marzo 1982 (Roma o.J.) 167.
D. CALCAGNINI-CARLETTI, Adamo ed Eva: DizPatr 1,46.
[35] BELTING, Basilica 12; KAISER-MINN (o. Anm. 30) 89[39];
BRANDENBURG, Überlegungen aO. Vgl. auch u. Anm.
36; FINK (o. Anm. 28) aO.

[36] BRANDENBURG, Überlegungen aO.; KIRSTEN 613. 621
schreibt zu den Malereien der »edicola«: »noch im 3.
Jh.?«; bei der östlich anschließenden Grabkammer
weist er darauf hin, daß die Malereien »um 200 datiert
werden«. TESTINI 167[21] schreibt irrtümlich, daß schon
BELTING, Basilica 12[15] gemeint habe, »che alle pitture
del vano 13 vanno associate quelle dell'ambiente
14«.
[37] GERKE, BRENK und KAISER-MINN aO. (s. o. Anm. 32f.
35); DEICHMANN (o. Anm. 31). ORTOLANI (o. Anm. 13)
aO. bezieht sich nur auf Raum 14.
[38] BELTING, Basilica 12[15].
[39] TESTINI 167. Vgl. dazu auch o. Anm. 32.
[40] ZB. G. CHIERICI, Primi luci cristiane nella Campania:
Il contributo dell'archidiocesi di Capua alla vita reli-
giosa e culturale del Meridione, Atti del Convegno
Nazionale di Studi Storici promosso dalla Società di
Storia Patria di Terra di Lavoro, 21–31 ottobre 1966
(Roma 1967) 429[1] (postum erschienener Aufsatz mit
einem Votum des »XIV Corso di cultura sull'arte
ravennate«); R. CALVINO, Convegno internazionale di
studi sulle antichità cristiane della Campania: Campania Sacra 1 (1970) 200 (die Akten dieses auch auf
Cimitile bezogenen [s. ebd. 198f] Kongresses wurden
nie veröffentlicht; DINKLER, DASSMANN, KIRSTEN aO. (o.
Anm. 21); BRANDENBURG, Überlegungen 335.
[41] KIRSTEN 613 Abb. 92f.

Rom angekündigt; ein 1981 dort im Rahmen einer Dissertation angefertigtes Repertorium des in Cimitile gefundenen ›Materials‹ ist jedoch bisher nicht veröffentlicht worden[42].

Nachdem ich bei einem Besuch im Kunsthistorischen Institut in Mainz im Dezember 1978 die meisten der oben erwähnten alten Fotografien mit Hilfe der veröffentlichten Beschreibungen HEMPELS identifizieren konnte und bei einer Reise nach Cimitile im Mai 1979 nicht nur einen großen Teil der 1961 erhaltenen Malereien vorfand, sondern auch bei der »Soprintendenza per i Beni Ambientali e Architettonici della Campania«/Neapel die Erlaubnis zum Studium und zur Veröffentlichung der Malereien erwirkte, faßte ich den Entschluß zu dieser Arbeit. Glücklicherweise noch vor dem großen Erdbeben von Ende 1980 konnte ich dann bei einem längeren Aufenthalt in Cimitile die betreffenden Bauten und ihre Malereien vermessen, neben Beschreibungen Grund- bzw. Aufrisse anfertigen[43] und schließlich den Bestand fotografisch aufnehmen. In den Jahren 1980/83 ist es mir noch gelungen, unveröffentlichte Manuskripte, Grabungstagebücher, Pläne und weitere Fotos aus den Nachlässen von CHIERICI, HEMPEL und GERKE aufzufinden. Dadurch ist es möglich gewesen, bei der Analyse und Dokumentation der heute völlig dem Verfall preisgegebenen Malereien auch die alten Bauaufnahmen, Grabungs- und Forschungsergebnisse miteinzubeziehen[44]. Im Herbst 1983 und 1984 habe ich schließlich einzelne Punkte der fertiggestellten Arbeit noch einmal am Original überprüfen können[45].

---

[42] TESTINI 164. Die Dissertation wurde von Herrn L. und Frau O. NARDELLI zu gleichen Teilen angefertigt. Der Textband und die Originalnegative sollen sich im genannten Institut befinden. – Eine weitere 1983 im Fach Architekturgeschichte an der Universität Neapel abgeschlossene Dissertation des Architekten A. MERCOGLIANO über die Architektur der verschiedenen Bauten des Kirchenkomplexes in Cimitile wird wohl nicht veröffentlicht werden. Eine Einsicht in das dort vorgelegte Material hat gezeigt, daß so gut wie keine Überschneidungen mit der vorliegenden Arbeit bestehen.

[43] Grundrisse wurden nur bei den Räumen erstellt, für die es keine neueren, den gesamten Bestand erfassenden Detailpläne gab. Die Aufrisse sind in erster Linie für die Dokumentation der Malereizonen gedacht, sollen aber im einzelnen auch die in diesem Bereich wichtigen Baudetails, die nicht in den hier erstmals veröffentlichten Bauaufnahmen von 1941 (Abb. 9/14) enthalten sind, wiedergeben.

[44] 1980 fand ich mit Hilfe des ehemaligen Assistenten von F. GERKE, Professor Dr. H. J. IMIELA, im Mainzer Kunsthistorischen Institut im Nachlaß von H. L. HEMPEL Manuskripte mit ausführlichen Beschreibungen der Malereien von Cimitile und außerdem handschriftliche, vor Ort gemachte Notizen. Bei der Erörterung der Malereien (s. Kap. II) werde ich sie zusammen mit den veröffentlichten Beschreibungen aufführen, um den 1961 vorhandenen Bestand zu dokumentieren. – Außerdem erhielt ich durch die freundliche

Vermittlung von Herrn IMIELA aus dem Nachlaß GERKE alte Farbdias von den Malereien, die ich zusammen mit den Dias aus dem Mainzer Institut im Rahmen dieser Arbeit veröffentlichen darf. Alle diese Aufnahmen stammen nach mündlicher Auskunft des ehemaligen Institutsfotografen E. BÖHM von der »photographische(n) Bestandsaufnahme . . . im Mai und Juni 1961« (vgl. das Vorwort von F. GERKE bei BELTING, Basilica X; HEMPEL 301). – Durch Hinweise von Professor U. M. FASOLA (Rom), von einem Sohn und einer Enkelin CHIERICIS und vom Soprintendente A. GRILLO (Neapel) gelang es mir im Jahre 1981, den Verbleib der Cimitile betreffenden Grabungs- und Forschungsunterlagen CHIERICIS ausfindig zu machen. Bei Reisen nach Italien (1981/83) konnte ich in Salerno und Neapel nicht nur Kopien dieser unveröffentlichten Unterlagen (Grabungstagebücher, druckreife Manuskripte und Briefe wissenschaftlichen Inhalts aus den Jahren 1933/34 und 1954/60), sondern auch zahlreiche Schwarzweißfotos (aus der gleichen Zeit) und Grund- bzw. Aufrisse (aus den Jahren 1933, 1941, 1954/55 und 1967) zur Gesamtanlage und den hier behandelten Grabbauten in Kopien erhalten. Die für unseren Zusammenhang verwendbaren Passagen – wie auch das Bildmaterial – sind in den jeweiligen Kapiteln angeführt und besonders gekennzeichnet.

[45] Für die häufiger zitierte Literatur werden im folgenden Abkürzungen verwendet, die entweder im Literaturverzeichnis (S. 183/6) oder jeweils einige Anmerkungen vorher ihre Auflösung finden.

2. Die antiken Grabbauten im Umkreis der ›Basilica dei Ss. Martiri‹ im Lichte der historischen und topographischen Entwicklung der nördlichen Nekropole Nolas

2.1 Das Coemeterium und das Felixgrab

Etwa 800 m nördlich des heutigen Stadtgebietes von Nola erstreckt sich ein größeres Ausgrabungsgelände. Nach allgemeiner Ansicht hat sich hier seit dem 2. Jh. nC. ein ›paganes‹ Coemeterium gebildet[46], das sich in seiner gesamten Anlage genau an einer schon vorgegebenen römischen Zenturiation orientiert (Abb. 1. 4)[47]. Nach R. DONCEEL, der eine umfangreiche Arbeit über die Topographie und Geschichte der Stadt Nola[48] vorbereitet, handelt es sich um »une des nécropoles les plus importantes de Nole, puisqu'établie au point où la via Popilia passait le plus près de la porte N de la ville romaine, à l'endroit où cette voie était croisée par un axe sortant de la porte N de Nole (parallèle à la centuriation N de l'Ager Nolanus et trouvant son origine dans cette centuriation)«[49].

Die meisten ergrabenen Partien[50] dieser Nekropole hat G. CHIERICI 1957 schon relativ ausführlich veröffentlicht (Abb. 4)[51]. Danach lassen sich drei Bereiche ausmachen, die keine – heute erkennbare – direkte Verbindung miteinander haben:

Im Westen erstreckt sich auf gleicher Flucht von Nord nach Süd eine Reihe von Sepulkralbauten, deren ergrabene Eingänge jeweils auf der Ostseite liegen (nr. 2/9 in Abb. 4)[52]. Das Gebäude am Nordende dieser Gruppe nimmt anscheinend Rücksicht auf einen weiteren, seitlich versetzten Grabbau, der den Zugang von Süden her hat (nr. 1 in Abb. 4)[53]. Östlich der Grabgebäude nr. 6/8 befindet sich nach einer Art Nord-Süd-

---

[46] Nach CHIERICI: Palladio 7 (1957) 69; ders.: Atti 3° Congresso ME 129; ders.: ASTL 2,2 (1960) 160; ders.: EAA 5 (1963) 538 ließe sich von der Technik und Baustruktur der Gräber und durch »dati stratigrafici« eine Entwicklung dieser Nekropole vom 2. bis 4. Jh. nC. feststellen, wobei die Hauptentwicklung im 2. Jh. stattgefunden hätte (?) – Urnenbestattungen ließen sich dabei aber schon nicht mehr eindeutig ausmachen (so CHIERICI: RivAC 33 [1957] 108. 112). Ihm folgen VENDITTI 530₃₅₀; KIRSTEN 613; TESTINI 164; PANI ERMINI, Testimonianze 165. – Von den zwei noch am Ort (nahe der Buchstaben B.N in Abb. 3) befindlichen, sicher paganen Sarkophagen läßt sich jedoch der veröffentlichte – mit Szenen aus der Endymion-Sage – mE. erst ins erste Drittel des 3. Jh. datieren (H. SICHTERMANN, Späte Endymion-Sarkophage [Baden-Baden 1966] 94f Abb. 52); der bisher unveröffentlichte, stark beschädigte Persephonesarkophag gehört auch erst ins 3. Jh. (Taf. 9a; vorläufig dazu G. KOCH / H. SICHTERMANN, Römische Sarkophage = Handbuch der Archäologie [München 1982] 290₂₇; R. LINDNER, Der Raub der Persephone in der antiken Kunst = Beitr. z. Archäologie 16 [Hamburg 1984] 66 nr. 72: »1. D. 3. Jh.«). – Für die umstrittene Frage der Religionszugehörigkeit der in dieser Nekropole Bestatteten s. u. S. 33₁₅₉.

[47] Zur betreffenden Zenturiation s. KIRSTEN 611 Abb. 91; F. CASTAGNOLI, Ippodamo da Mileto e l'urbanistica a pianta ortogonale (Roma 1956) 44f; D. CAPOLONGO,

Nola. L'Agro e Cicciano: Atti del Circolo Culturale B. G. Duns Scoto di Roccarainola N. 5, Dicembre 1979, 41/57 F. 3.

[48] Dazu bisher zB. J. BELOCH, Campanien² (Breslau 1890) 389/411. 472; E. LA ROCCA/D. ANGELILLO, Nola. Dalle origini al Medioevo (Nola 1971); L. AVELLA, La regione di Nola preromana e romana (Napoli/Roma 1974); KIRSTEN 608/12; V. QUINDICI, Nola antica (Nola 1984). Die allgemeine Situation und Bedeutung der Stadt in der Spätantike hat aber bislang kaum Beachtung gefunden.

[49] Nach brieflicher Auskunft vom 26. 12. 1980. Vorläufig dazu in Revue des Archéologues et Historiens d'Art de Louvain 4 (1971) 259/65. Vgl. auch KIRSTEN 612. – Zum Verlauf der via Popilia, die u. a. Nola mit Capua verband, s. D. CAPOLONGO, Del passato di Roccarainola e di antichi itinerari del territorio di Nola (Napoli/Roma 1976) 50f Taf. I; allgemeiner dazu CHIERICI: RivAC 33 (1957) 99.

[50] Vgl. aber o. Anm. 6.

[51] CHIERICI: RivAC 33 (1957) 99/125; vgl. ders.: Rendic-PontAcc 29 (1958) 140f; ders.: Atti 3° Congresso ME 129/31; ders.: ASTL 2,2 (1960) 159f.

[52] CHIERICI: RivAC 33 (1957) 110/2; TESTINI 165. Nach CHIERICI aO. 108 Fig. 4 und TESTINI aO. bilden diese Bauten das Westende der Nekropole, wie deren einheitliche (nicht von Türen durchbrochene) Westwand zeige.

[53] CHIERICI: RivAC 33 (1957) 108/10.

Durchgang der zweite Gräberkomplex (x und nr. 10/14 in Abb. 4). Soweit noch erkennbar sind hier – außer beim Raum nr. 10 – die Eingänge ebenfalls im Süden. Da ich auf diesen Komplex noch ausführlicher eingehe, genügt es hervorzuheben, daß sich in diesem Bereich die Einzelbauten um ein größeres Gebäude herum gruppieren. Nordöstlich davon ist bisher[54] nur ein einziges Mausoleum ausgegraben worden; mit der Westwand, die möglicherweise in ihrer heutigen Position später als der restliche Baukörper entstanden ist, sitzt es auf dem Endstück von Bodengräbern (sog. Formae) auf[55], die sich ohne erkennbaren architektonischen Rahmen in einer langen Reihe von Nord nach Süd erstrecken und jeweils mit dem gerundeten Kopfende nach Westen orientiert sind (nr. 15 in Abb. 4). Schließlich wurde noch zwischen den Mausoleen 3 und 15 ein in Nord-Süd-Richtung verlaufendes Mauerstück gefunden, an dem sich Reste eines nach Süden gewölbten Bogenansatzes mit einer erschließbaren Bogenöffnung von etwa 3 m Durchmesser erhalten haben (nr. 16 in Abb. 4; Taf. 9c). CHIERICI deutet diesen Bogen als Rest eines monumentalen Tores oder einer Arkadengalerie, die eine östliche Begrenzung der Nekropole anzeigen würde. Eine Malereidekoration auf der Westseite bzw. oberhalb des Bogens, die ein Flechtwerk mit dunkelblauen Weintrauben und grünen Blättern zeigt, sieht CHIERICI sogar als Hinweis auf eine dionysische Kultgemeinschaft, was sehr zweifelhaft ist[56]. – Nördlich und nordöstlich von diesem Bogenrest sind nur noch drei frühe Grabbauten entdeckt worden, die CHIERICI nicht in den Plan der antiken Nekropole (Abb. 4) aufgenommen, sondern in anderem Zusammenhang behandelt hat, die aber zur Vervollständigung des Bildes der Anfangsphasen der Nekropole in diesem Rahmen beschrieben werden müssen (Abb. 5).

Es handelt sich um drei rechteckige Grabbauten von unterschiedlicher Größe, die sich in west-östlicher Richtung aneinanderreihen und verschieden angeordnete, rechteckig ummauerte Bodengräber ›beherbergen‹ (Taf. 10b; in Abb. 7 sind es die Bauten A, B und C – letzterer an Mausoleum 15 anstoßend)[57]. Die Innenwände aller drei Räume waren

[54] Nach AMBROSINI (o. Anm. 13) 360 ist man schon beim Bau der neuen Pfarrkirche am Ende des 18. Jh. (mit + in unserer Abb. 2 gekennzeichnet; in einer die sie tragenden Gewölbemauern nahe der NO-Ecke von Grabbau 15 [Abb. 5] ist die Jahreszahl 1789 eingemeißelt worden) auf zahlreiche Gräber gestoßen.

[55] CHIERICI: RivAC 33 (1957) 120/2 Fig. 12: Das Mauerwerk der Westwand (mit einer relativ hoch gelegenen Eingangsschwelle) ist danach von dem der übrigen Wände verschieden; das Mausoleum wirkt außerdem wie gestaucht (Innenmaße: N-S-Ausdehnung 5,45 m, W-O aber nur 4,39 m; Atti 3° Congresso ME 132 gibt CHIERICI aber 5,60 x 4,10 m an). CHIERICI sieht durch diese Bauveränderung das W-Ende des südlichen Seitenschiffes der Felixbasilika aus dem 4. Jh. angezeigt (vgl. auch seine Rekonstruktion: RendicPontAcc 29 [1958] 146 Fig. 6), obwohl für ihn – nach den Grabungstagebüchern von 1957–1959 – noch manche Fragen offenbleiben. Es wäre also eine erneute Untersuchung dieses Bereichs notwendig.

[56] CHIERICI: RivAC 33 (1957) 122/5 Fig. 14f (Detailfoto der Malerei); ders.: Atti 3° Congresso ME 131; ders.: ASTL 2,2 (1960) 160. Laut den Tagebuchnotizen vom 4. und 12. 11. 1957 hat sich das im unteren Bereich

»1.00 m« (in Höhe der Malereizone »0,95 m«) breite Mauerstück mit dem Bogenansatz noch auf einer Länge von »53« cm erhalten. Die weitere Ausdehnung im N konnte nicht ermittelt werden. Trotzdem nimmt CHIERICI in diesen Aufzeichnungen an: »Verso Nord dovevi trovarsi un altro arco simile«. Spätestens bei Errichtung des zu einem späteren Bau (vgl. S. 33[156]) gehörenden »triforium« (a/b in Abb. 7; aus dem 4. Jh.) muß dieser Bogen im Norden zerstört worden sein, wie es die Position eines Freskos (eine Stadtdarstellung) zeigt, das aber schon zu einer Dekorationsphase des Triforiums aus den Jahren 401/3 gehört (anders noch TESTINI 170f, PANI ERMINI, Testimonianze 171, TOSCANO/MOLLO 163f; in einem Beitrag für den 11. Internationalen Kongreß für Christliche Archäologie 1986 in Lyon gehe ich darauf und auf die Mosaikarkaden aus der ersten Hälfte des 6. Jh. [Taf. 9c. 10a; Abb. 7; c] ausführlich ein; vgl. auch Verf. in JbAC 30 [1987]).

[57] CHIERICI: Palladio 7 (1957) 69f Fig. 2f; ders.: RendicPontAcc 19 (1958) 142/5 Fig. 4f; ders.: Atti 3° Congresso ME 132f Taf. VIf; ders.: ASTL 2,2 (1960) 161f. Im angrenzenden Bereich im Norden und Süden fand CHIERICI anscheinend nur »spätere« Gräber; so nach seinen Eintragungen im Grabungstagebuch vom 18.

verputzt und – soweit noch erkennbar – mit einer rein dekorativen Malerei (einer Sockelzone?) versehen. Während in C rote Kreisgebilde in ein Geflecht von verschiedenerlei Strichen eingebettet sind (nach CHIERICI »Rosen umrahmt von Zweigen und Blättern«)[58], in B etwa in gleicher Höhe rötliche Farbtupfer oder -striche auf einer hellbraunen und vereinzelt auch auf einer darüberliegenden, durch einen weißen Strich abgesetzten grünen Zone angebracht sind (Taf. 9b), erstreckt sich in A eine rötlich-changierende Farbfläche über einer dunklen Rahmenleiste (Taf. 13b). Der Raum A ist der kleinste der drei Bauten; nach CHIERICI betragen die Innenmaße 2,20 m × 2,14 m bei einer durchschnittlichen Mauerstärke von 43 cm. Nur bei diesem Raum ist eine zweistufige Marmorschwelle einer im Süden gelegenen, nach innen zu öffnenden Tür gefunden worden (Abb. 7; Taf. 11a. d. 12a). Außerdem hat CHIERICI an seiner Südseite einen roten Außenputz festgestellt, der möglicherweise mit einer roten, mit Graffiti aus dem 4. Jh. nC. übersäten Bemalung der unteren Westseite des Bogenrestes 16 in Verbindung steht (Taf. 9c)[59]. Dem Ausgräber ist es auch gelungen, das südliche der in Raum A befindlichen drei Bodengräber als den Bestattungsort des heiligen Felix zu identifizieren (Abb. 34): Auf diesem Ziegelgrab (Taf. 12a) lag bei der Aufdeckung, gleichsam als Indiz, die von Paulinus von Nola in den Jahren 399 (oder 400) und 407 beschriebene – bisher unveröffentlichte – Marmorplatte mit den zwei Öffnungen für die Gewinnung heilbringenden Öls (Taf. 11a/d) – ich erinnere an Verwandtes bei einem Grab in der Katakombe S. Giovanni in Syrakus aus dem 4. Jh. und an die bekannte Marmorplatte über dem vermuteten Paulusgrab in Rom[60]. Von der

bzw. 21. 9. 54 und 23. 5. 55 (»a nord vi è qualche tomba alla rinfusa, di epoca più tarda e di fattura grossolana«, und zwar vier Gräber mit West/Ost-Orientierung) und auf einem Grabungsfoto (Taf. 10b; die zwei Tuffsarkophage am oberen Bildrand [im Süden]). – Nach einem unveröffentlichten »Giornale dei lavori« aus den Jahren 1933/34 bargen zahlreiche Bodengräber im Bereich des Baues B bei ihrer Auffindung noch die Skelette der hier Bestatteten.

[58] Nur die Malerei aus diesem Raum wurde von CHIERICI: RendicPontAcc 29 (1958) 145 Fig. 5 und ders.: Atti 3° Congresso ME 129f Taf. VII abgebildet.

[59] Vgl. A. FERRUA, Graffiti di pellegrini alla tomba di San Felice: Palladio 13 (1963) 17/9 (noch nicht von CHIERICI in seinen Plan [hier Abb. 7] eingezeichnet; die Bereiche A und B in der Skizze von FERRUA aO. befinden sich schon nicht mehr auf der Unterseite des Bogens 16). Die Angaben CHIERICIS nach einem Eintrag in seinem Tagebuch vom 21. 9. 1955 bzw. nach dem Manuskriptrest der ›Endpublikation‹ (o. Anm. 44; nach EAA 5 [1963] 538 rekonstruiert CHIERICI den Raum A mit einem »tetto a due falde«). Ähnlich winzig wie Raum A ist auch der Grabbau 10 (Abb. 4); er hat aber nur zwei Bodengräber (mit nach Westen abgerundeten Kopfenden): CHIERICI: RivAC 33 (1957) 115: 1,90 × 2,20 m (Innenmaße).

[60] Erwähnt hat CHIERICI diesen Fund nur sehr knapp und ohne Abbildung in ASTL 2,2 (1960) 161, so daß er bisher in der Lit. kein Echo fand. Im Manuskript bzw. im Grabungstagebuch u. a. am 26. 5. 55: »Fra la lastra ed i soliti bipedali di copertura della tomba, furono stesi due strati di malta con interposto piano di laterizi

(insieme 0.30 m). Due fori circolari attraversano il marmo: sotto il maggiore si trova una spece di ciotola. – Il piano superiore della lastra è a livello della soglia della porta d'ingresso (–1,97 [unterste der zwei Stufen auf Taf. 11a. d]; la quota di partenza [0,00] è indicata dalla soglia marmorea all'ingresso meridionale della basilica di San Felice [hier Abb. 6]). La lastra tombale è l'avanzo di una decorazione tratta da un monumento classico. La figurazione dell'Ermes Crioforo che vi si trovava scolpita, ha molta affinità con la rappresentazione del Buon Pastore già apparsa nelle decorazioni pittoriche delle catacombe, e i cristiani di Nola se ne valsero probabilmente per l'impossibilità di potersi procurare una scultura originale. La lastra, spezzata, fu posta in opera come si trovava ed è testimonianza delle modeste condizioni economiche della comunità, e ad un tempo dell'alto conto in cui si teneva la tomba ... Noi ci troviamo dunque, senz'altro, di fronte a quella di S. Felice, ma ciò che contiene è ridotto a pochi, minutissimi frammenti di un cranio e di còstole e di altre ossa color ruggine. [Nach A. RUGGIERO, Nola crocevia dello spirito (Nola 1982) 146 hat der Gerichtsmediziner Prof. V. PALMIERI (Universität Neapel) »le ossa del Santo« untersucht, mit dem Ergebnis: »... sono della specie umana, di sesso maschile, di età superiore ai 40 anni, di statura media e remontano a molti secoli addietro«. CHIERICI führt in seinem Tagebuch (am 6. 5. 55) aber nur PALMIERIS Untersuchung von noch recht zahlreichen Knochenresten an, die aus dem Nordteil des Altars stammen, der bis 1955 über den beiden südlichen Gräbern des Baues A stand (Taf. 10a; Abb. 34) und der erst nach

Marmordeckplatte beim Felixgrab ist jedoch nur eine Hälfte erhalten geblieben, die eine Größe von 116 x 81 cm bei einer Dicke von 7–8 cm aufweist. Wie CHIERICI in seinen Manuskripten schon hervorgehoben hat, stammt die Marmorplatte sicher von einem anderen, wahrscheinlich paganen Monument und ist somit in diesem Kontext als Spolie wiederverwandt worden. Das stark abgenutzte Relief auf ihrer Oberfläche zeigt nämlich nur noch an zwei Seiten einen Rankenfries, während die dritte wie abgeschnitten wirkt. Das einzige figürliche Element auf dieser Marmorplatte, eine kurz gewandete, offensichtlich ein Tier vor den Oberkörper haltende Gestalt (Taf. 11c), kann zwar von den Christen dieses Ortes als Bild des Guten Hirten angesehen worden sein, es ist aber auf jeden Fall auch im paganen Bereich ein häufig anzutreffendes Motiv, wie zuletzt N. HIMMELMANN gezeigt hat[61].

Während CHIERICI und andere Forscher – ohne genaue Anhaltspunkte – die drei Grabbauten insgesamt als »martyrium collettivo« gedeutet haben[62], weist W. N. SCHUMACHER zu Recht darauf hin, daß es sich bei den zT. sogar anders orientierten Einzelgräbern in B und C eher um »Bestattungen retro Sanctos handelte, wobei der Wunsch nach der Nähe des geheiligten Grabes den Verzicht auf die Orientierung rechtfertigen könnte«[63]. Jedenfalls gab es im ›Lapidarium‹ in Cimitile (Abb. 3: M) zahlreiche von 359 ab datierbare

dem Jahr 541 errichtet worden sein kann (eine als Mensaplatte wiederverwendete Inschriftplatte wird von FERRUA, o. Anm. 18, 118 nr. 16 in dieses Jahr datiert; nach CHIERICIS Manuskript gehört der »parte originale« des Altars »all'epoca longobarda«): »Sul lato meridionale del vano, in un angolo, erano ammucchiate le ossa di un scheletro mancante del cranio e del bacino... È estremamente probabile che le ossa appartengono ad uno stesso corpo. Queste ossa vennero raccolte in un cofanetto di rame e consegnate al parroco«. Während CHIERICI an der zitierten Stelle in seinem Tagebuch noch von »la presunta salma di S. Felice« spricht, verzichtet er im Manuskript auf eine solche Deutung; so auch ders.: Atti 3° Congresso ME 132]. La non consueta giuntura con malta di uno dei bipedali alla fodera laterizia, potrebbe essere il segno dell'ispezione disposta dal vescovo di Nola ... [vgl. Paulinus, carm. 21,636f]. Invece la spoglia contenuta nella tomba centrale è intatta al suo posto, ed è interessante constatare che il cranio [heute verschwunden] possiede ancora i capelli neri. Le due tombe a settentrione sono anch'esse vuote, ma ciò è spiegabile coi lavori che in diversi tempi le manomisero: la costruzione dell'edicola nel 400 [?; vgl. Anm. 56 und 156] e la divisione della stessa nel periodo longobardo«. In einem Eintrag im Grabungstagebuch vom 4. 6. 1957 gibt er noch weitere Angaben zur Marmorplatte: »Sulla lastra vi sono due fori circolari: quello a S più grande, corrisponde a un vaso di marmo; l'altro comunica con questo per mezzo di un abbassamento dell'orlo quando giunge a contatto col piano. Quatro piccoli fori attorno al foro N indicano la presenza di un coperchio: ⚬«. Zur Beschreibung der Marmorplatte und der Funktion ihrer »zwei Löcher« s. Paulinus, carm. 18,92 (aus den Jahren 399/400 = terminus ante quem für die Zweitverwendung der Platte) und bes.

carm. 21,586/624 (aus dem Jahre 407; für die Datierungen s. zuletzt DESMULLIEZ [u. Anm. 76] 60). Teile wie die von Paulinus ebd. beschriebenen Silberbeschläge über der Marmorplatte des Felixgrabes werden spätestens bei der wahrscheinlich im 14. Jh. erfolgten Translation des größten Teils der Gebeine im Zuge der Verlegung des Bischofssitzes in die Innenstadt von Nola (CHIERICI: ASTL 2,2 [1960] 167; MANZI [o. Anm. 3] 70; KIRSTEN 623) vom Grab abgenommen worden sein, so daß CHIERICI sie nicht mehr finden konnte (für eine vielleicht aus Cimitile stammende Marmorplatte in der Krypta des Domes von Nola s. D. MALLARDO, Art. Nola: Enciclopedia Cattolica 8 [1932] 1915; für eine mögliche Entnahme von »Reliquien« schon im frühen 10. Jh. s. BELTING, Studien 100f Abb. 111). – Zu den Vergleichsbeispielen für die beiden ›foramina‹ s. A. DE WAAL: RömQS 8 (1894) 156/8; E. KIRSCHBAUM, Die Gräber der Apostelfürsten² (Frankfurt 1974) 178f. 185/ 8 Taf. 36a Abb. 46f; vgl. auch TH. KLAUSER, Die römische Petrustradition im Lichte der neuen Ausgrabungen unter der Peterskirche = AGForsch NRW G 24 (Köln 1956) 46.

[61] N. HIMMELMANN, Über Hirten-Genre in der antiken Kunst = AbhDüsseldorf 65 (Opladen 1980) passim.
[62] RendicPontAcc 29 (1958) 144; ders.: Atti 3° Congresso ME 133. So auch noch bei VENDITTI 530 und LA ROCCA/ANGELILLO (o. Anm. 48) 106.
[63] W. N. SCHUMACHER, Osservazioni sulla primitiva tomba di S. Felice a Cimitile: Vortrag auf dem o. Anm. 40 erwähnten internationalen Kongreß (s. dazu die Notiz Felix Ravenna 4,1 [1970] 313/7, bes. 315). Das Manuskript dieses Vortrags stellte mir der Autor freundlicherweise zur Verfügung. Vgl. auch KIRSTEN 614, PANI ERMINI, Testimonianze 169 und u. Anm. 75; allgemein KÖTTING (o. Anm. 1) 387f.

Grabinschriften, die allein auf eine Bestattung »ad sanctum Felicem« hinweisen[64]. P. TESTINI, der CHIERICIS Deutung ebenfalls anzweifelt, stellt die erwägenswerte Überlegung an, daß die zwei anderen mit bis zu 7 cm dicken Marmorplatten verkleideten Bodengräber im Bau A (Abb. 7; Taf. 12b. 13a) vielleicht die Bestattungsorte von zwei Nolaner Bischöfen sein könnten, die zur Zeit des »Priesters« Felix nacheinander im Amt waren. Auffallend ist immerhin, daß die Auflagefläche der Abdeckplatten des mittleren (innen nur 43 cm hohen) Grabes gegenüber derjenigen der anderen beiden (etwa 60 cm hohen) Bestattungen um 10–11 cm tiefer (Taf. 12a. b) und somit dieses Grab vielleicht früher angelegt worden ist – nach Paulinus ist der Bischof Maximus einige Zeit vor Felix gestorben, Quintus und Felix waren dagegen etwa gleichaltrig![65]

Die für die folgende Verehrung maßgeblichen Ereignisse aus den mittleren Lebensjahren des heiligen Felix[66] werden überwiegend und mit überzeugenden Argumenten in die Zeit der zwei Christenverfolgungen in der Mitte des 3. Jh. unter den Kaisern Decius bzw. Valerian angesetzt, wobei eine Festlegung auf beide Verfolgungszeiten am glaubwürdigsten ist[67]. Da Paulinus von Nola berichtet, daß Felix im hohen Alter[68] und in einer Zeit »post bella . . . pacis . . . die« gestorben sei[69], kann man wohl annehmen, daß sein Tod und seine Bestattung (»in sede tumulandi«, in einem »solium« bzw. »sepulchrum«) gegen Ende des 3. Jh. erfolgte[70]. Im Carmen 18 gibt Paulinus – gemäß einer alten »Überlieferung« –

---

[64] S. FABRE 1₁ und MALLARDO, Iscrizione sepolcrale (o. Anm. 5) 208f.

[65] TESTINI 170. Das Bodenniveau des nördlichen und des südlichen Grabes liegt nach Eintragungen im Tagebuch CHIERICIS bei –2,95/6, das des mittleren Grabes bei –2,90; vgl. Abb. 34. Von Maximus wird bei Paulinus, carm. 16,229f berichtet, daß er nach der ›zweiten Verfolgung‹ in hohem Alter starb (um 260, s. die Lit. in Anm. 67; zu seiner Bestattung [obscure funere] vgl. aber carm. 15,221). Von Quintus wird gesagt, daß er nicht sehr viel älter als Felix war (carm. 16,237/42). – Während CHIERICI in EAA 5 (1963) 538 nur schreibt, es handele sich bei den zwei Bestatteten um »due santi vescovi«, macht er in seinem Manuskript (s. o. Anm. 59) in knapper Form den gleichen Vorschlag wie TESTINI aO.; KIRSTEN 613 schreibt: »Märtyrer derselben Verfolgung unter Decius?« Interessant in diesem Zusammenhang ist noch, daß das östlich an den quadratischen Grabbau anschließende Bodengrab ebenfalls mit Marmor ausgeschlagen ist (s. u. Anm. 153; ein Bischofsgrab aus einer etwas anderen Zeit?). – Dafür, daß Felix Priester und nicht Bischof war (so nach Paulinus), s. D. MALLARDO, Presunto rinvenimento a Cimitile dei sarcofagi di un Antonino iunior e di S. Paolino vescovi di Nola: RendicNapoli 30 (1955) 194 und H. LECLERCQ, Art. Nole: DACL 12,2 (1936) 1423/5; anders C. GIORDANO, San Paolino di Nola (o. Ort 1982) 5.

[66] So nach Paulinus, carm. 15,108/361 – im Vergleich zu 16,229/53 – zu erschließen.

[67] Für die mE. überzeugendere Deutung der in carm. 15 und 16 geschilderten Ereignisse auf die zwei Verfolgungszeiten s. LECLERCQ aO. 1424 und WALSH, Poems 8/10. 373₂₆ (zu den »sources used by Paulinus«). Für die Festlegung auf eine der beiden Verfolgungen zB. R. DE

FLEURY, La Messe. Études archéologiques sur ses monuments 3 (Paris 1883) 170; FABRE 345₁ (mit Vorbehalt); MALLARDO, Rinvenimento (o. Anm. 65) 194; KÖTTING, Peregrinatio (o. Anm. 5) 245; S. PRETE, Art. Felice di Nola: Bibliotheca Sanctorum 5 (1964) 550 (mit Hinweis auf die »tradizione orale«, aber vorsichtiger ders., Paolino agiografo. Gli atti di S. Felice di Nola [carm. 15–16]: Atti del convegno XXXI cinquantenario della morte di S. Paolino di Nola [431–1981], Nola, 20–21 marzo 1982 [Roma oJ.] 151₉. 158f); D. GORCE, Art. Félix de Nole: Dictionnaire d'histoire et de géographie ecclésiastiques 16 (1967) 906; LA ROCCA/ANGELILLO (o. Anm. 48) 106; LIENHARD 145₉₉ meint sogar: »The date of the persecution cannot be determined«; vgl. A. RUGGIERO, La »vita Felicis« di Paolino di Nola come fonte per la conoscenza della religiosità popolare in Campania nei secoli IV e V: A. RUGGIERO/H. CROUZEL/S. SANTANIELLO, Paolino di Nola (Nola 1983) 167f – in den genannten Werken meist weiterführende Lit. (vgl. auch VENDITTI 733₃₃₂ und TOSCANO/MOLLO 161), in der zT. ein Datum im 1. Jh. oder in diokletianischer Zeit angenommen wird. Allgemein zu diesen Verfolgungen J. MOLTHAGEN, Der römische Staat und die Christen im zweiten und dritten Jahrhundert = Hypomnemata 28 (Göttingen 1978) 61/85 (Decius). 85/100 (Valerian). 101/20 (Diokletian).

[68] Carm. 16,298; 18,110; 21,533.

[69] Carm. 21,148f. Das Wort »bella« bezieht sich offensichtlich auf die ›Kämpfe‹ während der Verfolgungszeiten; so WALSH, Poems 178₂₁.

[70] Vgl. TESTINI 169 und Lit. hier in Anm. 73. Nach GORCE aO. 907 sei Felix am »14. janv. 260« gestorben. Für die Beschreibung der Bestattung s. Paulinus, carm. 18,119/55.

auch noch an, daß zu seiner Zeit der Ort um das Felixgrab durch Bauten bereichert ist, »pauper ubi primum tumulus (erat)«[71], »quem tempore saevo, religio quo crimen erat minitante profano, struxerat anguste gladios trepida inter et ignes plebs domini«; und nachfolgend: »ingentem parvo sub culmine lucem clauserat et tanti tantum sacer angulus olim depositi possessor erat« – man vergleiche dazu den ergrabenen, sehr kleinen Bau über dem Felixgrab![72] Diese Angaben weisen wohl darauf hin, daß der Grabbau etwas später als das Felixgrab errichtet wurde in einer für die Christen sehr gefährlichen Zeit, wie es erst wieder die Jahre während der letzten großen Christenverfolgung im Bereich des heutigen Staates Italien (303–305) waren[73]. Immerhin haben die Ausgrabungen gezeigt, daß die oben erwähnte Marmorplatte deutlich die Türschwelle respektiert und ihre einzige figürliche Darstellung auf den Eingang ausgerichtet ist, die 30 cm tiefer liegenden Ziegelabdeckplatten des Felixgrabes aber unter die Türschwelle bzw. bis zu 12 cm in die Südwange der Umfassungsmauer des Grabbaus hineinreichen; der erhaltene Oberteil der Umfassungsmauer befindet sich außerdem innen fast in einer Flucht mit der südlichen Ziegelwand des Grabes (± 3 cm; Taf. 12a). Eine analoge, bei den Grabbauten B und C aber nicht vorhandene Situation läßt sich auch bei der Nordseite des Baues A beobachten (Taf. 13a), so daß dieser Bau – von der relativen Chronologie her – entweder in einem zweiten Arbeitsgang kurz nach Anlegung des letzten seiner drei Bodengräber oder erst zu einem etwas späteren Zeitpunkt errichtet wurde. Im Gegensatz zur exakt ausgeführten Mauerung der Ziegelwände der Bodengräber (Taf. 11e. 12b) bieten jedenfalls die Mauern des Gebäudes eine sehr viel gröbere Struktur: Die erhaltenen Wandpartien dieses wie auch des benachbarten Grabbaues B bestehen aus einer unteren Schicht von zwei Reihen grob behauener Tuffsteine und einer darüberliegenden Schicht von zwei Ziegellagen mit sehr hohen Mörtelbettungen (Taf. 12a.c; 13b; Tabelle 1)[74].

Vergleicht man die eben gewonnenen Erkenntnisse mit den zB. von F. W. DEICHMANN und J. B. WARD-PERKINS getroffenen Feststellungen, daß bisher die Beisetzung eines

[71] Das Wort »tumulus« weist bei Paulinus anscheinend nur allgemein auf Grab, zumal im Jahre 402 »tumulus sacrati martyris extat« (carm. 27,383; LIENHARD 148[127]) sieht gerade in dieser Stelle den Hinweis, daß das Grab schon vor Paulinus »within a small church« war; vgl. u. Anm. 156); so kann das Felixgrab in den Jahren 396/97–407 als tumulus, solium oder sepulchrum bezeichnet werden: carm. 14,97; 18,38f. 92. 100. 121. 130. 134. 154. 163. 169. 186; 27,375. 377. 383; 23,86; 30; 21,378. 577. 581. 586. 595. 600. 606. 625. 628. 633. 636; 30,1,3.

[72] Carm. 18,167/76; vgl. auch carm. 21,574. SCHUMACHER, Osservazioni (o. Anm. 63) hat den Text in carm. 18 so gedeutet: »Lediglich einen bescheidenen Tumulus hatte man errichtet, weil damals Verfolgungszeiten herrschten. Jedoch wird ein parvum culmen erwähnt, was eine architektonische Lösung anzuzeigen scheint, die über den Tumulus hinausragt (in terra caro reversa tumolo conquiescit)«.

[73] MOLTHAGEN (o. Anm. 67) 110[54]; P. KERESZTES, From the Great Persecution to the peace of Galerius: VigChr 37 (1983) 381/8. WALSH, Poems 353[34] meint: »Paulinus may be passing inferences from the state of the old burial mound rather than recording documentary evidence that persecution was still continuing after

Felix's death«. Einerseits war aber der in carm. 18 geschilderte Zustand des Grabes spätestens in den Jahren 396/97–400 nicht mehr in dieser Form anzutreffen (s. u. Anm. 76), und andererseits spricht hier Paulinus ausdrücklich von »ut seris antiqua minoribus aetas tradidit« (carm. 18,172f; vgl. dazu schon LECLERCQ [o. Anm. 65] 1424). Für CHIERICI: RendicPontAcc 29 (1958) 144 ist der Bau A unmittelbar nach dem Tode des Felix, und zwar am Ende des 3. Jh., entstanden.

[74] CHIERICI hebt in seinem unpublizierten Manuskript auch hervor, daß es sich um »una grossolana struttura« handelt, und er deutet in seinen Tagebuchaufzeichnungen vom 23. 9. und 17. 10. 1955 bei der Nord- bzw. Südmauer des Baus A an: »Il muro è posteriore alle tombe«. Die Marmordeckplatte des Felixgrabes liegt nicht wie die bei den zwei nördlichen Gräbern (Taf. 12b. 13a) unmittelbar auf den Seitenwangen des Ziegelgrabes auf, sondern über Ziegelabdeckplatten und einer Zwischenschicht (vgl. o. Anm. 60; Abb. 34, mit dem Schreibfehler 50 statt 30 cm): möglicherweise ein weiterer Hinweis auf eine etwas spätere Anbringung im Zuge einer stärkeren Verehrung. – Der Grabbau B zumindest ist, nach der Art des Mauerwerks zu urteilen, kurz nach A entstanden (vgl. dazu die andere Grabsituation: s. u. Anm. 153).

verehrten Glaubenszeugen »in einem geschlossenen Gebäude« erst für die Zeit nach 305/6 nC. zu belegen sei (im Mausoleum der Asklepia in Marusinac) und außerdem eine derartige Grabstätte in quadratischer Form für das 4. Jh. nur allgemein erschließbar sei, dann läßt sich nun der fast quadratische Grabbau über dem Felixgrab als ein frühes, schon in den Jahren 303–305 entstandenes Beispiel anführen. Die Anlage der Grabbauten A bis C ist darüber hinaus ein Zeugnis für die frühe Verehrung eines »Confessors«[75].

Daß Paulinus außer von der Bauform des Grabgebäudes, das zu seiner Zeit sicher nicht mehr stand[76], vielleicht auch von der ursprünglichen Örtlichkeit eine gewisse, wenn auch sehr unvollständige[77] Kunde hatte, könnte ein Grabungsergebnis CHIERICIS aufweisen: Unterhalb der drei genannten Grabbauten fand man direkt den gewachsenen Boden; dies würde gut zu der Überlieferung passen, daß sich ehemals im Bereich des Felixgrabes eine Art Garten- und Wiesenlandschaft befand[78].

Schließlich ist noch im Rahmen der Geschichte des Felixgrabes zu erwähnen, daß Paulinus bei seiner Erzählung der Vita des Heiligen nicht nur Nachrichten über eine intakte Kirchengemeinde in Nola (mit Bischöfen an der Spitze) schon für die Mitte des 3. Jh. gibt[79], sondern auch ausdrücklich von begüterten Christen in dieser Zeit berichtet[80]. Inschriftlich ist das Vorkommen von Christen an diesem Ort erst für die Mitte des 4. Jh. sicher belegt[81].

[75] Für einen anderen »frühen Fall einer Bestattung ad sanctos« s. TH. BAUMEISTER, Art. Heiligenverehrung I: RAC 14, 120. 131f. Zu Marusinac KRAUTHEIMER (o. Anm. 13) 36f; DEICHMANN (o. Anm. 31) 56. 58. 47 (mit dem Hinweis: »Ob es bereits in vorconstantinischer Zeit christliche Mausoleen gegeben hat, muß offenbleiben«); nach E. DYGGVE/R. EGGER, Der altchristliche Friedhof Marusinac = Forschungen in Salona 3 (Wien 1939) 139/41. 148 erlitt der ehemals hier verehrte Heilige Anastasius am 26. August 304 das Martyrium und wurde erst »später« in diesem Mausoleum bestattet; vgl. auch BAUMEISTER aO. 122f. – Zur quadratischen Bauform J. B. WARD-PERKINS, Memoria, martyr's tomb and martyr's church: Akten des VII. Internat. Kongr. f. Christl. Archäol., Trier, 5.–11. Sept. 1965 (Città del Vaticano/Berlin 1969) 10/2. Vgl. allgemein K. STÄHLER, Art. Grabbau: RAC 12 (1983) 420. 425; Y. DUVAL, Loca sanctorum Africae 2 = Coll. de l'Éc. Franç. de Rome 58 (Rome 1982) 458/63. – B. KÖTTING, Die Stellung des Konfessors in der Alten Kirche: JbAC 19 (1976) 22[89] ist »nur ein verehrter Heiliger des 3. Jh. bekannt, der nicht den Titel Märtyrer erhielt, nämlich Gregor Thaumaturgos«. Felix galt zuweilen als Märtyrer, obwohl er im strengen Sinne ein Confessor (vgl. schon ep. 1 Uranii Presb. [s. S. 173[7]]) war: bei Paulinus zB. carm. 19,290; 27,382; vgl. GIORDANO (o. Anm. 65) 5; dagegen BAUMEISTER aO. 136; KÖTTING, Peregrinatio (o. Anm. 5) 245[897].
[76] Carm. 14,97f (aus dem Jahre 396 oder 397; dazu J. DESMULLIEZ, Paulin de Nole: Recherches Augustiniennes 20 [1985] 63) steht: »odorifero . . . sepulchro. aurea nunc niveis ornantur limina velis«; carm. 23,85f (aus den Jahren 400–401): »sacratis ante fores sancti cancellis«; die Arbeitsgänge bei der Öffnung des Grabes im Jahre 407 (carm. 21,621/5): »primus labor illis cancellos removere loco curaque sequenti haerentes tabulas

resolutis tollere clavis. verum . . . arcam vidimus«. Für die Datierungen s. DESMULLIEZ 60. Für den Gebrauch des Wortes »cancelli« bei Paulinus s. GOLDSCHMIDT (o. Anm. 5) 169; zu den aufgefundenen Transennen s. Abb. 34 und A. FERRUA, Cancelli di Cimitile con scritte bibliche: RömQS 68 (1973) 50/68. – S. auch u. Anm. 155f.
[77] Schon SCHUMACHER, Osservazioni (o. Anm. 63) hatte festgestellt, daß Paulinus »über die ursprüngliche Grabsituation nicht mehr sonderlich informiert (war) . . .; von einem Friedhof, erst recht von einer heidnischen Nekropole, scheint er nichts mehr zu wissen«; ebenso CHIERICI: RivAC 33 (1957) 99.
[78] Paulinus, carm. 18,131/7; 27,360; 28,266. – CHIERICI schreibt in seinem Manuskript immerhin: »L'esame delle tombe . . . fece conoscere la loro diretta impostazione sul terreno vergine«. Für seine Funde im N und S s. o. Anm. 58. – Falls die in Anm. 56 erwähnte »ältere Begrenzungsmauer« der Nekropole einst doch nach Norden weiterging, müßte man – vom vermutlichen Verlauf her (s. Abb. 4. 7) – annehmen, daß der Bau A zu dieser Zeit noch nicht vorhanden war.
[79] Vgl. Anm. 65; F. LANZONI, Le diocesi d'Italia dalle origini al principio del sec. VII (Faenza 1927) 231/3; LECLERCQ (o. Anm. 65) 1424[9].
[80] Carm. 15,74/8 (die aus Syrien stammende Familie des Felix; nach RUGGIERO, La »vita Felicis« [o. Anm. 67] 168 nur eines der »elementi chiari dell'elaborazione poetica paoliniana«?); 16,264/75 (eine reiche Witwe mit dem griechischen Namen Archelais). – Ein aus »Kleinasien« importierter Sarkophag auf einem »Landgut bei Nola« zeigt, daß im spätantiken Nola Beziehungen zum Osten vorhanden waren: G. RODENWALDT, Sarkophag-Miscellen: JbInst 53 (1938) 412/4 Fig. 11f.
[81] CIL 10,1 (1883) nr. 1338/400 und FERRUA, Le iscrizioni (o. Anm. 18) 105/36, bes. 107.

Das verehrte Grab des Felix war im 4. Jh. – in einer Zeit, in der die Stadt Nola noch einmal aufblühte[82] – Anlaß und Ausgangspunkt für die Entwicklung einer schon bald mit zahlreichen Bauten versehenen Wallfahrtsstätte, die über regionale Grenzen hinaus an Bedeutung gewann. Besonders durch die am Ende des 4. und Anfang des 5. Jh. erfolgten Baumaßnahmen des ehemaligen consul suffectus, Statthalters von Campanien und späteren Bischofs von Nola, Paulinus[83], entstand vor den Toren von Nola ein eigenes Siedlungsgebiet um einen prächtig ausgeschmückten Komplex von Kirchenanlagen herum (Abb. 1. 3)[84].

Im Rahmen dieser Arbeit genügt es, nur kurz darauf hinzuweisen, daß sich Paulinus in einer Zeit in Nola niederließ, für die überliefert ist, daß zahlreiche hochrangige Persönlichkeiten des römischen Reiches – unter ihnen Symmachus – wieder verstärkt Landgüter an den traditionsreichen Plätzen der Küste Campaniens erwarben, öffentliche Bauten und Villen neu- oder ausbauten und sich öfter dahin zurückzogen, daß also hier wie auch anderswo in Campanien ein wirtschaftlicher und kultureller Aufschwung zu verzeichnen ist[85]. Gleichsam als Gegenbewegung kann man die Haltung des Paulinus betrachten, der

---

[82] Nach einer beim Quellbassin des großen, durch Campanien führenden Aquädukts gefundenen Inschrift, die Zeugnis von der umfassenden Restaurierung dieser Wasserleitung unter Konstantin d. Gr. gibt, wird unter den genannten campanischen Städten (Capua ausgeschlossen) Nola an dritter Stelle im »Wasserverbrauch« (nach Puteoli und Neapel) aufgeführt. So jedenfalls wird man wohl die eigentümliche, nicht topographische Reihenfolge der Städtenamen auf dieser Inschrift, die zwischen 317 und 324 nC. zu datieren ist, deuten können; so I. SGOBBO, L'acquedotto romano della Campania: NotScav 1938, 75/87 Taf. V, bes. 75/81 Fig. 1. Vom Reichtum dieser Stadt im 4. Jh. berichtet Ausonius – der mit Paulinus in engem Briefkontakt stand – epigr. 79,5 (ed. H. G. E. WHITE [London/Cambridge, Mass. 1949] 1, XXIVf; 2, 202): »quam Nolanis capitalis luxus inussit«. In einer Quelle des 8. Jh. wird bei der Schilderung der Zustände in der Mitte des 5. Jh. berichtet: »Nolam nihilominus urbem ditissimam« (Paulus Diaconus, hist. misc. 14 [PL 95, 967A]). – Für die seit tetrarchischer Zeit wieder überlieferten Ehreninschriften römischer Kaiser s. BELOCH (o. Anm. 48) 392f und P. J. SIMONELLI, Nuovi ritrovamenti di iscrizioni in Nola: AttiAccPontaniana NS 21 (1972/73) 387/9. Für eine Wiederaufnahme von »Gladiatorenspielen« in Nola möglicherweise im 4. Jh. s. CIL 10,1 nr. 1256 und B. WARD-PERKINS, From classical antiquity to the Middle Ages. Public building in northern and central Italy AD 300–850 (Oxford 1984) 96[12]. – Zu allem vgl. o. Anm. 48.

[83] FABRE 7/51; CHIERICI, Paolino 940f; A. MENCUCCI, Paolino di Nola (Siena 1970) passim; A. H. M. JONES/J. R. MARTINDALE/J. MORRIS, The prosopography of the later Roman Empire 1 (Cambridge 1971) 681f; M. T. W. ARNHEIM, The senatorial aristocracy in the later Roman Empire (Oxford 1972) 184f; LIENHARD 24/32.

[84] Ein genaueres Eingehen auf diese archäologisch wie literarisch faßbare Anlage würde auf Grund zahlreicher bisher nur unvollständig gelöster Probleme (vgl.

o. Anm. 55f; u. Anm. 156. 183) und der Notwendigkeit einer erstmaligen ausführlichen Publikation der meisten Bereiche den Rahmen dieser Arbeit sprengen. Zur Entwicklung der Wallfahrtsstätte und zur Verehrung des heiligen Felix (möglicherweise schon im 5. Jh. war er im Kuppelmosaik von S. Prisco/Capua dargestellt; G. BOVINI: CorsiRavenna 14 [1967] 51 Fig. 3/5; in Cimitile gab es anscheinend ebenfalls eine Mosaikdarstellung von ihm; LECLERCQ aO. [o. Anm. 65] 1431f[7]) s. KÖTTING, Peregrinatio (o. Anm. 5) 245/54; L. REEKMANS, Siedlungsbildung bei spätantiken Wallfahrtsstätten: Pietas, Festschr. B. Kötting = JbAC Erg.-Bd. 8 (Münster 1980) 344/6. – Zu den Bauten und ihrer Ausschmückung s. außer den o. Anm. 4/9 und u. 183 genannten Aufsätzen CHIERICIS: GOLDSCHMIDT (o. Anm. 5); G. RIZZA, Pitture e mosaici nelle basiliche paoline di Nola e di Fondi: Siculorum Gymnasium 1 (1948) 311/21; WEIS (o. Anm. 13); R. W. GASTON, Studies in the early Christian ›Tituli‹ of wall decoration in the Latin West, Diss. London (1970; war mir nicht zugänglich); ENGEMANN, Apsis-Tituli 21/46; KIRSTEN 614/20; A. LIPINSKY, Le decorazioni per la basilica di S. Felice negli scritti di Paolino da Nola: VetChr 13 (1976) 65/80; LIENHARD 70/2; TESTINI 170/6; H. JUNOD-AMMERBAUER, Les constructions de Nole et l'esthétique de saint Paulin: RevÉtAug 24 (1978) 22/57; TOSCANO/MOLLO 157/69; PANI ERMINI, Testimonianze 161/81 und demnächst KOROL aO. (o. Anm. 56). – Korrekturzusatz: Ein weiterer Aufsatz von P. TESTINI (Note per servire allo studio del complesso paleocristiano di S. Felice a Cimitile [Nola]: MélÉcFrançRome Antiquité 97,1 [1985] 329/71) erschien erst nach Beginn der Drucklegung dieses Buches.

[85] J. H. D'ARMS, Romans on the bay of Naples (Cambridge, Mass. 1970) 118/21. 141[117]. 148. 226/9; J. MATTHEWS, Western aristocracies and imperial court A.D. 364–425 (Oxford 1975) 24. 26. 295; G. CAMODECA, Ricerche su Puteoli tardoromana (fine III/IV secolo): Puteoli. Studi di Storia antica 4/5 (1980/81) 59/128;

die »immensen« Güter seiner Familie verkaufte und sich 395 zu einem monastischen Leben an einer bekannten christlichen Stätte Campaniens, für deren Ausbau er in großem Maße seine Gelder verwandte, zurückzog[86]. Er bildete dort eine Gemeinschaft mit Gleichgesinnten, zu der seit dem Jahre 407 u. a. anscheinend sieben Personen gehörten, die aus sehr noblen römischen Familien kamen[87].

Alles in allem kann man festhalten, daß an diesem Ort seit Ende des 4. Jh. eine Hochblüte im kulturellen Bereich herrschte, die vor allem durch die Aktivitäten eines Mannes ausgelöst wurde, der nicht nur durch den Reichtum, seine bisherige weltliche Karriere und eine bemerkenswerte Änderung in seinem Lebenswandel hervorragte, sondern auch durch intensive Briefkontakte mit bedeutenden Persönlichkeiten seiner Zeit die mannigfaltigsten Anregungen erhielt. Paulinus' »jährliche« Pilgerfahrten nach Rom zu den Gräbern der Apostelfürsten und sein guter Kontakt zu Papst Anastasius boten zudem sicherlich die Möglichkeit, auch die neuesten Strömungen auf dem Gebiete der christli-

---

Paulinus, ep. 15,3 (WALSH, Letters 1, 43[13/5]). Laktanz, mort. pers. 26,7 berichtet von einer ›Residenz‹ des Kaisers Maximianus Herculius in Campanien nach 305 (G. PISANI SARTORIO / R. CALZA, La villa di Massenzio sulla via Appia [Roma 1976] 144[72]). Für öffentliche Baumaßnahmen in Campanien im 4. Jh. s. zB. D'ARMS 108[165]. 122[27]; MATTHEWS 26; in Tempeln: C. ROBOTTI, Il museo provinciale campano di Capua. Sala dei mosaici. I documenti musivi: La Provincia di Terra di Lavoro 11 (1974) 98/105 mit Abb. (u. a. zur Mosaikdarstellung eines »Coro Sacro . . . di età costantiniana« aus dem Tempel der Diana Tifatina / heute S. Angelo in Formis); zu den Kirchenbauten zB. aus Capua und Neapel W. JOHANNOWSKY: L'art dans l'Italie méridionale 4 (o. Anm. 5) 149/51; R. FARIOLI: ebd. 153/61. Vgl. auch o. Anm. 82.

86 FABRE 18. 35. 39; LIENHARD 28. 30 (V. BUCHHEIT, Art. Paulinus von Nola: RGG³ 5 [1961] 165 schreibt dagegen, daß Paulinus seinen Besitz verschenkte); ARNHEIM (o. Anm. 83) 185: »It is not without significance that Nola, the town where he was first a priest and later bishop, was in Campania« (Hinweis auf ep. 5,13f); MATTHEWS (o. Anm. 85) 73f: Paulinus, der auch in Campanien, und zwar zumindest in Fundi, Besitztümer hatte – vgl. FABRE 18[3] –, »initiated a novel form of aristocratic patronage, by starting to promote the cult and develop the site of the shrine«.

87 So auch WALSH, Poems 11[41] (vgl. auch J. R. MARTINDALE, The prosopography of the later Roman Empire 2 [Cambridge 1980] 421 zu Eunomia). – RUGGIERO, Nola crocevia (o. Anm. 60) 125[20] mit Hinweis auf MURATORI. E. A. CLARK, The life of Melania the younger (New York 1984) 214; FABRE 42f[1]; LIENHARD 31[87] sehen in sieben der Genannten eher kurzzeitige Besucher; P. COURCELLE, Histoire littéraire des grandes invasions germaniques³ (Paris 1964) 41[4] meint, daß es sich entweder – im Anschluß an BOISSIER – um »réfugiés« vor den Goten oder um eine »pèlerinage, par reconnaissance pour saint Félix« handelt (aus den übrigen Werken des Paulinus wissen wir jedenfalls wenig über die genaue Anzahl der Personen in dieser

Gesellschaft; verschiedentlich werden u. a. die Kuriere, die den Auftrag hatten, die zahlreichen Schreiben des Paulinus an die Adressaten weiterzuleiten, als zeitweilige Mitglieder dazugerechnet: LECLERCQ [o. Anm. 65] 1444; FABRE 39f; WALSH, Letters 1, 12f; RUGGIERO, Nola crocevia 126; G. SANTANIELLO, Nola e Primuliacum: RUGGIERO/CROUZEL/SANTANIELLO [o. Anm. 67] 142f. – Die entscheidenden Passagen in carm. 21 sind zwar zT. nicht ganz eindeutig (bes. Vers 89, wo Paulinus nur von »hospitibus« spricht), jedoch scheinen mE. einige Sätze für einen zumindest für länger vorgesehenen Aufenthalt zu sprechen, vgl. die Verse 60/3. 203/6 (zur Bedeutung des dort gebrauchten Wortes »sinu« s. WALSH, Poems 386[14]: Umschreibung des »monastery at Nola«). 266/9. 477/80. Bei der Aufzählung der Frauen dieser Gruppe nennt Paulinus auch gleichermaßen den Namen seiner Ehefrau, Therasia, die schon am Ort lebte (Vers 281). Drei der genannten Personen, Melania die Jüngere, ihr Mann Valerius Pinianus und ihre Mutter Albina, waren im Jahr 410 sicher nicht mehr in Nola, sondern hatten ihre Besitztümer – u. a. die in Campanien – verkauft und waren vor den Westgoten (s. S. 23) in Richtung Nordafrika abgesegelt (WALSH, Poems 387[27]; JONES/MARTINDALE/MORRIS [o. Anm. 83] 33: Albina 2; D. GORCE, Vie de sainte Mélanie = SC 90 [Paris 1962] 164), aber für sie ist immerhin ein zeitweiliger Aufenthalt überliefert: »ἐπίσκοπον Παυλῖνον, πρὸς ὃν καὶ τὴν ἀρχὴν ἀπετάξαντο« (das Verb wurde von GORCE 166f übersetzt mit »s'étaient retirés«, von CLARK 42 mit »bade farewell«). Zum anders lautenden (verderbten) lateinischen Text s. GORCE 167[4] und COURCELLE 58[8]; zur Bedeutung des Verbs s. G. W. H. LAMPE, A patristic Greek lexicon (Oxford 1961) 216: u. a. »renouncing the world for monastic or eremitical life«. Zu den einschließlich Paulinus und Therasia ›neun‹ genannten Personen außerdem: »Aemilius veniat decimus« (Vers 326/30; für Aemilius s. WALSH, Poems 388[42]. 402[49]: »probably bishop of . . . Beneventum«; zu den übrigen Personen ebd. 386/8).

chen Kunst in Rom persönlich kennenzulernen, zumal Paulinus an diesem Bereich auf Grund seiner zahlreichen Baumaßnahmen besonders interessiert war[88].

Abschließend ist im Rahmen des Überblicks über die Topographie und Geschichte der Gesamtanlage noch wichtig, auf zwei historische Ereignisse einzugehen, die fast in der gesamten neueren Literatur zur Stadt Nola als wichtige Anhaltspunkte für die Datierung eines jähen Endes dieser Hochblüte angesehen werden. Es handelt sich dabei um »Barbaren«-Einfälle in Campanien im Laufe des 5. Jh.

Sicher ist durch zeitgenössische Quellen überliefert, daß die Westgoten unter Führung von Alarich nach ihrer Einnahme Roms am 24. August 410 schon am 27. des gleichen Monats nach Süditalien aufbrachen[89] und bei ihrem Zug durch Campanien u. a. die Stadt Nola »im Sturm nahmen« und »verwüsteten«, wobei Paulinus gefangengenommen wurde[90]. In einem großen Teil der Forschungsliteratur wird bis in die neueste Zeit hinein außerdem von »einer zweiten Heimsuchung« im Jahre 455 gesprochen, »als der Vandale Genserich die Stadt eroberte, plünderte und die Einwohner nach damaliger Sitte in die Sklaverei schleppte«; während CHIERICI schon als Folge der Invasion der Goten eine völlige Zerstörung der Bauten – außer den Kirchen – annahm und daher bereits diesen Zeitpunkt als »ersten, sehr starken Niedergang von Cimitile« betrachtete[91], werden sonst häufig erst die Auswirkungen des Vandaleneinfalls für die Region und ihre Gebäude als besonders folgenschwer angesehen, von CHIERICI dabei sogar schwere Schäden an den Kirchenanlagen angenommen[92].

Zu dieser zweiten Invasion ist aber anzumerken, daß in der für die Germanenzüge maßgeblichen Literatur schon früh die Aussage der zwei einzigen Quellen, auf die sich die Annahme eines Vandaleneinfalls in Nola stützt, angezweifelt wurde[93]. Denn einerseits berichtet Gregor der Große am Ende des 6. Jh. »in den durch Wundersucht geprägten 4 Büchern de vita et miraculis patrum Italicorum« nur, Paulinus von Nola habe für die bei den »Vandalen« Gefangenen aus seiner Stadt »sein ganzes Vermögen zum Loskaufe ... geopfert und schließlich, um die Befreiung eines Sohnes einer armen Witwe zu erwirken, sich an dessen Stelle nach Afrika in die Sklaverei begeben«[94]. Anderseits wird erst in

---

[88] FABRE 177/243; WALSH, Letters 1, 3/14. Belegt sind Reisen von Nola nach Rom in den Jahren 398. 401. 406/07: ep. 17,1; 20,2; 45,1; dazu WALSH, Letters 1, 14. 247₂ und LIENHARD 30. 189f. Daß er auch noch in seinen späteren Lebensjahren selbst bei den weltlichen Macht hohes Ansehen genoß, zeigt ein Brief, der vom Kaiserhaus an ihn geschrieben wurde mit der Bitte, »to preside over a synod which would decide the election of the bishop of Rome« (LIENHARD 32; S. CRISTO, Some notes on the Bonifacian-Eulalian schism: Aevum 51 [1977] 165f₁₅).

[89] L. SCHMIDT, Geschichte der deutschen Stämme bis zum Ausgang der Völkerwanderung. Die Ostgermanen² (München 1941) 451₂; D. CLAUDE, Geschichte der Ostgoten (Stuttgart 1970) 19.

[90] Augustinus, cur. mort. 16,19 (CSEL 51,652); civ. Dei 1,10 (CSEL 40,1,20); Philostorgius, hist. eccl. 12,3 (GCS Philostorg. 142,24f; er schreibt nur allgemein, daß Alarich von Rom nach Campanien zog »ἐν ἐρειπίοις δὲ τῆς πόλεως κειμένης«); noch allgemeiner Iordanes, Getica 156 (MG AA 5,1, 98f).

[91] CHIERICI: Palladio 3 (1953) 175; ders.: Palladio 7 (1957) 69; ders.: ASTL 2,2 (1960) 163. 165.

[92] G. CHIERICI, Cimitile e il medico nolano Ambrogio Leone: Studi in onore di A. Calderini e R. Paribeni 3 (Milano 1956) 706; ders.: EAA 5 (1963) 539; für das Zitat s. H. PHILIPP, Art. Nola: PW 17,1 (1936) 814; außerdem MALLARDO, Art. Nola (o. Anm. 60) 1912; V. CATALANO: ASTL 3 (1960/64) 690; B. ANDREAE, Art. Nola: Lex. d. Alten Welt (1965) 2097; VENDITTI 536; LA ROCCA/ANGELILLO 114 und AVELLA 50 (beide o. Anm. 48); KIRSTEN 612; L. RICHARDSON, Art. Nola: Princeton Enc. of class. sites (Princeton 1976) 627; DE CARO/GRECO (o. Anm. 13) 209; GIORDANO (o. Anm. 65) 7.

[93] L. SCHMIDT, Geschichte der Wandalen² (München 1942) 81; C. COURTOIS, Les Vandales et l'Afrique (Paris 1955) 195₈; COURCELLE (o. Anm. 87) 57₁.

[94] Gregorius Magnus, dial. 3,1 (SC 260 [Paris 1979] 257/66); dazu C. ANDRESEN, Art. Gregor d. Gr.: Lex. d. Alten Welt (1965) 1143f. Zweites Zitat nach SCHMIDT aO. 81.

einer Quelle des 8. Jh. neben der Schilderung der gleichen Geschichte auch noch von einer Zerstörung der Städte Capua und Nola gesprochen und dieses Ereignis in die Zeit unmittelbar nach der Plünderung Roms durch Geiserich im Jahre 455 angesetzt[95]. Nach Prokops Schilderung der Ereignisse (aus der Mitte des 6. Jh.) scheint aber Geiserich unmittelbar von Rom nach Karthago »abgesegelt« zu sein; außerdem widerspricht diesem Zeitansatz die Tatsache, daß Paulinus bereits am 22. Juni 431 gestorben war[96]. Bei einem Erklärungsversuch, daß es sich deshalb um eine Verwechslung mit dem Bischof Paulinus iunior handele[97], wurde übersehen, daß auch dieser schon vor jenem Zeitpunkt, nämlich im September 442, gestorben war[98]. Auf Grund der vielen Unklarheiten sehen L. SCHMIDT, C. COURTOIS und P. COURCELLE in diesen Quellen eine mögliche Vermischung von Legende und historischen Fakten, die sich vielleicht ursprünglich auf den Goteneinfall bezogen[99].

Während also diese Invasion höchst fragwürdig bleibt und daher nicht als sicherer Datierungsanhaltspunkt dienen kann, muß man die für das Jahr 410 überlieferten Ereignisse relativieren: Es lassen sich an den Bauten in Cimitile bisher anscheinend keine Spuren einer größeren, mutwilligen Zerstörung aufweisen[100]; abgesehen davon wäre bei den Goten wegen Zeit- und Gerätemangels eine Zerstörung allenfalls durch Brandstiftung erfolgt[101]. Aus einer Inschrift, die sich möglicherweise auf diese Vorfälle in Nola bezieht, ist nur auf eine Verwüstung der Äcker zu schließen; außerdem wird dort der Dank der Bevölkerung in den »Basiliken« erwähnt, nachdem »die Feinde vernichtet« waren[102]. – Vieles bei den Schilderungen über das Ausmaß der Zerstörung durch die Barbaren ist wahrscheinlich eine Übertreibung schon von seiten der antiken Geschichtsschreibung; jedenfalls ist überliefert, daß Alarich in Rom »die Kirchen und ihren Besitz schützte«[103], so daß man derartiges vielleicht auch für den berühmten Wallfahrtsort Cimitile annehmen kann. Auch wenn dieser Goteneinfall nicht völlig spurlos vorübergegangen sein wird, so ist doch bemerkenswert, daß sich gerade aus dem 5. und noch mehr aus dem 6. Jh. zahlreiche Grabinschriften – u. a. von einem »vir spectabilis«, einem »vir clarissimus palatinus« und einem »decurio« – erhalten haben, die Zeugnis geben für eine gewisse Bedeutung des Ortes selbst in einer Zeit, aus der sogar große Schäden in Nola infolge eines Vesuvausbruchs überliefert sind[104].

---

[95] Paulus Diaconus, hist. misc. 14 (PL 95, 967A): »Nolam . . . aliasque quam plures pari ruina prosternunt«. Im 10. Jh. berichtet dies nur für Capua Constantinus Porphyrogenitus, adm. imp. 27 (116 MORAVCSIK).

[96] LIENHARD 32. – Zum Zitat: Procopius, b. Vand. 1,5 (1, 331 HAURY); so schon COURTOIS (o. Anm. 93) 195₈. Nach VENDITTI 734₃₄₂ »le scorrerie vandale nella regione furono invece numerose«.

[97] FABRE 46₂; TESTINI 174₅₄.

[98] CIL 10,1 nr. 1340; MALLARDO, Presunto rinvenimento (o. Anm. 65) 195; A. FERRUA, Leo e Lupinus vescovi di Nola: VetChr 11 (1974) 99.

[99] S. o. Anm. 93; vgl. außerdem FABRE 45 und GIORDANO (o. Anm. 65) 6f. – Von einem ähnlichen Freikauf aus der Hand der Barbaren durch Melania d. J. († 439) wird in deren Vita berichtet, s. GORCE (o. Anm. 87) 168.

[100] So TESTINI 176; s. aber Verf.: JbAC 1987 Anm. 20.

[101] So nach freundlicher Auskunft von Professor J. STRAUB. Zu den wenigen Schäden in Rom und dem

weiteren Verlauf ihres Zuges durch Süditalien s. die Lit. in Anm. 89. Keine oder nur geringe unmittelbar damit zusammenhängenden Zerstörungen in Nola sehen FABRE 44 und VENDITTI 536. 737₃₅₆.

[102] J. B. DE ROSSI, Inscriptiones Christianae urbis Romae 2,1 (Roma 1888) 246 nr. 7; O. FIEBIGER / L. SCHMIDT, Inschriftensammlung zur Geschichte der Ostgermanen = DenkschrWien 60,3 (Wien 1917) 199 nr. 245; COURCELLE (o. Anm. 83) 57, der »hostibus extinctis« mit »que l'ennemie a disparu« übersetzt. Mit dem Tode des Gotenkönigs Alarich Ende 410 und dem Untergang von Teilen des Heeres beim Versuch, über die Meerenge von Messina überzusetzen, war jedenfalls dieses Unternehmen gescheitert, und die Goten zogen langsam nach Gallien ab: SCHMIDT, Gesch. der deutschen Stämme (o. Anm. 89) 451/4.

[103] S. für beides SCHMIDT aO. 449/51; CLAUDE (o. Anm. 89) 19 (Zitat); für ersteres vgl. auch VENDITTI 737₃₅₆.

[104] Cassiodorus, var. 4,50 aus dem Jahre 512 (so MARTINDALE [o. Anm. 87] 455; vgl. G. RADKE, Art. Vesuvius: PW 8A,2 [1958] 2437). Zu den Inschriften s.

2.2 Die Grabbauten 10 bis 14 und ihre Datierung

Es soll nun versucht werden, die zwei uns besonders interessierenden Grabbauten im Bereich der ›Basilica dei Ss. Martiri‹ (nr. 13 und 14 in Abb. 4) in die Entwicklungsgeschichte des Ortes einzuordnen. Dabei ist es notwendig, aus den bisher veröffentlichten Bauuntersuchungen von CHIERICI und BELTING die Ergebnisse, die den antiken Zustand betreffen, zusammenzufassen und um eigene Beobachtungen und unpublizierte Daten zu erweitern. Einerseits ist nämlich manches beim Baubefund noch fraglich oder umstritten, und andererseits ist ungeklärt, ob die christlichen Bestattungen in diesen Räumen vor oder nach der Errichtung des Felixgrabes anzusetzen sind[105].

Den Nukleus eines Komplexes von Grabbauten bildet das fast quadratische Mausoleum 13, das in seinem Äußeren 5,82 × 5,94 m mißt (Abb. 4f. 9. 20). Alle vier Wände bestehen aus zwei Ziegelverschalungen und einem inneren Tuffkonglomerat (Taf. 18b)[106]. Die südliche Außenwand (Taf. 16b) unterscheidet sich jedoch von den übrigen durch andere Gestaltung des Mauerwerks: Während hier Ziegel von 4–4,3 cm Stärke nur durch eine meist etwa 1 mm dicke Mörtelfuge getrennt aufeinandergeschichtet sind (Taf. 19d. 20c), werden die anderen Außenmauern – wie auch die antiken Partien aller Innenwände – aus 4, öfter 4,5 cm starken Ziegeln und einer jeweils dazwischenliegenden 1 bis maximal 2 cm breiten Mörtelschicht gebildet (zB. Taf. 19b. 21b. 23b). CHIERICI hat schon angemerkt, daß das andere Mauerwerk der Südwand bei der West- und Ostecke nur noch ein kurzes Stück (37 cm) auf die anschließenden, nach Norden gerichteten Wände übergreift (Taf. 20c)[107]; die Gesamtdicke der Südwand beträgt jedoch durchschnittlich 50 cm. An der Südseite des Baus lag auch der antike Eingang (Abb. 11. 20; Taf. 18c), der wohl erst im frühen Mittelalter bei der Einrichtung einer Tür in der Nordwand (Abb. 10) zugemauert worden ist[108]. So entsteht der Eindruck, daß die südliche, so perfekt gemauerte Außen-

CIL 10,1 nr. 1339/61, bes. 1343. 1354 und FERRUA, Iscrizioni (o. Anm. 18) 107/35, bes. 119f. Für die Vermutung, daß es sich bei einem gewissen Cynegius (CIL 10,1 nr. 1370), der vor 421/24 gestorben sein muß, möglicherweise um ein Mitglied einer »notable Theodosian family« handele, s. MATTHEWS (o. Anm. 85) 143f. – Als allgemeine Auswirkung des Goteneinfalls in Campanien ist zB. Landflucht und der Verkauf von Gütern zu nennen (s. o. Anm. 87); außerdem ist bei Augustinus, civ. Dei 1,10 (CSEL 40,1, 20f) in erster Linie vom Raub von Schätzen durch die Barbaren die Rede.
[105] Vgl. BELTING, Basilica 10f. 12f[15]; TESTINI 164; FINK 59[238].
[106] Nach CHIERICIS Untersuchung gilt das für alle Wände gleichermaßen; so nach seinem Eintrag im Grabungstagebuch vom 22. April 1958. Zur Struktur der Ziegelwände und zu den Ziegelmaßen in Cimitile allgemein CHIERICI: RivAC 33 (1957) 101f; ders.: Atti 3º Congresso ME 129f. Zu Ziegelmaßen und den Datierungsschwierigkeiten von Ziegelmauern in der Spätantike H. TH. L. PARIES, A proposal for a dating system of late antique masonry structures in Rome and Ostia = Studies in Classical Antiquity 5 (Amsterdam 1982) 25/9.

[107] CHIERICI: RivAC 33 (1957) 113.
[108] Einerseits war das Außenniveau schon im Mittelalter höher – wie die Position der Schwelle der Nordtür anzeigt (Abb. 10. 21) –, und andererseits wurde ebenfalls, wie bei den anderen mittelalterlichen Veränderungen, weitgehend Tuff als Füllmaterial verwendet. Die Zusetzung muß auf jeden Fall vor einer vielleicht noch mittelalterlichen Ausmalung (s. BELTING, Studien 96f Fig. 39) erfolgt sein (vgl. die Malereireste in diesem Bereich: BELTING, Basilica Fig. 9 und hier Abb. 11); zur Einrichtung des Nordeingangs im Frühmittelalter und seiner Ausschmückung ausführlich ebd. 16[24]. 136f und ders., Studien 94f. Während CHIERICI: RendicPontAcc 29 (1958) 140 und ders.: Atti 3º Congresso ME 131 annahm, daß der antike Eingang im Norden gewesen sei (so auch noch VENDITTI 540), gibt er in RivAC 33 (1957) 113 an: »L'ingresso . . . doveva essere a Sud«. KIRSTEN 621 nimmt wohl irrtümlich eine »Verlegung des Eingangs nach Westen« an. Die antike Tür ist in den meisten Plänen bis in die neueste Zeit (zB. Abb. 3. 9; Ausnahme Abb. 5) zu schmal eingezeichnet. Obwohl außen wegen des starken Ausbruchs des antiken Mauerwerks (Taf. 15a. 16b) die Breite der Türöffnung nur grob mit 1,40 m angegeben werden kann, läßt sich innen für die untere Hälfte ein Maß

wand eine Art Schauseite bildete, zumal hier auch noch die Reste eines Dreieckgiebels[109] und – bisher unpubliziert – zwei den Eingang rahmende Zungenmauern mit vorgelegten Halbsäulen (Abb. 4; Taf. 16. 19d) vorhanden sind. Die Halbsäulen und die Außenseiten dieser 1,49 m langen, 50 cm breiten und noch ca. 1,50 m hoch erhaltenen Mauern sind in der gleichen Art wie die Südwand des Grabbaus, mit der sie zT. im Verbund stehen, gemauert. Sie bilden einen 1,72–1,74 m breiten Durchgang, dessen gröber gemauerte Innenwände verputzt und bemalt sind (Taf. 16a). Es lassen sich noch deutlich ockerfarbig und rot gerahmte helle Bildfelder neben den rot bemalten Halbsäulen erkennen. Vor der östlichen Halbsäule hat sich außerdem noch der Rest eines weißen Marmorplattenfußbodens erhalten (ebd.), der – von der Unterkante des später in die Südwand von 13 gebrochenen Fensters aus gemessen – ca. 3,20 m tief liegt, was einer Niveauhöhe von ungefähr 1,80 m unter dem von CHIERICI angenommenen Nullpunkt (vgl. Abb. 6)[110] entspricht. Durch eine wohl nachantike Brunnenanlage (Taf. 14a. 16b) ist der weitere Bereich im Süden zerstört[111].

Über Bau 13 hat sich ein Raum befunden, der zur 18,70 × 6 m großen, nach Westen ausgerichteten »casa del sacrestano« gehörte (Abb. 2; Taf. 14b); dieses schon im 19. Jh. belegte Gebäude wurde ohne weitergehende Bauaufnahmen 1960 abgerissen[112], so daß sich die Entstehungszeit nicht mehr genauer ermitteln läßt. Spätantik scheint es, nach den erhaltenen Mauerresten zu urteilen (Taf. 14a), nicht gewesen zu sein.

Der Innenraum von Bau 13 ist durch zahlreiche spätere Einbauten stark verändert worden (Abb. 9/12)[113]. Auf Grund mehrerer Indizien läßt sich trotzdem sein Aussehen in der Antike fast zweifelsfrei rekonstruieren.

Im Westen, Norden und Osten liegen je zwei von einem gemauerten Bogen überfangene längsrechteckige Gräber, die in ihren Ausmaßen nur leicht variieren. Die Südwand weist dagegen nur die Reste der antiken Eingangstür auf (Abb. 20). Von den Arkosolgräbern haben sich nur die zwei im Norden (Taf. 17a) und das im Nordwesten (Taf. 18a) ziemlich gut erhalten[114]. Das östliche Bogengrab in der Nordwand ist durch seine Einbeziehung in die mittelalterliche Verstärkung der Mauer – durch Tuffstein[115] – sogar so weit intakt geblieben (Abb. 20f), daß sich daran sehr anschaulich zeigen läßt, daß im ursprünglichen Zustand alle »Arkosolgräber ... mit der rechteckig begrenzten Stirnseite des Bogens in einem kurzen Absatz vor die Wand nach innen hervortraten«[116],

von 1,38 m ermitteln (Abb. 11). Dabei bleibt aber unklar, ob hier, wie in den Nachbarbauten (vgl. Abb. 17. 26), einst noch ein marmornes Türgewände hinzukam.

[109] CHIERICI: Atti 3° Congresso ME 131 nimmt ein Gegenstück dazu auch im Norden an. Diese Seite ist aber heute von einem mittelalterlichen Portalvorbau (dazu BELTING, Basilica 9f Fig. 7) und einem späteren Dach verdeckt. Zum Südgiebel CHIERICI: RivAC 33 (1957) 113.

[110] Vgl. o. Anm. 60 und RivAC 33 (1957) 100. – Meine Niveauangaben sind hier etwas ungenau, da ich keine adäquaten Meßgeräte zur Verfügung hatte.

[111] Über die Eingangsanlage ist in den Unterlagen von CHIERICI nichts zu finden, so daß angenommen werden muß, daß sie sehr spät ausgegraben und restauriert worden ist (vgl. o. Anm. 6 und das Vorwort). Die weißen Marmorplatten werden im Osten von einer nach Süden verlaufenden, noch bis zu 68 cm sichtba-

ren Mauer begrenzt, die parallel und unmittelbar an die östliche Zungenmauer anschließend verläuft und eine ähnliche Feldermalerei wie diese aufweist.

[112] Nach Angaben aus Briefen von Mitarbeitern CHIERICIS vom 25. 2. und 1. 8. 1960. Für die mW. erstmalige Dokumentation des Baus s. W. LÜBKE, Reisenotizen über mittelalterliche Kunstwerke in Italien: Mitteilungen der K. u. K. Central-Commission 5 (1860) 224 Fig. 88.

[113] Dazu BELTING, Cimitile und PANI ERMINI aO. (o. Anm. 14). Für den Zustand vor den Grabungen außerdem DE FLEURY (o. Anm. 67) 1, 166; 3, 173f Pl. CCL (der erste, bisher kaum berücksichtigte Maßstabsplan).

[114] Das westliche Arkosol in der Nordwand ist innen maximal 196 × 66 cm groß, das östliche 191 × 66 cm, das nördliche in der Westwand 194 (ca.) × 64 cm.

[115] Dazu BELTING, Basilica 11f Fig. 8.

[116] So BELTING, Studien 94.

in ihrem hinteren Teil aber auch in diese bis zu 34 cm tief eindrangen. Die Arkosolbögen scheinen ähnlich wie in anderen Grabbauten in Cimitile (zB. Taf. 17c) als Auflage für ›Hochgräber‹ gedient zu haben, wie es jetzt noch Reste eines Mauerabsatzes und eine auf gleicher Höhe auftretende Veränderung des Mauerwerks auf der Nord- und Westwand des Baues vermuten lassen (b in Abb. 21f). Von den jeweils 60 cm dicken, sich über den Arkosolien erhebenden Innenwänden des Raumes sind trotz einer mittelalterlichen Übermalung bzw. Bauveränderung (Taf. 5a) noch so viele Partien sichtbar (zB. Taf. 17a. 18a), daß ihr Verlauf auf allen drei Raumseiten gesichert ist (vgl. die gepunktete Linie in Abb. 20) und sogar noch festgestellt werden kann, daß sie wohl auf Grund der Hochgräber erst in ihrem obersten Teil von kleinen Fenstern durchbrochen waren (Abb. 12; Taf. 19b)[117]. Ebenso konnten durch gründliche Reinigung des Bodens die Ausmaße des südwestlichen Arkosols, das beim nachmittelalterlichen Durchbruch der dortigen Mauer zerstört wurde, nun eindeutig bestimmt werden (Abb. 20; Taf. 18b)[118]. Durch ein kleines Loch in der Südostecke des nördlichen, frühmittelalterlichen[119] Seitenaltars (k in Abb. 20) läßt sich außerdem mit Hilfe eines Spiegels die 27,5 cm tief dahinterliegende, in blauer Farbe und mit einem roten Rahmen bemalte Rückwand eines weiteren Arkosolbogens nachweisen. Zieht man noch die an beiden Enden der Ostwand nach einer deutlichen Zäsur (h in Abb. 20) vorhandenen Spuren eines Mauerausbruchs (Taf. 19c) und andere Anzeichen[120] hinzu, so kann man auch auf dieser Raumseite zwei Arkosolgräber sichern[121].

Im Boden des Raumes befinden sich zwei Reihen von je sieben längsrechteckigen Ziegelgräbern (Formae), die so unregelmäßig und grob gemauert sind, daß CHIERICI sie zu

---

[117] Deutlich sichtbar ist nur ein von CHIERICI wieder freigelegtes, schießschartenartiges Fenster im Süden der Ostwand (Taf. 19b; Maße der Fensteröffnung: 44 × 10 cm; CHIERICI: RivAC 33 [1957] 113; für den Zustand vor der Grabung s. ders.: RivAC 16 [1939] Fig. 6), das sich mit einem Formvergleich mit anderen erhaltenen Fenstern in der Nekropole als antik erweisen läßt, auch wenn die Maße differieren; s. dazu CHIERICI: RivAC 33 (1957) 110 Fig. 4; 113. Ob auf der gegenüberliegenden Seite dieser Wand bzw. auf der Nord- und Westwand weitere derartige Fenster waren – von der im Römischen häufigen symmetrischen Aufteilungsweise her könnte man zwei Fenster an jeder dieser Wände vermuten (vgl. in Abb. 4 nr. 3f) –, läßt sich wegen späterer Fenster- oder Türdurchbrüche bzw. wegen der mittelalterlichen Malereischicht nicht mehr zweifelsfrei sagen. Im nördlichen Teil der Westwand befinden sich in der oberen Zone Partien aus Tuffstein; diese könnten von einer Zusetzung des antiken Fensters im Mittelalter stammen. In der Südwand gab es zu seiten der Tür sicher keine Fenster (Abb. 11), wie das dort sichtbare antike Ziegelmauerwerk zeigt (Taf. 18a links).

[118] Zum nachmittelalterlichen Durchbruch in dieser Wand s. zuletzt PANI ERMINI (o. Anm. 14) 178. BELTING, Studien 93 Fig. 35 gab in seinem Plan den Verlauf des »vermuteten Arkosols« nur mit gestrichelter Linie an. Die Maße lassen sich jetzt mit maximal 192 × 63 cm angeben (Abb. 20).

[119] So nach BELTING, Basilica 10. 14f. Wegen der hinter diesem Altar nicht wie sonst üblich mit Tuff zugesetzten Partien des dortigen Arkosols könnte man annehmen, daß die Errichtung des Altars gleichzeitig mit der Zusetzung der übrigen Arkosolien erfolgte, da schon durch ihn die Öffnung genügend verdeckt wurde. Die Zusetzung der Bogengräber muß jedenfalls im Zuge der frühmittelalterlichen Wandverstärkung – mit dem gleichen Tuffmaterial – bzw. vor der späteren Malereiausstattung (vgl. BELTING, Cimitile [o. Anm. 14] 183/8) erfolgt sein, da sich nur dadurch eine durchgehende, bemalbare Wandfläche ergab.

[120] a) In den genannten Ecken findet man Tuff statt der in der darüberliegenden Wandzone allein üblichen Ziegel. Die vorhandenen Arkosolbögen bestehen jedenfalls außen aus Ziegeln und innen aus einem Tuffkonglomerat (Taf. 18b). – b) Die späteren Bodengräber (s. u. Anm. 122; g in Abb. 20) stoßen im Osten wie im Westen an eine von Nord nach Süd verlaufende Mauer, die jeweils etwa den gleichen Abstand zur aufgehenden Wand hat. Im Westen – wie auch im Norden – ist es eindeutig die Abschlußmauer der Arkosolgräber.

[121] Dagegen noch BELTING, Basilica 12[10]. – Bei der Rekonstruktion dieser noch etwa zu 2/3 in der Wand hinter den Altären erhaltenen Arkosolien habe ich die Längenmaße der gegenüberliegenden Bogengräber angenommen; die Tiefe ist mit maximal 64 cm vorgegeben (gemessen von h in Abb. 20).

Recht als später eingebaut ansieht (Abb. 9. 20; Taf. 17b)[122]. Durch ihren Einbau ist nicht ganz klar, in welcher Höhe sich das ursprüngliche Fußbodenniveau befand: entweder in Höhe der Bodenplatten der Formae (bei −2,45 m) oder vielleicht eher in Höhe der Bipedale, die die Arkosolgräber abdecken (bei −1,85 m; Abb. 21)[123].

Den oberen Abschluß des Raumes bildet ein Kreuzgratgewölbe, das nach CHIERICIS Untersuchungen wohl noch zum antiken Bestand gehört (Taf. 17a. 18a)[124].

Von der ursprünglichen Ausstattung haben sich immerhin so viele Reste erhalten, daß man daraus schließen kann, daß die Raumdecke zumindest in Teilen eine Art Streublumenmuster und ein Flechtwerk auf grünem Grund aufwies (Taf. 3d)[125] und im Wandbereich wenigstens alle sechs Arkosolien ausgemalt waren, und zwar in den Lunetten mit figürlichen Motiven auf blauem Grund und rot gerahmt, wovon sich noch zwei sicher als biblische Darstellungen deuten lassen (Taf. 2a. 32a)[126].

[122] CHIERICI: Atti 3° Congresso ME 131; vgl. TESTINI 166. – Die Wandbreite der Einzelgräber schwankt zwischen 10,5 und 28 cm, die Ziegeldicke beträgt 3,4–4 cm, die Mörtelschicht 2,5–3 cm (vgl. dazu die anderen Maße aller antiken Mauern des Innenraums; s. Tab. 1). Nach CHIERICI (Einträge im Grabungstagebuch am 20. 5. 1957 und 3. 7. 1958) reichen die Gräber meist bis in eine Tiefe von ca. 2,51 m hinunter und sie sind gemauert »alcune con mattoni triangolari ma misti ad altri elementi come frammenti di bipedali, di cornici ecc.«; die Bodenplatten (Taf. 17b) haben die Maße 43 × 60 × 4 cm. Die südlichen, früher ausgegrabenen Formae (vgl. Abb. 9/12) sind heute wieder zugeschüttet.

[123] Während CHIERICI: RivAC 33 (1957) 113 schreibt: »il pavimento era a −1,85«, ist er später – u. a. beim Niveauvergleich mit Raum 11 und 14 (Abb. 10f) – wieder unsicher; nach seinem Eintrag im Grabungstagebuch vom 5. 5. 1958: »il pavimento originale era a quota −2,45« (vgl. dazu BELTING, Basilica 9₉). Zur zweiten Annahme läßt sich sagen, daß es auffällig ist, daß die vorderen Arkosolmauern nach CHIERICI auf der gleichen Höhe beginnen (−2,45), in der die südliche Ziegelwand endet und eine »fondazione di muro a secco« beginnt, die ihrerseits bis −3,45/−3,50 zum »terreno vergine« hinunterreicht (so nach seinen Eintragungen vom 20. 5. 1957 und 18. 4. 1958). Wenn der Plattenfußboden vor dem Eingang im Süden zur ersten Bauphase gehören sollte (vgl. o. S. 26 Anm. 110), wäre aber bei einer Fußbodenhöhe des Innenraums von −2,45 ein Niveauunterschied von ca. 65 cm zwischen beiden vorhanden. – Zur ersten Annahme kommt CHIERICI wohl in Analogie zu den benachbarten Räumen, in denen die Abdeckplatten der Gräber gleichzeitig als Fußboden dienten (Abb. 8; CHIERICI: RivAC 33 [1957] 104. 116). Außerdem bemerkt er in einem Tagebucheintrag vom 3. 7. 1958: »Sul lato nord la risega di 0,05 all'esterno dell'arcosolio dimostra l'esistenza di piano di posa preparato in costruzione, assai prima che si erigessere i muretti divisori delle tombe cristiane« (d. h. die späteren Bodengräber; den gleichen ›Vorsprung‹ der unteren Arkosolmauer zum Raum hin findet man übrigens auch auf der Westseite,

s. Abb. 20; Taf. 18b). Die Südwand ist in Höhe der Auflageflächen der Bipedalen in den Arkosolien (vgl. Taf. 18c) noch durchgehend gemauert. Erst darüber durchbrach die einstige Türöffnung diese Mauerflucht; außerdem ist von da ab die Wand schmaler, wodurch unten ein Vorsprung entsteht (vgl. den auf der West- und Nordwand), auf dem links des Türdurchbruchs noch eine ›Gußstein-Schicht‹ liegt (i in Abb. 10). Vielleicht könnte auf dem durch diese Schicht angezeigten Niveau der Platten(?)-Fußboden gelegen haben (also bei −1,85).

[124] CHIERICI: RivAC 33 (1957) 103. 113; ders.: Rendic-PontAcc 29 (1958) 141; ihm folgend BELTING, Studien 94. Für die Höhe des Raumes und den jeweiligen Beginn des Gewölbeansatzes s. die Aufrißzeichnungen Abb. 10/2.

[125] Als Streufunde konnte ich 1979 im Schutt innerhalb des westlichen Arkosolgrabes der Nordwand, das schon beim frühmittelalterlichen Durchbruch der Nordtür (s. Anm. 108) mit einer Treppenanlage zugesetzt worden war (heute wieder entfernt: Taf. 17a; Abb. 12: Zustand von 1941), einige ca. 1,8 cm dicke, blau bemalte Putzreste der beim Einbau zerstörten Malereipartien der Arkosollunette finden; außerdem lagen dort ca. 4,5 cm dicke Putzstücke, die nach ihrer Wölbung von den Graten des Kreuzgratgewölbes stammen könnten (Taf. 3d). Die auf ihnen befindliche Malerei ist in secco ausgeführt. Auf grünem Grund sind dicke, rotbraune, mit ockergelben Kurzstrichen aufgelockerte Bänder oder rote, gerundete Gebilde aufgetragen. Da nach BELTING, Basilica 28 bei den mittelalterlichen Malereien die Farbe »Grün fehlt« und der Putz in seiner Zusammensetzung (besonders beim Kalk- und Sandanteil; so nach freundlicher Auskunft der Restauratorin R. HACKER, Bonn) große Übereinstimmung mit den Putzresten von der Arkosolmalerei aufweist, wird die obige Vermutung bestärkt.

[126] S. S. 27. 61/4. 130/2. Zu dem nicht sicher identifizierten Bild im Nordostarkosol s. S. 148/51. Die Malerei hier ist wohl deshalb so stark zerstört, weil bis zur Ausgrabungszeit eine kleine, quadratische, 35 cm tiefe Nische im zugesetzten Arkosolbogen ausgespart war, deren Bodenplatte fünf Löcher aufwies, durch

Um diesen Bau gruppieren sich – nach dem derzeitigen Erkenntnisstand (1983) – noch fünf kleinere, verschieden gestaltete Grabräume (10/12, 14 und x in Abb. 4), von denen CHIERICI schon vier veröffentlicht hat[127]. Zusammenfassend läßt sich sagen, daß sie – bis auf einen (Abb. 23; Taf. 15b)[128] – in reiner Ziegelbauweise errichtet und alle als Überdachung für sehr sorgfältig ummauerte Bodengräber gebaut wurden, die zT. von Ziegelbögen überfangen sind, die ihrerseits die Unterlage für Hochgräber darstellen (zB. Abb. 8. 23f); in den Räumen 10/12 und 14 sind die Bodengräber am Kopfende[129] abgerundet und immer nach Westen orientiert, mit Ausnahme der dazu quer verlaufenden, ähnlich gestalteten Gräber unter bzw. über den Arkosolbögen[130]. Von der relativen Chronologie her müssen die fünf Räume zT. nacheinander entstanden sein, da sie jeweils an einen oder zwei Vorgängerbauten angelehnt sind (vgl. die Baufugen zB. in Taf. 22) und daher an einer Seite meist keine eigene Wand besitzen (Abb. 4)[131]. Bis auf Raum 14 weist keiner dieser Bauten figürliche Malereien auf, sondern nur Blütenstreumuster (Taf. 3c) oder Imitationen einer Marmorinkrustation (Taf. 14c)[132]. In Raum 11 (Abb. 15) findet sich beides in einer so formvollendeten Weise, daß es hier lohnenswert ist, die bemalten Partien der Wände in maßgetreuen Zeichnungen wiederzugeben (Abb. 16/9; Taf. 8g. 21. 22)[133].

die zB. Feuchtigkeit eindringen konnte. An dieser schon im 16. Jh. verehrten Stelle will man »das Rauschen des Blutes der Martyrer vernommen haben«, wie eine Steintafel über dem Nordeingang berichtet (so BELTING, Basilica 1f). Gegen BELTINGS Lokalisierung dieser Stelle »auf einem sockelartigen Vorsprung der Nordwand« (ebd. 2 und Studien 94[6]) sprechen aber zahlreiche Dokumente aus früherer Zeit, vgl. DE FLEURY (o. Anm. 67) 3, 173f Taf. CCL; CHIERICI: RivAC 16 (1939) 63 Fig. 6f und hier Abb. 10 aus dem Jahre 1941.

[127] CHIERICI, Sant'Ambrogio 320/2. Pläne auf S. 323. 325 Taf. XXXXVIII; ders.: RendicPontAcc 29 (1958) 140f Fig. 1/3; ders.: Atti 3° Congresso ME 131 Taf. III. – Zu Raum x s. o. Anm. 6 und Vorwort (Taf. 14c. 15a); seine Breite beträgt innen 1,90 m, die Dicke der Westmauer 30 cm, die der Ostmauer 47 cm; die drei im Süden jeweils abgerundeten Bodengräber sind innen zwischen 46 und 48 cm breit und ca. 190 cm lang; sie werden im Norden von einem zwischen 71 und 80 cm tiefen und ca. 109 cm hohen (gemessen vom oberen Grabrand bis zum Scheitelpunkt) Bogen überfangen. Während die Westwand und der Nordteil der Ostmauer aus 4–5 cm dicken Ziegeln mit 2–2,5 cm breiten Mörtelfugen besteht, zeigt die Ostmauer nach einer Naht im Süden nur Ziegel von durchschnittlich 4 cm Stärke und Mörtelschichten von 1–3 mm Dicke. Vgl. dazu die Maße der Südmauer von Raum 13 (Tabelle 2 und u. Anm. 176).

[128] Die Innen-, nicht aber die Außenwände im Westen, Osten und Süden des Raumes 12 zeigen, ähnlich wie die gesamten Wände der übrigen Grabbauten der Nekropole (CHIERICI: RivAC 33 [1957] 102 Fig. 4. 6; vgl. auch das Mauerwerk des ›Felixmausoleums‹ vom Anfang des 4. Jh. [o. S. 19[74]] und des im Osten daran angebauten Grabbaus B [Abb. 7; Taf. 12c]), ein Mauerwerk in »opus vittatum mixtum« bzw. »opus listatum« (Taf. 14a. 15b). Ein ähnlicher Wechsel von zwei Ziegellagen und einer Tuffsteinschicht findet

sich zT. noch bei Bauten aus dem 3. bis Ende 4. Jh. in Rom, Ostia und Capua (zur Bezeichnung und Beispielen s. G. LUGLI, La tecnica edilizia romana [Roma 1957] 643/5. 653f Taf. CXCIII,3. CXCIV,2; M. PAGANO / J. ROUGETET, Il battistero della basilica costantiniana di Capua: MélÉcFrançRome Antiquité 96 [1984] 1002[70] Fig. 3. 14/9; PARIES [o. Anm. 106] 12f. 30. 542/8. 375/7 Taf. XXVII,1. XXXVIII,2 mit dem Hinweis, daß diese Art von Mauerwerk bis in die Spätzeit der Antike [meist aber mit »a growing tendency towards irregularity«, zB. ebd. 35 Taf. V,1 aus dem 5. Jh. nC.] vorkommt; dagegen aber CHIERICI: Atti 3° Congresso ME 130[11]: »al tempo di Massenzio [primi anni del IV secolo] era già scaduta«). – Nach CHIERICI: RivAC 33 (1957) 115 ist beim (schwer zugänglichen) Raum 10 zumindest die 26 cm dicke Ostwand »tutta in semilaterales«.

[129] Dies wird durch eine erhöhte Kalkbettung angezeigt; dazu allgemein CHIERICI: RivAC 33 (1957) 104.

[130] In Raum 11 und 14 sind sie immerhin gleichermaßen nach Süden orientiert; in Raum 12 ist zumindest das westliche Hochgrab nach Norden gerichtet (so nach der dortigen Kopfbettung zu urteilen). – Die gleiche Westausrichtung haben auch die Bodengräber vor Raum 15 (Abb. 4). – Vgl. S. 33[159].

[131] Für Raum 10, der nur teilweise an Raum 13 angelehnt ist, s. o. Anm. 128 und u. S. 34.

[132] In Raum 10 und 12 konnte ich 1979 keine Spuren von Malerei mehr ausmachen (zu ersterem s. noch CHIERICI: RivAC 33 [1957] 115). Im Raum x fand ich nur noch geringe Reste von gelblichen Farbflächen im Arkosolbogen und rot gerahmten, hellbraunen Feldern mit fein geritzten rötlichen Kreisen darin auf der Wandfläche im Osten (Taf. 14c).

[133] Gegenüber den Malereien in den Räumen 10 und x (s. o. Anm. 132) ist hervorzuheben, daß hier zahlreiche Partien in einer Stuckschicht ausgeführt sind und somit stärker ein plastischer Eindruck des vorgetäuschten Steinmaterials entsteht (CHIERICI: Rendic-

Der für unsere Untersuchung besonders wichtige Raum 14 (Abb. 4. 24) ist an der Westseite deutlich mit seiner Nord- und Südmauer an 13 angebaut (Taf. 23a). An seiner Nordwand haben sich noch Reste eines hellbeigefarbenen, 5 cm dicken Außenputzes erhalten (Taf. 24b). Im Innern ist der Bau 4,43 m lang und 2,77 m breit und nach Süden hin durch eine 85 cm breite Tür mit Marmorrahmen geöffnet (vgl. S. 78). Er beherbergte ursprünglich nur acht Bodengräber (von gleicher Art wie die oben beschriebenen)[134]; die westlichen waren an ihrem Kopfende von gemauerten Bögen überfangen, auf denen mindestens ein Hochgrab angelegt war (Taf. 23)[135]. Die Ziegelstärke der drei eigenen Wände beträgt innen wie außen 3,5–5 cm bei einer Mörteldicke von 2 bis maximal 2,5 cm (Taf. 7c. 24b), die der ummauerten Gräber 3,5–4,8 cm bei einer Mörtelfuge von 1–3 mm (Taf. 24c)[136]. Somit besteht ein gewisser Unterschied zum ursprünglichen Mauerwerk von Raum 13 (S. 25)[137]. Zieht man noch den Unterschied in der Form der Gräber und im Typus der Arkosolien hinzu[138], dann ist CHIERICIS Annahme einer späteren Errichtung von Bau 14[139] einleuchtend, auch wenn nicht eindeutig geklärt ist, warum dieser Bau – wie alle um 13 gruppierten Räume – in seiner Gesamtheit um so viel tiefer als der Bau 13 angelegt ist (vgl. Abb. 10f; gegenüber dem immerhin etwa 20 m entfernten Felixgrab vom Ende des 3. Jh. und der noch weiter nördlich gelegenen neuen Basilika des Paulinus vom Anfang des 5. Jh. (Abb. 6) ist der Niveauunterschied zwischen den einstigen Höhen des Bodens bzw. der Abdeckplatten jedoch nicht sehr groß (vgl. Tabelle 3)[140]. Die genaue Zeitspanne zwischen der Errichtung der beiden Gebäude 13 und 14 läßt sich derzeit nicht ermitteln[141].

PontAcc 29 [1958] 141 Fig. 2; ders.: Atti 3° Congresso ME 131 Taf. 3; vgl. dazu aus dem Anfang des 4. Jh. die Malereiausstattung in der Cappella greca der Priscilla-katakombe in Rom: BRENK, Spätantike [o. Anm. 26] 134 Abb. 47). Auffallend ist noch, daß die Eingangs-wand weniger sorgfältig ausgemalt ist bzw. keine Stuckschicht aufweist (Abb. 17; Taf. 22b).

[134] Fünf sind bisher durch die Grabung aufgedeckt worden.

[135] Im Gegensatz zu CHIERICIS älterem Plan (Abb. 9) zeigt seine spätere Aufrißzeichnung (Abb. 24) deutlich, daß das Hochgrab in die antike Südwand eindrang. Nimmt man dies auch bei der Nordwand an, könnten einst zwei Gräber über den Bögen angelegt gewesen sein (vgl. dazu die Lösung in Raum 11: Abb. 15). – CHIERICIS Frage RivAC (1957) 119, ob auch im Osten zwei Bögen über den Gräbern waren, kann mit Sicherheit wegen der dort vorhandenen Malereiflächen (Abb. 26f) verneint werden.

[136] Der Kern der Mauern und Bögen besteht, wie bei Raum 13, aus einem Tuffkonglomerat.

[137] Auch in der Farbe und, soweit ohne (mir nicht zur Verfügung stehende) technische Hilfsmittel erkennbar, in der Materialzusammensetzung der Ziegel bestehen leichte Unterschiede: in Raum 13 sind sie nicht so dunkelrot und haben fast keine Einschlüsse. – Eine größere Ähnlichkeit besteht dagegen zum Mauerwerk der Räume x (s. o. Anm. 127) und 11f (hier sind die Ziegel der Wände 4–5 cm dick bei einer Mörtelschicht von 1,5–2,5 cm Dicke [zu den nur leicht differierenden Maßen s. Tab. 1]). Farbe und Zusammensetzung des Tons der Ziegel der Gräber in 11f, x, 14 (vgl. Tab. 2) sind außerdem gleich. Neuerdings wurde mehrfach darauf hingewiesen, daß eine genauere Mörtelanalyse für eine Datierung von Mauerwerk noch wenig brauchbar sei; s. PARIES (o. Anm. 106) 12_{118}. 31/3; C. WETTER, The possibility of dating Roman monuments built of opus caementicium by analysing the mortar: Opuscula Romana 12 (1979) 45/66.

[138] CHIERICI: RivAC 33 (1957) 117f sagt schon zu Raum 12, auf den er in der Beschreibung von Raum 14 verweist: »il tipo della tomba ad arcosolio venne profondamente alterato, perchè l'arco non fece più corpo con il solium«. Während in den Räumen 2 und 15 die Arkosolgräber wie bei Raum 13 immer rechteckig sind (Abb. 4), sind in Raum 14 wie auch bei den ›reinen‹ Arkosolgräbern in Raum 11 die Gräber an einer Seite gerundet.

[139] CHIERICI: RendicPontAcc 29 (1958) 141; ders.: Atti 3° Congresso ME 131; vgl. auch BELTING, Basilica 13.

[140] In Raum 14: –2,51 m; beim Felixgrab: –2,26 m; Basilika: ca. –2,25 m. Für die Niveauangaben der übrigen Grabbauten s. CHIERICI: RivAC 33 (1957) 115/9 und o. Anm. 110. 123; für das Niveau von Raum x Tab. 3, Taf. 15a; nach CHIERICIS Angaben liegt allein Raum 10, der als einziger seine Tür nach Norden hat, ebenfalls schon etwas höher. Für die ungeklärten Niveauverhältnisse bei Raum 15 s. o. Anm. 55. – Während CHIERICI in RivAC 16 (1939) 64f noch als Erklärung schreibt: »questi ambienti col loro piano più basso di quello del terreno circostante, con l'assoluta oscurità che li avvolgeva . . . vollero ispirarsi evidentemente alle catacombe napoletane« (so auch TESTINI 165), gesteht er RivAC 33 (1957) aO., daß die Erklärung schwierig sei.

[141] Vgl. dazu S. 36.

Das Besondere an diesem Raum ist die weitgehende Ausmalung seiner Wände mit figürlichen Motiven. Bei der Nord-, Ost- und Südwand sind über einer ockergelben, bräunlich gemaserten Sockelzone, die oberhalb der Bodengräber beginnt und in größeren Abständen durch dünne, schwarze Linien in rechteckige Felder abgeteilt wird (zB. Taf. 25), mindestens zwei unterschiedlich hohe Bildstreifen mit sorgfältig abgetrennten Einzeldarstellungen übereinander angeordnet (Abb. 25/7); auf der Südwand besitzen die Bildfelder – soweit erschließbar – meist ein breiteres Format als auf der Nordwand, und auch der Figurenmaßstab ist hier ein größerer[142]. Bei der Westwand, die in ihrer unteren Partie die gleiche gelbliche Farbe wie die erwähnte Sockelzone aufweist, waren in den Lunetten und auf den Stirnwänden der Arkosolien zT. sicher ebenfalls breiter angelegte Einzeldarstellungen zu finden (Abb. 14. 26). Nach der Untersuchung von Putzproben der Nordwand und des Nordwest-Arkosols ist es ziemlich ausgeschlossen, daß die Arkosolien – wie Chierici anscheinend annahm[143] – zu einer anderen Zeit als der übrige Raum ausgemalt worden sind[144]. Immerhin nehmen die unteren Abschlußrahmen der Wandmalereien Bezug auf die Malfläche der Bögen, auf die sie bei der Nord- und Südwestecke sogar übergreifen (Abb. 14. 25f). Somit haben wir eine einheitliche Malereiausstattung vor uns. Es hat sich davon noch so viel erhalten, daß man für den ursprünglichen Zustand in diesem kleinen Grabbau bei der Annahme von nur zwei übereinanderliegenden Bildregistern schon eine Anzahl von ca. 27 Bildern[145] erschließen kann, wovon heute noch 13 mehr oder weniger erkennbare Darstellungsdetails aufweisen.

In einer späteren Phase wurden – wie bei den Räumen 10, 11 und 13 (Taf. 17b. 21a) – rechteckige (gröber gemauerte) Ziegelgräber angelegt, und zwar direkt auf den Bodengräbern. Heute ist nur noch eines vor der Ostecke der Tür vorhanden (Taf. 24a)[146], doch müssen sich nach Chiericis Angaben einst östlich davon zwei weitere Gräber befunden haben[147]. Bei der Anlage der Gräber sind offensichtlich – ohne besondere Rücksicht auf die vorhandene Malerei – die zwei länglichen Einschnitte in die Nordwand erfolgt (d in Abb. 25), um einen Auflagepunkt für die Abdeckplatten zweier west-östlich ausgerichteter Gräber zu erhalten, die eng an diese Wand angebaut waren[148].

---

[142] Für Einzelheiten und Maße s. u. Kap. II. Falls – wie Chierici: RivAC 33 (1957) 119 annimmt – der Bau einst etwa in gleicher Höhe wie Raum 11 den Gewölbeansatz einer Tonne hatte (dadurch wäre das antike Ostfenster von Bau 13 unverdeckt geblieben, s. Abb. 10f. 14), wäre über den (durch Partien der Süd- und Nordwand gesicherten) zwei Bildzonen nur mit großem Vorbehalt eine dritte anzunehmen. Ein bräunlicher Farbfleck über dem zweiten Bildstreifen westlich der Tür in der Südwand (s. u. S. 160 und Abb. 26) ist zu wenig, um daraus eindeutig ein darüberliegendes Bild bzw. dessen Rahmen zu rekonstruieren. Merkwürdigerweise hat sich aber direkt über dem obersten roten Horizontalrahmen keinerlei Rest einer dünnen schwarzen Rahmenleiste erhalten, wie sie für den untersten Abschluß der Bildzonen auf der Nord- und Südwand üblich ist (vgl. Abb. 25f).

[143] Chierici: RivAC 33 (1957) 119f und ders.: RendicPontAcc 29 (1958) 141 unterscheidet deutlich die paganen Malereien der Wände, die »ricordare artisti discendenti dagli ultimi pittori di Ercolano e di Pompei«, von »due scene di argomento cristiano« in den Lunetten der Bögen.

[144] Zusammensetzung (nach freundlicher Auskunft von R. Hacker, Bonn): »erste Schicht Rauhputz grobkörnig und von grauer Farbe; darüber zweite, hellbeige Schicht, die heller als der Rauhputz ist und eine kristalline Struktur besitzt (Quarzsand); darüber Malschicht«. – Vgl. S. 134 o.

[145] Bei der Annahme von drei Bildstreifen (s. o. Anm. 142) wären es sogar ca. 41.

[146] Seine Länge beträgt noch 180 cm, die Breite 50 cm; die erhöhte Kopfbettung befindet sich im Süden; die Ziegel sind durchschnittlich 4 cm breit bei einer Mörtelschicht von 1,5–3 cm. Vgl. dazu die Maße der späten Gräber in Raum 13 (o. Anm. 122).

[147] Nach dem Eintrag im Grabungstagebuch vom 20. 9. 1956: »Sul secondo gruppo a Est in senso traversale vi erano tre tombe rettangolari in senso N–S e una in senso E–O per completare la superficie. Queste ultime non hanno il lato curvo, ma sono eseguite, se pure grossolanomente, con mattoni triangolari, fattura tarda ma quasi certamente paleocristiana«.

[148] Von Chierici wurde nur eines erwähnt (s. Anm. 147). In Analogie zu seinen Beobachtungen bei Raum 10 kann man aber sicher zwei annehmen (zu 10

Spätestens bei der Hinzufügung der Ostapsis an Raum 13 im Frühmittelalter ist der beschriebene Bau zumindest in seinem Westteil zerstört[149] und später mit einem nach Norden hin breiteren Apsidenraum, der »Cappella di S. Giacomo Apostolo«, überbaut worden (Abb. 9/11. 14)[150]. Erst in der Zeit der Grabungen vor dem Zweiten Weltkrieg wurden der antike Raum und die erhaltenen Partien seiner Südwand u. a. durch einen Teilabriß der Mauer des darüberliegenden Baus und durch die Einziehung eines Bogens wieder zugänglich gemacht (Abb. 11; Taf. 25b)[151].

Für die Datierung der Bauten 10 bis 14 ergeben sich verschiedene Hinweise. Als unteren Ausgangspunkt können wir uns auf die schon oben vorgenommenen Datierungen des Felixgrabes und des darüberliegenden Gebäudes (S. 18f) stützen und von da aus eine Entwicklungslinie aufzeigen: In diesem am Anfang des 4. Jh. errichteten Quadratbau (A in Abb. 7) befindet sich über dem nördlichen der drei dortigen Bodengräber ein weiteres, 50 cm breites und noch bis zu 30 cm hoch erhaltenes Ziegelgrab (Taf. 13a; Abb. 34). Es wurde direkt auf der Marmordeckplatte des darunterliegenden Grabes errichtet, und zwar um 8 cm gegenüber dessen Nordwange, die von der Abschlußmauer des Raumes überbaut ist (s. S. 19; Taf. 13b), nach Süden verschoben. Während es mit seiner Südwange auf der südlichen Wandverkleidung des immerhin 59 cm breiten Marmorgrabes ruht, geht sein gerundetes Kopfende westlich noch ein Stück darüber hinaus (Taf. 13a), so daß es bei einer gesicherten Länge von etwa 1,90 m[152] ungefähr auf dem östlichen Ende des Bodengrabes auflag. Diese Position des Grabes berücksichtigt also vorhandene Begrenzungsmauern (vgl. Abb. 7); es ist somit in einen vorgegebenen Bau an einer Stelle eingepaßt, an der es am wenigsten den Zugang zu den schon vorhandenen Gräbern – besonders zu dem des verehrten Felix – behindert, zumal es bei einer einstigen Höhe (mit Abdeckplatte) von etwa 73 cm sogar noch 38 cm über das untere (bei –1,97 m liegende) Schwellenniveau der Eingangstür (Taf. 11a. d. 12a) hinausragte und damit deutlich die Harmonie der Grablege störte[153]. Aus diesen Gründen, aber auch wegen vorhandener Unterschiede zum Mauerwerk des Ende des 3. Jh. angelegten Felixgrabes (Taf. 11e. 24e; Tabelle 2) und der sehr viel gröberen Art der Aufmauerung der Wände des Quadratbaues

schreibt er am 19. 7. 1958: »Nei muri E ed O larghi incastri dimostrano l'utilizzazione posteriore per due piani di tombe cristiane«. Für ein mögliches späteres Grab im Südarkosol s. u. S. 134₅₄₅.

[149] So BELTING, Basilica 14/6; ders., Studien 94f.

[150] CHIERICI, Sant'Ambrogio 320; ders.: Palladio 3 (1953) 176; BELTING, Basilica 9₆.

[151] Zur Ausgrabungszeit s. Anm. 9. Die Errichtung des Bogens zu der Zeit ist durch CHIERICIS Tagebucheintrag vom 12. 5. 1956 gesichert.

[152] Auf dem unpublizierten Grabungsfoto (hier Taf. 10b) ist vorne rechts noch deutlich ein Rest der Südwange des Grabes zu sehen, der nahe an die spätere Säulenbasis über dem Ostende des Quadratbaus heranreicht (zu deren Position s. Abb. 7:d).

[153] Die einstige Grabhöhe von 64 cm kann mit Hilfe der Gräber aus den Räumen 11 und 14 erschlossen werden, da in allen übrigen Maßen Übereinstimmung mit ihnen herrscht (die Ziegelabdeckplatten sind durchschnittlich 8–9 cm dick). CHIERICI schreibt in seinem Manuskript (s. o. Anm. 59): »essa . . . sporse sul

pavimento del martyrium A« (nach dem Tagebuch: Oberfläche der 4 cm dicken Marmordeckplatte des darunterliegenden Grabes bei –2,30) »per circa 60 centimetri, turbando l'armonia delle tre tombe comprese nel piccolo recinto. Ciò farebbe credere che dovette trattarsi di una salma degna di speciale riguardo, se volle porsi a forza presso quello più venerate«. Eine genau vergleichbare Situation findet man beim östlich an den Quadratbau anschließenden Bodengrab (Abb. 7; Taf. 12c). CHIERICI schreibt im Manuskript: »È formata da due tombe sovrapposte: quella inferiore scende a quota –3,45, è alta 0,60 ed è foderata di lastra di marmo; sopra un riempimento di 0,10 sorge la seconda [heute nicht mehr vorhanden] che ha l'altezza di 0,40 ed è coperta dai soliti bipedali la cui faccia superiore si trova a –2,21«. Das stark abweichende Niveau und die andere Orientierung lassen aber hier wohl darauf schließen, daß diese Grabsituation nicht gleichzeitig mit den drei Gräbern im Quadratbau entstanden ist (vgl. dazu o. Anm. 65).

A aus den Jahren 303–305 (Taf. 12c)[154], muß man das besagte Grab zeitlich nach Errichtung sowohl des Felixgrabes als auch des Gebäudes ansetzen.

Die obere Zeitgrenze seines Einbaus ist vorerst weniger genau zu bestimmen. Auf Grund verschiedener Indizien kann vermutet werden, daß der Quadratbau im Laufe des 4. Jh. durch ein größeres, möglicherweise mit einer Nordapsis versehenes[155], architektonisches Gefüge ersetzt wurde, das wohl keine – wie CHIERICI meinte – direkte Verlängerung des Mittelschiffs der alten Felixbasilika nach Westen (Abb. 5) darstellte, also ein eigenständiges Gebäude war[156]. Sicher bestand jedenfalls am Ende des 4. Jh. – wie aus den Schriften des Paulinus zu entnehmen ist – nicht mehr der enge Quadratbau über dem Felixgrab, sondern dieses war nur noch durch Vorhänge bzw. Transennen von der Umgebung abgetrennt (vgl. die heutige Rekonstruktion [Taf. 11a] und ein Grabungsfoto [Taf. 10a])[157]. Bei einer derartigen Gestaltung des Felixgrabes und bei einem antiken Fußbodenniveau des ihn umgebenden Bereichs von −1,86 m (Tab. 3) wäre ein noch etwa 27 cm[158] über den Fußboden hinausragendes Grab für den Wallfahrtsbetrieb störend gewesen. Man kann deshalb annehmen, daß dieses Grab mit der Zerstörung des Quadratbaus abgetragen wurde, es also vor diesem Zeitpunkt in den frühen Jahren des 4. Jh. aufgemauert worden ist.

Durch die Position dieses an einer Seite abgerundeten Grabes in einem sicher christlichen Grabbau kann die auch in der heutigen Zeit noch akzeptierte These CHIERICIS, daß in dieser Nekropole alle nach Westen orientierten Gräber mit gerundetem Kopfende pagan, die längsrechteckigen dagegen christlich seien[159], widerlegt werden. Andererseits bietet dieses nun in etwa datierbare Grab den wichtigsten Anhaltspunkt zur zeitlichen Einordnung der ursprünglichen Formae speziell in den Räumen 11, 12, 14, da sowohl die Form und Größe der Gräber als auch die Art des Mauerwerks und die Zusammensetzung des Tons der Ziegel nahezu identisch sind[160], zum zeitlich früheren Felixgrab dagegen

[154] S. S. 19.

[155] Vgl. Paulinus, ep. 32,13 aus den Jahren 402/4 (s. u. S. 99[359]); zur Deutung des Textes GOLDSCHMIDT (o. Anm. 5) 111 nr. 21; WALSH, Letters 2, 147[21]. Anders CHIERICI: RendicPontAcc 19 (1958) 145f Fig. 6: B'/C.

[156] Bei Paulinus, ep. 32,15 und carm. 27,382 wird der Bereich über dem Felixgrab als »aula« bezeichnet (so auch CIL 10,1 nr. 1370; vgl. allgemein dazu GOLDSCHMIDT aO. 115f). – Den Forschungsstand zusammenfassend TESTINI 170f; SCHUMACHER, Osservazioni (o. Anm. 63) schrieb schon: »Andererseits muß vor dem Mittelschiff im Westen ein Bauteil gelegen haben; er ist im Süden [Abb. 7: a/b] wie im Westen (ebd.: e; hier A überschneidend!] im aufgehenden Mauerwerk gesichert. Wie die Abweichung der südlichen Mauer von der Flucht der Mittelschiffsäulen [Abb. 5] und die Niveaudifferenz belegen, war dieser Westteil von der Basilika architektonisch abgesetzt. Er umschloß das Grabmonument, bevor es zur Aufrichtung der heutigen [Mosaik-]Aedicula kam«; ähnlich PANI ERMINI, Testimonianze 171 (vgl. KOROL aO. [o. Anm. 56] und u. Anm. 183).

[157] S. o. Anm. 73. 76. Vgl. auch CHIERICI in Anm. 60.

[158] Vgl. die Niveau- und Maßangaben o. Anm. 153. Die Höhenangabe des Fußbodens ist dem Manuskript CHIERICIS entnommen (s. Abb. 34).

[159] So CHIERICI: RivAC 33 (1957) 104; TESTINI 165; F. MANGANELLI, Il Cimitero. Continuità di un luogo sacro (Nola 1980) 11 Fig. 4. SCHUMACHER, Osservazioni (o. Anm. 63) hat aber schon bei den an einer Schmalseite abgerundeten Bodengräbern darauf hingewiesen: »Diese einheitliche Orientierung, das Fehlen eindeutig paganer Zeugnisse, sowie die Reste von christlicher Malerei in den Arkosollunetten der Zwillingsformae in 14, sprechen für christliche Bestattungen« (ähnlich PANI ERMINI, Testimonianze 165). Vgl. dazu auch noch die gleiche Form beim späten (hoch gelegenen) Steinsarg im Norden außerhalb von Raum 14 (Abb. 9). In den Nekropolen von Tipasa zB. sind christliche Gräber von der gleichen Form ebenfalls meist gewesen: S. LANCEL / M. BOUCHENAKI, Tipasa de Maurétanie (Algier 1971) Pläne auf S. 46. 90. 94. Zur Frage der Orientierung allgemein KÖTTING, Art. Grab (o. Anm. 1) 389/91. – Die zuweilen noch erhöhte, zT. mit einer Mulde versehene Kopfbettung am Westende der Gräber (zB. beim Felixgrab: Taf. 11e; vgl. Anm. 129) beweist immerhin auch, daß die hier Bestatteten nach Osten blickten.

[160] Dazu schon CHIERICI in seinen Grabungstagebüchern vom 10. und 18. 9. 1954 (aber ohne Schlußfolgerungen): »perfettamente uguale per forma e struttura ... le stesse caratteristiche dei muri laterizi delle

auch dort schon Unterschiede bestehen (Tabelle 2; Taf. 11e. 24c/e). Diese Unterschiede
sind bei den Gräbern in 11 noch weniger ausgeprägt als bei denen in 14, wie auch die Art
des Mauerwerks (Tabelle 1) und der Typus der Arkosolien[161] des Raumes 11 etwas mehr
dem entsprechen, was sich beim Grabbau 13 finden läßt. Aus diesen Gründen wird der
Raum 11 wohl vor 14 erbaut worden sein.

Nimmt man noch die Tatsachen hinzu, daß von den aneinander gebauten Räumen im
Umkreis von Mausoleum 13 die Bauten 12 und 14 fast die gleichen Niveauhöhen bei den
Graboberflächen[162] aufweisen, der Höhenunterschied zu den Bauten 11, x und 10 nicht
übermäßig groß ist (vgl. Tabelle 3) und schließlich das Mauerwerk der Wände zumindest
der Räume x, 11 und 14 nicht sehr stark differiert (vgl. Tabelle 1), so kann man
annehmen, daß alle diese in der Form ihrer Gräber so ähnlichen, von den übrigen Bauten
der Nekropole (Taf. 14a. 15b) aber verschiedenen[163] Räume in einer Periode gesteigerter
Bautätigkeit irgendwann nach dem ›Kirchenfrieden‹[164] entstanden sind und zeitlich nicht
weit auseinanderliegen. Sie scheinen spätestens zur Zeit der umfassenden Baumaßnahmen
des Paulinus am Anfang des 5. Jh. schon bestanden zu haben, da sie – wie bereits GRABAR
und CHIERICI anmerkten[165] – weder unmittelbar in diese Anlagen einbezogen[166] noch durch
diese zerstört worden sind, wie es im 4. Jh. möglicherweise beim Bau 15 (Abb. 5)[167]
geschehen ist; es hat eher den Anschein, daß ihre Baukörper, die – bis auf einen
wahrscheinlich etwas späteren Raum (nr. 10 in Abb. 4) – nicht von den Anlagen her zu
betreten waren, bei diesen Baumaßnahmen respektiert wurden. Das an Raum 11
angebaute Grabgebäude 12 zeigt beim Mauerwerk außerdem noch einen anderen
Wechsel von Ziegel- und (weniger) Tufflagen (Abb. 23A)[168] als die originalen Teile der von
Paulinus in den Jahren 401–403 errichteten Apsis der neuen Basilika (s. S. 99; Taf. 13c).

Nach all dem ist also ziemlich sicher, daß die genannten Grabbauten irgendwann im
Laufe des 4. Jh. entstanden und somit die bisherigen Frühdatierungen für den Raum 14
und seine wichtige Malereiausstattung (S. 8/12) zu revidieren sind.

Schließlich gibt es für die antike Entwicklungsgeschichte dieser Bauten und der
dortigen Bestattungen einen weiteren möglichen Anhaltspunkt: Auf dem nördlichen
Seitenaltar in Raum 13 (Taf. 19a) befindet sich eine erst nachträglich angebrachte
Marmorplatte[169], die eine Grabinschrift eines gewissen Quodvuldeus trägt[170]. Auf Grund

---

tombe, cioè estrema esattezza di struttura, letti di
malta quasi impercettibili e mattoni con fasce che
sembrano arrotate«. Zur Bestimmung der Materialzusammensetzung des Tons vgl. o. Anm. 137.

[161] S. o. Anm. 138. Für die besondere Art der Malerei
s. Anm. 133, zum geringen Niveauunterschied Tab. 3.

[162] Diese sind Auflager für die Abdeck- bzw. Bodenplatten (vgl. o. Anm. 123). – S. auch Tab. 1f!

[163] S. dazu o. Anm. 128.

[164] Die Baumaßnahmen in den ersten Jahren des 4.
Jh. zeigen dagegen noch Spuren, die möglicherweise
auf eine schlechtere ökonomische bzw. politische
Situation für Christen hinweisen könnten; s. o. Anm.
60. 74.

[165] GRABAR (o. Anm. 11) 421; CHIERICI, Sant'Ambrogio
325.

[166] In den Grabungstagebüchern sind zumindest keine
darauf hinweisenden Funde angegeben.

[167] Zur (späteren?) Zerstörung der Gräber 1–3 s. CHIE-
RICI: RivAC 33 (1957) 108f; zu 15 vgl. o. Anm. 55.

[168] S. o. Anm. 128.

[169] So schon J. BRAUN, Der christliche Altar 1 (München 1924) 225₉ Taf. 37 und O. NUSSBAUM, Der Stand-
ort des Liturgen am christlichen Altar vor dem Jahre
1000 = Theophaneia 18 (Bonn 1965) 277f. Auch U.
FASOLA sieht hierin einen ursprünglich reinen Blockal-
tar ohne Mensaplatte: E. MOSCARELLA, La »pietà di S.
Gennaro alla Solfatara« in Pozzuoli (Napoli 1975) 78.
Deutlich ist zu erkennen, daß die mittelalterliche
Nischenmalerei durch das Einsetzen der Platte in
ihrem unteren Teil zerstört worden ist; bei der südlichen Nische reicht die Malerei zT. noch tiefer hinunter. Außerdem weist die Unterseite der Platte auch an
den über den Altar hinausragenden Stellen Mörtelre-
ste auf. Nach G. REMONDINI, Della nolana ecclesiastica
storia 1 (Napoli 1747) 479 war die Platte zu seiner Zeit

der Konsulatsangabe konnten TH. MOMMSEN und A. FERRUA dieses Epitaph in die Monate nach dem 16. 3. 455 datieren[171]. A. AMBROSINI hat nun angenommen, daß sie einst auf dem Fußboden des Raumes, d. h. über den dortigen »loculi«, lag[172]. Auch wenn dies speziell nicht zu beweisen ist, so läßt sich doch an Hand von Resten einer 5,5 cm starken Marmorplatte in Raum 11, die sich noch in situ befindet (Abb. 15; Taf. 21b), nachweisen, daß in den Räumen im unmittelbaren Bereich der ›Basilica dei Ss. Martiri‹ nicht nur Bipedale zur Abdeckung der Gräber gebraucht wurden, sondern auch Marmorplatten – vielleicht nur an besonderen Stellen – verwandt wurden. Die in manchen Partien kaum noch lesbaren Buchstaben der Inschrift sind jedenfalls ein Hinweis, daß die Marmordeck-platte des Altars einmal einer starken Abnutzung ausgesetzt war. Man kann also – mit Vorbehalt – annehmen, daß sie vom Fußboden eines der Grabräume in diesem Bereich stammt, zumal hier zB. im 17. Jh. schon gegraben und dabei sicher manches gefunden worden ist[173]. Man hätte damit einen gewissen Datierungsanhaltspunkt entweder für späte Bodengräber, wie die in Raum 13 (S. 27f), oder sogar noch für späte Bestattungen in den zahlreichen ursprünglichen Gräbern im gesamten Komplex – ein Grab in Raum 11 zeigt immerhin je eine erhöhte Kopfbettung aus Mörtel an seinen Enden, wobei nur einmal dem Mörtel auch Ziegelstücke beigegeben sind (Abb. 15). Die später angelegten Gräber in den Räumen 11 und 14 lagen dagegen so hoch über dem Eingangsniveau (Taf. 21a. 25b), daß ihre Abdeckplatten wohl keine so starke Abnutzung aufwiesen, somit die besagte Marmorplatte ursprünglich kaum auf einem von diesen Gräbern gelegen haben wird.

Die Zeit um die Mitte des 5. Jh. kann jedenfalls nicht mehr – wie bisher – nur auf Grund historischer Daten als kultureller Niedergang angesehen werden (S. 23f), so daß zB. eine gewisse Kontinuität bei den Besitzern dieser – bis auf Bau 13 – sicher erst im 4. Jh. errichteten Gebäude gewahrt gewesen sein kann.

Für eine genauere Datierung von Raum 13 lassen sich weniger Anhaltspunkte finden.

Einem von CHIERICI angestellten Vergleich der Mauerung der Arkosolbögen in den Räumen 11, 13 und 14 kann entnommen werden, daß sich die (ziemlich ähnlichen) Maße der Ziegel der Bögen in 11 und 14 nur wenig von denen in 13 unterscheiden[174]. Der Grabbau in Cimitile, der als einziger von der Gesamtform her (vier) vergleichbare Arkosol- und (vier) Hochgräber besitzt (Abb. 4: nr. 2), hat hier trotz ähnlicher Ziegelmaße eine andere Mauerart aufzuweisen (Taf. 17c)[175]. Daß im Vergleich dazu nähere Verbindungen

---

in Raum 13: »al di fuora dell'arco descritto trasportato s'un muricciolo nell'angolo destro« (c in Abb. 20?). Nach AMBROSINI (o. Anm. 13) 358 lag sie Ende des 18. Jahrhunderts sicher auf diesem Altar.

[170] Zu diesem besonders häufig in Nordafrika vor-kommenden Namen s. A. MANDOUZE, Prosopographie chrétienne du Bas-Empire 1. Prosopographie de l'Afri-que chrétienne (303–533) (Paris 1982) 945/55; man findet ihn aber auch auf einem Trierer Bodenmosaik; R. SCHINDLER, Landesmuseum Trier. Führer durch die vorgeschichtliche und römische Abteilung (Trier 1970) 68 Abb. 212. – Zur Widerlegung der früheren Deu-tung dieser Inschrift auf einen Nolaner Bischof: LE-CLERCQ (o. Anm. 65) 1425; FERRUA, Leo e Lupinus (o. Anm. 98) 99.

[171] CIL 10,1 nr. 1341; FERRUA aO. 99; wie die Fotogra-

fie zeigt, ist etwas mehr von der Inschrift erhalten, als beide Autoren angeben: [hic re]quiescit Quodvuldeus (sic) . . . [de]p. d(ie) pridiae nonas . . . ias (?), con(sule) [d]ivo [Valent]inian[o Aug.] VIII.

[172] S. o. Anm. 169.

[173] S. dazu o. S. 7₈. – Die für den Altargebrauch zurechtgeschnittene Platte hat jetzt noch die Maße 65,5 × 74,5 × 5 cm.

[174] CHIERICI schreibt im Tagebuch am 1. 5. und 3. 7. 1958: »I mattoni degli archi facendi parte degli arcoso-li della edicola sono di 0,20/30 × 0,12/15 × 0,04 m, quelli della cella 14 sono 0,22/23 × 0,11/14 × 0,04 m, quelli della cella 11 sono 0,20/23 × 0,14/16 × 0,04 m« (die Maße wurden vor Ort überprüft).

[175] Vgl. zu diesem Bau CHIERICI: RivAC 33 (1957) 110: »mattoni di 0,22 × 0,13 alternati a cubetti di tufo«. Der

zu den Ziegelbauten 11, 14 und x bestehen, zeigt auch eine Gegenüberstellung des Mauerwerks der aufgehenden Wände (Tabelle 1). Eine derart exakt gemauerte Wandfläche wie die äußere Südmauer von 13 (Taf. 16a. 19d. 20c) findet bei 11 und 14 jedoch keinen direkten Vergleich[176].

So läßt sich daraus und von der relativen Chronologie her (S. 29) nur allgemein schließen, daß dieser innerhalb der Nekropole außergewöhnliche Bau – vielleicht nicht allzu lange Zeit – vor den umliegenden Räumen[177], also möglicherweise noch im 3. Jh., entstanden ist. Ob man, wie meist angenommen (S. 9[16]), mit seiner Datierung noch bis ins 2. Jh. hinuntergehen kann, bleibt zweifelhaft; die Argumente CHIERICIS dafür sind entweder im Rahmen dieser Untersuchung widerlegt worden oder grundsätzlich nicht für eine so frühe Datierung zwingend, wie schon TESTINI angemerkt hat (S. 12). Eine vergleichbare Kombination von Gebäudeform, hervorragend bis etwas gröber gemauerten Ziegelwänden und sechs Arkosol- bzw. sechs Hochgräbern findet man bei Grabbauten in der Nekropole von Ostia auf der Isola Sacra (Abb. 28; besonders nr. 43: Taf. 20a. b); diese Bauten werden immerhin Anfang 3. Jh. nC. datiert[178]. Daß es in diesem Jahrhundert schon eine christliche Gemeinde mit reicheren Mitgliedern in Nola gab, die sich ein derartiges Mausoleum haben leisten können, wurde bereits festgestellt (S. 20). Überhaupt muß die kulturelle Entwicklung in diesem politisch instabilen Jahrhundert im Coemeterium von Nola nicht unbedingt Anzeichen eines stetigen Niedergangs aufgewiesen haben, wie verschiedentlich angenommen wird[179]; immerhin lassen sich für Nola und Campanien allgemein Tatsachen anführen, die in einem gewissen Maße auch das Gegenteil aufzeigen können[180]. Die Datierung dieses großen, wohl christlichen Grabbaus ins 3. Jh. – von der Art des Mauerwerks her gesehen wahrscheinlich noch vor der am Ende des Jahrhunderts erfolgten Anlage des Felixgrabes und des darüberliegenden Gebäudes A aus den Jahren 303/5[181] – hätte also auch einen fundierten historischen wie kulturellen Hintergrund.

im Grundriß vergleichbare Bau 15 hat nicht nur ein anderes Mauerwerk, sondern auch anders gestaltete Arkosolgräber (ebd. 120/2 Fig. 13).

[176] Ob es sich beim südlichen Teil der Ostmauer des neugefundenen Raumes x (s. o. Anm. 127) um eine Verwendung älterer Bauteile handelt, läßt sich beim derzeitigen Grabungsstand nicht sagen; auffallend ist jedenfalls die Ähnlichkeit mit der Südwand von Raum 13.

[177] Daß er als erster, und zwar isoliert, dastand, ist jedenfalls gesichert; s. S. 8. 29f.

[178] So G. CALZA, La necropoli del Porto di Roma nell'Isola sacra (Roma 1940) 90 (zur Arkosolform allgemein). 286. 311 Fig. 38 Taf. III nr. 7. 43; C. PAVOLINI, Ostia = Guide archeologiche Laterza 8 (Bari 1983) 260f. 263. 266f. 312 (Lit.) nr. 7. 43. Mit nur 3–4 cm Dicke sind die Ziegel jedoch etwas dünner (vgl. S. 168[694]!); außerdem haben die Arkosolien eine andere Form und die erhaltenen Malereien lassen sich – nach meinen Beobachtungen vor Ort (1983) – stilistisch nur schwer vergleichen: verschiedene Vögel befinden sich auf einem durchgezogenen grünen Farbstreifen vor gelblichem Hintergrund, dünnere rote und grüne Bänder umrahmen das Bildfeld (ein ähnliches, mit etwas weniger Einzelheiten ausgefülltes Arkosolbild aus einem Nachbargrab abgebildet bei BORDA 114).

[179] So CHIERICI: EAA 5 (1963) 538; KIRSTEN 613.

[180] Für Bauaktivitäten sei zB. ein Brunnenmosaik aus der ersten Hälfte des 3. Jh. in Nola erwähnt: P. VOUTE, Une fontaine à mosaïques découverte à Nole: MélÉc-FrançRome Antiquité 84 (1972) 639/73. Zu den möglicherweise lokal gearbeiteten Sarkophagen des Coemeteriums (aus dieser Zeit) s. o. Anm. 46. Verschiedene Baumaßnahmen und Restaurierungen lassen sich auch in Paestum für das 3. Jh. inschriftlich nachweisen (M. MELLO, Paestum Romana [Roma 1974] 69 nr. 116; 94 nr. 6. 11; 136f); in Süd-Campanien gefundene Villen weisen nicht nur Benutzungsphasen, sondern auch neue Baukomplexe im 3. Jh. auf (S. L. DYSON, The Roman villas of Buccino [Oxford 1983] passim). Historisch gesehen ist nicht nur der Erholungsaufenthalt des Kaisers Tacitus in Baiae im Jahre 276, sondern auch das Verweilen des Neuplatonikers Plotin, der in Campanien eine »Philosophenstadt« wiederherstellen wollte, und des Eustochius, eines Physikers aus Alexandria, am Golf von Neapel in der zweiten Hälfte des Jahrhunderts bemerkenswert (D'ARMS [o. Anm. 85] 107. 121. 147. 149. 158. 208. 220). S. auch u. S. 170[701].

[181] Ein direkter Vergleich des Mauerwerks der Gräber ist schwierig, da einerseits sich die Art der Mauerung der Bodengräber in der Nekropole immer von der bei

Bei der Frage nach der Funktion dieser Bauten im Bereich der späteren ›Basilica dei Ss. Martiri‹ kann man am Schluß dieser Untersuchung eigentlich nur wieder darauf verweisen, was Belting schon 1962 festgestellt hat (s. o. S. 9): Es konnten nirgends Anzeichen für eine kultische Verwendung der Bauten in antiker Zeit gefunden werden, so wie sich dort auch keine eindeutigen Spuren einer frühen Märtyrerverehrung aufzeigen ließen. Es handelt sich bei diesen Gebäuden durchweg und zu allen Zeiten in der Antike um reine Grabbauten[182]. Somit kann die Baugruppe wohl auch nicht zu den von Paulinus um 399/400 erwähnten fünf »Basiliken« gerechnet werden (s. S. 8f). Immerhin verwendet Paulinus in seinen Schriften den Begriff basilica ausschließlich bei Bauten, die eine kultische Funktion haben[183].

aufgehenden Wänden unterscheidet (vgl. die Tabellen 1f), andererseits aber die Arkosolgräber in Raum 13 etwa in der gleichen Art wie die Innenwände des Raumes gemauert sind. Die Südwand dieses Mausoleums ist außen immerhin noch exakter gebaut als das Felixgrab, und die Zusammensetzung des Tons der Ziegel ist eine andere (Tabelle 2). Die aus Ziegeln bestehenden Wandpartien des Grabbaus A unterscheiden sich dagegen deutlich von denen des Baus 13 (Tabelle 1).

[182] Ähnlich Belting, Studien 94[4]; Venditti 540. Anders B. Filarska, Początki architektury chrześcijańskiej (Lublin 1983) 42.

[183] Carm. 18,178; zur Bedeutung von »basilica« in dessen Schriften s. Goldschmidt (o. Anm. 5) 94f (generell: F. W. Deichmann: RömMitt 77 [1970] 151f); vgl. vor allem die Funktion der in ep. 13,11f und 31,4f genannten Bauten in Rom und Palästina. Der Vorschlag von Weis aO. (o. Anm. 13), daß sich dieser Begriff »wohl zum Teil auf kleinere Memorialbauten« bezöge, ist bei Gebäuden wie S. Calionio überlegenswert (vgl. dazu auch das mögliche Apsidengebäude über dem Felixgrab; Abb. 5:21); seine Einbeziehung der »basilichette‹ dei Santi Martiri« muß schon auf Grund der vielen homogenen Einzelbauten dort, von denen erst in neuerer Zeit einige durch Eingänge direkt miteinander verbunden worden sind (s. dazu die Lit. o. Anm. 14), abgelehnt werden. Falls sich erweist, daß die heutige Kirche S. Tommaso (H in Abb. 3) wie S. Stefano (ebd. I) über einem spätantiken Vorgängerbau errichtet worden ist, dann käme man zusammen mit der alten Felixbasilika und dem ›Apsidengebäude‹ auf die besagte Anzahl fünf, wobei natürlich bewiesen werden müßte, daß die genannten zwei Bauten (H und I) und S. Calionio vor der Zeit des Paulinus entstanden sind (vgl. Pani Ermini, Testimonianze 172). Die Datierung von S. Calionio schwankt bei Chierici immerhin zwischen dem 3. und 4. Jh.; s. Palladio 7 (1957) 73; ASTL 2,2 (1960) 162; Primi luci (o. Anm. 40) 430. Für die anderen beiden Bauten s. ders.: Atti 3° Congresso ME 135 und ASTL 2,2 (1960) 162. 168 (»metà del IV secolo«). Die merkwürdige Feststellung des Paulinus im Kap. 10 seines 402/4 verfaßten (s. S. 99[359]) Briefes 32, daß er *vier* schon bestehenden »Basiliken« seine neue Kirche (Abb. 3:E) hinzugefügt habe, könnte dadurch eine Erklärung finden, daß das als »aula« bezeichnete ›Apsidengebäude‹ (s. o. Anm. 156) im Zuge der weitgehenden Umgestaltung des älteren Baukomplexes in Cimitile durch Paulinus am Anfang des 5. Jh. (vgl. carm. 27,370/84.393f; 28,196/213; ep. 32,13.15) seinen eigenständigen Charakter verloren hatte. Immerhin ist die Apsis dieser im 4. Jh. errichteten aula (S. 33) von Paulinus zerstört worden, um den Felixgrabbereich zu der 401/3 neu erbauten Kirche hin zu öffnen (s. dazu in der Quelle o. Anm. 155 und S. 99[359]).

II. DIE MALEREIEN DER GRABBAUTEN 13 UND 14

1. Deutbare Darstellungen

In diesem Hauptteil der Arbeit sollen vor allem auf der Grundlage von Fotos und Beschreibungen vor dem Original aus dem Jahre 1979 die deutbaren Darstellungen in den Räumen 13 und 14 zusammengefaßt behandelt werden. Die Reihenfolge der Bilder ist dabei gemäß der Anordnung der dargestellten Szenen im Bibeltext gegeben. Der in den Einzelkapiteln aufgeführte biblische Text richtet sich meist nach den gängigen Vulgata-übersetzungen. Davon abweichende Textversionen sind in Klammern hinzugesetzt. – Die Passagen von HEMPELS Beschreibungen bzw. Deutungen, die nicht in seiner Veröffentlichung in ZAW 73 (1961) 301f, sondern nur in seinen Manuskripten vorkommen, sind jeweils mit eckigen Klammern gekennzeichnet.

1.1 Adam und Eva hören das Verbot Gottes

1.1.1 Beschreibung und Stil

Das, von der Westecke aus gesehen, zweite Bild auf der Nordwand des antiken Raumes 14 bot bis 1979 so viele Malereireste, daß eine Deutung möglich war (Abb. 29. 30; Taf. 5c). Dennoch ist verwunderlich, daß außer HEMPEL (s. u.) keiner der bisherigen Bearbeiter eine Interpretation gewagt hat. CHIERICI und neuerdings auch FINK erwähnen nur allgemein Reste der unteren Körperteile von Menschen, ohne diese genauer zu beschreiben[1]. – Leider ist auch HEMPELS Beschreibung in diesem Falle relativ kurz: [»63,5 cm«] Breite des Bildes mit beiden Rahmenleisten, »Adam und Eva neben grünem Baum mit zwei kleineren Gestalten, auf sie zuschreitend«[2] (im handschriftlichen Manuskript aber: »und ? schreitende Figur«).

Der Bildbestand hat sich heute (1984) gegenüber dem in den Jahren 1961 und 1979 verringert. Die Malereien werden außerdem von einer feinen Kalkschicht schon so weit überdeckt, daß bestimmte Details noch weniger sichtbar sind.

Das 52–53 cm breite und bis zu 21 cm hoch erhaltene Bild wird nur noch an drei Seiten von einer meist 4–5 cm breiten, roten Leiste gerahmt, deren horizontaler Teil ziemlich zerstört ist. Auf der rechten Bildseite hat sich außerdem eine etwa 1 cm dünne, schwarze Leiste zwischen Malfläche und Rahmen erhalten. Auf einer hellbraunen Farbfläche stehen verschieden hoch angeordnet mehrere Personen und ein Gegenstand.

Links im Bild sieht man noch die Körper zweier nackter, nahe beieinanderstehender Gestalten (Abb. 29; Taf. 8a). Die rechte ist von der Statur her etwas zierlicher gebaut. Mit nebeneinandergestellten[3], nur leicht nach rechts gewandten Beinen scheint sie etwas mehr

---

[1] CHIERICI: RivAC 33 (1957) 119: »parti inferiori di corpi in movimento«; FINK, Bildfrömmigkeit 58₂₃₈: »noch Malreste von Beinen von Mensch und Pferd«. Möglicherweise sind beide Zitate auf mehrere Bilder bezogen. Im Grabungstagebuch von CHIERICI findet dieses Bild dagegen keine Erwähnung.

[2] ZAW 73 (1961) 302.

[3] Nur in Höhe der Unterschenkel stehen die Beine etwas auseinander. Der – vom Betrachter aus – linke Fuß der rechten Gestalt scheint ein wenig zurückgestellt gewesen zu sein. Die Farben an dieser Stelle wirken wie von einer Übermalung befreit (s. dazu S. 153₆₄₀).

im Hintergrund und auch ein wenig höher als die linke Figur zu stehen, wodurch eine gewisse Raumwirkung erzielt wird (man vgl. dazu auch die Position der übrigen Bildelemente). Die linke Gestalt ist dagegen mehr im Dreiviertelprofil und im ponderierten Stand wiedergegeben. Allein bei ihr ist auch noch ein Teil des Fußes (ihr linker) erhalten geblieben. Durch die Wiedergabe von dunkleren Schattenpartien jeweils an der linken Seite der Beine – besonders stark ausgeprägt bei der linken Gestalt – wirken beide Personen ziemlich plastisch. Bei den noch sichtbaren Teilen der Oberkörper der Gestalten sind die Farben vielfach so abgerieben, daß es nicht leicht ist, die Art der Armhaltung oder andere Einzelheiten genauer zu bestimmen. Ein dunkler Farbtupfer auf dem rotbraun gemalten Bauch der linken Figur soll wohl den Nabel andeuten. Bei beiden Gestalten ist der dreieckförmige Bereich der Scham- bzw. Leistengegend deutlich durch eine dunklere Tönung von der übrigen Körperfläche abgesetzt. Bei der linken Figur führen außerdem dunkelbraune, in großen Teilen zerstörte Farbbahnen an den Seiten des Oberkörpers hinauf. Die linke Bahn war anscheinend etwas breiter. Sie kann, analog zu den dunkleren Beinpartien, zumindest in Teilen[4] als Körperschattierung gedeutet werden. Auffallend ist weiterhin, daß das – vom Betrachter aus gesehen – rechte Bein an seinem oberen Ende eine leichte Ausbuchtung aufweist, die in einer ähnlich braunen Farbe wie die helleren Körperpartien gemalt ist. An der gleichen Stelle auf der Außenseite des anderen Beines haben sich nur noch wenige Spuren der Malerei erhalten. Diese befinden sich zT. auch außerhalb (links) der Konturlinie des Oberschenkels, die von dieser Stelle ab zerstört ist. Während man zumindest Teile dieser Farbreste wohl zu der Auswölbung der Glutäen rechnen kann[5], läßt sich die erhaltene Ausbuchtung auf der anderen Körperseite eher als Rest einer Hand deuten. Da bei diesem Bild, wie bei den meisten noch erhaltenen Bildern in diesem Raum[6], anscheinend immer nur die – vom Betrachter aus gesehen – *linke* Seite der Körperteile schattiert wiedergegeben ist, muß es sich bei der dunkelbraunen Farbbahn auf der rechten Seite des Oberkörpers um die schattierten Partien eines herunterhängenden Armes handeln. So wird die Deutung der eben erwähnten Ausbuchtung als die linke, mit Daumen und leicht gewölbten Fingern am Körper anliegende Hand dieser Person bestärkt. – Die Art der Haltung ihres rechten Armes kann ich dagegen nicht mehr bestimmen. Wohl auszuschließen ist, daß die rechte Hand direkt vor die Scham oder horizontal vor den Oberkörper gehalten wurde:

1) Der dunkelbraune Bereich der Scham- bzw. Leistengegend ist bis auf wenige Schadstellen relativ gut erhalten. Er läßt sich in etwa mit dem ebenfalls dunklen Genitalbereich bei der Gestalt des Jonas im südlichen Arkosolbild desselben Raumes (Taf. 8f)[7] vergleichen. Wegen der stärkeren Versinterung dieser Stelle bei unserem Bild sind die Geschlechtsorgane jedoch nicht mehr – wie dort – zu erkennen. Wenn aber die rechte Hand der Person flach davorgehalten worden wäre, müßten zumindest größere

---

[4] Zur Annahme eines an dieser Körperseite anliegenden Armes s. S. 28[10]. Vgl. dazu den gegenüber dem Körper dunkleren (vom Betrachter aus rechten) Arm in der ›Jonas-Ruhe‹ (Taf. 8f).

[5] Vgl. Taf. 31d. Da es sich in Cimitile um eine Seite eines mehr frontal gezeigten Standbeins handelt, kann die Ausbuchtung nicht so stark gewesen sein wie auf diesem Beispiel. Demnach bleiben einige weiter außen befindliche (hellere) Farbspuren in ihrer Bestimmung unklar (Rest einer herunterhängenden Hand?).

[6] Vgl. Taf. 4c. 5b. 7c. 8f; anders aber in Taf. 7a. b; 47a (der [vom Betrachter aus] rechte Arm der Gestalt weist neben der Schattierung auf der *rechten* auch noch eine Konturlinie auf der linken Seite auf, die sogar die ausgestreckte Hand umfährt; außerdem ist auch die Rückenpartie leicht dunkler gehalten). Vgl. auch S. 152 u.

[7] S. dazu S. 134.

Teile dieses Bereiches heller gemalt sein. Man vergleiche nur die in einer solchen Weise gehaltenen Hände auf anderen Bildern dieses Raumes (Taf. 6c. 8e)[8].

2) Da diese Figur bis fast in Brusthöhe erhalten ist (Abb. 29; Taf. 8a), in dem noch sichtbaren Bereich des Oberkörpers aber keine horizontal verlaufenden dunklen Partien zu erkennen sind, wird die Person ihren rechten Arm wohl auch nicht quer vor dem Körper gehalten haben[9]. Der Arm kann also nur erhoben oder vielleicht eher am Körper herabhängend bzw. (leicht angewinkelt) auf der Hüfte aufliegend dargestellt gewesen sein[10].

Bei der rechten Gestalt sind derartige Schlußfolgerungen wegen des noch schlechteren Erhaltungszustandes der Malschicht weniger möglich. Gegenüber der linken, männlich wirkenden Person ist sie von ihrer geringfügig helleren bzw. weniger kräftig gemalten Hautfarbe[11], der im Verhältnis zum übrigen Körper anscheinend etwas breiteren Beckenpartie und vom schmächtigeren (d. h. nicht so muskulösen) Körperbau her wohl als Frau zu bezeichnen. So ist auch nicht verwunderlich, daß bei ihr quasi geschlechtsspezifisch der Bereich der Scham- bzw. Leistengegend, wie oft bei einem weiblichen Akt in spätantiker Malerei[12], heller gemalt ist. Da die – vom Betrachter aus gesehen – rechte Hälfte dieses Bereiches ziemlich zerstört ist, besteht immerhin die Möglichkeit, daß die dort noch erkennbaren dunklen Farbflecken nicht zur Scham, sondern zu einer davorgehaltenen Hand – der linken – gehörten. Von den Konturen der rechten Hand und des zugehörigen Armes hat sich im Bereich des Unterleibs nichts mehr erhalten. Auch sonst kann ich zur Art der Darstellung der Person keine eindeutigen Aussagen machen[13].

Unmittelbar rechts neben diesen beiden Figuren durchschneidet ein relativ breiter Stamm die Bildfläche. Er verjüngt sich nach oben hin, und seine Konturen verlaufen – besonders auf der linken Seite – in weit geschwungenen Linien. Von seinem meist dunkelbraunen Untergrund hebt sich teilweise eine heller braune, nur ganz leicht geschwungene Mittelpartie ab[14]. Am unteren Ende des Stammes befindet sich links eine Art (dunkles) Astloch, während rechts eine kurze, mittel- bis dunkelbraune Farbfläche abzweigt. Die beschriebenen Elemente dieses Stammes lassen sich als untere Teile eines Baumes deuten, der jedoch keine »grünen« Partien – wie HEMPEL meint (s. o.) – mehr aufzuweisen hat (so schon nach Taf. 5c).

[8] Vgl. für eine derartige Haltung in anderen Malereien die Taf. 30c.

[9] So aber zB. in Taf. 28a.

[10] Vgl. Taf. 31d; dagegen aber o. Anm. 5. – Wie die dunklen, den Bauch links überschneidenden ›Schattenpartien‹ gedeutet werden können, ist unklar.

[11] Vgl. generell Taf. 28a.

[12] Vgl. BORDA, Pittura romana Abb. auf S. 365. 367 und zwischen 320 und 321.

[13] Auf der – vom Betrachter aus – linken Seite sind noch einige dunkle Farbspuren zu erkennen (zumindest zT. die Körperschattierung). Rechts finden sich dagegen nur sehr vereinzelt derartige Farbspuren. Einige dunkelbraune Farbflecken auf dem Oberkörper selbst können zur Andeutung der weiblichen Brüste gedient haben. Ansonsten sind manche Farbformationen – ähnlich wie bei den übrigen Bildelementen – nur zufällig so erhalten geblieben, von den zahlreichen das Bild verunklärenden Schmutz- oder Kalkflekken ganz zu schweigen.

[14] Diese Partie etwa für den Rest einer Schlange zu halten, stößt auf Schwierigkeiten: Bei der Deutung dieses Bildes als Darstellung Adams und Evas (s. S. 41) fällt auf, daß dieses Gebilde im Vergleich zu Szenen, in denen eine Schlange sich um einen Baum windet (zB. Taf. 30c), zu gerade und fast nur vor der Mitte des Stammes verläuft. Anscheinend zieht es sich sogar bis zum oberen heute erhaltenen Ende des Stammes hinauf (man beachte die Farbspuren in Taf. 8a), so daß es sich wegen der Größe wohl nicht um eine unmittelbar vor dem Baum befindliche, sich aufrichtende Schlange, wie in einigen anderen Vergleichsbeispielen (zB. Rep. 146; WMK Taf. 70,2 [?]; WS Taf. 191,1; hier Taf. 26b. 28a), handeln kann. Bei Bäumen in Adamund-Eva-Darstellungen findet man dagegen zuweilen auch Stämme, die aus mehreren Strängen gebildet sind (zB. Rep. 23a. 774; WMK Taf. 101).

Es folgt ein größerer Zwischenraum, der – ähnlich wie die Bildränder – zT. von einer hellgrauen Fläche und von einer hellbraunen, verschieden hoch hinaufreichenden ›Boden-zone‹ ausgefüllt ist (Abb. 29; Taf. 5b)[15]. Erst nahe am rechten Bildende befindet sich das nächste Darstellungsdetail: Fleischfarbene Reste eines vorderen und (deutlicher) die Umrisse eines hinteren schräggestellten Beines weisen auf eine von rechts nach links eilende Gestalt, die etwas tiefer als die nackten Personen und der Baum steht[16]. Diese Figur war mit einem anscheinend hellbeigefarbenen, mittellangen Gewand bekleidet, von dem 1961 noch die rechte untere Partie deutlicher sichtbar war. Bei den hinteren, dunkleren Teilen handelt es sich möglicherweise um den Rest eines breiten Clavus und den Zipfel eines andersfarbigen Mantels.

Etwas mehr links oben am jetzigen Bildrand (16 cm vom rechten Rahmen entfernt) konnte ich am Original außerdem noch einen fleischfarbenen Malereirest ausmachen, der vielleicht die ausgestreckte Haltung eines Armes dieser Person anzeigt (Abb. 30). Alles übrige der Figur war schon 1961 so stark zerstört[17], daß HEMPEL vor dem Original *eine* und später dann »zwei kleine Gestalten«[18] zu erkennen glaubte (s. o.).

Auf Grund einiger Charakteristika des Bildes – eine nackte männliche und eine nackte weibliche Person neben einem Baum – möchte ich der Deutung HEMPELS auf eine Darstellung Adams und Evas weiter nachgehen. Gegenüber der Mehrzahl der antiken Darstellungen aus der Adam-und-Eva-Ikonographie weist das Bild in Cimitile aber einige Besonderheiten auf, die für die Deutung bzw. genaue Benennung der Szene von Wichtigkeit sind: Bei keiner der beiden nackten Figuren sind grüne Blätter, die die Scham verhüllen, vorhanden. Auf Grund der oben angeführten Indizien bleibt es außerdem ziemlich unklar, ob Adam und Eva wenigstens mit den Händen die Scham bedeckten. Bei Adam kann man dies sogar eher ausschließen. Weiterhin ist auffallend, daß sich Adam und Eva nicht wie gewöhnlich (s. S. 42$_{24}$) links und rechts eines Baumes befinden, sondern beide links davon in aufrechter Haltung zusammenstehen. Außerdem kommt in dieser Szene noch eine Gewandfigur im Eilschritt von rechts hinzu, auf die Adam und Eva – mehr oder weniger stark – ausgerichtet sind. Vom Bibeltext her (Gen 2f) kann es sich nur um eine Darstellung Gottes handeln.

Unter Berücksichtigung dieser Besonderheiten kommen nur zwei Episoden aus dem Genesisbericht in Frage, die dem Bild zugrundegelegen haben können: Gen 2,16f bzw. 3,3 (vor dem Sündenfall) oder Gen 3,8/13 (nach dem Sündenfall).

1.1.2 Der Bibeltext in Gen 2,16f bzw. 3,3 und Gen 3,8/10

Gen 2,16f: »Und Gott der Herr gab Adam das Gebot: Von allen Bäumen im Paradies darfst du essen, vom Baum der Erkenntnis des Guten und Bösen soll(s)t du (ihr)[19] nicht

---

[15] Teilweise überlappt die hellgraue Fläche die braune Bodenzone und den linken Fuß der Frau (Taf. 8a). Links und rechts im Bild ist diese Farbfläche in vertikalen, in der Mitte aber in horizontalen Pinselstrichen aufgetragen worden. S. auch Anm. 17.
[16] Von den Füßen haben sich noch (teilweise dunkle) Farbspuren erhalten: Abb. 29; Taf. 5c.
[17] Die übrige Fläche war schon damals von einer Kalkschicht und zT. von der hellgrauen Farbe (s. o. Anm. 15 und S. 153: spätere Malschicht?) bedeckt. –

Die bräunliche Farbpartie rechts, die eine stabförmige Gestalt hat, ist eine zufällige Farbformation.
[18] Möglicherweise in Anlehnung an seine Beschreibung bzw. Deutung der Darstellung im nordöstlichen Arkosol von Raum 13; s. S. 148.
[19] Gen 2,17: Hebr.: »תֹּאכַל«; LXX: »φάγεσϑε«; Vetus Latina: »edetis«; Vulgata: »comedas«. – Die benutzten Textausgaben: K. ELLIGER/W. RUDOLPH (Hrsg.), Biblia Hebraica Stuttgartensia (Stuttgart 1977) 53; A. RAHLFS (Hrsg.), Septuaginta 1 (Stuttgart 1935) 52; B. FISCHER

essen. An dem Tage nämlich an dem du (ihr) von jenem ißt (eßt), wirst (werdet) du (ihr) sterben«[20]. – Gen 3,3[21]: »Von der Frucht des Baumes aber, der in der Mitte des Paradieses steht, hat Gott gesagt: Esset nicht davon, rühret sie auch nicht an, daß ihr nicht sterbet«. Anders als nach dem Sündenfall (in Gen 3,7 erfolgt das Bedecken der Scham) waren hier beide Stammeltern noch »nackt und ... schämten sich nicht voreinander« (Gen 2,25).

Gen 3,8/10: »Und sie hörten Gott den Herrn, der am Nachmittag (gegen Abend)[22] im Paradies einherging. Und Adam und seine Frau verbargen sich vor dem Angesicht Gottes des Herren in der Mitte des Holzes im Paradies. Und es rief Gott der Herr den Adam: Wo bist du? Und jener sagte: Ich hörte dich im Paradies und fürchtete mich, da ich nackt bin, und versteckte mich«.

In der folgenden Analyse der möglichen Vergleichsbilder gilt es, u. a. besonders darauf zu achten, welchem Teil des Bibelberichtes die Darstellung in Cimitile am ehesten zugerechnet werden kann, d. h. auf Grund welcher Bildelemente es möglich ist, ikonographisch sehr verwandte Kunstbeispiele als Szenen *vor* bzw. *nach* dem Sündenfall zu deuten.

1.1.3 Verwandte antike und frühmittelalterliche Darstellungen

Unter den erhaltenen christlichen Darstellungen Adams und Evas aus der Antike lassen sich keine direkten Vergleichsbeispiele zur Gesamtkonzeption des Bildes in Cimitile finden, doch können für die Charakteristika im einzelnen analoge Szenen angeführt werden.

a) Asymmetrisch gestaltete Menschenpaardarstellungen

Die Darstellungsform, bei der die Stammeltern nebeneinander und auf der einen Seite eines einzelnen Baumes[23] stehen, ist – im Unterschied zum zahlreicher belegten symmetrischen Bildschema[24] – nur auf drei (eindeutig) christlichen Monumenten überliefert (Taf. 26b. 27a. b). Außerdem kommen noch drei Denkmäler mit Menschenpaardarstellungen hinzu (Taf. 27c. 28a. 29a. b), die von Kaiser-Minn dem paganen Kunstkreis zugerechnet werden[25].

(Hrsg.), Genesis = Vetus Latina 2 (1954) 348/54; R. Weber (Hrsg.), Biblia Sacra iuxta Vulgatam Versionem² 1: Genesis-Psalmi (Stuttgart 1975) 48f.

[20] Gen 2,17: Hebr.: »תֹּאכַל«; LXX: »φάγητε«; Vetus Latina: »ederitis«; Vulgata: »comederis«.

[21] Antwort Evas (ab Gen 3,2) auf die Frage der Schlange in Gen 3,1.

[22] S. dazu Fischer (o. Anm. 19) 63 zu Anm. »HI«.

[23] Bei der eigenwilligen Darstellung in der Kuppel von El-Bagawat werden Adam und »ZΩH« zur Linken von einer Art Tor und zur Rechten von »Bäumen und Buschwerk« des Paradieses gerahmt. Über ihnen befindet sich eine stehende Figur mit Stab (Engel?) vor einer Architektur: J. Flemming, Die Ikonographie von Adam und Eva in der Kunst vom 3. bis zum 13. Jahrhundert, ungedr. Diss. Jena (1963) 115/8; H. Stern, Les peintures du mausolée »de l'Exode« à el-Bagaouat: CahArch 11 (1960) 107f Taf. 5. 7. – Auf dem ersten erhaltenen Bildstreifen in der Wiener Genesis (fol. 1ʳ) stehen die Stammeltern in gebeugter Haltung und nach rechts gewandt auf der rechten Seite eines Feigen(?)-Baumes, der u. a. wohl als Teil

der »üppigen Vegetation des Paradieses« und als eine Art Trennelement der beiderseits anschließenden Szenen anzusehen ist (man beachte auch die andere Art des Stammes und der Zweige beim Baum in der Sündenfallszene links); Gerstinger, Wiener Genesis 66 Taf. 1; P. Buberl, Die byzantinischen Handschriften 1. Der Wiener Dioskurides und die Wiener Genesis = Beschreibendes Verzeichnis der illuminierten Handschriften in Österreich 4 (Leipzig 1937) 83 Taf. XXI, 1.

[24] S. dazu S. 70; S. Esche, Adam und Eva. Sündenfall und Erlösung (Düsseldorf 1957) 10f₁₆; H. Schade, Art. Adam und Eva: LCI 1 (1969) 55/7; E. Dassmann, Sündenvergebung durch Taufe, Buße und Martyrerfürbitte in den Zeugnissen frühchristlicher Frömmigkeit und Kunst = Münsterische Beiträge zur Theologie 36 (Münster 1973) 397/404.

[25] H. Kaiser-Minn, Die Erschaffung des Menschen auf den spätantiken Monumenten des 3. und 4. Jahrhunderts = JbAC Erg.-Bd. 6 (Münster 1981) 59/61. 87/91. Ein viertes Beispiel (ebd. 36f Taf. 16 bzw. hier S. 72 Taf. 36a) läßt sich nur sehr allgemein dazurechnen.

aa) Frühchristliche Beispiele

Das älteste sicher christliche Beispiel mit einer derartigen asymmetrischen Komposition hat sich auf einer Reliefplatte in Velletri aus der Wende vom 3. zum 4. Jh.[26] erhalten (Taf. 26b). Bei der dortigen, in der frühchristlichen Adam-und-Eva-Ikonographie einzigartigen Bildformulierung[27] wurde mit Recht auf die noch sehr nahe Verwandtschaft mit einer unbestritten paganen Menschenpaardarstellung (ohne Baum) auf dem zeitlich früheren Arleser Prometheus-Sarkophag im Louvre hingewiesen (Taf. 26a)[28]. Außer der nur sehr allgemein vergleichbaren Anordnung der Stammeltern ohne einen zwischen ihnen stehenden Baum lassen sich dagegen keine Parallelen zum Bild in Cimitile (Taf. 5c) ziehen.

Die zwei anderen frühchristlichen Beispiele stehen der Darstellung in Cimitile etwas näher:

Ein wohl im 1. Viertel des 4. Jh. entstandener Sarkophagdeckel aus dem Coemeterium des Marcus und Marcellianus in Rom[29] zeigt die Stammeltern ebenfalls, nur seitenvertauscht, neben einem größeren Baum, um dessen Stamm sich eine Schlange windet (Taf. 27a)[30]. Eva steht leicht nach links gewandt – wie in Cimitile – direkt neben dem Baum. Mit ihrer Linken bedeckt sie die Scham, während die Rechte zu Boden weist. Adam wendet sich hier aber in die entgegengesetzte Richtung und hält *beide* Hände vor die Scham[31]. Alle Komponenten zusammengenommen handelt es sich – im Gegensatz zum Bild in Cimitile (u. S. 60) – wohl um eine Art Mehrphasenszene (etwa zu Gen 3,1/7). Das Abweichen vom üblichen, symmetrischen Bildschema kann entweder vorlagenbedingt sein[32] oder formale Gründe gehabt haben[33].

[26] Für eine ähnliche Datierung vgl. zuletzt: ENGEMANN, Untersuchungen 86; M. SOTOMAYOR, Sarcófagos romano-cristianos de España (Granada 1975) 64; E. DINKLER, Plaque with biblical scenes: Age of Spirituality 413; N. HIMMELMANN, Über Hirten-Genre in der antiken Kunst = AbhDüsseldorf 65 (Opladen 1980) 147[510]; KAISER-MINN 59 Anhang 2: »aus römischer Werkstatt«.

[27] Das Menschenpaar hier ist einander zugewandt und durch die Umarmung von seiten Adams und eine der dextrarum iunctio ähnliche Geste verbunden (vgl. dazu L. REEKMANS, La »dextrarum iunctio« dans l'iconographie romaine et paléochrétienne: BullInstHistBelgeR 31 [1958] 65; N. HIMMELMANN, Das Hypogäum der Aurelier am Viale Manzoni = AbhMainz 1975 nr. 7, 11; DINKLER aO. 413; KAISER-MINN 59 Taf. 34a). Allein Eva bedeckt sich (mit ihrer Linken) die Scham. Links von ihnen sind in erheblich kleinerem Maßstab ein ›Baum‹ und eine Schlange, die einen »Zweig oder eine Frucht im Maul« trägt (so KAISER-MINN 59. 73), dargestellt. Man könnte die Szene demnach als Bild des ersten Menschenpaares bezeichnen, dem ein Hinweis auf den Sündenfall beigefügt ist.

[28] So zuletzt KAISER-MINN 59[16] (mit Lit.). 87; zum Arleser Sarkophag ebd. 43f. 68; zur vergleichbaren Szene im Vergilius Vaticanus Pict. 34 s. ebd. 65 Taf. 37b.

[29] Rep. 636; FLEMMING 3f nr. 3.8f (»Anfang des 4. Jh.s«); WISCHMEYER (u. Anm. 222) 88f[3].

[30] Vgl. WS 228 Taf. 9,1; im Rep. S. 256 zu nr. 636 dagegen nicht erwähnt.

[31] Ob Blätter vor der Scham Adams und Evas sind, wie das Rep. aO. schreibt, ist weder in der dortigen

Abb. noch in der von WILPERT aO. noch hier auf Taf. 27a zu erkennen.

[32] Für das seltsame Abwenden Adams lassen sich im 3. und 4. Jh. nur in etwa vergleichbare Beispiele bei symmetrischen Adam-und-Eva-Darstellungen finden (s. FLEMMING 7. 9. 72[5]; ESCHE [o. Anm. 24] 12[23f]; A. FERRUA, Un nuovo cubicolo dipinto della via Latina: RendicPontAcc 45 [1972/73] 182f Fig. 9). Eine ungefähr ähnliche, jedoch seitenvertauschte Stellung hat die »Eva« auf dem kapitolinischen Prometheussarkophag (Taf. 29a). – FLEMMING 9[1] hat nun aber auf die erstaunliche Verwandtschaft zu einem (von einer spätantiken Handschrift abhängigen) Mosaikbild in S. Marco (Taf. 31a; allgemein dazu wie auch zur Problematik dieser Szene s. die Lit. u. Anm. 121/4) aufmerksam gemacht. Da die Handlung in beiden Monumenten eine andere sei – das Bedecken der Scham fehlt in S. Marco –, spricht sie sich gegen eine Ableitung des Sarkophagbildes »aus einem Zyklus« aus. Es handele sich vielmehr um eine »als Einzelszene geschaffene Darstellung«. Da jedoch eine Mehrphasenszene vorliegt, die eine Kontamination aus zwei ursprünglich einzeln dargestellten Szenen sein könnte (vgl. allgemein dazu Lit. u. Anm. 147f), ist eine Übernahme des Bildmotivs aus einer der Fassung in S. Marco verwandten Vorlage nicht von vornherein ausgeschlossen (vgl. Anm. 104).

[33] Um den Baum als Trennungsglied zwischen den verschiedenen Szenen zu haben, wurde die Gestalt Adams einfach umgestellt (das Abwenden wäre dann ursprünglich ein Zuwenden gewesen). – Die übrigen

Eine Glasschale (aus dem 4. Jh.)[34] in Köln zeigt die gleiche Anordnung Adams und Evas links neben einem großen Baum wie in Cimitile (Taf. 27b). Um diesen windet sich eindeutig eine Schlange[35]. Die zwei Personen sind in einer Art Gespräch wiedergegeben, wobei Eva bewegter als bisher dargestellt ist und Adam minimal höher zu stehen kommt. Wie auf der Reliefplatte in Velletri (Taf. 26b) bedeckt allein Eva mit ihrer Linken die Scham. Mit der Rechten weist sie auf den Baum, so daß hier vielleicht die Verführungsszene nach Gen 3,1/6 gemeint ist.

Mit diesen sicher christlichen Darstellungen – insbesondere mit der zuletzt genannten und dem Bild in Cimitile – lassen sich auch die drei von Kaiser-Minn als heidnisch bezeichneten Szenen[36] vergleichen. Da jedoch wichtige Einzelheiten und sogar die Benennung sehr umstritten sind, wird es notwendig, alle drei Beispiele gesondert abzuhandeln.

bb) Vorläufer im paganen Bildzusammenhang

Eine Malerei auf einem Loculus in der San Sebastiano-Katakombe in Rom möchte ich an den Anfang dieser Gruppe stellen (Taf. 27c). Obgleich das Fresko in unmittelbarer Nähe von Grabbauten des 2. Jh. nC. angebracht ist, wird es aus stilistischen Gründen wohl schon an den Anfang des 3. Jh. gehören[37]. Ein anscheinend nachträglich eingelassenes Epitaph[38] hat den Mittelteil dieser Malerei zerstört. Immerhin ist noch so viel erhalten, daß man sie im Anschluß an einige bisherige Untersuchungen als pagane »Elysium-Darstellung« deuten kann[39]. Es lassen sich aber unter den zuweilen nur schwer identifizier-

---

Szenen auf dem Sarkophag zeigen nur Darstellungen des üblichen Bildschemas.

[34] So zuletzt J. Engemann, Anmerkungen zu spätantiken Geräten des Alltagslebens mit christlichen Bildern, Symbolen und Inschriften: JbAC 15 (1975) 154f Abb. 4; L. Kötzsche-Breitenbruch, Bowl with Adam and Eve: Age of Spirituality 422 nr. 378; Gallien in der Spätantike, Ausstellungskat. Mainz (1980) 115 nr. 138 (nach M. Schulze sogar 1. Hälfte 4. Jh.); Kaiser-Minn 59₁₈. 87₂₇ Abb. 35a. – Die Schale wurde u. a. zusammen mit Münzen, deren jüngste von Tetricus und Probus stammen, in einem Grab in Köln gefunden.

[35] Ein niedrigerer Baum rahmt – wie als Pendant – die Szene auf der linken Seite. Zwischen beiden Gestalten sieht man außerdem noch eine kleinere Staude.

[36] S. o. Anm. 25.

[37] So schon Kaiser-Minn 63₃₈ und J. Engemann, Der Ehrenplatz beim Sigmamahl: Jenseitsvorstellungen in Antike und Christentum, Gedenkschr. A. Stuiber = JbAC Erg.-Bd. 9 (Münster 1982) 248. Man vgl. die Proportionen und die aufgesetzten ›Lichterbahnen‹ bei den nackten Gestalten auf der Bildseite rechts vom Epitaph (Abb. bei Kaiser-Minn Taf. 40a) und bei den drei Jünglingen aus Kammer III des Aurelier-Hypogäums (Himmelmann, Hypogäum [o. Anm. 27] Taf. 6; zu deren severischer Datierung vgl. Lit. u. Anm. 52). Für eine Datierung noch ins 2. Jh. s. P. Styger, Römische Märtyrergrüfte (Berlin 1935) 15 Taf. 32b; P. Testini, Le catacombe e gli antichi cimiteri cristiani in Roma = Roma cristiana 2 (Bologna 1966) 55 Abb. 9. –

Zur Lokalisierung s. A. Nestori, Repertorio topografico delle pitture delle catacombe romane (Città del Vaticano 1975) 83 nr. 1 Fig. 19a und E. Jastrzebowska, Untersuchungen zum christlichen Totenmahl aufgrund der Monumente des 3. und 4. Jahrhunderts unter der Basilika des Hl. Sebastian in Rom (Frankfurt 1981) 44 Abb. 2 nr. 9.

[38] Während für Styger aO. das durch diese Inschrift bezeichnete Grab »heidnisch« ist, lassen andere Autoren keinen Zweifel am christlichen Charakter aufkommen (J. Carcopino, De Pythagore aux Apôtres [Paris 1956] 353/5 Abb. XXa; Testini, Catacombe aO.; Kaiser-Minn 63. 64₄₄ Abb. 40a). Bei W. N. Schumacher, Hirt und ›Guter Hirt‹ = RömQS Suppl. 34 (Rom/ Freiburg/Wien 1977) 86 ist dies weniger eindeutig. Für F. J. Dölger, ΙΧΘΥC 5 (Münster 1943) 703 bleibt dagegen – wohl mit Recht – »die Sache unentschieden«. Zu allem vgl. auch Jastrzebowska aO. 45f; für sie ist die Inschrifttafel gleichzeitig mit der Malerei entstanden.

[39] So schon Styger 15; L. Kötzsche-Breitenbruch, Die neue Katakombe an der via Latina in Rom² = JbAC Erg.-Bd. 4 (Münster 1979) 44₂₅₇; Kaiser-Minn 63/7; Engemann, Ehrenplatz 248. Schumacher, Hirt 86₂₀₅, der hierin »eine noch nicht gedeutete Landschaft« sieht (vgl. auch Jastrzebowska 44), verweist für die »auf Bögen zuschreitenden Nackten« (s. o. Anm. 37) auf das »Pincio-Grab« (Schumacher aO. Taf. 7b), wo es sich in der (in etwa) vergleichbaren Szene wohl ebenfalls um eine Unterweltsdarstellung handelt.

baren Bilddetails keine Anhaltspunkte finden, hierin eine christliche Darstellung mit häretischen Zügen zu sehen[40]. In unserem Rahmen genügt es, nur auf die unmittelbar links neben dem Epitaph gelegene Szene ausführlicher einzugehen.

Rechts neben einer nur noch undeutlich erkennbaren Zweiergruppe von Mensch und Tier (?)[41] und einem Baum mit roten und gelben[42] Früchten, der um vieles mächtiger als ein links am Bildrand gemalter Baum gestaltet ist, stehen verschieden hoch im Gelände[43] zwei nackte Gestalten. Die rechte, ein wenig größere und höher stehende Person ist etwas korpulenter und mit einem größeren Kopf wiedergegeben, doch unterscheidet sie sich in der rötlich-braunen Farbe des Inkarnates anscheinend nicht von der anderen Gestalt[44]. Eine ähnliche, nur etwas dunklere Hautfarbe kennzeichnet auch die unzweifelhaft männlichen Personen auf der Bildhälfte rechts des Epitaphs; somit bleibt es fraglich, ob etwa eine der zwei Figuren weiblichen Geschlechts ist[45]. Die beiden mehr oder weniger frontal dastehenden Gestalten haben − nur in verschiedenem Winkel − ihren rechten Arm erhoben und auf die Baumkrone hin ausgestreckt (ohne diese zu berühren) und lassen den linken Arm am Körper herunterhängen[46]. Obwohl es von den relativ flüchtig gemalten Bilddetails her nicht eindeutig ist, ob die beiden Menschen − wie auf Vergleichsbildern − »einen Zweig (oder eine Frucht) pflücken«[47], zB. »als Mittel gegen den Tod zur Erlangung der Unsterblichkeit« oder »als Schlüssel ... zum Elysium«[48], so scheint es sich vom

[40] So aber CARCOPINO 354.

[41] Der Kopf des Tieres, das auf der gleichen Ebene wie die Person rechts des Baumes steht, überschneidet deutlich den Stamm. CARCOPINO 354 und KAISER-MINN 64₄₆. 67 sehen hierin den Kerberos, der (nach letzterer) vielleicht von »Hekate ... an der Kette« gehalten wird. NESTORI 83 will darin einen Esel erkennen.

[42] So nach Beobachtungen, die U. KOENEN (Bonn) im Frühjahr 1982 vor dem Original machen konnte. Die ockergelben Früchte, die besonders geballt über den Figuren vorkommen, sind rund, die roten Früchte werden dagegen nur durch einen dicken Strich angedeutet. Vgl. für die Deutung der gelben (= goldenen) Äpfel allgemein KAISER-MINN 66 nr. 6 und dort Anm. 58.

[43] So schon KAISER-MINN 64; ihre Umzeichnung im Anhang 2 zeigt dagegen beide (irrtümlicherweise) auf derselben Ebene stehend; sowohl unter der linken Gestalt wie auch unter den Tieren links neben dem Baum sind braune Striche als Angabe einer Bodenzone gemalt. Vgl. u. Anm. 44.

[44] Diese Angaben nach KOENEN (s. o.); die linke Figur ist demnach 9 cm (der Kopf 1,3 cm) hoch, die rechte 9,5 cm (der Kopf 1,8 cm) hoch; letztere steht 1,7 cm höher als die linke Gestalt.

[45] Vgl. KAISER-MINN 64 Taf. 40a (Gesamtfoto); nach CARCOPINO aO. 354 sogar »deux femmes drappées«. − Nach KOENEN, der ich wiederum die Beschreibung der Hautfarbe verdanke (s. o.), haben diese zwei (links des Epitaphs stehenden) Figuren lockige Haare. Die Haartracht der rechten scheint etwas länger.

[46] Nach NESTORI 83 hat nur einer den Arm erhoben. In der Zeichnung von KAISER-MINN Anhang 2 ist die Armhaltung der beiden Gestalten zT. abweichend vom Original wiedergegeben. − Nach KOENEN (s. o.) ist

der Kopf der rechten Gestalt mehr im Profil dargestellt.

[47] So nach KAISER-MINN 60. 64. 67; CARCOPINO 354 sieht hierin eine Grußgeste. NESTORI 83 schreibt nur allgemein: »tende un braccio verso l'alto«. Vielleicht handelt es sich auch um eine deiktische Geste (NEUMANN, Gesten 17f). Für eindeutig pflückende Gestalten im Elysium vgl. das Lunettenbild aus dem Grab der Octavia Paulina in Rom (BORDA Abb. S. 314f) und eine Darstellung auf dem Sarkophag in Velletri (hier Taf. 36b). − Wie ein nach KOENEN (s. o.) »schwarzer, ganz dünner Strich«, der »ohne Verbindung« zur erhobenen Hand der rechten Gestalt steht und am Rand der Baumkrone endet, zu deuten ist, bleibt unklar (Verzeichnung?).

[48] So KAISER-MINN (64. 66f. 73) mit dem Hinweis, daß eine Deutung auf eine Darstellung des Herakles (mit Iolaos?) beim Hesperidenabenteuer nicht auszuschließen ist; vgl. zur Interpretation der Szene: K. KERÉNYI, Die Mythologie der Griechen 2⁴. Die Heroengeschichten (München 1979) 140/3; HIMMELMANN, Hypogäum (o. Anm. 27) 16; der rechte, mehr dunkelbraune Stamm könnte − wie KAISER-MINN 64₃₉ schon vermutet hat − zu einem Baum gehört haben, dessen »oberer Abschluß aber unklar ist, da die Zone darüber nachträglich mit der weißen Hintergrundfarbe bemalt worden zu sein scheint« (nach KOENEN [s. o.]). Eine grüne Farbzone, die »unvermittelt seitlich aus dem großen Baum heraustritt« und dann bis nahe an das Epitaph heran- und dort auch noch nach oben (in welliger Form) hinaufreicht, zeigt jedenfalls »keine Verbindung« (mehr?) zum Stamm. Die Person links davon ist aber nicht »angelehnt«, wie KAISER-MINN aO. meint, sondern »steht nur direkt daneben« (KOENEN). In ihrer linken, herunterhängenden Hand hält sie einen »ganz dünnen Stab nach unten« (dies.).

Kontext der gesamten Darstellung her[49] sicher um eine Szene zu handeln, die im *Elysium* spielt. Somit ergeben sich neben den formalen auch inhaltliche Bezüge zu den oben genannten christlichen Beispielen, auf denen das Stammelternpaar ebenfalls immer nackt und auf der einen Seite eines Baumes, der nach dem Bibelbericht (s. o.) im *Paradies*[50] steht, dargestellt ist. Möglicherweise schloß die schwer zu deutende Szene auf dem Fresko in S. Sebastiano auch die »Zweiergruppe« auf der linken Seite des Baumes mit ein, so daß – trotz der sicherlich verschiedenen Handlungen – von der Komposition und dem Fehlen einer Schlange her noch etwas mehr formale Ähnlichkeiten mit der Adam-und-Eva-Darstellung in Cimitile (Taf. 5c) bestehen.

Bei einem weiteren dieser paganen Denkmäler ist der Bildbestand noch umstrittener. Es handelt sich um eine Wandmalerei aus einem Cubiculum des sogenannten Aurelier-Hypogäums in Rom[51]. Die Malereien der gesamten Grabanlage werden in neueren Forschungen wohl zu Recht etwa in die Zeit des Caracalla datiert[52]. – Die Darstellung befindet sich auf der linken Randfläche der Wand, die dem Eingang gegenüberliegt (Taf. 28a). Die Wand war einst nicht wie die Seitenwände von einem Arkosol durchbrochen[53]. Auf Grund nachträglicher Zerstörungen haben sich aber nur diese und eine weitere Darstellung am anderen Ende der Wand und geringe Farbspuren in der Mitte erhalten, die von J. WILPERT zu einem einst den ganzen Mittelteil *allein* ausfüllenden Garten gerechnet werden[54]. Diese Deutung wie auch die in der Literatur angesprochenen Möglichkeiten, daß an dieser Stelle zwei weitere Szenen gemalt[55] oder die vorhandenen Darstellungen breiter angelegt waren[56], können nur Vermutungen bleiben. Somit muß man sich bei der Analyse der Malereien der Rückwand auf die beiden Randszenen beschränken. Während in der rechten Szene im Anschluß an die Untersuchungen von KAISER-MINN wohl eine Darstellung der Erschaffung des Menschen durch Prometheus zu sehen ist[57], bereitet die Deutung der linken Szene etwas mehr Schwierigkeiten (Taf. 29b).

Ähnlich wie auf den bisher behandelten Monumenten stehen zwei nackte Gestalten anscheinend an der einen Seite eines »Baumes«, von dem noch geringe Reste des ›Stammes‹ und der gebogenen ›Krone‹ erhalten geblieben sind[58]. Bei der linken, nur etwa

---

[49] S. S. 44[39]. – Die umstrittene Benennung des Tieres unterhalb der Sigma-Mahlszene (nach CARCOPINO 354: »âne«; NESTORI 82: »cervo«; KAISER-MINN 64[45]: »Pferd« oder »Esel«) kann durch die Beobachtungen von KOENEN (s. o.) geklärt werden: Was KAISER-MINN aO. als »weitere Sträucher« »hinter seinem Kopf« bezeichnet, muß wohl ein Geweih sein – es ist in der gleichen braunen Farbe und am Kopf ansitzend gemalt; damit wäre die Benennung von NESTORI die plausibelste.

[50] Zur antiken Vorstellung vom Paradies s. K. GALLING, Art. Paradeisos: PW 18,3 (1949) 1131/4; C. KRAUSE, Art. Garten: Lex. d. Alten Welt (1965) 1025/7. – Zum Elysium vgl. O. GIGON, Art. Elysion: ebd. 807; KAISER-MINN 62[27].

[51] G. BENDINELLI, Il monumento sepulcrale degli Aureli al Viale Manzoni in Roma: Monumenti Antichi 28 (1922) 289/520; J. WILPERT, Le pitture dell'ipogeo di Aurelio Felicissimo presso il viale Manzoni in Roma: MemPontAcc Serie 3,1, parte II (1924) 1/43.

[52] HIMMELMANN, Hypogäum (o. Anm. 27) 9; KAISER-MINN 85[1f] (übrige Lit.); MIELSCH, Wandmalerei 229f.

[53] BENDINELLI 310; HIMMELMANN, Hypogäum 8.

[54] WILPERT 9; so auch KAISER-MINN 86.

[55] G. BENDINELLI nach WILPERT 9[34].

[56] HIMMELMANN, Hypogäum 12[22]. – Die Malereien der Seitenwände lassen sich nicht zum Vergleich heranziehen, da sie ja im betreffenden Bereich ein Arkosol aufweisen, das nur Raum für die Darstellung einer Architektur mit jeweils an deren Seiten sitzenden Philosophen bietet; s. WILPERT Taf. II – die Eingangswand zeigt nur »una imitazione di giallo antico« (ebd. 9; HIMMELMANN, Hypogäum 8. 16 Taf. 3).

[57] KAISER-MINN 88/91 Taf. 28c; von H. MIELSCH: Gymnasium 84 (1977) 478 akzeptiert; anders noch zB. WILPERT 10; HIMMELMANN, Hypogäum 12/6 Taf. 2; M. CHICOTEAU, Glanures au viale Manzoni (Brisbane 1976) 18.

[58] Auf Grund der schlechten Erhaltung der betreffenden Stelle kann nicht, wie bei KAISER-MINN 86. 90 nr. 3, mit Sicherheit gesagt werden, daß dieser »Baum« (nach CHICOTEAU 19 die Reste der »porte du paradis«) »keine Früchte trägt«. Der merkwürdig geradlinig ver-

bis zum Ansatz der Oberschenkel erhaltenen Figur handelt es sich offensichtlich um einen (bartlosen) jungen Mann[59]. Dieser ist in Dreiviertelansicht wiedergegeben; er hält seine Rechte in Höhe des linken Oberarms, während die Linke gesenkt ist[60]. Der Kopf ist leicht nach vorne geneigt und der Blick wohl einer am Boden sich aufrichtenden Schlange[61] zugewandt. Zwischen der Schlange und dem Mann sind Teile eines menschlichen, in einem etwas helleren Braun gemalten *Unterkörpers* sichtbar[62]. Nach dem Ausgräber G. BENDINELLI und ihm folgend N. HIMMELMANN und KAISER-MINN[63] haben sich nur die Reste der Beine »bis in Kniehöhe« (rechts) erhalten, doch WILPERT zählt in seiner Rekonstruktion eindeutig noch Partien der Oberschenkel-Beckengegend mit zum erhaltenen Bestand (Taf. 29b)[64]. Nicht nur auf seiner unmittelbar nach der Entdeckung der Malereien angefertigten Farbtafel (Taf. 28a), sondern auch heute noch (1983) sind deutlich hautfarbene Partien in dem von ihm angegebenen Bereich – nur etwas breiter ausgedehnt als auf seiner Umzeichnung – zu erkennen. Auch wenn WILPERTS Rekonstruktion in Einzelheiten Fehler aufweist[65], so ist doch ein sehr wesentlicher Aspekt, das Stehen zweier etwa gleich großer Gestalten auf verschiedenen Ebenen, von ihm richtig gesehen und ergänzt worden. Der nach HIMMELMANN »wesentliche« Größenunterschied zwischen den beiden Personen ist, wie schon verschiedentlich angemerkt wurde[66], nicht zu sichern, denn »nach allgemeinen anatomischen Verhältnissen entspricht die Beinlänge bis zur Höhe des Geschlechts der gesamten oberen Körperlänge« (vgl. die nach dieser Regel gemachten ungefähren Größenangaben in Taf. 29b)[67]. Daher kann die linke Gestalt aber kaum – »wenn man sie nach unten ergänzt – die gleiche Standfläche wie die rechte« gehabt haben, wie KAISER-MINN annimmt[68].

Von der breiteren Oberschenkel-Beckenpartie und der etwas helleren Hautfarbe her läßt sich nun die rechte Person, die wohl – wie im Bild in Cimitile (Abb. 30) und auf dem kapitolinischen Prometheussarkophag (Taf. 29a) – etwas frontaler als der Mann dagestanden hat und außerdem vielleicht mit einer ihrer Hände auf ihn verwies[69], eindeutig als

laufende Stamm findet immerhin seine Parallele beim Baum im benachbarten Bild (Taf. 28a).

[59] So auch alle bisherigen Bearbeiter bis auf CHICOTEAU 18.

[60] Man kann die Person eher (wie HIMMELMANN, Hypogäum 11) als »erregt« als »überrascht« bezeichnen (so WILPERT 10; vgl. zu den Gesten des Erstaunens bzw. der Überraschung NEUMANN, Gesten 97/105; G. SITTL, Die Gebärden der Griechen und Römer [Leipzig 1890] 269/72).

[61] Die von WILPERT 10 als »lingua bifida« gedeuteten Striche oberhalb des Maules sind auf seiner Rekonstruktion (ebd. Fig. 4) gegenüber der Position auf seiner Farbtafel I ein wenig zu weit links gezeichnet.

[62] Die Einzelbeobachtungen konnte ich bei Besuchen des Monumentes im Herbst 1975 und 1983 machen.

[63] BENDINELLI 310 u.; HIMMELMANN, Hypogäum 11; KAISER-MINN 86 Anhang 1 und 3.

[64] WILPERT 10 r. Sp. o. Fig. 4; er schreibt nur: »La metà superiore di Eva è distrutta«. Ein dunkelbrauner Farbfleck auf der abgeriebenen Malfläche oberhalb der Scham könnte, ähnlich wie beim Mann, den Bauchnabel angedeutet haben.

[65] ZB. im Verlauf und in der Stellung der Beine dieser Gestalt; s. auch o. Anm. 61.

[66] MIELSCH: Gymnasium 84 (1977) 478; KAISER-MINN 87.

[67] So nach KAISER-MINN 87[30]; vgl. grundsätzlich dazu A. WALDEYER/A. MAYET, Anatomie des Menschen 1[13] (Berlin/New York 1976) 66f. – Wie die drei Jünglinge in der Unterweltsdarstellung aus Kammer III (zur Deutung dieses Bildes s. KÖTZSCHE-BREITENBRUCH, Via Latina 43f; SCHUMACHER, Hirt [o. Anm. 38] 46; HIMMELMANN, Hypogäum 22 Taf. 6) trotz ihres deutlichen »Zeitstils der langgestreckten Proportionen« beweisen, sind – so KAISER-MINN – »diese klassischen Proportionen . . . im Aurelierhypogäum [in etwa] eingehalten«.

[68] KAISER-MINN 87 und Anm. 31; ebd. 86 schreibt sie dagegen: »Diese Figur scheint etwas weiter im Vordergrund zu stehen als der Mann links«.

[69] Zur Stellung schon ähnlich BENDINELLI 311; vgl. dazu die Fußhaltung des mittleren Jünglings aus Kammer III (s. o. Anm. 67). – Braune, schon in WILPERTS Rekonstruktion angegebene Farbspuren (nahe der rechten Hand des Mannes) könnten auf eine ehemals halb erhobene Haltung eines Armes (zB. als Ausdruck einer Zeigegeste) hinweisen. Zu was die weiter unten liegenden, braunen Farbflecken gehörten, ist unklar (die zweite Hand?). Die Annahme WILPERTS 10 Fig. 4, daß Evas »atteggiamento sarà stato simile a quello di Adamo«, ist dagegen durch nichts zu belegen.

Frau bezeichnen. Dadurch wäre wiederum eine Ähnlichkeit zu den eben genannten Monumenten, nun von der Anordnung des Paares her, gegeben.

Der traditionellen, bis in neuere Zeit belegten Benennung dieses Paares als Adam und Eva[70] hat HIMMELMANN in seiner Abhandlung aus dem Jahre 1975, in der er als ein wichtiges Ergebnis eine christliche bzw. gnostische Deutung der Gesamtanlage zu Recht ausschließt, zwei Deutungsmöglichkeiten (Herakles und Iolaos beim »Hesperidenabenteuer« oder »Jason bei der Gewinnung des goldenen Vlieses«) gegenübergestellt[71]. KAISER-MINN konnte die Ergebnisse HIMMELMANNS modifizieren und die beiden Gestalten, von denen die rechte – nun sicher – eine Frau darstellt[72], überzeugender als paganes Menschenpaar deuten, das in engem Zusammenhang mit der Prometheusschöpfung zu sehen ist[73]. Die bisher nur von HIMMELMANN erwähnten, stark abgeriebenen, gelblichen Farbspuren oberhalb des Maules der Schlange etwa als Reste des »Löwenfelles« von Herakles zu deuten[74], ist somit sehr unwahrscheinlich[75].

Ob auf der anderen Seite des Baumes wie bei den Malereien in S. Sebastiano und Cimitile noch ein weiteres Bilddetail vorhanden war (o. S. 46), läßt sich mE. nicht mehr entscheiden. Von den beschriebenen Elementen der Handlung her ist es aber nicht unbedingt erforderlich, daß die linke Szene – wie auch die rechte – einst breiter angelegt war[76].

Eine im Formalen ähnliche Szene ist auf einem dreiseitig skulptierten Kindersarkophag im Kapitolinischen Museum in Rom zu finden, der wohl gegen Ende des 3. Jh. nC.[77] entstanden ist. Während in der Mitte der Vorderseite – ähnlich wie im Aurelierhypogäum – der Schöpfungsmythos des Prometheus als Hauptthema, neben einer vielfigurigen Darstellung aus den beiden Bereichen Leben und Tod, erscheint (Taf. 28b), sind auf der rechten Ecke und der anschließenden Schmalseite die Befreiung des Prometheus durch Herakles und am linken Rand eine nur teilweise auf die Nebenseite übergreifende Abbreviatur der ›Feuerraubszene‹ wiedergegeben[78].

An der Stelle, wo man den eigentlichen Raub des Feuers durch Prometheus erwarten würde[79], zeigt diese Nebenseite noch eine weitere Szene (Taf. 29a): Ein nacktes, eng

---

[70] ZB. SCHADE (o. Anm. 24) 56f; NESTORI (o. Anm. 37) 44 nr. 1; CHICOTEAU 18.

[71] HIMMELMANN, Hypogäum 12; für beides konnte er aber keine überzeugenden Bildvergleiche finden. – Für eine gnostische Deutung der Darstellung spricht sich neuerdings wieder CHICOTEAU 17/20. 64/8 aus (vgl. auch R. CHEVALLIER: RevÉtLat 55 [1977] 550f und G. S. R. THOMAS: JournRelHist 10 [1978] 96f); dagegen KAISER-MINN 89. 91.

[72] Von HIMMELMANN, Hypogäum 12. 15f durch die Bevorzugung der Deutung auf das Hesperidenabenteuer noch (indirekt) in Zweifel gezogen. – KAISER-MINN 88 erschließt dies nur aus dem Vergleich mit dem Arleser Prometheussarkophag im Louvre (Taf. 26a).

[73] KAISER-MINN 88. 90.

[74] HIMMELMANN, Hypogäum 12[19].

[75] Am Original lassen sich ähnliche Farbspuren auch unterhalb des Schlangenkopfes feststellen (alles Reste einer Hintergrundfarbe?).

[76] Zur rechten Szene vgl. KAISER-MINN 88. 90. – Anders noch HIMMELMANN, Hypogäum 11f[22]; MIELSCH: Gymnasium 84 (1977) 478 schreibt dagegen: »Die Anordnung [der beiden Menschen] könnte durch die Notwendig-

keit bedingt sein, diese Szene durch den Baum vom Mittelteil der Wand zu trennen«.

[77] Für die Datierung in neuerer Zeit und weiterführende Lit. s. H. SICHTERMANN / G. KOCH, Griechische Mythen auf römischen Sarkophagen = Bilderhefte d. DAI Rom 5/6 (Tübingen 1975) 64 nr. 68 Taf. 165/7 (»schon dem beginnenden 4. Jh.«, so auch dies., Römische Sarkophage [o. S. 14[46]] 184[7]); B. ANDREAE / H. JUNG, Vorläufige Übersicht über die Zeitstellung und Werkstattzugehörigkeit von 250 römischen Prunksarkophagen des 3. Jhs. n. Chr.: AA 1977, 432/6 Tabelle zwischen S. 434 und 435 (»290/300«); H. BRANDENBURG, Introduzione alla discussione: Atti del IX Congresso Internazionale die Archeologia Cristiana, Roma 21–27 settembre 1975, 1 (Città del Vaticano 1978) 466[8] (»eher gegen das 3. Viertel als gegen das Ende des Jahrhunderts«); KAISER-MINN 46 (»290/300«). 63 (Hinweis auf die formale Ähnlichkeit mit der Darstellung im Aurelierhypogäum).

[78] Zuletzt ausführlich dazu KAISER-MINN 46f Taf. 23f.

[79] Vgl. KAISER-MINN Taf. 18a. So schon ROBERT, ASR 3,3, 444.

beieinander stehendes Menschenpaar befindet sich rechts von einem Baum, dessen Krone zu einem großen Teil nicht näher differenziert wiedergegeben ist[80]. Der Mann steht erhöht auf einem Felsblock und wendet sich dem Baum zu. Er scheint aber – wie erstaunt – leicht zurückzuweichen, da sein Oberkörper etwas nach hinten, d. h. nach rechts, gebogen ist. Sein Kopf ist dabei nach links oben gerichtet. Die flache, etwas nach hinten geneigte und zum Baum hin leicht vom Reliefgrund abgewinkelte rechte Hand hält er nahe am Gesicht bzw. in Augenhöhe erhoben und reicht damit gerade an das vorderste Blatt des Baumes. Die linke Hand liegt dagegen auf der Hüfte auf, und durch die ausgestreckten Finger sind Teile des Geschlechtes bedeckt. Die ein wenig größer dargestellte Frau steht am Fuße des Baumes und überschneidet dabei zT. den Körper des höher stehenden Mannes. Sie ist frontaler dargestellt als jener, d. h. sie ist nur minimal nach rechts gewandt. Den Kopf hat sie leicht nach rechts unten gesenkt und ihre Hände hält sie übereinandergelegt vor der Scham. Beide Gestalten sind in einem erheblich kleineren Maßstab als die meisten übrigen Figuren des Sarkophags dargestellt. Sie lassen sich von ihrer Größe her am ehesten mit den Geschöpfen des Prometheus bzw. dem liegenden Toten vergleichen (Taf. 28b)[81].

Die Benennung dieser zwei Gestalten ist bis heute umstritten. Während man in der älteren Literatur u. a. auch Erklärungen im Bereich der paganen Mythologie suchte[82], werden in neueren Abhandlungen[83] die beiden Personen als Adam und Eva gedeutet. Nur einige Bearbeiter bleiben bei einer allgemeineren Bezeichnung wie »das erste Menschenpaar«, wobei KAISER-MINN noch zusätzliche Aspekte für eine genauere Deutung der Szene anführt[84]: Am dortigen Baum (Taf. 29a) sind ebenso wie am Zweig, den die Schlange auf dem Arleser Prometheus-Sarkophag im Louvre den beiden Menschen heranbringt (Taf. 26a), keine Früchte dargestellt. In beiden Beispielen sei aber auch »die Charakterisierung der Blattform ähnlich«[85]. Außerdem sei »gemeinsamer Nenner dieser Szenen . . . das

---

[80] Nach KAISER-MINN 47 »mit pinienartigen Zweigen und ohne Früchte«; nach A. BREYMANN, Adam und Eva in der Kunst des christlichen Altertums (Wolfenbüttel 1893) 6₃ »vielleicht ein Lorbeer, jedenfalls keine Palme, wie MILLIN will«; ein »Apfelbaum«, wie ROBERT aO. schreibt, ist es sicher nicht. – Alle im folgenden aufgeführten Einzelheiten konnten im Herbst 1983 am Original beobachtet werden. Nur einige Äste weisen an ihren Enden Verdickungen auf, unter denen eine breite, flachere und durchfurchte Partie (in der Mitte der Krone = Blatt?) und sechs lanzettförmige Gebilde (mit tief gefurchtem Mittelstreifen = Blätter) am rechten Teil des Baumes auszumachen sind. Früchte gibt es keine. Seltsamerweise ist gerade das rechte Oberteil der sonst weniger ausgearbeiteten Baumkrone über der männlichen Gestalt – zT. sogar sehr tief – ausgebrochen (wegen eines einst vorragenden Darstellungsdetails?). S. auch u. Anm. 85. 87. 104.

[81] ›Adam‹ ist maximal 19 cm und ›Eva‹ 20,5 cm groß. Von den Prometheusgeschöpfen ist die Gestalt auf dem Sockel 17 cm, die auf dem Schoß 15 cm und die liegende (mit ausgestreckten Füßen) 17,5 cm groß. ›Adam‹ besitzt ähnlich wie diese Geschöpfe eine hohe Stirn und eine durch einzelne Strähnen aufgelockerte Frisur, die ziemlich tief am Hinterkopf hinunterreicht.

[82] BREYMANN aO. 8f₁/₃ und KAISER-MINN 61₂₄ (Zusammenfassungen der Lit.: »Deukalion und Pyrrha nach der Flut«; »Zwei Wilde im Naturzustande . . ., denen Prometheus das himmlische Feuer noch nicht gebracht hat«; Szene des Feuerbringens unter Auslassung des Prometheus; »Atlas und Hesperide«).

[83] Zur älteren Forschung s. BREYMANN aO. 6₂. 7₃; ROBERT aO. 444. Neuerdings s. B. ANDREAE: HELBIG, Führer⁴ 2, 110 nr. 1257; E. SIMON, Ein spätgallischer Kindersarkophag mit Eberjagd: JbInst 85 (1970) 223₇₈; HIMMELMANN aO. 12; SICHTERMANN/KOCH, Griech. Mythen (o. Anm. 77) 64 bzw. dies., Römische Sarkophage (o. S. 14₄₆) 184; BRANDENBURG, Introduzione (o. Anm. 77) 466.

[84] H. v. SCHOENEBECK, Die christliche Sarkophagplastik unter Konstantin: RömMitt 51 (1936) 256f; L. ECKHART, Art. Prometheus III. In der bildenden Kunst: PW 23,1 (1957) 725; KAISER-MINN 62, mit dem Hinweis, »daß nicht in der Benennung des Paares die Lösung zu suchen ist . . ., sondern in der Umschreibung dessen, was das Paar vertritt«.

[85] Ebd. 60. 66: »entweder als Nadel (zB. Pinie) oder als Laub, schmalblättrig langgestreckt (wie Weide oder Olive) aufzufassen«. Vgl. hier Anm. 80. 88. – Für ›Paradiesesbäume‹ ohne Früchte in christlichen Menschenpaardarstellungen s. u. Anm. 103.

Pflücken oder Entgegennehmen ... eines Zweiges«[86]. Da man jedoch die Aktion des Mannes auf dem kapitolinischen Sarkophag nicht ohne weiteres in einer derartigen Weise deuten kann[87] und eine Ähnlichkeit in den Formen der Zweige nur zT. besteht bzw. nur sehr allgemein ist, scheint mE. nicht zweifelsfrei »das φάρμακον ἀθανασίας ... das gemeinsame Motiv« beider Sarkophage zu sein[88]. Für eine Deutung dieser Szene ist aber bemerkenswert, daß der Mann sich nur mit *einer* Hand die Scham bedeckt, die Frau aber mit *beiden*, was wir bisher nur auf einem der späteren christlichen Beispiele fanden (Taf. 27a). In der frühchristlichen Kunst allgemein ist diese Geste der Frau sowohl bei Adam wie bei Eva erst seit Anfang des 4. Jh. belegt[89]. Selbst das für die meisten christlichen Denkmäler von Anfang an typische, da vom Bibelbericht her geforderte (u. S. 64), Blatt oder der Blätterschurz[90] kann, ähnlich wie beim Schamgestus auf den zwei oben gezeigten christlichen Beispielen (Taf. 26b. 27b), noch fehlen (zB. Taf. 30c)[91].

HIMMELMANN und BRANDENBURG[92] sehen nun durch die Schamgesten der Frau und des Mannes die Deutung des Paares auf Adam und Eva als gesichert an. Nach letzterem handelt es sich hierbei gerade um einen »Gestus, der in der antiken Welt in dieser Form nicht seinesgleichen hat und nur aus dem orientalischen Bereich herzuleiten ist«. Während man im Halten der einen Hand vor oder nahe der Pubes, wie zB. beim Mann, immerhin doch eine Anlehnung an den antiken Schamgestus der Venus pudica erkennen kann (zB. Taf. 37a[93]; dessen Ableitung von einem vorderasiatischen Motiv ist aber nur in etwa möglich[94]), habe ich ebenfalls keine *heidnisch*-antiken Beispiele für die vor der Scham übereinandergelegten Hände bei einer nackten Figur finden können[95]. Da außerdem nach

[86] KAISER-MINN 73.
[87] So schon BREYMANN (o. Anm. 80) 7₂. – Vielleicht wandte sich der Mann einem jetzt weggebrochenen Darstellungsdetail (s. o. Anm. 80) zu. Nach BREYMANN und ROBERT, ASR 3,3, 444 hat der Mann seine Rechte »erhoben wie im Erstaunen oder Erschrecken über ein außergewöhnliches Ereignis«; s. u. Anm. 103f. Zur Geste vgl. allgemein SITTL aO. (o. Anm. 60) 270f₁.
[88] Wie KAISER-MINN 66₆₁ schon selbst betont hat, ist obendrein »dem Versuch botanischer Identifizierung ... mit Vorsicht zu begegnen, da die Wahl bestimmter Blatt- bzw. Nadelformen auch technisch bedingt sein kann«. – Für ihre Deutung s. ebd. 67/73.
[89] Vgl. FLEMMING zB. 11. 14. 74 (»strenger römischer Sündenfalltypus der konstantinischen Zeit« = beide in dieser Haltung). D. STUTZINGER, Die frühchristlichen Sarkophagreliefs aus Rom (Bonn 1982) 70/2 datiert einen Sarkophag im Vatikanischen Museum (Rep. 8), der ein solches Motiv aufweist, noch in die Zeit kurz vor 300 (?).
[90] Für die frühesten Denkmäler s. S. 70.
[91] Vgl. auch Rep. 41.338; FERRUA, Nuovo cubiculo (o. Anm. 32) 182 Fig. 9 (?); F. FREMERSDORF, Die römischen Gläser mit Schliff, Bemalung und Goldauflagen aus Köln = Denkmäler des römischen Köln 8 (Köln 1967) 217f Taf. 301; C. R. MOREY/G. FERRARI, The gold-glass collection of the Vatican Library = Catal. d. Museo Sacro 4 (Città del Vaticano 1959) 12 nr. 47 Taf. VIII; vgl. auch das u. Anm. 242 zuletzt genannte Beispiel. – Ob die Blätter auf diesen Stücken nur auf Grund minderer Qualität (besonders bei den Sarkophagen,

wo sie übrigens auch gemalt gewesen sein können) oder wegen etwaiger technischer Bedingtheiten (bei den Goldgläsern) fehlen, mag ich nicht entscheiden. Auf dem kapitolinischen Sarkophag lassen sich jedenfalls am Original keine Farbspuren von ehemals gemalten Blättern ausmachen.
[92] HIMMELMANN, Hypogäum (o. Anm. 27) 12; BRANDENBURG, Introduzione (o. Anm. 77) 466.
[93] So schon KAISER-MINN 87. Zur ›Venus pudica‹ allgemein s. S. REINACH, Répertoire de la statuaire grecque et romaine 2 (Paris 1887) Abb. auf S. 350/57; B. M. FELLETTI MAJ: Afrodite pudica: Archeologia Classica 3 (1951) 33/65; W. NEUMER-PFAU, Studien zur Ikonographie und gesellschaftlichen Funktion hellenistischer Aphrodite-Statuen = Habelts Dissertationsdrucke, Reihe Klass. Archäologie 18 (Bonn 1982) passim. S. auch u. Anm. 111.
[94] In der Kunst des Orients werden die Organe der Geburt und Ernährung mehr hervorgehoben als verdeckt: REINACH aO. Abb. auf S. 365; CH. BLINKENBERG, Knidia (Kopenhagen 1933) 42/4 Abb. 4; N. HIMMELMANN, Zur Knidischen Aphrodite 1: MWPr 1957, 11; NEUMANN, Gesten 93, dort Anm. 395 Lit.
[95] Nach BREYMANN (o. Anm. 80) 7. 27 kann man auf den christlichen Denkmälern »das Bedecken mit beiden Händen bei sonst ruhiger Körperhaltung ... nur auf den Moment der erwachenden Scham (Gen III,7)« beziehen, im Falle des Sarkophagbildes aber sei diese Haltung eher »zufällig« so (?). – K. BAPP, Art. Prometheus: W. H. ROSCHER, Ausführl. Lex. der griech. und röm. Mythologie 3,2 (Leipzig 1902/9) 3101 sieht hierin

einem Untersuchungsergebnis von KAISER-MINN »in paganen Darstellungen des nackten Menschenpaares bzw. einzelner oder einer Gruppe nackter Menschen ... stets nur die Frau [es ist], die den Schamgestus ... [in der Art] der Venus Pudica ausführt«[96], fällt das Sarkophagbild auch unter diesem Gesichtspunkt aus der Reihe.

Der Schamgestus der *beiden* Figuren ist es nun, der das Urelternpaar der *biblischen* Schöpfungsgeschichte nach dem Sündenfall charakterisiert[97]. Grundsätzlich finden sich meist auf etwas späteren, christlichen Bildbeispielen sogar Elemente wie das Sichabwenden der Gestalten (Taf. 27a. 30g. 31a. 34b)[98], die Kombination dieser Schamgesten (Taf. 30b. 31b) und das alleinige Agieren des Mannes (Taf. 30b. c. 32a. 34b).

Der kleinere Maßstab der beiden Figuren, der in den paganen Menschenpaardarstellungen, jedoch anscheinend nicht in christlichen Szenen des Sündenfalls vorkommt[99], und die Bildanordnung neben der Feuerraubepisode, die in der mythologischen Überlieferung eng mit der Schilderung von den ersten Menschen verbunden ist[100], zeigen, daß dieses von ›biblischen‹ Vorstellungen angeregte Bild des ersten Menschenpaares in den paganen Darstellungszyklus der Prometheussage integriert worden ist. Ob die Einzelheiten dieser Darstellung auf eine literarische Anregung zurückzuführen sind[101] oder auf eine bildliche Vorlage[102], bleibt mE. unklar. Eine gewisse Verwandtschaft mit den zeitlich vorausgehenden paganen Menschenpaardarstellungen[103] und christlichen Darstellungen, wie in Cimitile (Abb. 30)[104], ist immerhin auffallend.

die »Haltung einer Frierenden« (?); zumindest die seit dem 7./8. Jh. nC. vorkommenden Darstellungen der zum Tode durch Erfrieren verurteilten 40 Märtyrer von Sebaste, die möglicherweise auf spätantike Vorlagen zurückgehen, zeigen ganz andere ›Gesten des Frierens‹: O. DEMUS, Two Palaeologian mosaic icons in the Dumbarton Oaks Collection: DOP 14 (1960) 87/ 119; K. G. KASTER, Art. Vierzig Martyrer von Sebaste: LCI 8 (1976) 550/3.

[96] KAISER-MINN 87. Vgl. auch im Vergilius Vat. pict. 33 (DE WIT, Miniaturen Taf. 19).

[97] So zB. schon BRANDENBURG, Introduzione (o. Anm. 77) 466.

[98] Für das Abwenden vgl. auch die o. Anm. 32 genannten Beispiele.

[99] So KAISER-MINN 90 nr. 4. – DASSMANN, Sündenvergebung 258 hat in seiner Untersuchung u. a. festgestellt, daß bei einigen Kirchenvätern (bis ins 3. Jh.) »auf das noch kindliche Alter der Stammeltern, das ihre Schuld mildert«, hingewiesen wird. Daß derartige Vorstellungen bei der Bildgestaltung hier auch eine Rolle gespielt haben, ist wohl auszuschließen, da die zeitlich vorausgehenden heidnischen Darstellungen von Menschen bei und nach der Schöpfung (so auch auf der Vorderseite dieses Sarkophags; s. S. 48 Taf. 28b) meist schon einen kleineren Maßstab aufweisen; vgl. KAISER-MINN Anhang 3; dagegen ebd. 47[104] Taf. 18a. 25. – Gegenüber den Prometheusgeschöpfen auf der Vorderseite des kapitolinischen Sarkophags sind Adam und Eva aber etwas größer; vgl. o. Anm. 81.

[100] Vgl. KERÉNYI (o. Anm. 48) 1, 168/73.

[101] So zuletzt KAISER-MINN 109: »Einfluß jüdischen oder christlichen Schrifttums« (vgl. dort 99/102); für die ältere Lit. s. ebenda 106 und hier Anm. 82. – Seltsa-

merweise fehlen (wie bei einigen wenigen christlichen Beispielen; s. o. Anm. 91) die im Bibeltext (Gen 3,7) ausdrücklich genannten Schurze aus Feigenblättern (Einfluß etwaiger Bildvorlagen?).

[102] BRANDENBURG, Introduzione (o. Anm. 77) 466f meint, daß dieser »Bildtyp wohl kaum auf eine bildliche Vorlage zurückzuführen ist, ebensowenig wie ... (er) mit der Darstellung des Urelternpaares in christlichem Kontext zu identifizieren ist, die eine andere ikonographische Form zeigt«. Gerade bei letzterem berücksichtigt er aber nicht, daß es neben dem Bild in Cimitile u. a. drei christliche Menschenpaardarstellungen gibt (Taf. 26b; 27a. b), die formale Ähnlichkeiten zu diesem Sarkophagbild besitzen.

[103] Ähnlich wie bei der Loculusmalerei in S. Sebastiano (Taf. 27c), aber im Gegensatz zum Aurelier-Hypogäum und dem Arleser Prometheussarkophag im Louvre (Taf. 26a), ist bei diesem Sarkophagbild keine Schlange, die einen Zweig bringt, dargestellt. Es scheint hier deshalb eine andere Szene als dort gemeint zu sein (vgl. Anm. 87. 104). – Das grundsätzliche Fehlen einer Schlange braucht nicht unbedingt mit der Vernachlässigung der Nebenseite, wie HIMMELMANN, Hypogäum (o. Anm. 27) 12$_8$ meint, erklärt zu werden. Schon in den frühesten christlichen Darstellungen von Adam und Eva (s. S. 69f Taf. 32a. 34b; weitere Beispiele FLEMMING 9/13. 17. 19) kann diese sogar fehlen. Obwohl dies zT. vorlagenbedingt (zB. Taf. 27c. 36a) oder auf Grund einer Tendenz zur Vereinfachung des Bildaufbaus (so FLEMMING 11) geschehen sein mag, so ist doch nicht auszuschließen, daß durch das Fehlen der Schlange zuweilen auch eine andere Phase des Sündenfalls angezeigt werden soll. – Auch die von KAISER-MINN 109 angeführte, »dem

cc) Ergebnisse einer Gegenüberstellung der Monumente und Folgerungen daraus für das Bild in Cimitile

Darstellungen eines nackten Menschenpaares auf der einen Seite eines einzelnen Baumes lassen sich zuerst nur in rein paganem Bildzusammenhang finden. Zumindest die Szene auf dem kapitolinischen Prometheussarkophag weist jedoch schon biblische Einflüsse auf[105]. Trotz einer jeweils etwas andersartigen Handlung und mancher Detailunterschiede (wie dem Vorkommen bzw. Fehlen einer Schlange) weisen die genannten Monumente untereinander zahlreiche verbindende Merkmale auf. Sowohl bei den paganen wie bei den christlichen Beispielen ist ein (zuweilen eng) nebeneinanderstehendes Menschenpaar immer nahe und mehr oder weniger in Beziehung zu einem Baum dargestellt, und zwar in der Form, daß – mit Ausnahme des eigenständigen Bildtypus' auf dem Relief in Velletri – die kräftiger wirkende bzw. männliche Person die Außenseite der Komposition einnimmt. Dabei ist sie oft etwas mehr im Profil und erhöht stehend wiedergegeben. In irgendeiner Weise läßt sich die jeweilige Szene mit einer Schöpfungsgeschichte oder dem Elysium in Verbindung bringen. Schließlich ist bemerkenswert, daß abgesehen von zwei Monumenten, die wahrscheinlich eine andersartige Entstehung bzw. andere Einflüsse aufweisen[106], selbst bei den christlichen Beispielen allenfalls die Frau einen Schamgestus, und zwar in der Art der Venus pudica[107], ausführt. – Wenn auch nicht alle genannten Beispiele dem gleichen Bildtypus zuzurechnen sind, so hat doch diese

Bericht vom Sündenfall widersprechen(de) entscheidende Einzelheit« in dieser Szene und der im Aurelier-Hypogäum (s. dazu Anm. 58), daß »der Baum immer ohne Früchte ist«, findet sich von Anfang an in christlichen Darstellungen (s. zB. Taf. 34b; WMK Taf. 101; FLEMMING 8. 15f).

104 Abgesehen von den beiden oben genannten Adam-und-Eva-Darstellungen (Taf. 27a. b), die sich durch das Vorhandensein einer Schlange – auf dem Sarkophag fehlt eine solche – und eine andere Aktion der Figuren nur allgemein vergleichen lassen (»eine im wesentlichen ähnliche Ikonographie« sieht dagegen KAISER-MINN 59. 87), ist noch auf zwei Szenen zu verweisen, die sich unter den (von einer spätantiken Handschrift abhängigen) Genesismosaiken in S. Marco befinden (Taf. 30g. 31b; neuere Lit. und weiteres zu den Mosaiken u. S. 56$_{122/4}$). Es handelt sich nach den Beischriften um a) das Bedecken der Scham mit Blättern, b) das Sichverbergen der Stammeltern und die Entdeckung durch Gott (nach Gen 3,7/10). Nun hat BREYMANN (o. Anm. 80) 7f schon folgendes bei der Sarkophagdarstellung zu bedenken gegeben: »Wenn ... eine Szene aus der Geschichte des Sündenfalls dargestellt ist, so kann nur der Augenblick veranschaulicht sein, wo Adam nach seinem Vergehen die Stimme Gottes hört. Nur darauf könnte die Gebärde des Mannes bezogen werden ... (Gen 3,9)« (vgl. o. Anm. 87). Abgesehen von einer möglichen Sinnverwandtschaft sind die Szenen – trotz der großen Zeitdifferenz und dem damit möglichen Darstellungswandel – sogar in zahlreichen Einzelheiten vergleichbar. Ungewiß ist, ob auf dem Sarkophag noch ein weiteres Bilddetail (zB. eine Büste oder Hand aus dem Himmel)

vorhanden war (s. o. Anm. 80). Somit bleibt als größter Unterschied zu dem einen Bild in S. Marco (Taf. 30g), daß dort auch noch der Christus-Logos dargestellt ist. – Da auch zwei andere Szenen aus diesen Mosaiken – die »Erschaffungsdarstellungen« – »der paganen Vorlage« entsprechen (so KAISER-MINN 90$_{41}$. 118f$_7$ Anhang 4 B1 und B2 Taf. 45a/b) und bei einer oben erwähnten Szene vom Anfang des 4. Jh. ebenfalls Beziehungen zu S. Marco bestehen (s. o. Anm. 32), stellt sich »die Frage nach dem Einfluß einer hypothetischen früheren Genesisillustration« (vgl. allgemein KAISER-MINN 110/2). Weil es hier zu weit führen würde, darauf näher einzugehen, genügt es festzuhalten, daß die betreffenden ikonographischen Formulierungen in S. Marco bereits im 3. bzw. am Anfang des 4. Jh. nC. in ähnlicher Form vorhanden sind (vgl. für andere Beobachtungen verwandter Art: KAISER-MINN 73$_{113}$. 112$_{144}$).

105 KAISER-MINN 89f weist darauf hin, daß »bei den späteren Menschenpaardarstellungen im Paganen (eventuell durch die Genesiserzählung direkt oder indirekt) eine Beeinflussung mitspielen (mag), da es anfangs mehrere nackte Menschen sind, dann allmählich aber die paarweise Wiedergabe sich durchsetzt«. Da aber, wie es ihre Untersuchungen zeigen (vgl. ebd. Anhang 2f), schon in den frühesten erhaltenen Beispielen ein *Paar* dargestellt sein kann, muß generell offenbleiben, ob biblisches Gedankengut nicht auch schon *früh* diese Bildgestaltungen mit beeinflußt hat (zur »Motivaneignung« allgemein vgl. ebd. 108/10).

106 Taf. 27a. 29a; S. 43$_{32f}$ und 51$_{101f}$

107 S. dazu Anm. 93. 111.

Untersuchung gezeigt, daß es eine ältere, auch durch eindeutig christliche Kunstbeispiele belegte Tradition[108] von Menschenpaardarstellungen mit Baum gegeben hat, die – im Gegensatz zu den meisten frühchristlichen Sündenfalldarstellungen – einheitlich die asymmetrische Form aufweisen und in der Regel nicht den Schamgestus bei *beiden* Menschen zeigen[109].

Soweit noch erkennbar, stimmen fast alle genannten Merkmale mit denjenigen der Darstellung auf der linken Bildhälfte in Cimitile (Abb. 30) überein. Für die Gesamtkomposition allgemein bietet die Malerei in S. Sebastiano (Taf. 27c) vielleicht eine Art Vorläufer.

Eine gewisse Eigenständigkeit des Bildes in Cimitile zeigt sich nur in einem Detail: Während bei allen drei Menschenpaardarstellungen, die in paganen Bildzusammenhängen vorkommen (Taf. 27c. 29a. b), und bei der sicher christlichen Szene auf der Kölner Glasschale (Taf. 27b) die äußere männliche Gestalt immer erhöht steht, muß Adam auf dem Bild in Cimitile ein wenig tiefer als die etwas kleiner dargestellte Eva[110] gestanden haben (vgl. o. S. 39; Abb. 30). Auf Grund der zahlreichen Vergleichspunkte besteht trotzdem sehr wohl die Möglichkeit, daß die Darstellungsweise in Cimitile grundsätzlich von einer den oben genannten Bildformulierungen ähnlichen Vorlage beeinflußt worden ist. Eines der wichtigsten Ergebnisse bei der Ermittlung des Bildbestandes dieser Darstellung, daß sich anscheinend allenfalls Eva die Scham bedeckt hat (o. S. 41), läßt sich mit dieser Annahme sogar gut vereinbaren. Nach dem schon erwähnten Untersuchungsergebnis von Kaiser-Minn (o. S. 51) ist diese eine Geste an sich nämlich nicht unbedingt ein »Hinweis auf symbolische Darstellung ›verlorener Unschuld‹« bzw. »des Sündenfalls«, wie Himmelmann meint; es handelt sich vielmehr – nach antiken Quellen – um eine Geste, die »bei unbekleidetem weiblichem Körper ... für notwendig und angemessen erachtet wurde«[111]. Da in ein oder zwei frühchristlichen Beispielen mit Adam und Eva (im symmetrischen Bildschema) sogar *beide* Personen ohne eine solche Geste dargestellt sein können (Taf. 30e), ist diese grundsätzlich auch kein »unentbehrlicher Bestandteil der Erzählung«, zumal wenn – anders als bei den zahlreicheren Mehrphasendarstellungen – vielleicht nur der Zustand vor bzw. während der Versuchung angezeigt werden sollte (vgl. Taf. 31a. d)[112].

---

[108] Für mittelalterliche Beispiele dieses asymmetrischen Bildschemas vgl. zB. W. W. S. Cook, The earliest painted panels of Catalonia (V): ArtBull 10 (1927/28) 153/67 Fig. 11/6. 18.

[109] Ähnlich schon Kaiser-Minn 87. 89. – Noch Himmelmann, Hypogäum (o. Anm. 27) 11, erklärt die asymmetrische Form beim kapitolinischen Sarkophag (Taf. 29a) allein daraus, daß »die Szene sich hier an der rückwärtigen Kante des Sarkophags befindet«. Vgl. auch o. Anm. 76.

[110] Allein auf dem Bild in S. Sebastiano (Taf. 27c) und auf der Kölner Glasschale (Taf. 27b) ist die innere Gestalt ebenfalls (aber nur ein wenig) kleiner dargestellt. In Taf. 29a ist ›Eva‹ größer (s. o. Anm. 81).

[111] Kaiser-Minn 87; Himmelmann, Hypogäum 11. Für antike Beschreibungen der Geste der Venus pudica s. H. Herter, Art. Genitalien: RAC 10 (1978) 32 nr. 2; Neumer-Pfau (o. Anm. 93) 86f. Noch am Anfang des 5. Jh. behauptete der Bischof Julianus von Aeclanum (ein

Bekannter des Paulinus von Nola; s. O. Hiltbrunner, Art. Iulianus 16: KlPauly 2 [1967] 1519f), »das Schamgefühl sei natürlich und nicht erst Folge des Sündenfalls« (so F. van der Meer, Augustinus der Seelsorger [Köln 1958] 337; nach Augustinus, c. Iulian. 5,2/6 [PL 44, 783/5]). Zum Schamverhalten in der Antike s. Herter aO. 29f. 33. 45/8; F. Pfister, Art. Nacktheit: PW 16,2 (1935) 1544/6; G. Becatti, Art. Nudo: EAA 5 (1963) 578. 580; Neumer-Pfau 85/90. 149, bes. 86f (für das Zitat). 90.

[112] S. aber Himmelmann, Hypogäum 11 (Zitat). Für einen in seiner Echtheit zweifelhaften Anhänger aus Glas s. M. Chabouillet, Catalogue général et raisonné des camées et pierres gravées de la Bibliothèque impériale (Paris 1858) 610 nr. 3474 (aus Syrien); R. Garrucci, Storia dell'arte cristiana nei primi otto secoli della chiesa 6 (Prato 1880) 124 Taf. 479, 21; Flemming 140f. Eine Fotografie konnte ich von der Bibliothèque Nationale in Paris nicht erhalten, da »l'objet ... étant

Da eindeutige Hinweise auf den Sündenfall, wie die Schlange oder das Bedecken der Scham bei *beiden* Personen (entweder nur mit den Händen oder auch mit Blättern), fehlen, liegt die Vermutung nahe, daß mit dem Bild in Cimitile eine Darstellung *vor* dem Sündenfall gemeint ist (Gen 2,16f bzw. 3,3). Es ist jedenfalls bemerkenswert, daß in Cimitile anscheinend gerade ein altes, in der frühchristlichen Adam-und-Eva-Ikonographie wenig verbreitetes Bildschema übernommen bzw. leicht umgeformt wurde, das durch seine Einzelheiten für eine derartige Bildaussage besonders prädestiniert war.

b) Antike Adam-und-Eva-Darstellungen mit einer Beifigur

Während man für den linken Teil der Komposition des Bildes in Cimitile Vorbilder schon vom Anfang des 3. Jh. nC. an in Malerei und Plastik finden kann, läßt sich eine weitere stehende (mit Tunika und Pallium bekleidete) Figur in den verschiedenen antiken Adam-und-Eva-Darstellungen erst seit etwa konstantinischer Zeit und im 4. Jh. fast nur in Mehrphasenszenen auf Sarkophagen nachweisen[113]. Bei den meisten von W. J. A. VISSER aufgeführten Exemplaren dieses Motivs auf Sarkophagen handelt es sich sicher bloß um Zeugen, Füll- oder Assistenz-Figuren, die auch sonst häufig in der Sarkophagkunst des 4. Jh. anzutreffen sind[114]. Auf den Monumenten, die eine eigene Deutung der betreffenden Gestalt eher zulassen, findet man in der Mehrzahl bartlose und seltener bärtige Männer, die entweder eine Hand auf die Schulter von Adam bzw. Eva legen oder einen Redegestus ausführen oder nur einfach neben den Stammeltern stehen. Die jugendlichen Gestalten lassen sich meist als Christus-Logos deuten (Taf. 30a. 37d)[115]. Bei den zwei (einzig

déclassé, il ne nous est pas possible de vous satisfaire actuellement« (Brief vom 4. 3. 1982). – Der sog. Agricius-Sarkophag in Trier ist schon von HIMMELMANN aO. erwähnt, aber als Ausnahme angesehen worden. Da sich bisher anscheinend keine Adam-und-Eva-Darstellung im symmetrischen Bildschema erhalten hat, bei der nur Eva den Schamgestus ausführt – bei Adam in der Sarkophagszene fehlt eine solche Geste auf jeden Fall –, ist die schon bei F. GERKE so gegebene Rekonstruktion glaubhaft, zumal die linke Hand der Eva (wie der Ausbruch zeigt) wohl nahe am Körper gesenkt gehalten worden ist und die rechte möglicherweise mit der Aktion der Schlange in Verbindung stand (F. GERKE, Der Trierer Agricius-Sarkophag [Trier 1949] 15₃₃ Taf. I, aber ohne Hinweis auf die Gesten). M.E. ist die eine bei GERKE 14. 41 gegebene Datierung »ins früheste vierte Jahrhundert« (ebd. Taf. IIIf aber: »ca. 320«) u. a. durch die schon von F. W. DEICHMANN, Rez. zu GERKES Buch: Gnomon 25 (1953) 480 als »Kriterium der Einordnung« angesehene mittellange Hosentracht des Hirten und der drei Jünglinge überlegenswert; für die Verbreitung und Datierung dieser Tracht s. hier S. 86₂₉₁. E. FÖRSTER: Frühchristl. Zeugnisse im Einzugsgebiet von Rhein und Mosel, hrsg. v. TH. K. KEMPF/W. REUSCH (Trier 1965) 18f: 4. Jh. L. SCHWINDEN: Trier. Kaiserresidenz und Bischofssitz = Ausstellungskat. (Mainz 1984) 235f: 1. H. 4. Jh. SCHUMACHER, Hirt (o. Anm. 38) 152 hält wegen der »Zuweisung dieses Sarkophags ... an Bischof Maximin« (s. dagegen schon DEICHMANN aO. 478) diesen für »nachkonstantinisch«; außerdem äußert er u. a. Bedenken

gegenüber der Rekonstruktion der Mittelnische: »Der architektonische Rahmen ist nicht zu belegen, wahrscheinlicher sind Bäume«. Da von den erstmals bei DEICHMANN aO. 480 erwähnten »rahmenden Stegen« der linke mehr eckig und an der Vorderseite flach abgearbeitet ist, kann es sich wohl kaum um Reste von Bäumen handeln.

[113] So schon L. DE BRUYNE, Sarcofago cristiano con nuovi temi iconografici scoperto a S. Sebastiano sulla via Appia: RivAC 16 (1939) 251₂f und FLEMMING 45/52, für die Szenen der Arbeitszuweisung: ebenda 25/45. Als Ausnahmen von dieser kontaminierenden Darstellungsweise (mit einer Beifigur) kann ich für das 4. Jh. nur zwei Vertreibungsszenen nennen: s. D. KOROL, Zum Bild der Vertreibung Adams und Evas in der neuen Katakombe an der via Latina und zur anthropomorphen Darstellung Gottvaters: JbAC 22 (1979) 179f Taf. 7a. 9a.

[114] W. J. A. VISSER, Die Entwicklung des Christusbildes in Literatur und Kunst in der frühchristlichen und byzantinischen Zeit, Diss. Utrecht (Bonn 1934) 153. Vgl. dazu schon FLEMMING 45₁; ESCHE (o. Anm. 24) 57₃₃; KAISER-MINN 9₃₂.

[115] So schon FLEMMING 45/52. Abgesehen von den zahlreichen Beispielen in den symmetrischen Arbeitszuweisungsszenen (s. ebenda und WS 2 Testo, 228f) sind gesichert nur noch die Darstellungen: WS 177,4; FLEMMING 78f nr. 1; J. ENGEMANN, Zu den Dreifaltigkeitsdarstellungen der frühchristlichen Kunst: JbAC 19 (1976) 171 Taf. 11b; KOROL (o. Anm. 113) 180₂₇. 187₇₂ Taf. 9a. c. Von der Erhaltung oder Deutung her

gesicherten) *bärtigen* Personen ist nicht eindeutig zu ermitteln, ob es sich um Gottvater oder vielleicht eher um einen Engel handelt (zB. Taf. 30d)[116]. – Der Sinn dieser um eine derartige himmlische Gestalt erweiterten Adam-und-Eva-Szenen mag es sein, einen Hinweis auch auf das Verbot oder die Entdeckung bzw. das anschließende Verhör oder allenfalls eine Andeutung der Vertreibung zu geben[117].

Die frühesten christlichen Darstellungen, die – ähnlich wie in Cimitile – eine stehende himmlische Gestalt und das erste Menschenpaar (im asymmetrischen Bildschema neben

unsicher sind: SOTOMAYOR (o. Anm. 26) 57f. 163 Taf. 3,2. 8,1; Rep. 774. 505; WS Taf. 187,5 und 9; 192,4; 289,4; S. L. AGNELLO, Il sarcofago di Adelfia (Roma 1956) 44/6 Fig. 23; für die Gestalt in El Bagawat s. ESCHE 12$_{25}$ und o. Anm. 23.

[116] Vgl. KÖTZSCHE-BREITENBRUCH, Via Latina 46f Taf. 2b = Rep. 146; SOTOMAYOR 159f Taf. 39,1. Auf beiden Monumenten ist die Gestalt in ihrem Äußeren jedoch nicht von bärtigen AT- oder NT-Personen unterschieden! Es finden sich auch sonst keine besonderen Merkmale. – Nach WS 2 Testo 228 Taf. 187,4 soll die Figur neben Eva bärtig gewesen sein; ob die betreffende Gestalt in Rep. 23a bärtig war, wie es die Rekonstruktion heute zeigt, ist unsicher. – Zur Darstellung bärtiger Engel in der Spätantike s. KÖTZSCHE-BREITENBRUCH 97/102. – Eindeutig als Gottvater lassen sich (auf Grund des Kontextes, der Haartracht oder anderer Details) bisher nur Figuren in Erschaffungsdarstellungen, in einer Gerichts- oder (verkürzten) Erschaffungsszene, in einem Vertreibungsbild oder in Kain-und-Abel-Szenen deuten (KOROL aO. 186/9; KAISER-MINN 7/9. 30f und DEICHMANN, Einführung [o. S. 11$_{81}$] 144. 163). Gegen eine derartige Deutung des Bärtigen in den letztgenannten Szenen noch A. ULRICH, Kain und Abel in der Kunst (Bamberg 1981) 41/50. Nach ihrer Meinung würde es sich eher um eine Darstellung Adams handeln: Einerseits sei »bekannt, daß in frühchristlicher Zeit Gott fast nur sinnbildlich dargestellt wurde«, da eine große »Scheu, ein Bild von Gott zu schaffen«, bestand (ebd. 41/6; in ihrer Anm. 165 weitere Lit., in der die Existenz früher Gottvaterdarstellungen bestritten wird; so auch noch von A. KRÜKE, Der Protestantismus und die bildliche Darstellung Gottes: ZsKunstwiss 13 [1959] 59f; vgl. auch bei KOROL 189$_{84}$ und KAISER-MINN 30$_{152}$). Andererseits stände seltsamerweise Kain »auf allen Denkmälern« näher zur sitzenden, bärtigen Gestalt als Abel; in zwei Fällen greift der Bärtige sogar – entgegen der biblischen Aussage (Gen 4,3/5) – an die Gabe Kains. Auf Grund dieser »Probleme« nimmt ULRICH 46f an, daß diese Darstellungen eher auf »die jüdische Erzählung von Adam ..., der seine Söhne lehrte und aufforderte, Gott Opfer darzubringen«, zurückzuführen sei. Zu dem zuerst genannten Punkt verweise ich nur auf die von ihr nicht widerlegte Beweisführung in der oben erwähnten Literatur (für das 4. Jh. können demnach zahlreiche anthropomorphe Darstellungen Gottvaters angeführt werden). In ihrer kurzen Kritik geht sie nur auf einen Detailpunkt meiner Ausführungen ein. Dabei ist bemerkenswert, daß sie eine (unvollständig

zitierte: ebd. 49f) Feststellung von mir anzweifelt (KOROL 188$_{76}$, dort: »Auch die seltsame Hinzufügung eines Suppedaneum vor dem Felsen unterstreicht [die] ... gehobene Position« [des so Sitzenden]; von diesem »eindeutig göttlichen Attribut«, wie sie schreibt, ist in meinem Text nicht die Rede. Die von ihr genannten ›Vergleiche‹ zeigen immer nur ein Suppedaneum vor einem *Sitzmöbel*). Beim zweiten Punkt genügt es, kurz darauf hinzuweisen, daß eben nicht »alle Denkmäler« Kain »näher«-stehend zeigen (nach Gen 4,3/5 wird das Opfer Kains als *erstes* erwähnt, Gott sieht aber nur auf das des Abel), und daß gerade in den seltenen Beispielen, auf denen der Sitzende sogar die Gabe Kains in Händen hält, die Sitzfigur einmal sicher als Gottvater zu deuten ist; s. dazu ausführlicher KOROL aO. 187$_{69/71}$: 12 Exemplare im Schema Kain–Abel (auf einem Fragment ist nur Kain erhalten) und 8 (vielleicht 10, wenn zwei anscheinend unpublizierte Relieffragmente aus Frankreich diese Szene darstellen: DAI, Abt. Rom Inst. Neg. 601560 und 612466 [Abel?]; außerdem Rep. I, 965,1 [nur Abel]) mit mehr oder weniger starker Hervorhebung des Abel lassen sich im 4. Jh. finden (vgl. auch schon bei ULRICH aO. 13); bei einer Deutung auf Adam blieben bestimmte Merkmale auf einigen Monumenten (wie eine Königsbinde und die zT. an pagane Götterbilder erinnernden Frisuren; vgl. KOROL aO. 188$_{75/7}$) unverständlich (für die Gewandung vgl. bei M.-T. CANIVET, I mosaici di Hūarte d'Apamene [Siria]: III Colloquio internazionale sul mosaico antico, Ravenna 6–10 Settembre 1980, hrsg. R. FARIOLI CAMPANATI [Ravenna 1983] 1, 248f Fig. 3, ein *spätes* Beispiel). Zur Datierung ihrer jüdischen Quelle (Pirqe de Rabbi Elieser) s. G. STEMBERGER, Geschichte der jüdischen Literatur (München 1977) 93f, H. L. STRACK/G. STEMBERGER, Einleitung in Talmud und Midrasch[7] (München 1982) 298: 8./9. Jh.; für den späten Text der ›Schatzhöhle‹ (»judéo-chrétien antijuif«) und die apokryphen Adamsschriften s. A. M. DENIS, Introduction aux pseudépigraphes grecs d'Ancien Testament (Leiden 1970) 3/14; A. BATTISTA/B. BAGATTI, La Caverna dei Tesori (Jerusalem 1979). Vgl. allgemein dazu S. 175.

[117] ESCHE (o. Anm. 24) 14f; KOROL 180$_{29}$; KAISER-MINN 8f$_{32}$. 16$_{79}$; D. CALCAGNINI-CARLETTI, Note su alcune raffigurazioni dei protoparenti a Roma: Parola e spirito, Festschr. S. Cipriani (Brescia 1982) 754/6; dagegen WISCHMEYER (u. Anm. 222) 89$_8$. – Für die Deutung der sog. Zuweisungsszenen (mit einer Beifigur) s. CALCAGNINI-CARLETTI 749/53; FLEMMING 42/52; SOTOMAYOR (o. Anm. 116) 159f; U. FABRICIUS, Die Legende im Bild des ersten Jahrtausends der Kirche (Kassel 1956) 13f.

einem Baum) in einer Komposition vereinigt zeigen, lassen sich nur an Hand späterer Bildreflexe vorführen:

Unter den Aquarellen nach den Fresken von S. Paolo fuori le mura, die möglicherweise den verlorengegangenen Bilderzyklus des 5. Jh. – zumindest in Teilen – einigermaßen getreu wiedergeben[118], befindet sich auf fol. 29[r] ein Bild[119], das sich in allgemeinen Zügen mit der Gesamtkomposition der Malerei in Cimitile vergleichen läßt (Taf. 30f). In der unantik wirkenden Darstellung mancher Einzelheiten[120] unterscheidet sich dieses Bild davon aber so sehr, daß sich weitere, sichere Aussagen über das Verhältnis des antiken Wandbildes in S. Paolo f. l. m. zur Malerei in Cimitile kaum machen lassen.

Das zweite Beispiel ist zwar erst im Genesiszyklus des 13. Jh. in einer der Narthexkuppeln von S. Marco in Venedig erhalten[121], doch stimmen die dortigen Mosaikdarstellungen ikonographisch in vielen Einzelheiten so sehr mit den nur noch fragmentarisch erhaltenen Bildern der Cotton-Genesis (aus dem 5. oder 6. Jh.)[122] überein, daß mit großer Wahrscheinlichkeit diese oder eine Schwesterhandschrift als Vorlage diente[123]. – Die am ehesten vergleichbare Szene unter diesen Mosaiken (Taf. 30g) unterscheidet sich aber ebenfalls in den Details vom Bild in Cimitile (Abb. 30)[124].

Da es sich in S. Marco, wie in S. Paul, sicher um eine Szene *nach* dem Sündenfall handelt, das Bild in Cimitile aber möglicherweise eine Episode *vor* dem Sündenfall darstellen soll, muß noch die Frage beantwortet werden, ob die Unterschiede zwischen

---

[118] G. JAKUBETZ, Die verlorenen Mittelschiffmalereien von Alt-S. Paul in Rom (Bibliotheca Vaticana, Cod. Barb. lat. 4406). Cavallini – Spätantike, ungedr. Diss. Wien (1976) 161/87; KÖTZSCHE-BREITENBRUCH, Via Latina 25f; H. L. KESSLER, Copies of the frescoes of S. Paolo fuori le mura, Rome: Age of Spirituality 488/90.

[119] S. WAETZOLDT, Die Kopien des 17. Jahrhunderts nach Mosaiken und Wandmalereien in Rom = Veröffentlichungen der Bibliotheca Hertziana (München 1964) 57 nr. 594 Abb. 332 (Vatikan, Bibl. Apost., Cod. Barb. lat. 4406).

[120] Auf einem in den ›Bildformulierungen‹ mit den Zeichnungen sonst sehr verwandten mittelalterlichen Kreuz aus dem Lateran ist diese Darstellung ganz anders wiedergegeben (Lit. dazu u. Anm. 270 und KÖTZSCHE-BREITENBRUCH, Via Latina 26[130]): Adam und Eva sind, wie in den Mosaiken von Monreale und der Cappella Palatina in Palermo (O. DEMUS, The mosaics of Norman Sicily [London 1949] Taf. 28b. 97b), durch Gebüsch zT. verdeckt (nach Gen 3,8; vgl. generell auch das Bildschema in der Wiener Genesis; Lit. o. Anm. 23). Außerdem ist dort Gott unbärtig und durch den Kreuznimbus als Christus-Logos gekennzeichnet. – Die Sphaira auf dem Aquarell geht – so WAETZOLDT (o. Anm. 119) – eindeutig auf einen Fehler des Zeichners zurück.

[121] K. WEITZMANN, The Genesis mosaics of San Marco and the Cotton Genesis miniatures: O. DEMUS, The mosaics of San Marco in Venice 2. The thirteenth century (Washington 1984) 115 Taf. 126 und allgemein DEMUS: ebd. 144/7.

[122] F. MÜTHERICH/J. E. GAEHDE, Karolingische Buchmalerei (München 1976) 74; E. KITZINGER, Byzantinische

Kunst im Werden (Köln 1984) 143; WEITZMANN, Genesis mosaics 105 (Ende 5. Jh.; aus Alexandria oder Umgebung). Vgl. auch die Lit. u. Anm. 123 und H. L. KESSLER, The Cotton Genesis: Age of Spirituality 457.

[123] Die bisherige Diskussion zusammenfassend K. KOSHI, Die Genesisminiaturen in der Wiener »Histoire universelle« (Cod. 2576) = Wiener kunstgeschichtl. Forsch. 1 (Wien 1973) 6. 17/9 (er sieht es »als wahrscheinlich« an, »daß die für die Venezianer Mosaiken vorbildliche Handschrift ... und die Cotton Handschrift zwei Varianten derselben Bildrezension darstellen«; dagegen noch K. WEITZMANN und E. KITZINGER: The place of book illumination in Byzantine art [Princeton 1975] 23. 106f und WEITZMANN, Genesis mosaics [o. Anm. 121] 105/41). – KÖTZSCHE-BREITENBRUCH, Via Latina 33[183].

[124] Anders als im Bild in Cimitile weicht Adam vor Gott zurück und Eva, die hier weit vom Baum entfernt steht, hat sich vom Geschehen abgewandt und macht mit der Linken eine eher abwehrende Geste. *Beide* Gestalten bedecken sich außerdem mit einem großen, grünen Blatt die Scham. – H. L. KESSLER, The Genesis frontispieces of the Carolingian Bibles: ArtBull 53 (1971) 150 Fig. 15 und ders., The illustrated Bibles from Tours = Studies in manuscript illumination 7 (Princeton 1977) 20 Fig. 21 gibt verschiedene Einzelbenennungen für diese Szene (»calling«, »hiding«, »reproval«), obwohl die Beischrift die Identifizierung eindeutig macht (s. o. Anm. 104). Für die Beischriften s. DEMUS, Norman Sicily 78. Weiteres zu dieser Szene bei K. KOSHI, Der Adam-und-Eva-Zyklus in der sogenannten Cottongenesis-Rezension: Bulletin annuel du Musée National d'Art Occidental 9 (Tokyo 1975) 77.

den Bildern auf Grund der etwas anderen Thematik bestehen oder ob vielleicht nur jeweils ein anderer Bildtypus vorliegt.

c) Frühmittelalterliche Vergleichsbeispiele

Eine Lösung dieser Frage bieten die Genesisszenen in karolingischen Handschriften, die nach der neueren Forschung letztlich aus einem größeren, spätantiken Zyklus von Miniaturen, der meist zur Cotton-Genesis-Rezension gerechnet wird, stammen sollen[125]. Es lassen sich unter den verschiedenen Szenen in der Grandval- und in der Vivian-Bibel[126] insgesamt zwei Darstellungen finden, die sich in größerem Maße mit der Genesisszene in Cimitile vergleichen lassen.

Bei der Bildgestalt in der Vivian-Bibel (Taf. 31c), die in einer Beischrift als Gottes Rufen nach Adam beschrieben wird (Gen 3,8/10), ist aber nun umstritten, ob hierfür eine Vorlage aus einer anderen als der eben genannten Bildrezension benutzt wurde oder ob eine Kompilation aus zwei verschiedenen Szenen vorliegt[127]. In diesem Zusammenhang genügt es festzuhalten, daß das Menschenpaar auf dieser im Kompositionellen mit dem Bild in Cimitile besonders eng verwandten Darstellung jedoch in *geduckter* Haltung dasteht und sich *beide* Personen mit der Rechten ein grünes Blatt vor die Scham halten, während die Linke in einer Art Verlegenheitsgeste[128] zum Kinn geführt ist.

Die zweite im Kompositionsschema so eng verwandte Szene aus den karolingischen Handschriften (Taf. 31d) zeigt dagegen in der Körperhaltung der beiden *aufrecht* stehenden Urmenschen große Übereinstimmungen mit der Darstellung in Cimitile (Abb. 30). Dieses Bild in der Grandval-Bibel gilt als die erste und aus dem Frühmittelalter einzige erhaltene Darstellung des Verbots Gottes, von den Früchten des Baumes der Erkenntnis zu essen (Gen 2,16f bzw. 3,3)[129]. Es handelt sich – auch von der Beischrift her[130] – also eindeutig um eine Szene *vor* dem Sündenfall. Da in dieser Bibel die Handlung der Genesisgeschichte in allen Bildregistern immer von links nach rechts verläuft[131], ist auch diese Szene spiegelverkehrt zum Bild in Cimitile angelegt. Wie dort befindet sich Gott (mit Tunika und Mantel bekleidet)[132] auf der anderen Seite des Baumes und tiefer im Bildraum als Adam und Eva;

[125] In neuerer Zeit A. A. Schmid, Die Kanontafel und die Miniaturen: Die Bibel von Moutier-Grandval (Bern 1971) 170/3. 184: benutztes Vorbild für die Genesisminiaturen, »wohl frühestens dem ausgehenden 5., wahrscheinlich sogar erst der ersten Hälfte des 6. Jahrhunderts« angehörend (meist nur aus stilistischen Gründen so erschlossen; Bezüge zum frühen 5. Jh.: ebd. 174). Für ihn »erweisen sich beim Vergleich [mit] den Mosaiken [von S. Marco] ... die trennenden gegenüber den verbindenden Zügen als stärker«. Dagegen Kessler, Frontispieces 158 und ders., Bibles 34f[86]: »The Genesis model ... reflected a stage of the Cotton Genesis recension even earlier than the Cotton manuscript itself«. Ähnlich Mütherich/Gaehde (o. Anm. 122) 74; Koshi (o. Anm. 124) 49. – Für die ältere Lit. s. Kötzsche-Breitenbruch, Via Latina 34[187].
[126] Allgemein dazu W. Köhler, Die karolingischen Miniaturen 1,2 (Berlin 1933) 20/2. 32/6. 118f. 186f; Schmid 149f; Kessler, Frontispieces 143/60; ders., Bibles 13/35; Mütherich/Gaehde 14. 73/5. – Vgl. auch G. Bauer, Bemerkungen zur Bernwards-Tür: Niederdeutsche Beiträge zur Kunstwissenschaft 19 (1980) 9/23.
[127] Für das erstere s. Köhler 125 (für die Beischrift

ebd. 123); zu seinem Bildvergleich aus der Wiener Genesis vgl. hier Anm. 23; mit einigen wichtigen Argumenten dagegen: Kessler, Bibles aO. 19f.
[128] Nicht »Erschrecken«, wie Köhler 124 meint; für diese Geste s. Lit. u. Anm. 468.
[129] So Schade (o. Anm. 24) 50. – Auf fol. 5[v] (hier Taf. 31d) befindet sich das Bild rechts im zweiten Register von oben.
[130] S. dazu Schmid (o. Anm. 125) 165[1].
[131] So zB. schon J. E. Gaehde, The Turonian sources of the Bible of San Paolo fuori le mura in Rome: Frühmittelalterl. Studien 5 (1971) 370.
[132] In Cimitile war die Gewandung anscheinend andersfarbig (s. S. 41; purpurfarben ist dort nur der Clavus). – Wie Schmid aO. (o. Anm. 125) 170[14] schon bemerkt hat, ist Gott in allen karolingischen Genesisbildern immer unbeschuht, in den Mosaikdarstellungen in Venedig trägt er dagegen Sandalen (so auch in der erhaltenen Szene der ›Zuführung Evas‹ in der Cotton-Genesis; vgl. K. Weitzmann, Observations on the Cotton Genesis fragments: Late classical and mediaeval studies in honor of A. M. Friend, Jr. [Princeton 1955] 123 Fig. 18). – Auf den Aquarellen von St. Paul

er hat dabei – wohl wie in Cimitile[133] – einen Arm (im Redegestus) nach vorne ausgestreckt. Von den fünf in diesen Genesisminiaturen vorkommenden Darstellungen Gottes zeigen, wie in dieser Szene, noch zwei fast stereotyp die gleiche Standhaltung (eine Vereinfachung des Kopisten?)[134], in Cimitile ist es dagegen eine Art Laufstellung. In der Grandval-Bibel ist Gott außerdem in der Erscheinungsform des jugendlichen Christus-Logos wiedergegeben, der durch einen goldenen Nimbus ausgezeichnet wird. – Wie oben erwähnt, sind die stehenden Gestalten in den vergleichbaren bisher bekannten Mehrphasenszenen des 4. Jh. meist als Christus-Logos und seltener – mit Vorbehalt – vielleicht als Engel zu deuten. Im 5. Jh., in dessen Anfang die Entstehung des Bildes in Cimitile auf Grund zahlreicher Indizien (s. u. S. 163/6) angesetzt werden kann, habe ich bisher keine anthropomorphe Gottesdarstellung gefunden, die so eindeutig, wie in zahlreichen Beispielen des 4. Jh., Gottvater wiedergibt[135]. Außerdem hat I. Hutter darauf hingewiesen, daß – abgesehen von zwei »auf einem Kopistenirrtum« beruhenden mittelalterlichen Darstellungen – in der formal und inhaltlich verwandten Szene des Verhörs bisher keine (jugendliche) Engelsgestalt gesichert ist[136]. Alle diese Aspekte zusammengenommen, ist es wahrscheinlich, daß auch im Bild in Cimitile der Christus-Logos dargestellt war, möglicherweise ebenfalls mit einem goldenen Nimbus, der in der christlichen Kunst schon für die Zeit kurz vor der Mitte des 4. Jh. bei einer göttlichen Person belegt und im 5. Jh. immer mehr verbreitet ist[137]. Die bei einer solchen Deutung der Gestalt seltsam anmutende kurze Gewandung läßt sich einerseits als typisch für alle Malereien dieses Grabraumes aufweisen und andererseits auch bei einigen Darstellungen *Christi* in der Katakombenmalerei belegen (zB. Taf. 32b)[138].

Daß es sich bei der Szene in der Grandval-Bibel um keine in allen Punkten getreue Kopie eines ähnlichen Bildes wie in Cimitile handelt, zeigt die mehr symmetrische Anordnung der Personen um einen fast senkrecht in die Höhe ragenden Baum. Die etwas weiter vom Baum entfernt stehenden Stammeltern sind außerdem enger zusammengerückt, so daß die eine Gestalt die andere stärker überschneidet. Die dunkle, nicht von

und auf dem sog. Konstantinskreuz trägt Gott dagegen keine Sandalen; zur Lit. s. o. Anm. 119f. Da auf dem Bild in Cimitile die wenigen erhaltenen Partien der Füße der Person von einer Kalkschicht bedeckt sind, läßt sich dort – vor einer Restaurierung der Stelle – nichts über dieses wichtige Detail aussagen (s. o. Anm. 16).

[133] S. S. 41 Abb. 30.
[134] Vgl. schon Schmid 170.
[135] S. Korol (o. Anm. 113) 186. 189[82]. Ob in S. Paul im 5. Jh. eine *bärtige* Gottesgestalt dargestellt war (vgl. Taf. 30f), kann ich ohne weitere Untersuchungen nicht entscheiden (vgl. schon o. Anm. 120). Da sich der Schöpfungszyklus wohl »mit der Exegese von Augustinus De Genesi ad litteram zusammenbringen« läßt (so u. a. Kaiser-Minn 119f[5.11]), Augustinus aber gegen »bildliche Darstellungen des Göttlichen« ist (so van der Meer [o. Anm. 111] 337[7] und Krücke [o. Anm. 116] 60[7]), bleibt es – selbst bei der Annahme einer bärtigen Gestalt – fraglich, ob es sich (im strengen Sinne) um eine anthropomorphe Darstellung Gottvaters handelte.
[136] I. Hutter, Die Homilien des Mönches Jakobos und

ihre Illustrationen. Vat. gr. 1162 – Par. gr. 1208, unveröffentl. Diss. Wien (1970) 284f; C. Stornajolo, Miniature di Giacomo Monaco (cod. Vatic. gr. 1162) = Codices Vaticanis selecti, series minor 1 (Roma 1910) Taf. 11; H. Omont, Miniatures de homélies sur la Vierge du moine Jacques: Bull. de la société française de reproductions de manuscrits à peintures 11 (1927) Taf. 5.
[137] Korol 183f. 189. 185[56] (weiterführende Lit.).
[138] Nicht aber bei Gottvater! – Für (zeitlich frühere) Vergleichsbeispiele aus Rom s. WK Taf. 18/20, aus Neapel s. Fasola, Le catacombe 63. 68 Abb. 47 (»IV secolo«); für eine Gewandung bei Christus, bei der ein Bein mehr entblößt ist, s. WMK Taf. 68. 98. 101. 143 (vgl. dazu L. De Bruyne, La peinture cemeteriale constantinienne: Akten des VII. internationalen Kongresses für christl. Archäologie, Trier 1965 [Città del Vaticano/Berlin 1969] 169 Fig. 126). Auf Grund der Zerstörung ist es unklar, ob es sich in Cimitile um eine derartige Darstellungsweise oder um ein kürzeres Gewand wie in den obigen Beispielen handelte. – Für die Gewanddarstellung in diesem Grabraum vgl. Taf. 3a; 5b; 7a. c; 8b (vgl. auch S. 167).

Blättern oder einer Hand verdeckte Schamgegend, die Wiedergabe der beiden Gestalten im Dreiviertelprofil, sowie die Haltung eines Armes am Körper finden hingegen wieder eine gewisse Entsprechung in Cimitile. Hervorzuheben ist auch die gleiche tiefere Standebene der äußeren Person; man kann aber – wie W. KÖHLER schon bemerkt hat – leider nicht sicher »sagen, wer gemeint ist, da Adam und Eva fast genau gleichgebildet sind«[139].

Abschließend gilt es noch einen Aspekt zu behandeln, den R. B. GREEN und H. L. KESSLER besonders betonen. Die Anwesenheit Evas in dieser Szene sei anachronistisch[140] und – nach KESSLER – auch nicht mit dem biblischen Text vereinbar, sondern auf die Schilderung in der »Vita Adae et Evae« zurückzuführen[141]. Einerseits ist aber auffallend, daß im betreffenden Bibeltext (Gen 2,16f; o. S. 41f) nach der Version der Septuaginta und der Vetus Latina die Verben des Verbietens in der Pluralform erscheinen. Außerdem berichtet Eva der Schlange (in Gen 3,3), daß Gott *ihnen* verboten hat, von der Frucht des Baumes zu essen. Bemerkenswerterweise ist die in der Grandval-Bibel vorhandene lateinische Beischrift des Bildes an der betreffenden Stelle auch im Plural gehalten[142]. Eine außerbiblische Quelle braucht also aus diesen Gründen nicht unbedingt herangezogen zu werden. Andererseits hat unsere Analyse der Vorläufer der Darstellung in Cimitile (o. S. 53) gezeigt, daß eine derartige Zweiergruppierung des ersten Menschenpaares eine lange und eigenständige Bildtradition besitzt, die auch im Mittelalter noch eine gewisse Verbreitung erfahren hat[143].

[139] KÖHLER (o. Anm. 126) 122. In den meisten Szenen sind sie durch die Handlung identifizierbar. – Durch den heruntergezogenen Fuß ist die äußere Gestalt größer. Beim Bild in Cimitile muß dagegen die äußere Person die andere auch noch überragt haben (Abb. 30). – Ebenso schwer ist die Unterscheidung der beiden Urmenschen auf einer eng verwandten mittelalterlichen Handschrift östlicher Herkunft (Paris, Bibl. Nat. Cod. gr. 543, fol. 116ᵛ), die nach G. GALAVARIS eine Kopie nach einem Vorbild aus der Cotton-Genesis-Rezension ist (The illustrations of the liturgical homilies of Gregory Nazianzenus = Studies in manuscript illumination 6 [Princeton 1969] 118/20 Fig. 462). Die äußere Gestalt ist – wie in Cimitile – im ponderierten Stand, aber anscheinend etwas kleiner wiedergegeben. Die andere besitzt dagegen ein breiteres Bekken und längere (?) Haare (Eva?). Auf einigen westlichen mittelalterlichen Darstellungen des gleichen Themas bzw. verwandter Ikonographie nimmt aber eindeutig die Eva die Außenposition ein: TH. EHRENSTEIN, Das AT im Bilde (Wien 1923) 45ff Fig. 36. 52; A. GOLDSCHMIDT, Die Elfenbeinskulpturen aus der romanischen Zeit. 11.–13. Jh., 4 (Berlin 1926) 29 Taf. XXXI, 96; Miniatures du Psautier de S. Louis = Codices Graeci et Latini, Suppl. 2, hrsg. v. H. OMONT (Paris 1902) Taf. 2 (fol. 8ᵛ); L. REYGERS, Art. Adam und Eva: RDK 1 (1937) 135f Abb. 9; K. GINHART, Die Datierung der Fresken in der Gurker Westempore: Gedenkbuch B. Grimschitz (Klagenfurt 1967) Abb. 8. 39; KOSHI (o. Anm. 124) 73 Abb. 49. – Die von KESSLER, Bibles 23. 26 Fig. 37 als Hauptvergleich genannte Szene im Hortus Deliciarum fol. 17ʳ (»another offshoot of the Cotton Genesis family«) scheint eine etwas andere Vorlage als

das Bild in der Grandval-Bibel gehabt zu haben; vgl. die betreffende Szene im Queen Mary Psalter im British Museum, London, MS Royale 2 B VII (s. Lit. u. Anm. 340), im Psalter in der Bibl. Nat. lat. 8846 und im Relief im Kreuzgang der Kathedrale von Gerona; H. OMONT, Psautier Illustré. XIIIᵉ siècle (Paris 1906) 5 Abb. I; COOK (o. Anm. 108) 167 Fig. 24.

[140] R. B. GREEN, The Adam and Eve cycle in the Hortus Deliciarum: Late classical and mediaeval studies in honor of A. M. Friend, Jr. (Princeton 1955) 344; KESSLER, Frontispieces 152 bzw. ders., Bibles 23: ». . . since her creation is described only subsequently in Gen. 2, 22–23«.

[141] KESSLER, Frontispieces 155f bzw. ders., Bibles 28/32 (ihm folgend WEITZMANN, Genesis mosaics [o. Anm. 121] 114). Vgl. KOSHI (o. Anm. 124) 73₈₂; GREEN aO. spricht nur von einer falschen Plazierung des Bildes. – Für diese apokryphe Schrift s. DENIS (o. Anm. 116) 3/14.

[142] SCHMID (o. Anm. 125) 165 (Entsprechung von Bild und Titulus; vgl. KÖHLER [o. Anm. 126] 122; KESSLER, Frontispieces 158f bzw. ders., Bibles 33f).

[143] Vgl. die in der Lit. o. Anm. 139 gegebenen Beispiele, H. L. KESSLER, Traces of an early illustrated pentateuch: Journal of Jewish Art 8 (1981) 25f und KOSHI (o. Anm. 124) 73₈₄. Für zahlreiche weitere mittelalterliche Darstellungen (auch in der Buchmalerei) im Index of Christian Art/Princeton s. v. »Adam and Eve: Commanded by God«. – Daß allein Adam vor Gott steht, läßt sich im Mittelalter auch belegen, zB. DEMUS, San Marco (o. Anm. 121) Abb. 28a. Vgl. auch SCHADE (o. Anm. 24) 50.

1.1.4 Zusammenfassung

Alle Ergebnisse zusammenfassend kann es nun als gesichert gelten, daß sich in der Adam-und-Eva-Szene, die man im Grabbau 14 in Cimitile neben weiteren eindeutig alttestamentlichen Bildern findet[144], die früheste einphasige Darstellung des göttlichen Verbotes an die ersten Menschen (nach Gen 2,16f bzw. 3,3) erhalten hat. Im Gegensatz zur Darstellungsweise hier zeigen die frühen, nur im Kompositionsschema vergleichbaren Szenen, die Handlungsphasen zwischen Sündenfall und ›Gericht‹ illustrieren, die beiden Urmenschen in geduckter oder zurückweichender Stellung, wobei sie meist mit der einen Hand die Scham mit Blättern bedecken, mit der anderen eine Abwehr- oder Verlegenheitsgeste ausführen. Gerade durch diese Details wird das andere Thema, das der Scham und Furcht vor Gott, verdeutlicht. So lassen sich die Unterschiede zwischen diesen Monumenten und dem Bild in Cimitile schon aus der verschiedenen Thematik heraus erklären[145].

Die Darstellung selbst ist entweder aus einer paganen Gesamtkomposition, wie sie etwa das Fresko aus S. Sebastiano zeigt (Taf. 27c), entwickelt worden oder − eher wahrscheinlich − aus zwei verschiedenartigen und unterschiedlich alten Bildkomponenten (der Gruppe des Menschenpaares unmittelbar neben einem Baum und der Figur des Christus-Logos) zusammengesetzt worden[146]. Das so entstandene Bild illustriert eine Bibelepisode in der Form, daß zwei thematisch gleiche Genesisstellen (Gen 2,16f und 3,3) zusammengefaßt wiedergegeben sind. Außerbiblische Einflüsse sind jedenfalls nicht nachweisbar.

Die wenigen ikonographischen Vergleichsbeispiele befinden sich zum größten Teil in ausführlichen Bilderzyklen, vor allem in der Buchmalerei. Man kann daher annehmen, daß diese sicher nicht für den relativ engen Grabraum (vgl. Taf. 23) konzipierte Szene ebenfalls aus einem größeren Bilderzyklus stammt, wie es auch andere in ihrer Ikonographie eigenwillige Bilder dieses Raumes vermuten lassen (vgl. S. 129). Es wird hier nämlich eine einzelne, sehr spezielle Handlungsphase des Bibelberichtes − der Methode zyklischen Erzählens entsprechend[147] − zu einer in sich geschlossenen Komposition gefaßt. Die meisten frühchristlichen Adam-und-Eva-Darstellungen bieten dagegen eine Mehrphasenszene, die in erster Linie die auch bei den Kirchenvätern häufig behandelten Hauptgedanken dieses Genesisberichtes, den Sündenfall und dessen Auswirkungen, ›illustrieren‹[148]. Eine derartige Szene, die man zumindest im Anschluß an das Verbot erwarten würde, kann ich weder in den unmittelbar angrenzenden Malereifeldern noch unter dem übrigen erhaltenen Bildbestand dieses Raumes ausmachen[149]. Das (heute) alleinige Vorkommen

---

[144] S. u. S. 97. 128. 134f.

[145] Inwieweit die seltene Darstellung in Cimitile einer anderen Bildfamilie angehört als diese Monumente, läßt sich schwer sagen, da eine thematisch direkt vergleichbare Szene ja nicht vorkommt. Bei den gezeigten Bildern in St. Paul und S. Marco ist immerhin auffallend, daß Eva immer die Außenposition einnimmt (vgl. dazu o. Anm. 139).

[146] Für letzteres könnte sprechen, daß das Menschenpaar und der Baum ziemlich eng beieinanderstehen (vgl. dazu Taf. 27a. 29a), obwohl auf der rechten Bildhälfte noch viel Raum zur Verfügung steht; vgl. aber auch den Stil der Malereien (S. 167).

[147] WEITZMANN, Roll and Codex 17/33. 37/46.

[148] Vgl. S. 54f[118/7]. ESCHE (o. Anm. 24) 15f sieht »in den frühesten Sündenfallbildern der Katakomben, der Sarkophage und der Kleinkunsterzeugnisse erste Übertragungen der Buchbilder in andere Media« (?; vgl. o. Anm. 104). − In der Exegese der betreffenden Genesisstelle durch die Kirchenväter werden besonders der Sündenfall und seine Auswirkungen behandelt; s. DASSMANN, Sündenvergebung 232/58. Ebenso steht es mit den Schriften des Paulinus von Nola: zB. ep. 23,44; 29,1; 30,4.

[149] Vgl. dazu u. S. 97. 128. 134f. 151/61.

des selbst im Mittelalter nur relativ selten dargestellten Verbotsbildes ist somit auffallend. Da aber zuviel von den Malereien zerstört ist, muß offen bleiben, ob etwa ein übergeordneter Sinnzusammenhang die Darstellung einer derartigen Szene in diesem *Grab*raum verständlicher machte. Im Bibeltext, der dieser Darstellung zugrunde liegt (Gen 2,16f bzw. 3,3), werden immerhin die Bereiche Tod und Paradies angesprochen.

Schließlich ist durch die neu erkannte Szene in Cimitile ein weiterer Hinweis darauf gegeben, daß antike Bildformulierungen für karolingische Genesisminiaturen maßgeblich waren[150]. Für die betreffende Szene in der Grandval-Bibel läßt sich nun sogar sagen, daß deren vermutliches Vorbild oder zumindest ein sehr verwandter Bildtypus am Anfang des 5. Jh. im geographischen Raum des heutigen Staates Italien schon bekannt, wenn nicht sogar dort entstanden war. Die vorausgehende Tradition der asymmetrischen Menschenpaardarstellungen ließ sich jedenfalls bisher fast nur auf Denkmälern aus Italien aufzeigen[151]. Die vorhandenen Unterschiede zwischen der karolingischen Miniatur und der spätantiken Malerei in Cimitile können – abgesehen vom jeweiligen Zeitstil[152] – zB. aus der größeren Nähe des Wandbildes zu seiner Vorlage erklärt werden, sie können teilweise aber auch auf Neuschöpfungen bzw. Umformungen durch den frühmittelalterlichen Kopisten zurückzuführen sein[153].

1.2 Adam und Eva nach dem Sündenfall

1.2.1 Beschreibung und Stil

Von den frühchristlichen Malereien in Cimitile ist das Bild im nordwestlichen Arkosol des Raumes 13 in der bisherigen Literatur am häufigsten behandelt worden (Taf. 18a). Es ist erst während der Grabungskampagne von 1957 entdeckt und von CHIERICI im gleichen Jahr veröffentlicht worden[154]: »La lunetta ad ovest rappresenta Adamo ed Eva . . . l'impo-

---

[150] Vgl. Anm. 125; einen weiteren Hinweis bietet die Vertreibungsszene auf der Hildesheimer Bernwards-Tür (BAUER [o. Anm. 126] 15/7), die sehr wahrscheinlich auf karolingische Genesisminiaturen zurückzuführen ist (ebd. 22f; KESSLER, Bibles 14. 34). Das Kompositionsschema und zahlreiche Details sind so eng mit der wahrscheinlich von der Buchmalerei beeinflußten Vertreibungsdarstellung auf dem spätantiken Sarkophag in S. Sebastiano in Rom (und in etwa auch mit einer Malerei in der neuen Katakombe an der via Latina) verwandt, daß hiermit wohl auch eine antike Bildtradition faßbar ist (vgl. KOROL [o. Anm. 113] 178/80[18·21·25·] 190[85] Taf. 7a. 9a); für weitere Beispiele dieses Bildschemas (besonders zur Anordnung Eva–Adam) s. H. Voss, Studien zur illustrierten Millstätter Genesis (München 1962) 71[88·] 163f. 189; EHREN-STEIN (o. Anm. 139) 49 Abb. 61; 50 Abb. 63; G. MATTHIAE, Le porte bronzee bizantine in Italia (Roma 1971) Abb. 59.

[151] Eine Ausnahme bildet nur die Glasschale aus Köln (Taf. 27b). Für das o. Anm. 150 genannte Beispiel fanden sich auch nur Vergleiche in Rom. – Wegen der viel schlechteren Bildüberlieferung im östlichen Teil

des römischen Reiches und der daran angrenzenden Gebiete ist die Frage des Ursprungs einer Bildformulierung nur mit Vorbehalt zu beantworten, zumal es nicht auszuschließen ist, »daß der Osten früher als der Westen eine ausgebildete christliche Ikonographie besaß« (so BRANDENBURG, Überlegungen [o. Anm. 77] 352f). Immerhin zeigen zwei (nur etwas andersartige) der Cotton-Genesis nahestehende Darstellungen (s. o. Anm. 104) auch ein asymmetrisches Bildschema; für den Archetyp dieser Handschrift wird häufig Alexandria als Entstehungsort angenommen (vgl. KAISER-MINN 111[141]; KÖTZSCHE-BREITENBRUCH, Via Latina 33[182] und Lit. o. Anm. 122; Stellungnahmen dagegen aufgeführt bei KOSHI [o. Anm. 123] 5[18]).

[152] Zum Stil der Handschrift s. SCHMID (o. Anm. 125) 170f, zum Stil der Malerei u. S. 166/8.

[153] Dazu generell SCHMID 184; KESSLER, Bibles 13/35. – Vgl. auch S. 60[146·]

[154] RivAC 33 (1957) 113f Fig. 7; in RivAC 16 (1939) 64f Fig. 6 und Sant'Ambrogio 320 Taf. LI gibt er noch keinen Hinweis auf Arkosolien in diesem Raum (vgl. hier Abb. 10. 12). In seinem Tagebuch nimmt er erstmals am 31. Mai 1957 Bezug auf dieses Bild.

stazione classica delle figure dei progenitori, coperte dal solo perizoma di foglie di fico o di vite, che si avanzano in un paesaggio astratto«.

HEMPEL schreibt zu diesem Bild[155]: »[Arkosol Westwand (. . . links vom Pfeiler . . . über-schnitten, so daß linke Ecke nicht meßbar ist). Darstellung: Adam und Eva, vor lichtblauem Grund,] auf einem schwach angedeuteten grünlich-rosa gegebenen Boden-streifen; [Adam rötlich-braunes Inkarnat, Eva rötlich-weiß,] jeweils mit einer Hand ein Blätterbündel vor die Scham haltend[156], die andere erhoben; von einem Baum oder einer Schlange ist nichts zu sehen. Da der hellblaue Malgrund an diesen Stellen intakt ist, scheinen beide von Anfang an in einer freien Landschaft gestanden zu haben; es müßte also eine Darstellung des ersten Menschenpaares nach der Vertreibung sein. [Arkosolbo-gen ebenfalls ganz in lichtem Blau, ohne erkennbare Dekorreste. Bildfeld und Bogen 7 cm breite rote Rahmenlinie, gegen Blau mit weißer Linie – 1 cm max. Breite – abgesetzt (diese Linie zT. auf dem roten Streifen, zT. auf dem Blau verlaufend). Höhe des Arkosols 69 cm, Tiefe 54 cm, meßbare Breite 135 cm. Höhe der Figuren ca. 38 cm]«.

H. BELTING, dessen Untersuchung sich in der Hauptsache auf die mittelalterlichen Malereien dieses Baus bezieht, spricht nur kurz von »der Darstellung der Stammeltern« bzw. »des Sündenfalls«[157].

F. GERKE, der – neben R. CAUSA[158] – eine Farbaufnahme dieses Bildes veröffentlicht hat, benennt die Darstellung: »Adam und Eva im Paradiese . . . nach dem Sündenfall«[159].

Neuere Autoren folgen in der Deutung des Bildes entweder HEMPEL[160] oder beschrei-ben es nur kurz als »Sündenfalldarstellung«[161] oder bleiben bei einer allgemeinen Bezeichnung wie »Gemälde von Adam und Eva«[162].

Eine neuere ausführliche Analyse dieses zeitlich immer früh angesetzten Bildes (S. 11f) gibt es nicht, so daß ich vor einer Überprüfung der bisherigen Deutungen erst einmal alle Bildelemente beschreiben möchte.

Das Bildfeld (Abb. 22; Taf. 32a) ist noch bis zu 72 cm hoch erhalten. Die mittelalterli-che Wandvorlage aus Tuff, die teilweise das Arkosol verdeckt, wurde von den Ausgräbern an der Rückseite so weit abgeschlagen, daß die Malfläche zur Zeit auf einer Breite von max. 136 cm sichtbar ist. Diese Fläche wird von einem roten Rahmen umfangen, dessen Breite sich nach links oben hin von 9 auf 5 cm verjüngt. Der untere horizontale Teil des Rahmens ist nur in der rechten Ecke gut erhalten und besitzt dort noch eine Breite von 10 cm. Der gesamte Rahmen wird von dem einheitlich hellblauen Malgrund des Bildes – der auch auf der ebenfalls rot eingefaßten Arkosollaibung zu finden ist – durch eine etwa 1 cm dünne helle Linie abgesetzt, die teils auf dem Rahmen, teils auf dem blauen Malgrund verläuft.

Auf diesem Malgrund sind in großem Abstand voneinander zwei Personen dargestellt. Von einem – nach HEMPEL – »grünlich-rosa gegebenen Bodenstreifen«[163], der unterhalb

[155] ZAW 73 (1961) 301.
[156] Im Manuskript schreibt er hierzu: »Scham jeweils mit flüchtig angedeuteten grünen Blättern verdeckt«.
[157] BELTING, Basilica 12 und ders., Studien 94.
[158] R. CAUSA, Reliquie illustri dell'Archeologia Cri-stiana: Tuttitalia. Enciclopedia dell'Italia antica e moderna. Campania 1 (Milano 1962) 262. 265: »Ada-mo ed Eva«.
[159] GERKE, Spätantike 23. 105 (= Abb.); eine ähnliche

Benennung im Art. Nola (von der »Red.«): EAA 5 (1961) 301; ebenso bei TESTINI 166.
[160] DASSMANN, Sündenvergebung 17.
[161] BRENK (o. S. 10[26]) 32; KAISER-MINN 89[39] Taf. 49a.
[162] KIRSTEN 621; FINK, Bildfrömmigkeit 59[238]; FASOLA / TESTINI (o. S. 12[54]) 132; BRANDENBURG, Überlegungen 335; s. auch o. Anm. 158 und S. 11[31].
[163] So nach HEMPEL (o. Anm. 155); der betreffende Bereich ist unklar auf den ersten Farbaufnahmen (s. o.

der Gestalten gemalt gewesen sein soll, konnte ich nichts ausmachen. Zwischen den Personen scheint er nie existiert zu haben, wie es blaue Farbspuren über den Resten des roten Horizontalrahmens und nahe an der einstigen Position des (vom Beschauer aus) linken Fußes der rechten Gestalt anzeigen (Taf. 1b). Auch von einem Baum, der sich — nach einigen Bearbeitern dieses Bildes — zwischen den beiden Personen befunden haben soll, ist sowohl an der in Frage kommenden wie auch an irgend einer anderen Stelle der Malfläche nichts zu sehen (Taf. 32a)[164]. Das gleiche gilt für die Darstellung einer Schlange.

Die beiden Figuren sind bis auf eine Art Schurz aus jeweils drei dunkelgrünen, botanisch nicht genauer bestimmbaren Blättern[165] nackt wiedergegeben. Die rechte, noch 39 cm große Gestalt ist im ponderierten Stand und fast frontal dargestellt (Taf. 1b). Durch die Beinstellung und ihren zur Mitte hin (leicht angewinkelt) ausgestreckten rechten Arm, dessen Hand zerstört ist, wird noch eine gewisse Ausrichtung nach links angezeigt. Der sich stark nach oben verbreiternde Oberkörper weist dagegen eine leichte Drehung nach rechts auf. Hervorgerufen wird diese Wirkung u. a. durch raffiniert gemalte rotbraune Binnenzeichnungen: Die Bauchgegend wird, besonders auf der vom Betrachter aus gesehen linken Seite, durch halbkreisförmig gemalte Farbpartien angedeutet. Pinselstriche auf der rechten Brusthälfte der Gestalt und die in der Mitte der Brust verlaufende rötliche Zone lassen — besonders deutlich vor dem Original[166] — die Rippen und das Brustbein erahnen. Die eine erhaltene Brustwarze und der Bauchnabel sind durch braune Tupfer bzw. Striche hervorgehoben. Die meisten übrigen Körperpartien sind in ockergelbbrauner Farbe gehalten. Eine feine Farbnuancierung läßt dabei einige Körperteile wie durch Lichter aufgehellt erscheinen, zB. den vom Betrachter aus gesehen linken, vorgestellt wirkenden Oberschenkel und die linke Seite des Unterschenkels. Durch eine geschickt eingesetzte Schattierung bestimmter Stellen, wie etwa bei der rechten Seite desselben Beines und links über dem grünen Mittelblatt bzw. über der (seltsam darübergehaltenen) Hand, wird der Eindruck von Plastizität und Tiefenräumlichkeit noch verstärkt. Deutlich hervorgehobene Konturlinien besitzt diese Gestalt, wie auch die andere, dagegen nicht. Anzumerken ist noch, daß der Kopf bis auf wenige Farbpartikel der dunkelbraunen Haarkalotte und des rötlich-braunen (einst vielleicht schmalen) Gesichtes zerstört ist. Auch die Beine sind — etwa ab Höhe des Fußgelenks — nicht mehr erhalten.

Während diese Gestalt vom Körperbau und ihrer Hautfarbe her deutlich als Mann charakterisiert ist, muß die kleiner gegebene Figur von ihrer helleren rosa-gelblichen Hautfarbe, den in zwei gelockten Strähnen auf die Schultern herabfallenden, dunkelbraunen Haaren und den rundlichen Körperformen her als Frau bezeichnet werden (Taf. 1a).

Anm. 158f. – Das Vorkommen eines kurzen Bodenstreifens ist immerhin in einem anderen Bild dieses Raumes gesichert (S. 149 Taf. 4a).

[164] EAA 5 (1961) 301; Kaiser-Minn 89[39]. 113[148], bes. Anhang 2.

[165] Die grüne Farbe ist in großen Teilen dicker aufgetragen worden. Dadurch wirken diese Partien leicht erhaben. – Bei der linken Gestalt ist das dritte Blatt auf der vom Betrachter aus rechten Seite nur in Resten erhalten, aber dennoch eindeutig als solches zu bestimmen.

[166] Wegen der Verschmutzung und Versinterung großer Teile des Bildes sind manche Details nur am Original zu erkennen. Einige leicht eingetiefte Körperpartien, wie zB. der ausgestreckte Arm dieser Gestalt, haben zusätzlich das Fotografieren — besonders dieser Bildhälfte — heute, wie schon 1957 und 1961, erschwert (vgl. die o. Anm. 158f. 161 angegebenen bisherigen Abbildungen).

In leicht S-förmig geschwungener Haltung steht diese noch 32 cm hohe Gestalt vor dem blauen Malgrund. Ihre Beine sind fast zur Hälfte von der unteren Zerstörung der Bildfläche betroffen, so daß nur noch die nahe beieinanderliegenden Oberschenkel und eine Partie bis unterhalb der Knie zu sehen sind[167]. – Das schlecht erhaltene längliche Gesicht wird von einer relativ eng anliegenden Haarkalotte (mit Mittelscheitel) gerahmt und ist im Gegensatz zum übrigen Körper nach rechts gewendet. Dabei führt der nach oben gerichtete Blick[168] nicht unmittelbar auf den Mann zu, sondern aus dem Bild hinaus. Die mit der Innenseite nach außen weisende, fast übergroße rechte Hand der Gestalt zeigt – in einer Abwehrgeste[169] – in die gleiche Richtung. Anders als der Mann (s. o.) hält die Frau ihre linke, etwas unförmig gestaltete Hand direkt vor dem mittleren grünen Blatt, das die Scham bedeckt. Die Binnenzeichnungen des Körpers sind wiederum sehr fein ausgeführt. Die linke Brust der Frau und die darunterliegenden Rippen sowie die Brustwarze und der Bauchnabel werden durch bräunliche Punkte bzw. gleichfarbige Striche hervorgehoben[170]. Durch verschieden dunkelbraune Schattierungen, die – wie beim Mann – anzeigen, daß das Licht von links kommend gedacht ist, und durch hellere und dunklere Partien des Inkarnats erhält auch ihr Körper eine gewisse Plastizität.

Ohne Zweifel kann dieses Bild auf Grund des charakteristischen Schamgestus bei den zwei nackten Personen[171] als eine, wenn auch eigenartige, Darstellung von Adam und Eva angesehen werden. Für eine genauere Benennung bzw. Erklärung mancher Eigenheiten ist es notwendig, den in Frage kommenden Bibelbericht und die Bildtradition zu diesem Thema zu behandeln.

1.2.2 Der Bibelbericht in Gen 3,6/7

»Und sie [Eva] nahm von der Frucht jenes [Baumes] und aß und gab ihrem Manne neben ihr und er aß. Nun gingen beiden die Augen auf. Und als sie erkannt hatten, daß sie nackt waren, fügten sie Feigenblätter zusammen und machten sich Schurze«[172].

Auf ein möglicherweise frühes Bild – wie auch generell bei vielen frühchristlichen Darstellungen[173] – kann man nicht ohne weiteres den genauen Wortlaut der Bibel übertragen. Daher sind vor einer Gegenüberstellung von Textstelle und Bild erst noch die vergleichbaren Monumente aus der Frühzeit heranzuziehen und auf ihre Aussage hin zu untersuchen.

---

[167] Zum einstigen Standschema vgl. Taf. 34b.
[168] Weiße Farbreste zeigen noch deutlich die einstige Position des – vom Betrachter aus gesehen – linken Auges an. – Zum Teil ist die Malschicht des Gesichtes vom blauen Untergrund abgeblättert.
[169] Vgl. NEUMANN, Gesten 37/40. 99f Abb. 44f; SITTL (o. Anm. 60) 82. 85; T. J. McNIVEN, Gestures in Attic vase painting, Phil. Diss. (Michigan 1982) 74. 88. 117.
[170] Bei dieser Gestalt sind auch sonst die zahlreichen feinen, oft verschiedenfarbigen Pinselstriche deutlicher auf den Fotos zu erkennen.
[171] Vgl. dazu S. 51₉₇.
[172] Für den weiteren Bericht in Gen 3,8/10 s. S. 42. – Diese Schurze werden in den verschiedenen Bibelversionen bzw. bei den Kirchenvätern als sub- oder praecinctoria, campestria, perizomata (so in der Vulga-

ta, nach LXX; im Hebr. »חֲגֹרֹת «), vestimenta oder tegimenta (so Vetus Latina, Version L) bezeichnet. In einer ›Bildbeschreibung‹ bei Prudentius heißen sie »tegmina« (s. R. PILLINGER, Die Tituli Historiarum oder das sogenannte Dittochaeon des Prudentius = DenkschrWien 142 [Wien 1980] 20f; ihr Bildvergleich in Abb. 1 zeigt aber nur *ein* Feigenblatt; vgl. zu dieser Arbeit die Rez. von B. BRENK / CH. SCHÄUBLIN: ByzZs 76 [1983] 74f). Alle diese Ausdrücke meinen hier eine Bekleidung, die in der Hauptsache die Scham-/Leistengegend bedeckt. Für die betreffenden Wörter s. FISCHER, Genesis 62 (vgl. auch die dort in der Anm. zitierten Erklärungen Augustins).
[173] Vgl. dazu TH. KLAUSER, Studien zur Entstehungsgeschichte der christlichen Kunst IV: JbAC 4 (1961) 136.

1.2.3 Die frühesten Darstellungen von Adam und Eva

Die früheste in etwa datierte Adam-und-Eva-Szene (aus den Jahren zwischen 232 und 256 nC.) hat sich im sog. Baptisterium in Dura-Europos auf der unteren Zone des Lunettenfeldes erhalten, das sich oberhalb eines mit einem Baldachin überdeckten Beckens befindet (Taf. 33)[174]. Auch hier sind wichtige Bilddetails bis heute umstritten[175] und müssen daher bei einem umfassenden Bildvergleich ausführlich behandelt werden.

Anders als in Cimitile stehen die Stammeltern links und rechts von einem Baum. Von Elementen wie einer breiteren Beckenpartie und der Andeutung einer Brust her wird es sich in Dura bei der rechten Person um Eva handeln[176]. Während die zwei Gestalten ihre äußeren Arme vor dem Körper haben bzw. mit den Händen eine rechteckige, bei beiden etwa gleich große, weißliche Bekleidung vor die Scham halten (wohl der »Blätterschurz« nach Gen 3,7)[177], führen sie ihre inneren Arme zur Krone des Baumes, offensichtlich, um eine Frucht zu pflücken[178]. Gerahmt wird diese Dreierkomposition von zwei ›Stämmen‹, die in der gleichen Farbe wie der Baum, nur doppelt so breit und ohne eine derartige Krone oder gar eine Verjüngung nach oben zu gemalt sind, aber von derselben (anscheinend gleichfarbigen) Grundlinie wie jener bis zur darüberliegenden Bildfläche emporwachsen[179]; die bisherigen Deutungen (die Mauern des Paradieses oder weitere Bäume)[180] bleiben fraglich. – Unterhalb der Grundlinie finden sich neben grauen horizontalen Streifen drei dunklere, gewellte Linien, von denen die größere in der Mitte seit der Entdeckung des Bildes als »Schlange« gedeutet wird[181]. Weitere Einzelheiten

---

[174] M. I. Rostovtzeff (Hrsg.), The excavations at Dura Europos. Preliminary report of fifth season of work October 1931 – March 1932 (New Haven 1934), bes. Kap. 7: The Christian church (C. Hopkins) 238/53 und Kap. 8: The paintings in the Christian chapel (P. V. C. Baur) 256/9; C. H. Kraeling, The Christian building = The excavations at Dura-Europos. Final report 8,2 (New Haven 1967) 255/7. 202. 214f (zur Dat. s. 34/9).

[175] Daher sind besonders ein »field photograph« und (mit Vorbehalt) die früheste Farbzeichnung zur Überprüfung von Details heranzuziehen: Preliminary report Taf. XLIX. XLIV (hier Taf. 33a); die Zeichnungen (Kraeling 55f Taf. XXXI. XXXII,3: »tracing on cellophane« von H. Pearson, hier Taf. 33b) sind dagegen nur mit Vorsicht zu gebrauchen, da sie manche Fehler aufweisen (s. u.); ebenso steht es mit den Zeichnungen bei Kaiser-Minn Taf. 49b Anhang 2.

[176] Das in der Zeichnung (Taf. 33b) stark ausgestellte linke Bein Evas kann ich auf der ältesten Fotografie (Taf. 33a) nicht in dieser Form wiedererkennen. Ebenso unklar sind die Größenverhältnisse der zwei Personen zueinander: Während Baur für Adam »0.21 m« und für Eva »0.20 m« angibt (Preliminary report 257₁₁) und Kraeling 55 »ca. 0.21 m« für beide anführt, zeigt die Zeichnung – ähnlich wie das (schräg aufgenommene) Foto – Eva als die größere Gestalt.

[177] So schon zB. K. Wessel, Art. Adam und Eva: RBK 1 (1966) 40. Nach einem Grabungsbericht von C. Hopkins: Kraeling 231 handelt es sich um »a white garment«; nach Baur 257 »grayish-green leaves«. – Das Blatt Evas war nach dem Foto (Taf. 33a) und der

Farbzeichnung (s. o. Anm. 175) anscheinend etwas größer als es die Zeichnung (Taf. 33b) wiedergibt.

[178] S. Kraeling 56₄. 229. 231f (nach Hopkins) und nach der Zeichnung (Taf. 33b); zT. auch auf dem Foto (Taf. 33a) schwach zu erkennen.

[179] Vgl. Kraeling 55f.

[180] Ersteres zB. nach Baur 257; letzteres u. a. bei Kraeling 55f₁. 231 (nach Hopkins) und E. Dinkler, Abbreviated representations: Age of Spirituality 396. Kraeling möchte die »groups of generally vertical brush-strokes in an indistinguishable dark (perhaps originally green) color« als die Wipfel der Bäume ansehen. Diejenigen Striche, die ungefähr über Adam und (wie links) schon in der oberen Bildzone bzw. ohne direkte Verbindung mit dem Stamm gemalt sind, rechnet er sogar zum Baum neben Eva. M.E. bleibt unklar, ob die Striche nicht eher Gräser oder Büsche andeuten sollen und die beiden Stämme zusammen mit der Bodenlinie in erster Linie nur eine Art Rahmung darstellen, damit die Szene in der sonst leeren Bildzone (s. u. Anm. 182) hervorgehoben ist; ebenfalls skeptisch Flemming 111₁.

[181] S. Hopkins bei Kraeling 299. 232; Baur 257; Kaiser-Minn Taf. 49b Anhang 2. Nach Kraeling 56. 215 (ihm folgend Dassmann, Sündenvergebung 375) weicht die Darstellung der Schlange auf dem Boden von der »typical representation of the scene in the wall paintings and on the sarcophagi of the West« ab, da dort die Schlange um den Stamm gewunden ist (zur Frage einer kanonischen Darstellungsweise u. S. 70₂₁₇). Als einzige Ausnahme (»a by-product of the manner of

lassen sich in dieser Bildzone nicht ausmachen[182]. In den meisten Details unterscheidet sich diese zwei Phasen des Bibelberichts in Gen 3,6/7 wiedergebende Szene von der Darstellung in Cimitile so sehr, daß man mit verschiedenen Vorlagen rechnen muß.

Anders steht es mit einem Malereibeispiel, das sich als Teil einer Deckenkomposition in einem (ehemals selbständigen) Hypogäum in der oberen Januarius-Katakombe in Neapel, also ganz in der Nähe von Cimitile, befindet (Taf. 34a)[183]. Die Deckenmalerei des betreffenden Raumes wird in neueren Arbeiten auf Grund stilistischer und topographischer Kriterien in einen Zeitraum vor dem 4. Jh. datiert[184]. Die in der Literatur zu findenden Eingrenzungen auf das 2. Jh. oder auf eine Periode nur wenig später als die frühesten wohl in severische Zeit datierbaren Deckenmalereien der unteren Katakombe bzw. spätestens auf die zweite Hälfte des 3. Jh.[185] bedürfen einer Überprüfung, um die Zeitstellung gegenüber dem Bild in Cimitile zu ermitteln.

Im Vergleich zu den severischen Deckenfresken (zB. Taf. 35c) erweist sich die Deckenmalerei der oberen Katakombe als reicher in den Streumotiven[186]. Das Rahmensy-

composition«) in der Spätantike nennt er die Szene auf dem Sarkophag in Velletri (hier Taf. 26b). Für weitere Beispiele s. aber o. Anm. 14. Während die linke zackenförmige Linie von KRAELING und BAUR erwähnt und als »false beginning« gedeutet wird (den der wenig sorgfältige Künstler dann aber nicht auslöschte; so KRAELING 56), geben beide keinen Hinweis zur rechten Linie. Diese hatte vielleicht auch eine Verdickung am linken oberen Ende (s. Taf. 33b). Selbst die Farbe dieser Linien ist umstritten; bei HOPKINS aO. »dark folds«; ebenso in der Farbzeichnung (s. o. Anm. 174), dem Foto (Taf. 33a) und in der Zeichnung (Taf. 33b); bei KRAELING aO. aber »in the same light color used for the trees«. FLEMMING 111. 113 bemerkt, daß die »Schlange . . . ihren Kopf, abweichend von den üblichen Fassungen, in Richtung Adams« wendet (so aber noch zB. auf Rep. 6,3 und auf einer Silberkanne in Edinburgh: Age of Spirituality 431/3 nr. 389; vgl. dazu Taf. 37b. c). Sie sieht dies als »Merkmal dafür . . ., daß keine längere Bildtradition vorhanden war«. – Auf Grund dieses unklaren Bilddetails kann mE. nicht (wie bei KRAELING 215) gefolgert werden, daß »the artist is . . . interested in making his composition fit the Biblical narrative exactly and tell the story in accordance with the narrative« (nach Gen 3,14), zumal dieses Bild noch stark von einer Vorlage abhängig ist (vgl. hier S. 72).

[182] Die in der Lit. geäußerten Vermutungen zu weiteren Szenen bleiben Spekulationen (vgl. zB. BAUR 257; FLEMMING 111f; DASSMANN, Sündenvergebung 42[312]. 275[173]).

[183] Vgl. R. GARRUCCI, Storia dell'arte cristiana nei primi otto secoli della chiesa 2 (Prato 1873) 110/2 Taf. 95f; H. ACHELIS, Die Katakomben von Neapel (Leipzig 1936) 54/6 zu den Taf. 5. 7. 8; FASOLA, Catacombe 22/9 Fig. 15.

[184] FASOLA, Catacombe 28f; so auch ACHELIS aO. 54f. 57; BRANDENBURG, Überlegungen 108; SCHUMACHER, Hirt (o. Anm. 38) 183; alle mit einer Datierung ins 3. Jh. Die Datierung E. WEIGANDS (in seiner Rez. zu ACHELIS: ByzZs 37 [1937] 465) »ins IV. Jahrh.« ist nicht haltbar,

da sein einziges Indiz (der »Schulterkragen«) bei der linken Gestalt im betreffenden Bild – nach Beobachtungen am Original (s. u. Anm. 188) – nicht vorhanden ist.

[185] So zB. FASOLA/TESTINI (o. S. 12[34]) 132; BORDA 123; CH. PIETRI, Catacombes de saint Janvier: BERTAUX (o. S. 7[5]) 146; DASSMANN, Sündenvergebung 17[53]. 400[326] (in seiner Anm. 53 weitere Lit. mit Datierungsvorschlägen 2. Jh. oder spätseverisch); R. CALVINO, La catacomba di S. Gennaro in Napoli (Napoli 1970) 24: im Vergleich zu einem Adam-und-Eva-Bild aus der Priscilla-Katakombe in Rom (»metà del sec. 3°«?; WMK Taf. 70,2) eher 2. Jh. (nach D. MALLARDO); bei MIELSCH, Wandmalerei 230. 257 »ins fortgeschrittenere 3. Jh. (vielleicht . . . schon in die zweite Hälfte)«; vgl. auch Anm. 184 und 195. – Für eine Datierung der frühesten Malereien der unteren Katakombe in severische Zeit s. MIELSCH ebd.; PIETRI 245[3]; FASOLA/TESTINI 123 bzw. FASOLA, Catacombe 18 Taf. I und Fig. 7, vgl. auch 19f Fig. 8; GERKE, Spätantike 23f; BORDA 122 (vgl. dazu die Deckenmalereien unter S. Giovanni in Laterano/Rom: ebd. Abb. S. 122; s. auch H. JOYCE, The decoration of walls, ceilings and floors in Italy in the second and third centuries A.D. = Archaeologia 17 [Roma 1981] 80f Fig. 84).

[186] Die Theatermasken konnte ich aber auch auf Katakombendecken des späteren 3. und des 4. Jh. in Rom nicht in dieser Art finden: vgl. mit dem Foto bei FASOLA, Catacombe Fig. 15 die Bildtafeln bei WMK; die Masken in der Lucina-Kammer der Callixtus-Katakombe in Rom (WMK Taf. 25) lassen sich zwar generell vergleichen, doch sind sie zT. abstrakter und frei hängend gemalt. Besser vergleichbar sind Beispiele aus der pompejanischen Wandmalerei: H. MIELSCH, Römische Architekturterrakotten und Wandmalereien im Akademischen Kunstmuseum Bonn (Berlin 1971) Kat. nr. 43 Abb. 42 (4. Stil); allgemein dazu A. ALLROGGEN-BEDEL, Maskendarstellungen in der römisch-kampanischen Wandmalerei (München 1974) passim.

stem, das keine so feinen Abstufungen bzw. dünnere Umrahmungen aufweist, ist zT. massiver. Einige Bordüren umschließen auch nicht vollkommen die eingerahmten Flächen. Die meisten Felder sind nicht direkt miteinander verbunden, sondern über- oder nebeneinandergesetzt. Außerdem finden sich nur hier Segmente mit ›narrativen‹ Darstellungen, und das besonders hervorgehobene Mittelemblem zeigt eine das Bildprogramm durch ihre »Übergröße beherrschende« Gestalt[187]. Bei dieser Figur handelt es sich offensichtlich um eine fliegende, in eine purpurfarbene Tunika gekleidete Viktoria mit einem »tropaionartigen« Gebilde in den Händen[188]. Die Darstellung einer Viktoria in einem oktogonalen Deckenfeld findet man zwar schon in einer Stabianer Villa des 1. Jh. nC.[189], nach dem Repertorium von A. NESTORI läßt sich aber bei den Deckenkompositionen in den Katakomben von Rom kein mit dem Neapeler Deckenbild direkt verwandtes Motiv aufzeigen[190]. Zum Vergleich sei jedoch wenigstens auf fliegende Genien mit Füllhörnern oder Stäben verwiesen, wie sie zB. auf dortigen Deckenmalereien aus der ersten Hälfte des 3. Jh. nC. vorkommen können[191]. Diese Figuren zeigen freilich nicht jene Monumentalität und das starke Umknicken des Unterkörpers, wie sich ja auch der Stil dieser und anderer Katakombendecken in Rom in zahlreichen Punkten von der Malerei im Grabraum in Neapel unterscheidet[192]. In Verbindung mit dem bemerkenswerten Attribut erinnert das starke Umknicken indessen etwas mehr an die Viktorien über dem Mitteldurchgang an der Nordseite des Konstantinsbogens in Rom (Taf. 35d) als an diejenigen von Triumphbögen aus früherer Zeit[193].

Von der topographischen Situation her läßt sich aufweisen, daß dieses Hypogäum in die Entstehungszeit der oberen Katakombe gehört[194]. Zieht man die Tatsache hinzu, daß gerade die ikonographisch oder thematisch sehr eigenwilligen »christlichen« Szenen in einem noch stark von traditionellen Motiven beherrschten, in der Form an bisher meist in späthadrianisch/antoninische Zeit datierte Deckensysteme (zB. Taf. 35b) erinnernden

---

[187] S. dazu GARRUCCI 111f; Zitat nach SCHUMACHER, Hirt 183.

[188] Zitat nach SCHUMACHER aO.; er und die übrigen Bearbeiter sehen in dem Gebilde einen Palmwedel: GARRUCCI 2, 111 Taf. 95; ACHELIS 55; FASOLA, Catacombe 26. – Ohne ein Anfeuchten der Malereien ist heute in zahlreichen Partien kaum etwas zu erkennen (so bei meinen Besuchen des Monumentes 1979 und 1983/4), so daß KIRSTEN 186 sogar irrtümlicherweise schreiben konnte, es seien »jetzt auch die verbliebenen drei Viertel zerstört«.

[189] O. ELIA, Pitture di Stabia (Napoli 1957) 42f; DORIGO, Pittura 126₁₀. Es handelt sich hier aber um einen anderen Viktoria-Typus.

[190] NESTORI (o. Anm. 37) 218; vgl. auch MIELSCH, Wandmalerei Taf. XXVIII,41; zur Deutung einer auf einem Wandfeld erhaltenen Viktoria in einem Grabbau s. W. N. SCHUMACHER, Reparatio vitae. Zum Programm der neuen Katakombe an der Via Latina zu Rom: RömQS 66 (1971) 146 und ders., Die Katakombe an der Via Dino Compagni und Römische Grabkammern: RivAC 50 (1974) 368; für die Viktoria im hervorgehobenen Mittelfeld auf dem Mosaikfußboden in Aquileia s. ders., Hirt 249/57 Taf. 63a.

[191] WMK Taf. 2/5. 25 (zT. im Zenit der Decke); fliegende Wesen generell (wie der Pegasus, ein Greif oder Ganymed mit dem Adler) finden sich öfter in der Mitte römischer Deckenkompositionen; vgl. ENGEMANN, Untersuchungen Taf. 2a. 24. 25.

[192] Für die Deckensysteme in den römischen Katakomben s. WMK. Die von ACHELIS 56 zu Taf. 13 angeführten Vergleiche bieten ein ganz anderes Bild: die Rahmenbänder sind feiner, das Deckensystem ist weniger dicht und fast ohne größere figürliche Szenen.

[193] R. BRILLIANT, The arch of Septimius Severus in the Roman Forum = MemAmAc 29 (1967) Fig. 23/5 Taf. 35 a/b. Vgl. aber auch für die zurückgewandte Kopfhaltung eine Viktoria auf einem Relieffragment aus Rom, das zum »Arcus Gordiani« aus dem 3. Jh. gehören, aber von einem Bogen des Augustus stammen soll; so BRILLIANT 110₁₁f Fig. 26; zu Fundort und älterer Lit. Carta archeologica di Roma Tav. III (Firenze 1977) 146 nr. 193 a. c; 354 nr. 21. – Die herunterhängenden Flügel finden sich bei den weniger schwebenden Viktorien auf dem Severusbogen in Leptis Magna (BRILLIANT Fig. 28f).

[194] FASOLA, Catacombe 22/6₆. 29f₁₁ Fig. 12f. 24; vgl. ACHELIS aO. 54f zu Taf 5f.

Ausstattungsprogramm zwar an besonderer Stelle, aber nur in geringer Anzahl und in relativ kleinen Bildfeldern auftreten[195], dann kann man mE. – ohne neue archäologische Anhaltspunkte oder bessere Vergleichsbeispiele – die Entstehung dieser Deckenmalerei vorerst nur allgemein im 3. Jh. nC. ansetzen (s. aber S. 170), wobei eine Datierung in severische Zeit eher auszuschließen wäre[196].

Unter den figürlichen Darstellungen kommt auch eine Adam-und-Eva-Szene vor, die in der bisherigen Literatur aus verschiedenen Gründen fast immer zu den frühesten Beispielen dieser Ikonographie gerechnet wird (Taf. 34b)[197]. Schon CHIERICI, aber auch neuere Bearbeiter, haben diese Szene mit dem Bild in Cimitile in enge stilistische wie ikonographische Verbindung bringen wollen[198]. Auf dem Neapeler Bild stehen die in einem ähnlichen Maßstab wiedergegebenen Stammeltern[199] zwar in der gleichen Anordnung, jedoch befinden sie sich zu seiten eines flüchtig gemalten Baumes[200] und auf einer durchgehenden grünlichen Bodenzone (vgl. dagegen S. 63; Taf. 32a). Eva weist fraulicher gerundete Konturen auf und Adam wirkt korpulenter. Beide Gestalten sind in ihren Körperformen nicht so langgestreckt und viel stärker voneinander abgewandt als in Cimitile; Eva, die ebenfalls – wenn auch nur ein wenig – helleres Inkarnat aufweist, ist sogar mit einer leichten Neigung des Körpers nach links wiedergegeben. Abgesehen von dem sicher anderen, zum Teil flüchtigen Malstil (S. 168f) unterscheiden sich sonst die zwei Figuren auf den Bildern nur in kleineren Details: Der Blätterschurz ist in der Neapeler Darstellung dürftiger[201]. Außerdem hat Adam dort den Arm mehr gesenkt und weist mit

[195] So schon zB. GARRUCCI 2, 112; SCHUMACHER, Hirt (o. Anm. 38) 183; FASOLA, Catacombe 26. – Für die »christlichen« Szenen s. GARRUCCI 2, 112/4 Taf. 95f; ACHELIS 56 zu Taf. 8/10; DASSMANN, Sündenvergebung 17₅₃. 399/401; FASOLA, Catacombe 26 Fig. 14f; PIETRI (o. Anm. 185) 146. – Der allgemeine Hinweis auf Deckenprogramme antoninischer Zeit schon bei BORDA 123. Bei Berücksichtigung der Tatsache, daß drei besonders gut vergleichbare, bisher in diese Zeit datierte Deckenschemata aus Rom und Ostia als Ganzes auch nur in Zeichnungen publiziert vorliegen (die stark zerstörte Decke in Neapel dagegen vollständig bloß in der fehlerhaften Zeichnung bei GARRUCCI 2, Taf. 95), so sind – gegenüber Neapel – die Flächen etwas dichter ausgefüllt, die diagonalen Segmente ausgeprägter bzw. (ähnlich wie die übrigen Felder) zusammenhängender gemalt; außerdem sind die Rahmenbänder zT. etwas reicher gestaltet und der Mal- und Figurenstil weist deutliche Unterschiede auf (vgl. M. L. VELOCCIA RINALDI, Nuove pitture ostiensi: La casa delle Ierodúle: RendicPontAcc 43 [1970/71] 165/85; J. JACOPI, Soffitto dipinto nella casa romana di »Vigna guidi« sotto le terme di Caracalla: RömMitt 79 [1972] 89/110 Taf. 53/61; allgemeiner F. WIRTH, Römische Wandmalerei vom Untergang Pompejis bis ans Ende des dritten Jahrhunderts [Berlin 1934] 120f; JOYCE [o. Anm. 185] 85f. 90f. 94 Fig. 91. 95; MIELSCH, Wandmalerei 204. 208. 224. 262 und B. ANDREAE, Studien zur römischen Grabkunst = RömMitt Erg.-H. 9 [Wiesbaden 1963] 111/20 Taf. 53/70). Vgl. dagegen o. Anm. 192.
[196] Vgl. MIELSCH, Wandmalerei 219/32. 257f (zu Stil- und Datierungsproblemen im 2. und 3. Jh.). Zu

andersartigen Stilmerkmalen bei severischen Malereibeispielen vgl. hier S. 169.
[197] Vgl. dazu und zur bisherigen Analyse des Bildes zB. BREYMANN (o. Anm. 80) 11/3; FLEMMING 72f; ESCHE 10 und SCHADE 42 (beide o. Anm. 24); KAISER-MINN 89₃₉. Weitere Lit. außerdem bei ACHELIS VI, 56 zu Taf. 8 (diese nach einem Foto angefertigte Farbzeichnung ist leider – wie alle älteren Zeichnungen – in manchen Punkten fehlerhaft; vgl. dazu das bisher unveröffentlichte, alte Foto hier auf Taf. 34b und Anm. 203).
[198] CHIERICI: RivAC 33 (1957) 114f; auch FASOLA, Catacombe 50₁₀; ders., Le raffigurazioni di defunti e le scene bibliche negli affreschi delle catacombe di S. Gennaro: Parola e spirito, Studi in onore di S. Cipriani (Brescia 1982) 772₃₀; TESTINI 168 und KAISER-MINN 89₃₉ Anhang 2. Anders aber FINK, Bildfrömmigkeit 60₂₅₉.
[199] ACHELIS 56 zu Taf. 8: »Adam ist knapp 45 cm hoch«. In Cimitile ist er noch 39 cm hoch erhalten (s. S. 63); rechnet man etwa 2 cm für die heute zerstörte Fußpartie hinzu, dann kämen wir auf eine Gesamtgröße von ungefähr 41 cm. Eva war dagegen etwa 38 cm groß, wovon heute noch 32 cm erhalten sind (s. S. 64 und Abb. 22); in Neapel ist sie etwas kleiner als Adam dargestellt.
[200] Vgl. BREYMANN 12: »ohne botanisch zu bestimmende Gestaltung«; FLEMMING 72. Für Bäume ohne Früchte in anderen Darstellungen der ersten Stammeltern s. o. Anm. 80. 103.
[201] Möglicherweise ist das eine direkt vor der Scham gemalte Blatt bei Adam erst durch die Zerstörung dieser Stelle verschwunden; vgl. noch C. F. BELLERMANN, Über die ältesten christlichen Begräbnisstätten

einer Art deiktischer Geste oder Redegebärde[202] in Richtung Evas. Diese hat ihren Kopf nach links gewandt und leicht gesenkt. Ihre in dunkelbraunen Farben gemalte wellige Frisur weist eine zopfartige Verdickung an der rechten Seite, kurze herunterhängende Strähnen und eine ockergelbe Überwölbung auf[203].

Das Standschema und die Haltung der Arme bei beiden Personen finden sonst jedoch in großem Maße eine Entsprechung auf dem Bild in Cimitile (Taf. 32a); die in der Forschungsliteratur bis in jüngste Zeit zu findende Deutung der Abwehrgebärde der rechten Hand Evas als Halten eines Apfels beruht deutlich auf einem Mißverständnis, hervorgerufen durch eine runde Schadstelle (Taf. 34b)[204]. Wie im Bild von Cimitile fehlt auch hier die Schlange. FASOLA hat schon darauf hingewiesen, daß dies bei den nachfolgenden Darstellungen der gleichen Szene in den Katakombenmalereien in Rom so gut wie nie der Fall ist[205]; nur in der Sarkophagplastik des 4. Jh. ist es häufiger zu beobachten[206]. – Die abgewandte Haltung der Stammeltern[207], ihre Gestik, der Blätter-schurz, das Fehlen einer Schlange und die leicht gesenkten Köpfe beider Personen weisen wohl darauf hin, daß im Neapeler Katakombenbild eine Szene nach dem Sündenfall gemeint ist (etwa im Rahmen von Gen 3,7/12)[208].

Von weiteren Adam-und-Eva-Darstellungen, die in der Forschungsliteratur zuweilen noch zu den frühesten Beispielen gezählt werden, können mE. – auf Grund eines zu frühen Zeitansatzes oder einer Fehlinterpretation mancher Monumente[209] – nur noch die

und besonders die Katakomben zu Neapel mit ihren Wandgemälden (Hamburg 1839) 76 Taf. 5,1.
[202] Vgl. FLEMMING 73$_{2f}$: »Redegeste«; allgemein dazu NEUMANN, Gesten 10f (»Bewegungen des Sprechens«). 17f (»Deiktische Gesten«).
[203] Ob die ockergelben Flächen als der Teil einer »hochgeschlagenen Frisur« anzusehen sind, wie die meisten bisherigen Bearbeiter annehmen (vgl. GARRUC-CI 2, Taf. 95f; BREYMANN 12; FLEMMING 73. 139f; bei ACHELIS Taf. 7f ist keine Farbdifferenzierung gegeben [so auch bei BELLERMANN Taf. 5,1] und dieser Bereich – wie bei GARRUCCI – etwas zu stark erhöht), ist nicht so eindeutig. Die anderen erhaltenen Frauenfrisuren aus einer weiteren Szene der Decke (FASOLA, Catacombe Fig. 14) zeigen ebenfalls einen Haarknoten am Hinter-kopf und einmal vielleicht sogar eine Art vorderen Haarkranz (schon vor 1936 zerstört; ACHELIS Taf 10); zumindest eine dieser Frisuren (die der mittleren Frau; möglicherweise auch die der rechten) wurde aber nur in einer einheitlich braunen Farbe gemalt (Hinweis auf einen Unterschied in der Haartracht gegenüber der Evas?). Vergleichbare Frisuren finden sich zB. bei Darstellungen von Musen oder Moiren: R. BIANCHI BANDINELLI, Rom. Das Ende der Antike (München 1971) Abb. 40. 42. 279.
[204] So schon ACHELIS 56 zu Taf. 8, FLEMMING 73 und ESCHE (o. Anm. 24) 10; dagegen noch FASOLA, Catacombe 26, ders., Raffigurazioni (o. Anm. 198) 772 und R. CALVINO, Peintures et mosaïques des catacombes Napolitaines: Les dossiers de l'archéologie 19 (1976) 24f. Eine ähnliche, aber kleinere Schadstelle befindet sich zB. auf der Stirn (für Vergleichbares bei der Malerei in der via Latina s. KOROL [o. Anm. 113] 176$_{10}$). – Für die Abwehrgeste (nicht direkt »Furcht«, wie FLEMMING 73 schreibt) s. Lit. o. Anm. 169.

[205] FASOLA, Catacombe 26; so schon allgemein FLEM-MING 66/76, bes. 74; vgl. aber WMK Taf. 166, 2.
[206] Vgl. dazu o. Anm. 103 und CALCAGNINI-CARLETTI (o. Anm. 117) 746$_{27}$.
[207] Als direkten, aber späteren Vergleich s. Rep. 680 (dazu FLEMMING 44. 72$_5$. 75$_2$. 117 o.). Vgl. auch o. Anm. 32.
[208] So schon FLEMMING 73; s. auch u. S. 74$_{241}$. Zur Kopfhaltung FLEMMING 67 (WMK Taf. 101).
[209] a) Zwei Darstellungen aus der Katakombe SS. Pietro e Marcellino in Rom werden häufig noch in das Ende des 3. Jh. gesetzt. Für die eine (WMK Taf. 101) s. zB. ESCHE 10$_{15}$ und SCHADE 46 Abb. 1 (beide o. Anm. 24); CALCAGNINI-CARLETTI 742; für beide Szenen s. FLEMMING 66/8. Schon das strenge, an konstantinische Beispiele erinnernde, Bildschema (s. o. Anm. 89) weist eher ins 4. Jh.; die Malereien der Kammern nr. 57f (NESTORI), in denen sich diese Bilder befinden, werden – vor allem neuerdings – daher auch mit mehr Recht in diese Zeit datiert. M.E. ist eine zeitliche Einordnung schon in die Mitte des 4. Jahrhunderts aber zu hoch gegriffen (so aber DE BRUYNE [o. Anm. 138] 206; die übrige Lit. zusammengefaßt bei DASSMANN, Sündenver-gebung 18/21). – b) Das von KLAUSER, Studien IV (o. Anm. 173) 133$_{40}$ im Anschluß an GERKE noch in vorkonstantinische Zeit gesetzte Fragment eines Sar-kophagdeckels der Cyriaka in Neapel wird in jüngster Zeit entweder Anfang oder »1. Drittel des 4. Jh.« datiert: KAISER-MINN 3. 88 Anhang 3 Taf. 1a; H. L. KESSLER, Fragment of sarcophagus of Cyriaca with Adam and Eve: Age of Spirituality 460 nr. 411; vgl. auch schon FLEMMING 53. – c) Für die zwei anderen frühen Denkmäler s. S. 48. 51. Vgl. auch o. Anm. 89 zum Sarkophag Rep. 8.

Szene auf dem Sarkophag von Le Mas d'Aire, der etwa um 300 anzusetzen wäre (Taf. 35a)[210], und die asymmetrische Darstellung auf der Reliefplatte in Velletri (s. S. 43$_{27}$; Taf. 26b) herangezogen werden. Auf ersterem findet man die betreffende Szene neben anderen ikonographisch zT. sehr eigenwilligen Darstellungen[211]. Sie ist ziemlich stark zerstört, doch lassen sich die Grundzüge noch gut erkennen: Adam und Eva stehen in der gleichen Anordnung wie auf dem Neapeler Bild zu seiten eines Baumes. Dieser weist aber einen deutlich dickeren Stamm und zahlreiche Früchte auf. Außerdem windet sich um sein unteres Ende eine Schlange[212]. Die Stammeltern haben sich stark zum Baum hin gedreht und ihre rechten Arme zur Krone hin erhoben (nur Eva berührt dabei deutlich sichtbar eine Frucht), während beide mit der Linken je ein Blatt vor die Scham halten. Besonders auffallend ist noch die Frisur Evas. Das Haar ist im Nacken zusammengebunden, und der so entstehende Haarstrang steht etwas vom Kopf ab[213]. Da mehrere Momente des Sündenfalls durch die verschiedenen Details angesprochen bzw. zusammengefaßt werden, kann man diese Darstellung als eine Mehrphasenszene zu Gen 3,1/7 bezeichnen[214].

1.2.4 Folgerungen aus dem Vergleich der frühen Adam-und-Eva-Szenen

Die Datierungen der genannten Beispiele zeigen, daß die Darstellung des ersten Menschenpaares, wie zB. schon HEMPEL angenommen hat, zum ältesten christlichen Bildbestand gehört[215]. In der Frühzeit herrschte – zumindest nach den erhaltenen, sicher christlichen Denkmälern[216] – zwar das symmetrische Bildschema schon vor, aber von der Bildaussage bzw. von manchen formalen Einzelheiten her war noch nicht in dem Maße wie später ein kanonischer Typus vorhanden[217].

Das Vorkommen einer Schlange ist eindeutig gesichert nur auf den schon nicht mehr so frühen Monumenten (Le Mas d'Aire und Velletri)[218]. Dagegen findet sich eine Art Lendenschurz aus einer großen weißlichen Fläche oder mehreren kleineren Blättern nur in der Frühzeit (in Dura und Neapel), während auf dem Sarkophag von Le Mas d'Aire wie auch auf der Mehrzahl der Monumente im 4. Jh. – entgegen dem Bibeltext (s. S. 64) – nur ein einzelnes Blatt vor die Scham gehalten wird[219]. Diese beiden unterschiedlichen

---

[210] S. zuletzt ENGEMANN, Untersuchungen 85f und SOTOMAYOR (o. Anm. 26) 10; BRANDENBURG, Introduzione (o. Anm. 77) 336. – Als relativ frühes Beispiel läßt sich außerdem vielleicht noch der Trierer ›Agricius-Sarkophag‹ anführen (Taf. 30e; s. o. Anm. 112).

[211] Ausführlich dazu zB. FLEMMING 20/2. 24.

[212] Spätere Beispiele – besonders in Rom – zeigen dagegen die Schlange mehr um den ganzen Stamm gewunden (FLEMMING 22. 67/71. 74; vgl. hier Taf. 30c).

[213] Auf die besondere Frisur haben schon hingewiesen FLEMMING 21 und TH. KLAUSER, Frühchristliche Sarkophage in Bild und Wort = Antike Kunst Beih. 3 (Olten 1966) 24.

[214] So schon FLEMMING 24.

[215] ZAW 73 (1961) 302; vgl. auch M. GOUGH, The origins of Christian art (New York 1973) 33 und DASSMANN, Sündenvergebung 397f, der betont, daß sie gerade »außerhalb Roms ... zu den ältesten ... biblischen Motiven« gehört.

[216] Vgl. aber die jeweils asymmetrischen Menschenpaardarstellungen in paganem Bildzusammenhang (Taf. 27c. 29a. b und Anm. 105) und das christliche Relief in Velletri (Taf. 26b). Vgl. dazu und zum folgenden auch immer das Bild in Cimitile (Taf. 32a).

[217] HIMMELMANN, Hypogäum (o. Anm. 27) 11f geht dagegen mehr von einem kanonischen Bildtypus aus; demgegenüber werden etwaige Sonderfälle als (oft nur durch bestimmte Faktoren hervorgerufene) Ausnahmen angesehen (vgl. o. Anm. 103. 109. 112; zu einer anderen Darstellung vgl. schon KAISER-MINN 88$_{33}$). – Für ein in der Zeit einzigartiges Detail s. o. S. 43$_{27}$.

[218] So auch bei der paganen Malerei im zeitlich früheren Aurelierhypogäum (Taf. 29b; S. 47); anders jedoch die eindeutig biblisch beeinflußte Szene auf dem kapitolinischen Sarkophag (Taf. 29a; S. 51$_{103}$). Zur problematischen Darstellung in Dura s. Anm. 181. – Vgl. auch schon BREYMANN (o. Anm. 80) 110.

[219] Einzige Ausnahmen, die jedoch – abgesehen von einem nur in einer Zeichnung überlieferten Stück (Rep. 987) – immer einen schmalen, dichten Schurz

Traditionen spiegeln sich auch in der Folgezeit etwa bei den Genesisillustrationen in Handschriften oder im Narthexmosaik von S. Marco wider[220]. Ebenfalls erst auf einem der späteren Beispiele, dem Relief in Velletri, tritt die im 4. Jh. häufig vorkommende Darstellung von längeren, offen herunterfallenden bzw. nicht besonders frisierten Haaren bei Eva auf[221]. Schließlich ist von den Einzelbeobachtungen noch hervorzuheben, daß von den frühesten symmetrischen Adam-und-Eva-Bildern die Darstellung in Dura Adam auf der – vom Beschauer aus gesehen – linken und Eva auf der rechten Seite des Baumes wiedergibt, während auf den anderen beiden Monumenten aus Südfrankreich und Campanien die Anordnung vertauscht ist (Eva/Adam). Letzteres ist dann in den Darstellungen des 4. Jh. – besonders in Rom – weniger oft vertreten[222].

Vergleicht man nun das Bild in Cimitile, dann fallen dort Merkmale auf (keine Schlange, aber eine Art Blätterschurz und eine Idealfrisur[223]), die gerade von den späteren Darstellungen der vorgestellten Gruppe abweichen. Durch das Fehlen eines Baumes unterscheidet sich aber diese Szene, die sich einzig unter den frühen (und auch noch selten bei den späteren) Vergleichsbeispielen in der Lunette eines Arkosolgrabes befindet, von allen gezeigten und auch sonst in der Spätantike erhaltenen Exemplaren der gleichen Ikonographie[224]; selbst für die eigenartige Bildaussage (s. u. S. 75) läßt sich keine direkte Parallele unter den frühen Monumenten finden. Dadurch wird der unkanonische Charakter dieser Szene besonders unterstrichen. Es sei in diesem Zusammenhang auch an den wie nachträglich hinzugefügt wirkenden Baum in der ebenfalls unkanonischen und in ihrer Bildaussage eigentümlichen Szene auf dem relativ frühen christlichen Relief in Velletri (Taf. 26b) erinnert[225]. – Alle bisherigen Aspekte weisen für die Frage der Entstehung des Bildes in Cimitile somit auf eine Zeit am Beginn spätantik-christlicher Kunst.

---

zeigen: WMK Taf. 171. 211,2 (vgl. schon dazu FLEMMING 71. 75); H. LECLERCQ, Art. Gemmes: DACL 6,1 (1924) 840 Fig. 5060; vgl. auch o. Anm. 172 und CALCAGNINI-CARLETTI (o. Anm. 117) 745. – In einigen Beispielen (wie Rep. 774) sind die Einzelblätter immerhin so groß, daß sie den ganzen Unterleib bedecken. – Für das seltenere Bedecken ohne Blätter auf christlichen Denkmälern s. Taf. 26b. 27b. 30c und o. Anm. 91.

[220] Ein Blatt zB. in San Marco (Taf. 30g. 31b) und in den Touronischen Handschriften (Taf. 31c. d). Eine Art Blätterschurz zB. in den Oktateuchen (vgl. HESSELING, Miniatures nr. 20f) und literarisch bei Prudentius (s. o. Anm. 172).

[221] S. dazu WS 227; FLEMMING 2f. 12; seltener in der römischen Katakombenmalerei: WMK Taf. 186,2. 227 (169,1?). Für spätere Beispiele mit frisiertem Haar s. FLEMMING 40. 45. 79f (angeblich jüdischer Einfluß, ebd. 84₁). 139f; WMK 70,2. 93. 101. 171. 240 (166,1f. 197,2?); A. DI VITA, L'Ipogeo di Adamo ed Eva a Gargaresc: Atti del IX Congresso Internazionale di Archeologia Cristiana, Roma 21–27 Settembre 1975, 2 (Città del Vaticano 1978) 199/256 Fig. 20.

[222] So FLEMMING 12. 19. 21. 79f. 114 (hauptsächlich zu den Sarkophagbildern). Vgl. auch WMK Taf. 166,2. 169,1. 186,2 (= Eva/Adam; Taf. 70,2 Eva links); 93. 101. 166,1. 171. 197,2. 211,3. 227. 240,1 und S. 301 nr. 7. 13 (= Adam/Eva; vgl. dazu W. WISCHMEYER, Die Tafeldeckel der christlichen Sarkophage konstantinischer Zeit in Rom = RömQS Suppl. 40 [Freiburg 1982] 88₄). Einige weitere Beispiele im Schema E./A. bei DI VITA aO., FERRUA, Nuovo cubicolo (o. Anm. 32) Fig. 9 und KOROL (o. Anm. 113) 177₁₃.

[223] Zur Haartracht vgl. verschiedene Venusdarstellungen: REINACH (o. Anm. 93) 351. 354/6. 358f; unter den späteren Adam-und-Eva-Darstellungen findet sich selten Vergleichbares; s. dazu unter den Beispielen o. Anm. 221 etwa Rep. 680; WS Taf. 122,3 (u. Anm. 242).

[224] S. allgemein dazu ESCHE (o. Anm. 24) 10/6 und ausführlicher bei FLEMMING 3f; für die Verteilung der Malereien an den verschiedenen Stellen in den Katakomben s. ebd. 65. Ebenfalls in einem Lunettenbild findet man die Darstellung in der via Latina-Katakombe in Rom; s. A. FERRUA, Le pitture della nuova catacomba di via Latina = Monumenti di Antichità cristiana 2,8 (Città del Vaticano 1960) Taf. 58,2.

[225] S. o. Anm. 27.

1.2.5 Die Vorlagen und der Entwicklungsstand des Bildtypus' in Cimitile

Eine gewisse Verwandtschaft zum Bild in Cimitile (Taf. 32a) läßt sich bei einer paganen Menschenpaardarstellung auf einem spätkaiserzeitlichen Relieffragment aus der Villa Albani, heute im Louvre (Taf. 36a), aufweisen[226].

Neben den Szenen der Schöpfung und Beseelung des ersten Menschen ist in der Mitte des erhaltenen Bildfeldes noch eine Zweiergruppe (die Geschöpfe des Prometheus) eingefügt, die in keinem direkten Bezug zu einem hinter ihnen in Flachrelief angelegten, wohl in erster Linie zur rechten Szene gehörenden Baumstamm (man vgl. die belaubten Äste oberhalb des Kopfes von Prometheus) stehen. Während die links stehende, nach rechts unten blickende Frau sich immerhin im Gestus einer Venus pudica die Brust und Scham bedeckt (s. u.), hat der etwas größere Mann, wie die rechte der anderen zwei ähnlichen männlichen Gestalten, seinen rechten Arm aber nach vorne ausgestreckt und blickt nicht zur Frau, sondern nach links in Richtung Athenas. Seinen linken Arm hält er auch nicht – wie Adam in Cimitile – vor die Scham, sondern läßt ihn parallel am Körper herabhängen[227]. Im Gegensatz zu den Gestalten auf dem Bild in Cimitile stehen die beiden Menschen hier auf verschiedenen Ebenen und dicht beieinander, wodurch man mehr an die asymmetrisch gestalteten Menschenpaardarstellungen erinnert wird (vgl. Taf. 27c; 29a. b).

Während dieser Vergleich zumindest allgemein zeigt, daß es im paganen Bildrepertoire[228] verwandte Darstellungen zur Gesamtszene in Cimitile gab, lassen sich auch Parallelbeispiele finden, die als direkte Vorlage für die Einzeltypen bzw. die Stellung der Personen zueinander gedient haben können. Beachtenswert ist nämlich, daß die oben angeführten frühen Adam-und-Eva-Darstellungen zusammen mit dem Bild in Cimitile von der Handlung der Personen her in zwei Typenreihen aufzugliedern sind: Die Mehrphasenszenen (Dura und in etwa auch Le Mas d'Aire) weisen Ähnlichkeiten mit der paganen ›Elysium-Szene‹ auf einem Sarkophag in Velletri (Taf. 36b) auf, in der ebenfalls zwei Gestalten von einem zwischen ihnen stehenden Baum eine Frucht pflücken[229]. Die mehr narrativ, episodisch wirkenden Szenen (Neapel und Cimitile) lassen sich dagegen sowohl formal wie auch in gewissem Maße inhaltlich am ehesten mit Darstellungen von Herakles beim Hesperidenabenteuer vergleichen, einer Episode, in der der Raub von »Früchten des Lebens« aus einem jenseitigen »Göttergarten« im Mittelpunkt steht[230]. – Durch die schon aufgezeigte besondere Verbindung zwischen den letzten beiden, gerade in der gleichen

---

[226] Vgl. ECKHART (o. Anm. 84) 726 nr. 5 (»wohl schon 3. Jh.«); ausführlich KAISER-MINN 36f[34] (»wohl im 3. Jh. entstanden«; im Anhang 2f: in der 1. Hälfte des 3. Jh.) Taf. 16.

[227] Vgl. dazu o. S. 50f (zum Schamgestus in paganen Monumenten).

[228] Nur ganz allgemein vergleichbar sind das christliche Beispiel in Taf. 31b und zwei der asymmetrischen Darstellungen des ersten Menschenpaares (Taf. 27c. 29a).

[229] Nur diese Beispiele haben einen Baum mit Früchten; ein ähnliches Bildschema findet sich zB. noch auf einem der Silberbeschläge des Paulinus-Sarkophags in Trier (H. BUSCHHAUSEN, Die spätrömischen Metallscrinia und frühchristlichen Reliquiare 1 [Wien 1971] 119 Taf. 69), auf dem o. Anm. 209 unter b) genannten, relativ frühen Monument (so schon KAISER-MINN 73[114]) und in etwa auf Taf. 30a (vgl. jetzt auch CALCAGNINI-

CARLETTI [o. Anm. 117] 749[44]). Die Szene in Taf. 26b steht dagegen als Unikum da; s. o. Anm. 27. – Die Deutung der Darstellung auf dem Sarkophag von Velletri als Elysium-Szene ist umstritten: KOCH/SICHTERMANN, Röm. Sarkophage (o. S. 14[46]) 605[177]. Auf Grund der möglichen Abhängigkeit von derartigen, auch schon für den Westen belegten Vorlagen läßt sich die Vermutung, daß westliche Adam-und-Eva-Bilder direkt von östlichen (wie Dura) abzuleiten seien (so BAUR [o. Anm. 174] 257; FLEMMING 112/4), nicht weiter verifizieren. – Ebenso kann ich nicht GOUGH (o. Anm. 215) 33 folgen, der meint, daß die Ikonographie des Bildes in Dura »remarkably similar« mit der des Bildes in Neapel (Taf. 34b) sei.

[230] So schon in allgemeiner Form bei KAISER-MINN 89[39]; vgl. auch ESCHE (o. Anm. 24) 11[19]; B. BAGATTI, L'iconografia della tentazione di Adamo ed Eva: Liber Annuus 31 (1981) 271f[3]. Für die Deutung dieser Hera-

Kunstlandschaft vorkommenden Monumenten wird es beim folgenden Vergleich mit den vermuteten Vorbildern notwendig, auch kurz der Frage nach der Entwicklung eines neuen Bildtypus nachzugehen.

Unter den verschiedenen Arten der Darstellung von Herakles bei den Hesperiden[231] findet sich mindestens bis ins 3. Jh. nC. hinein eine zuweilen nur leicht variierte, vielleicht auf ein bekanntes Denkmal zurückgehende Bildformulierung, zu der schon C. Robert und R. Bräuer in ihren Untersuchungen zur Heraklesikonographie einige Monumente zusammengestellt haben (zB. Taf. 37b)[232]. Abgesehen von Variationen des Bildschemas sieht man bei der Mehrzahl dieser Darstellungen eine einzelne oder eine (von dreien) besonders hervorgehobene Hesperide auf der linken und die fast immer größer wiedergegebene Gestalt des Herakles auf der rechten Seite eines meist mit Früchten behangenen Baumes, an oder vor dem eine Schlange entlangkriecht[233]. Während einige Monumente Herakles in Rückenansicht zeigen, geben die anderen ihn en face wieder, wobei er seine Rechte wie zum Pflücken einer Frucht zur Baumkrone erhoben haben kann[234]. In beinahe allen Fällen hat mindestens eine der Hesperiden ihre Rechte im Abwehrgestus[235] erhoben. Auf einem verlorengegangenen Sarkophagdeckel aus Rom (Taf. 37c) ist die links außen stehende

klesepisode bzw. deren Einzelelemente s. Kaiser-Minn 62[26]. 66 (danach die Zitate); H. v. Geisau, Art. Hesperiden: KlPauly 2 (1967) 1117f und die Lit. o. Anm. 48. – Zu weiteren in der Lit. genannten, aber sowohl inhaltlich wie formal weniger ähnlichen Darstellungen s. Kaiser-Minn 62[25]; Himmelmann, Hypogäum (o. Anm. 27) 12[20]; Schindler (o. S. 35[170]) Abb. 232. Vgl. auch S. 11[31]. – Korrekturzusatz: Durch Répert. d'Art et d'Archéologie 2 (1984) 23 nr. 3971 wurde ich erst nachträglich auf einen Aufsatz aufmerksam: L. Todisco, Modelli classici per le prime espressioni figurative del peccato originale: Annali della Facoltà di Lettere e Filosofia dell'Università di Bari 23 (1980) 163/85. Der Autor kommt bei der Behandlung der Adam-und-Eva-Szenen in Cimitile und Neapel zu gleichen Ergebnissen, was deren Bildvorlage und deren Grad der Umformung anbetrifft (für zusätzliche Bildvergleiche s. ebd. 171[48. 45]. 172[57] Fig. 6f. 12). Bei der Datierung der beiden Darstellungen schließt er sich jedoch der Forschungsmeinung an, nach der das Bild in Cimitile um 200 (vgl. hier S. 11f. 162f. 168f) und das in Neapel in der ersten Hälfte des 3. Jh. (vgl. hier S. 66/8) anzusetzen sei (ebd. 165f. 170. 173f). Vier seiner Einzelbeobachtungen lassen sich widerlegen: Bei der Darstellung in Cimitile nimmt weder Adam die Mitte noch Eva die äußerste linke Seite der Komposition ein (ebd. 169f; vgl. hier Abb. 22); außerdem hat Eva nicht einfach ihr Haar im Nacken zusammengenommen (ebd. 169f; vgl. hier S. 63); der Grabbau insgesamt ist in der Antike sicher kein christlicher Kultbau gewesen (ebd. 170. 174; vgl. hier S. 37). Beim Bild in Neapel hält Eva keinen Apfel in ihrer Rechten (ebd. 173f; vgl. hier S. 69). Besonders wichtig erscheint mir aber sein Hinweis, daß die Szene in Cimitile wohl gleichzeitig mit der dortigen Jonasszene gemalt worden ist (ebd. 170).

[231] Zusammengestellt bei F. Brommer, Denkmälerlisten zur griechischen Heldensage 1. Herakles (Mar-

burg 1971) 5/13. 59/66. Vgl. auch ders., Herakles (Münster/Köln 1953) 47/52.

[232] Robert, ASR 3,1, 119f (als Mittelbild eines Sarkophages); R. Bräuer, Die Heraklestaten auf antiken Münzen: ZsNumismatik 28 (1910) 86f. 89f (Typus 1 und 4) Taf. IV, 12. 15; gegen den eigenständigen Typus 1 (mit nur einer Hesperide) auf einer griechischen Münze aus Kyrene schon F. Brommer, Herakles und die Hesperiden auf Vasenbildern: JbInst 57 (1942) 121 Abb. 13. – S. auch u. Anm. 233.

[233] Vgl. schon Kaiser-Minn 62f. – Variationen (oder zT. schon ein anderer Bildtypus?) finden sich zB. auf den Sarkophagen Robert nr. 106. 113. 116 (mit nur ein oder zwei neben Herakles stehenden Hesperiden). Eine phrygische Münze (Bräuer Taf. IV,15) und ein Mosaik in Spanien (Brommer aO. [1953] Taf. 31) zeigen das Bildschema nur spiegelverkehrt. Erstere ist nach C. C. Vermeule (Roman imperial art in Greece and Asia Minor [Cambridge, Mass. 1968] 162 Fig. 95) »definitely dependent on a famous and monumental composition in painting or relief, most likely the former« (»Hellenistic or early imperial origin«).

[234] Zu ersterem vgl. Robert aO. nr. 113. 120; P. Bastien, Les travaux d'Hercule dans le monnayage de Postume: RevNum VI. Série 1 (1958) 67. 77f Taf. VII. – Zu letzterem vgl. das Mosaik o. Anm. 233 und F. Gnecchi, I medaglioni romani (Milano 1912) 19 nr. 87f Taf. 53,10. 54,1 (hier Taf. 37b); ob der Baum Früchte trägt, ist vom Foto her unklar. Sowohl Gnecchi wie H. Cohen, Description historique des monnaies-médailles impériales 2 (Paris 1880) 389 nr. 1158f sprechen vom »Pflücken einer Frucht«. Vgl. dazu zB. eine Darstellung ohne Hesperiden (Kaiser-Minn Taf. 36a), bei der aber das Pflücken einer Frucht deutlicher ist.

[235] Robert 130. 141. 136 beschreibt dies als »erstaunt« (so auch Bräuer 87). Vgl. dazu hier Anm. 169. 242f.

Hesperide, die – ähnlich wie die anderen zwei Frauen aus der gleichen Szene – nahezu nackt wiedergegeben war[236], sogar in der Haltung und im Gestus einer Venus pudica bzw. in einer gewissen Anlehnung an den Typus der kapitolinischen Venus (Taf. 37a)[237] dargestellt gewesen.

In zahlreichen Punkten sind direkte Parallelen zu den Bildern in Cimitile und Neapel vorhanden[238]. Ausgenommen davon sind dort nur der Schamgestus des Mannes und das sich Bedecken mit Blättern. Während man wenigstens einen flüchtig gemalten Baum (ohne Früchte) in der Neapeler Szene finden kann (Taf. 34b), fehlen dagegen im Bild in Cimitile (Taf. 32a) sowohl die Schlange als auch der Baum. Bei den Gesten der beiden Personen fällt auf, daß gerade die linken Hände – im Neapeler Bild auch der linke Arm des Mannes – deutlich verzeichnet oder eigentümlich versetzt dargestellt sind. So entsteht der Eindruck, als ob die Künstler beim Kopieren einer älteren Vorlage nur diese für die neue Aussage wichtigen Details umformen bzw. selbst gestalten mußten.

Die Szene in Cimitile scheint nun gegenüber dem Bild in Neapel in Einzelelementen auf eine näher bestimmbare Bildvorlage – etwa ähnlich der in Taf. 37b (37c) – zurückführbar zu sein. Man beachte nur Adams nicht so abgewandtes Standmotiv, das Heben seines rechten Armes schon in Höhe der Unterseite einer imaginären Baumkrone (ursprünglich ein Motiv des Pflückens?)[239], die mehr nach rechts gewandte Blickrichtung und betontere Abwehrhaltung Evas[240]. Durch das Fehlen eines Baumes wird die erhobene Armhaltung Adams jedoch nur zu einer Art deiktischem Gestus, obwohl ein Ziel (zB. eine Gotteserscheinung) nicht erkennbar und somit die Aussage nicht eindeutig ist. Die wohl im gleichen Jahrhundert entstandene Darstellung in Neapel dagegen weist auf Grund einer anderen Vorlage oder einer stärkeren Umformung des Vorbildes einen klareren Bildentwurf und eine – in loser Verbindung mit dem Bibelbericht in Gen 3,7/12 – leichter verständliche Aussage auf, etwa Adams Vorwurf und die Abwehr dagegen von Eva bzw. ein sich von einander Abwenden (aus Scham?)[241].

Unter den späteren Darstellungen dieser Ikonographie konnte ich nur vier mit beiden Bildern verwandte Beispiele – diesmal jeweils mit einer Schlange – finden (zB. Taf. 30c); in den vergleichbaren Einzelformen und in ihrer Aussageerweiterung weisen diese Mehrphasenszenen zT. aber schon erhebliche Unterschiede auf[242]. Das besondere Haltungs- und Standmotiv Evas läßt sich darüber hinaus auf einigen weiteren Monumenten dieser und

---

[236] Vgl. ausführlich dazu ROBERT 135f zu nr. 113c.

[237] Allgemein dazu o. Anm. 93. 111. Die Geste der rechten Hand (s. o. Anm. 235) und das Standschema weisen jedoch auf eine Umformung oder eine schon etwas veränderte Vorlage. Für letzteres vgl. ein Bild aus Pompeji (Diana und Aktäon): E. W. LEACH, Metamorphoses of the Acteon myth in Campanian painting: RömMitt 88 (1981) 312f[26] nr. 10 Taf. 133,2.

[238] So die Anordnung der größeren, athletenhaft wirkenden (in Neapel stämmigen) Gestalt Adams auf der rechten und der »venushaften« Gestalt Evas (im Scham- und Abwehrgestus) auf der linken Seite (vgl. zur Charakterisierung der Personen schon FLEMMING 72f). Für Eva vgl. auch eine (frühere) Aktdarstellung aus der gleichen Kunstlandschaft (s. o. Anm. 237).

[239] So schon KAISER-MINN 113[148]. – Für spätere Beispiele mit Adam in einer Art Pflückhaltung s. Taf. 30b und

CALCAGNINI-CARLETTI (o. Anm. 117) 749[42] (nach dem Bibeltext müßte Eva pflücken, nicht Adam; daher vielleicht wieder ein Hinweis auf pagane Bildvorlagen). Vgl. o. Anm. 229.

[240] Die Rechte könnte auf Grund ihrer Bedeutung so groß dargestellt sein; es ist aber auffällig, daß auch die linke Hand etwas größer als die Linke Adams wirkt.

[241] Ähnlich schon GARRUCCI (o. Anm. 183) 2, 112; FASOLA, Catacombe 26 und CALVINO (o. Anm. 204); GOUGH (o. Anm. 215) 33.

[242] FERRUA, Pitture (o. Anm. 224) 43. 56 Taf. 5. 39 (»Eva . . . in gesto di opposizione«). Das Standmotiv der beiden Figuren ist hier (vgl. auch u.) verändert. Adam faßt weder zur Baumkrone, noch hält er die Rechte nach unten gesenkt, sondern hat die betreffende Hand – in einer Art Redegeste (vgl. FERRUA ebd.) – weniger stark erhoben. Eva scheint zumindest bei der einen Darstellung (Taf. 30c), einem Bild, das wegen

der Ikonographie der Susanna beim Bade ausmachen[243]. Im Gegensatz zum Bild in Cimitile ist in diesen Beispielen die Abwehrgeste jedoch entweder durch ihr Vorkommen bei zwei Personen besonders betont (zB. Taf. 37d) und damit schon eine etwas andere Aussage gegeben, oder sie ist durch weitere Bilddetails eindeutiger motiviert[244].

So läßt sich von diesen Beobachtungen her die noch sehr antik (bzw. vorlagenabhängig) wirkende Darstellung in Cimitile als das Produkt eines frühen künstlerischen Tastens nach einer neuen Ikonographie deuten. Der Sinn der Gestik beider Personen ist ohne das Vorhandensein von Baum und Schlange[245] oder etwa einen Hinweis auf den strafenden Gott nicht eindeutig erschließbar und auch nicht direkt durch den Bibelbericht erklärbar[246]. Auf Grund solcher Gegebenheiten ist es mE. besser, die Szene nur allgemein[247] als Darstellung Adams und Evas nach dem Sündenfall zu bezeichnen. Gesichert ist dies jedenfalls durch das (bibeltextgetreue) Bedecken der Scham mit einem Blätterschurz. Ohne dieses charakteristische Bilddetail gäbe es aber keinen eindeutigen Hinweis dafür, in den beiden frei vor dem leeren Hintergrund stehenden Gestalten Adam und Eva zu erkennen. Somit läßt sich bei dieser Darstellung ein Phänomen, das TH. KLAUSER als charakteristisch für »biblische Bilder der vorkonstantinischen Sepulkralkunst« angesehen hat, ganz besonders herausstellen: »Der biblische Vorgang wird auf die äußerste Mindestzahl von Elementen zurückgeführt«, so daß »nur der Kenner der Bibel erraten kann, auf welche Texte eigentlich hingewiesen werden soll«[248].

des Bedeckens der Scham ohne Blätter schon aufgefallen ist (s. S. 50), die Handfläche ihrer Rechten nicht nach außen zu wenden. In beiden Bildern ist außerdem die Frisur Evas von den früheren Beispielen verschieden. – Im Gegensatz zu ähnlichen Darstellungen vom Hesperidenabenteuer des Herakles (zB. Taf. 37b. c) ist bei beiden Darstellungen die Schlange nicht oder nicht mehr deutlich dem Manne zugewandt. – Eine weitere Szene auf dem Sarkophag WS Taf. 122,3 ist so stark beschädigt, daß nicht eindeutig ist, wie der einst größere und ebenfalls rechts stehende Adam seinen rechten Arm gehalten hat, und ob Eva (mit Haarsträhnen auf der Schulter wie in Cimitile) mit ihrer Rechten nur eine Schamgeste machte (nach WS Testo 227 bietet Eva – wie auf dem Relief ebd. Taf. 190,7 – »una lontana somiglianza con la così detta Venere capitolina«). Das Ährenbündel (Hinweis auf die Arbeitszuweisung) und die zwei Früchte am Baum sind aber schon neue Bildelemente. – Auf einer Tonschale aus Numidien (4. Jh.) stehen die beiden Urmenschen in gleicher Anordnung zu seiten eines »strauchähnlichen Baumes« mit Früchten und einer »Schlange« (?). Eva trägt eine ähnlich hohe Frisur wie auf dem einen Bild in der via Latina (FERRUA, Pitture Taf. 5). Außerdem scheint sie – wie dort – etwas größer als Adam zu sein. Letzterer weicht in seiner Gestik von den übrigen Beispielen ab: Während er mit der Rechten (beinahe) die Scham bedeckt (ohne Blatt, wie Eva?), hält er seine Linke eigentümlich umgebogen vor den Körper. S. dazu J. W. SALOMONSON, Spätrömische rote Tonware mit Reliefverzierung aus nordafrikanischen Werkstätten: BullAntBesch 44 (1969) 28. 101 nr. 9 Abb. 31. – Auf Grund dieser Beispiele kann man zumindest nicht von vornherein sagen, daß die frühen Sündenfalldar-

stellungen in Neapel und Cimitile in Rom »keinen Einfluß gehabt haben« (so aber KAISER-MINN 89[39]).

[243] Rep. 23. 25 (»abwehrend«); WS Taf. 189,2 (FLEMMING 18f: »in der Gebärde des Schmerzes und des Schreckens«; nach dem Befund am Original liegen die Handflächen – bedingt durch die geringe Größe dieses Reliefbildes? – jeweils flach vor der Brust). Für die Susannadarstellung s. FREMERSDORF (o. Anm. 91) 168 Taf. 224f (»in abwehrender Gebärde«; er sieht die Nacktheit Susannas hier als Unikum an; vgl. dazu aber zB. eine weitere Glasschale: ebd. 169 Taf. 228).

[244] Schon FLEMMING 19 hat festgestellt, daß diese Geste in ihrer Verdoppelung »zuerst auf der durch eine Palliumfigur erweiterten Szene« innerhalb der Adam-und-Eva-Ikonographie auftritt. Besonders in diesen Szenen ist – ähnlich dem Susannabild (s. o. Anm. 243) – eine solche Geste vom Bildzusammenhang her erklärbar (zur Deutung dieser Szenen s. S. 55[117]).

[245] Ob Baum und Schlange auf Grund eines erstmaligen Versuchs, eine neue Komposition zu erstellen, fehlen oder etwa, um einer zu direkten Ähnlichkeit zwischen der bekannten heidnischen Vorlage und dem christlichen Bild entgegenzuwirken (nach BRENK [o. S. 10[26]] 31 traf die Kirche schon früh »eine bestimmte zensorische Auswahl von Motiven, denen keine akute religiöse Konnotation anhaftete«), bleibt unklar. Im Bild in Neapel ließe sich das Fehlen der Schlange jedenfalls von der Bildaussage (s. S. 69) her erklären; für den dortigen Zusammenhang ist die Schlange nicht direkt erforderlich.

[246] Vgl. dazu o. S. 41. 64 und Anm. 239.

[247] Anders aber einige bisherige Deutungen; s. S. 62.

[248] KLAUSER, Studien IV (o. Anm. 173) 136f; vgl. CHIERICI: RivAC 33 (1957) 108.

1.3 Joseph schwört, Jakob im Lande Kanaan zu bestatten

1.3.1 Beschreibung und Stil

An der Südwand von Raum 14 (links vom Türdurchbruch) befindet sich eine in ihrer Deutung umstrittene Darstellung (Abb. 26; Taf. 25b).

Neben der nur allgemein gehaltenen veröffentlichten Beschreibung CHIERICIS[249] findet man in dessen Tagebuch einzig unter den Eintragungen vom 20. September 1956 Erläuterungen zu diesem Bild: »... vi è un altro pannello con una faccia rossa di riquadro. La scena rappresenta una figura vestita di bianco semiseduta su una roccia (?) che connessa con un altra figura in piedi drappeggiata di rosso«.

HEMPEL liefert uns die erste Deutung zu dieser Darstellung[250]: »[Es folgt dann der] spätere Türdurchbruch, [links davon] Jakob ringt mit dem Engel am Jabbok? [Erhaltenes Bildfeld breit 43, hoch 33 cm, Figuren bis zur Hälfte des Oberkörpers etwa 24 cm.] Erhalten sind die Unterkörper je eines [links in kurzer Tunika] weiß- und [rechts] purpurbekleideten Mannes in heftiger Schreitbewegung nebeneinander, die Körper dabei anscheinend gegeneinander gedreht«.

FINK macht einen anderen Deutungsvorschlag: »Eine Zweiergruppe könnte Hiob und seine Frau darstellen, doch schien mir die stehende Figur eher ein Mann als eine Frau zu sein«[251].

Das Bildfeld einschließlich Rahmen hat sich bis zu einer Breite von 46 cm und einer Höhe von 42 cm relativ gut erhalten (Abb. 31; Taf. 7c). Es wird heute noch von einem links maximal 5,5 cm und unten ca. 6 cm breiten roten Band gerahmt, das zur Bildfläche hin mit einer dünnen weißen Linie abgesetzt wird. Im oberen, schlechter erhaltenen Teil des Bildfeldes erkennt man auf dem Putz links nur noch Reste des roten senkrechten Rahmenstreifens[252], im Anschluß daran eine kleine, weiß-blaue Farbfläche (der Himmel) und rechts daneben wenige dunkelbraune Flecken. Auf der besser erhaltenen Malfläche darunter nehmen zwei menschliche Gestalten den größten Teil des vorhandenen Bildfeldes ein. Die linke trägt ein kurzes weißes Gewand, das mit zwei dünnen purpurroten Clavi verziert ist. Diese Clavi verlaufen in geschwungener Linie schräg nach oben, wobei der – vom Betrachter aus gesehen – rechte noch bis zur Abbruchlinie erhalten ist. Da auch das vordere rechte Bein diese Schräge fortführt, hat es den Anschein, als ob diese Person nach hinten fällt oder in einer leicht unsicheren Position sitzt. Mit dem zurückgestellten linken Fuß, der nur mit der Spitze den hellbraunen Boden berührt, wird eine gewisse Gegenrichtung angedeutet. Die Gestalt hat ihren rechten Arm erhoben; auf Grund der zerstörten Handpartie ist aber nicht ganz eindeutig zu sagen, ob es sich um eine Abwehr- oder (eher) um eine Redegeste handelte. Von ihrem linken Arm sind keine Reste vorhanden. Auch ihr Kopf ist nicht erhalten; an Hand von fleischfarbenen Spuren und einer roten Umrandung rechts von einem blauen Farbrest läßt sich aber noch deutlich die Position des Halsausschnittes des Gewandes bestimmen. Folgt man dem Verlauf der Clavi, so scheint das relativ kurze Gewand (eine ungegürtete, kurzärmelige Tunika) im

---

[249] S. o. S. 38₁.
[250] ZAW 73 (1961) 302.
[251] FINK, Bildfrömmigkeit 58₂₃₈.
[252] Ob einige am oberen erhaltenen Ende sichtbare, nach rechts abzweigende rote Farbflecken Reste des horizontalen Abschlußrahmens des Bildes sind, ist

nicht mehr mit Sicherheit zu entscheiden; bei der dadurch sich ergebenden Höhe von nur ca. 53 cm läge immerhin das niedrigste der auf der Nord- und Süd-wand erhaltenen unteren Bildfelder vor (vgl. Abb. 25f).

Verhältnis zu den fast im Profil dargestellten Beinen und dem rechten Arm verdreht wiedergegeben zu sein.

Der Großteil der noch verbleibenden Fläche auf der linken Seite des Bildfeldes erscheint – soweit man es trotz zahlreicher auch an anderen Stellen des Bildes vorhandener Einschläge im Verputz, stark abgeriebener Farbpartien und einer Schmutz- und Sinterschicht erkennen kann – einheitlich oben in dunkel- und unten zT. in beigebraunen Farbtönen. Nach der Lage der hellblauen Farbfläche in der darüberliegenden Bildzone zu urteilen (s. o.) können die dunkelbraunen Partien nur wenig höher als heute hinaufgeragt haben. Als einzige deutlich erkennbare Bilddetails findet man in der linken Bildhälfte zwei ganz dunkelbraune Gebilde. Das rechte nimmt die Fläche unmittelbar unterhalb der eben beschriebenen Gestalt bzw. neben deren zurückgestelltem Fuß ein und bildet einen zT. unregelmäßig geformten, bis zu 6,5 cm breiten Körper; von dessen oberem Teil stehen noch einige gleichfarbige Striche schräg nach links unten ab[253]. In einem gewissen Abstand davon befindet sich links das zweite, gleichmäßiger geformte Gebilde. Mit einer Breite von 4 cm ist es – bis auf die teilweise nach oben rechts abzweigende Partie[254] – etwas schmaler gestaltet.

Die zweite erhaltene Gestalt ist mehr frontal und fast statuarisch wiedergegeben. Nur ihr Oberkörper und ihr rechtes Bein – man vergleiche die Fußstellung und die Spannfalten des Mantels – lassen eine leichte Wendung nach links zur anderen Figur hin erkennen. Sie selbst trägt einen dunkelpurpurfarbenen, von zahlreichen hellen Schrägfalten durchzogenen Mantel. Dieser ist in breiter Bahn über den Leib gezogen, so daß die unteren Partien nur gerade das Knie bedecken. Ein Teil des Mantels ist um den linken, angewinkelt gehaltenen Arm der Person geschlungen und fällt dann in einer langen Stoffbahn herab. Möglicherweise bedeckte er auch den Oberarm und große Partien der Brust und war auf der anderen Schulter mit einer Fibel befestigt; diese Art der Gewandführung könnte jedenfalls noch durch die hell und dunkel gefärbte, leicht geschwungene Saum(?)-Linie, die auf der rechten Brusthälfte der Person nach oben führt, angezeigt sein (Abb. 31; Taf. 8e)[255]. Bis auf rote Farbpartien am oberen Ende der Beine – von der Form her sehr wahrscheinlich mittellange Hosen (Abb. 32)[256] – erscheint der gesamte übrige Gewandstoff in der gleichen Purpurfarbe. Da der rechte Arm dieser Gestalt in seiner oberen Hälfte von einem ärmelartigen, mit einem dunklen Zierstreifen versehenen Gewandteil bedeckt ist, wird es sich beim Untergewand um eine gleichfarbige kurze Tunika mit halblangen Ärmeln handeln, wie sie häufig unter einem Mantel getragen wurde. Die wenigen, nur auf dem linken Fuß in Knöchelhöhe erhaltenen rotbraunen Linien darf man wohl als Riemen des Schuhwerks deuten. – Während die Gestalt in ihrer

---

[253] Versehentlich ausgeführte Pinselstriche oder Rest einer einstigen Verbindung zwischen den zwei Gebilden?

[254] Auf Grund des danebenliegenden Einschlags bleibt unklar, ob sich diese Partie nach rechts hin fortsetzte. – Möglicherweise ging das gesamte Gebilde ehemals höher hinaus, und zwar etwa bis zum Kopf der Person; ähnlich braune Farbreste dort könnten dies jedenfalls anzeigen (s. S. 76 Abb. 31:4).

[255] Für vergleichbare Mantelformen s. Anm. 283. 290; zum meist längeren Pallium allgemein L. M. WILSON,

The clothing of the ancient Romans (Baltimore 1938) 78/84.

[256] Ähnliche, nur wenig über die Knie reichende, eng anliegende Hosen findet man schon auf anderen römischen Monumenten; s. S. 85f. – Zwischen den Beinen ließen sich am Original (und auch auf den alten Dias) keine roten Farbspuren feststellen. Eine durchgehende, rote Farbschicht, die von schlechter haftendem Malgrund später teilweise abgeblättert wäre, kann man daher wohl ausschließen.

Linken einen dünnen, mittellangen Stab schräg nach oben hält[257], hat sie ihre etwas überlängte Rechte so nach unten ausgestreckt, daß die Hand durch die andere Person – etwa in Höhe von deren Hüfte bzw. Oberschenkel – fast völlig verdeckt wird (Taf. 8e). Durch die Profilstellung ihres rechten Beines und die leicht schräg nach links geneigte Position und Wendung ihres Körpers verstärkt sich der Eindruck, daß es sich bei dieser Handhaltung um ein bewußtes Berühren des genannten Körperteils der anderen Gestalt handelt. Der Kopf der rechten Person ist, bis auf eine Zone nicht genau begrenzter bräunlicher Flecken, zerstört. Es haben sich aber immerhin noch Teile ihres Halses und ihrer linken Schulter erhalten. Etwas unterhalb dieser Fragmente sind noch auf dem Gewand die Reste eines geschwungenen gelblichen Bandes – mit einer Verdickung am rechten Ende des erhaltenen Teils – zu sehen (Abb. 31. 32; Taf. 8e). In den Flächen um die oberen Teile beider Figuren finden sich Reste der blauweißlichen Hintergrundfarbe, die wir schon in der linken Bildhälfte bemerkt und als Himmelszone gedeutet haben; dort setzt diese Farbzone aber erst erheblich höher über einem dunkelbraunen Hintergrund – einer besonderen Landschaftsangabe? – ein (Taf. 7c).

Außer dem hellblauen Farbton haben sich rechts von der stehenden Gestalt nur noch Partien mit der beigebraunen Hintergrundfarbe der unteren Bildhälfte erhalten. Ein großer Teil dieser stark zerstörten Bildseite ist nach rechts hin eingedrückt. Der unmittelbar anschließende, bis zu 30 cm breite, marmorne Türrahmen, der an seiner Front und der linken Seite nur roh behauen ist, ragt dagegen im mittleren Teil etwa 2,5 cm mehr als die benachbarte Malfläche in den Raum hinein (Taf. 23a. 24a. 25b). Der andere (westliche) Türrahmen befindet sich zwar etwa in der gleichen Flucht wie die danebenliegende Wandfläche, aber hier ist der untere Bereich an der nördlichen Ecke mit Ziegeln aufgemauert, die auf der Rauminnenseite zT. noch vom Verputz überdeckt sind und damit den Zustand zur Zeit der Ausmalung des Raumes anzeigen (Taf. 23b). Die Marmorteile der beiden Türrahmen weisen indessen keine Spuren eines Verputzes auf; der östliche Rahmen ist sogar deutlich von der Putzschicht der anschließenden Wand abgesetzt (Abb. 26). Alle diese Besonderheiten lassen – mit HEMPEL (s. o.) – vermuten, daß mit der heutigen Türanlage nicht mehr der ursprüngliche Zustand vorliegt. Auf Grund von Resten der ockergelben Sockelzone am unteren Ende des westlichen Türrahmens (Taf. 7c. 25b) und in Analogie zur Malereiausstattung in Raum 11 (Abb. 17; Taf. 22b)[258] darf man aber sicher annehmen, daß auch die Ausmalung in Raum 14 einst bis an die Türöffnung heranreichte und erst durch bauliche Veränderungen zerstört wurde, wie etwa beim Einbau des höher liegenden Ziegelgrabes (Taf. 23a). Das Bildfeld links des Eingangs könnte demnach – bei Annahme eines doppelten Abschlußrahmens des Bildes[259] – schon bei der heutigen Position der Tür eine Gesamtbreite von max. 60 cm gehabt

---

[257] Teile dieses schräg vor dem Oberkörper verlaufenden Stabes sind von einer Kalk- und Schmutzschicht verdeckt; trotzdem sind am Original deutlich auch noch Farbspuren zwischen den rotumrandeten Fingern zu erkennen. Unterhalb der Hand und der daran anschließenden Schadstelle gehen diese Spuren aber nur noch ein kurzes Stück weiter, so daß man das ganze Gebilde nicht als Lanze oder Langszepter deuten kann. Der Stab ist durch eine schwarze Linie links und eine ockergelbe, breitere rechts als Rundstab gekennzeichnet (so auch, nur umgekehrt, bei Taf. 39e).

[258] Gegenüber der Türöffnung in Raum 11 (Abb. 17) ist der Eingang hier aber etwa 8 cm breiter und befindet sich genau in der Mitte der Wand (Abb. 26). – Daß sich die Tür zuerst an einer anderen Stelle des Raumes befunden hat, ist vom Baubefund her ausgeschlossen (Abb. 14. 24/7).

[259] Während bei den Malereien dieses Raumes normalerweise zwei Abschlußrahmen zu finden sind, zeigen einzig das untere Bild im Osten der Nordwand und die Darstellung über dem Südarkosol nur einen Rahmen (vgl. Abb. 25/7).

haben (Abb. 32). Ob sich die Darstellung auf die zwei erhaltenen, für die bisherigen Deutungen allein maßgeblichen Gestalten beschränkte[260], muß daher offenbleiben.

Durch Überschneidung der Beine und das Vorkommen eines Schlagschattens hinter dem einen Fuß der rechten Gestalt, weiterhin durch Schattenangaben auf der linken Seite der meisten Körperteile und schließlich durch sanfte Lichthöhungen auf den Faltenbahnen und Gliedmaßen der Figuren entsteht trotz aller Zerstörung noch das Bild einer gekonnt räumlich gemalten Darstellung. Etwas im Gegensatz zu dieser kunstfertigen Malweise steht die plumpe Ausführung sowohl der Hand, die den Stab hält, wie auch des rechten Fußes der purpurgekleideten Figur.

1.3.2 Überprüfung bisheriger und neuer Deutungen dieses Bildes

a) »Jakob ringt mit dem Engel am Jabbok«

Von den bisherigen zwei Deutungen zu diesem Bild möchte ich zuerst die von HEMPEL überprüfen, da sie mehrfach in neueren Publikationen aufgeführt wird[261]. Folgt man der Annahme HEMPELS, daß es sich hier möglicherweise um den Ringkampf »Jakobs ... mit dem Engel am Jabbok« handele (s. o.), dann fällt schon ohne eine genauere Analyse des Bildes auf, daß die beiden Gestalten nicht miteinander ringen. Sie stehen nämlich nicht – wie er meint – »in heftiger Schreitbewegung nebeneinander«, sondern weisen zwei verschiedene Haltungen auf: Während die linke Figur entweder nach hinten fällt oder halb sitzt, ist die rechte stehend wiedergegeben; durch die Aktion ihrer rechten Hand und die leichte Linkswendung ihres Körpers wird dennoch eine Verbindung zwischen beiden Gestalten hergestellt. Für eine Beurteilung seines Deutungsvorschlags ist es somit notwendig nachzuprüfen, ob innerhalb der Ikonographie dieser Szene in der Antike oder im Mittelalter derartige Eigenheiten aufzuweisen sind.

Die beiden einzigen spätantiken Denkmäler, auf denen eine solche Szene ohne jeden Zweifel zu erkennen ist, sind die Lipsanothek in Brescia (aus dem 4. Jh.; Taf. 38a)[262] und die Wiener Genesis (aus dem 6. Jh.; Taf. 38b)[263]. Auf den betreffenden Darstellungen dort sind zwar – wie in Cimitile – zwei Personen zu sehen, beide aber im Profil und in heftiger Schrittstellung einander zugewandt. Die Haltung der Arme bzw. Hände der Kontrahenten ist außerdem in enger Anlehnung an bestimmte antike Ringergriffe wiedergegeben[264];

---

[260] S. S. 76.

[261] EAA 5 (1963) 539; TESTINI 167; DE CARO/GRECO (o. S. 9₁₃) 208.

[262] W. F. VOLBACH, Elfenbeinarbeiten der Spätantike und des frühen Mittelalters³ = RGZMusMainz Katalog 7 (Mainz 1976) 77 nr. 107; KAUFFMANN, Jakob 376f; R. DELBRUECK, Probleme der Lipsanothek in Brescia = Theophaneia 7 (Bonn 1952) 9 Taf. 3, zur Datierung 1f. 67f; J. KOLLWITZ, Die Lipsanothek von Brescia = Stud. z. spätant. Kunstgesch. 7 (Berlin/Leipzig 1933) 28 Taf. 4, zur Datierung 64f. – DELBRUECKS Frühdatierung um 315 wird von seinen Rezensenten zu Recht abgelehnt und dagegen häufig eine Entstehung des Kastens (mit KOLLWITZ) mehr im 3. Viertel des 4. Jh. angenommen; vgl. nur zB. L. DE BRUYNE: RivAC 28 (1952) 208f; C. R. MOREY: Gnomon 26 (1954) 114f (»early fifth«); H. STERN: RömQS 50 (1955) 155f; P. LASKO: BurlingtonMag 97 (1955) 57; J. KOLLWITZ: ByzZs 49 (1956) 144f; J. M. C.

TOYNBEE: AntJourn 35 (1955) 238f; VOLBACH aO. 77 (neuere Lit.).

[263] GERSTINGER, Wiener Genesis 94f Pict. 23; BUBERL (o. Anm. 23) 104/6 Taf. 32; MAZAL, Wiener Genesis Bild 23; Kommentarband 116. 145f. 168. – In der Cotton-Genesis sind von einer Szene zu »Gen 32,26/30« nur geringe, nicht mehr genauer deutbare Reste erhalten (u. a. »purpurfarben« – vom Engel?; vgl. u. Anm. 284 – und »orangefarben«): TSUJI: Genèse de Cotton 53 zu fol. 63r/v. – Die von DELBRUECK 109₈ angeführte Beschreibung R. GARRUCCIS, in der von einem »Jakob-zyklus« auf einem Sarkophagfragment in Narbonne die Rede ist (u. a. auch vom Kampf Jakobs mit dem Unbekannten), trifft nicht zu: Nach E. LE BLANT, Les Sarcophages chrétiens de la Gaule (Paris 1886) 133 nr. 177 Taf. 44,2 handelt es sich wohl eher um eine Hirtenszene.

[264] Allein DELBRUECK 9 erinnerte bei der Stellung und Armhaltung der Kontrahenten auf der Lipsanothek an

überhaupt läßt sich das Bildschema nicht so direkt vom Bibeltext her (Gen 32,25f)[265], sondern besser aus der bis in spätrömische Zeit lebendigen und im gesamten römischen Reich zu findenden Bildtradition zum Ringkampfsport erklären (zB. Taf. 38c)[266]. Sehr wahrscheinlich wurde die – in Cimitile in etwa vergleichbare – Aktion der rechten Hand der links stehenden Gestalt bei den zwei christlichen Szenen schon als Hinweis auf die im Bibelbericht erwähnte schmerzbringende Berührung der Oberschenkel-Hüftgegend angesehen, wie es ihre – im Gegensatz zu den paganen Vergleichsbeispielen – etwas stärkere Hervorhebung und die Berührung des gegnerischen Beines vermuten lassen. Immerhin hatte man ja gerade diese spezielle Ringerstellung aus einem in der antiken Kunst reichlich vorhandenen und vielfältigen Bildrepertoire zum Ringkampfthema[267] ausgewählt, da sich mit ihr gut die zwei Phasen des Bibelberichts, nämlich das Ringen und der verwundende Griff, darstellen ließen[268]. – Bei der Benennung der Personen sind neben

die »Anfangshaltung zum Ringkampf«; die Darstellungsform in der Wiener Genesis könnte mE. ebenso benannt werden. JÜTHNER und neuere Bearbeiter des antiken Kampfsports konnten diese Anfangshaltung schon durch zahlreiche Schrift- und Bildquellen für den Ringkampf (πάλη / luctatio) und für das Pankration in der gesamten Antike belegen (J. JÜTHNER, Art. Pankration: PW 18,3 [1949] 621f; ders., Art. Pale: ebd. 85; E. N. GARDINER, Athletics of the ancient world[2] [Oxford 1955] 187; H. A. HARRIS, Greek athletes and athletics [London 1964] 102f. 105f; W. RUDOLPH, Olympischer Kampfsport in der Antike. Faustkampf, Ringkampf und Pankration in den Griechischen Nationalfestspielen [Berlin 1965] 36f. 41f; R. PATRUCCO, Lo sport nella grecia antica [Firenze 1972] 280f Fig. 128f). Nach diesen Ausführungen muß es sich aber bei den Handgriffen auf den zwei frühchristlichen Darstellungen um typische, auch in römischer Zeit belegte Ringergriffe handeln, die nichts mit dem griechischen Pankration – wie DELBRUECK 9 und MOREY 118 in bezug auf die Lipsanothek irrtümlicherweise schreiben – zu tun haben; anscheinend gab es schon im Altertum Verwechslungen, s. RUDOLPH 30f. 40. – Gerade der Griff des Unbekannten in Richtung des gegnerischen Beines entspricht der auch durch Bildbeispiele belegten Praxis beim antiken Ringen, nach der ein Gegner »schon besiegt war (wenigstens für die erste Runde), wenn er aus dem festen Stand zu Fall gekommen war«, zB. durch einen »Griff nach den Beinen« (ebd.).

[265] Im Gegensatz zum Bibeltext, in dem von einer schmerzhaften Verrenkung bei Jakob als Folge eines absichtlich ausgeführten Griffes oder Schlages zur Erreichung des Sieges gesprochen wird, war es anscheinend – wenigstens von der Theorie her – beim Ringen »verboten, den Gegner zu verletzen oder ihn durch schmerzhafte Griffe zum Aufgeben zu zwingen«. Die Ausführungen im Bibelbericht könnten daher vielleicht eher mit der Kampfweise beim antiken Pankration allgemein verglichen werden, wo schmerzhafte Griffe erlaubt waren; s. zB. RUDOLPH 29. 34f. 65f.

[266] Vgl. a) eine attische, schwarzfigurige Halsamphora aus dem 6. Jh. vC. (GARDINER Fig. 155); b) eine jetzt verlorene Grabmalerei aus Cyrene (J. R. PACHO, Rela-

tion d'un voyage dans la Marmarique, la Cyrènaïque et les Oasis 1. 2 [Paris 1827/29] Taf. 53; J. CASSELS, The cemeteries of Cyrene: PapersBritSchoolRome 23 [1955] 6f; dieser Hinweis schon bei B. KURTH, Matthew Paris and Villard de Honnecourt: BurlingtonMag 81 [1942] 227[3]); c) Zweikampfdarstellungen auf Homerischen Bechern: U. SINN, Die Homerischen Becher = AthMitt Beih. 7 (Berlin 1979) 81 Taf. 7,1/5; d) ein Mosaik aus Thaenae in Nordafrika vom Anfang des 3. Jh. nC. (G. FRADIER, Mosaïques de Tunisie [Tunis 1976] Farbabb. ohne S.- und Abb.-Angabe; K. M. D. DUNBABIN, The mosaics of Roman North Africa [Oxford 1978] 273 nr. c); e) ein Kindersarkophag (um 200 nC.; B. SCHRÖDER, Der Sport im Altertum [Berlin 1927] 154 Taf. 96); f) ein Mosaik aus Ayas in Kilikien (3./4. Jh. nC.: L. BUDDE, Antike Mosaiken in Kilikien 2. Die heidnischen Mosaiken [Recklinghausen 1972] 67f Abb. 57f); g) eine Darstellung im Vergilius Vaticanus (pict. 36) vom Anfang des 5. Jh. nC. (DE WIT, Miniaturen 116 Taf. 21; TH. B. STEVENSON, Miniature decoration in the Vatican Virgil [Tübingen 1983] 98). Der größte Unterschied zwischen diesen Darstellungen und den beiden christlichen besteht in der Nacktheit der Ringkämpfer. Geringe Abweichungen, die durch jeweils etwas andere Griffkonstellationen bzw. Kampfstadien bedingt sind, finden sich zuweilen auch in der Haltung der Körper und Arme.

[267] ZB. H. KENNER, Römische Mosaiken aus Österreich: La mosaïque gréco-romaine, Paris 29 Août – 3 Septembre 1963 = Colloques internationaux du CNRS (Paris 1965) 86 Fig. 2; I. WEILER, Der Agon im Mythos = Impulse d. Forsch. 16 (Darmstadt 1974) 129/73 (Bildbeispiele zu den mythischen Ringkämpfen jeweils in den Anm.); für weitere Abb. s. Lit. o. Anm. 264 und 266.

[268] Es ist somit nicht – wie bei DELBRUECK (9) und MOREY aO. (s. o. Anm. 262; dagegen schon J. KOLLWITZ: ByzZs 49 [1956] 146f) – notwendig, eine »jüdischhellenistische ... Schriftquelle des Bildes« auf der Lipsanothek anzunehmen, wenn – wie hier – die Genese der Darstellung gerade mit Hilfe von griechisch-römischen Text- und besonders auch Bildquellen besser zu erhellen ist.

dem Bibeltext die jeweiligen Nachbarszenen hilfreich[269]. Demnach kann man in der linken, in Tunika und Pallium gekleideten Person ein in Gestalt eines Mannes erscheinendes himmliches Wesen und in der rechten Figur Jakob erkennen. Letzterer erscheint auf dem Elfenbeinkasten – im Unterschied zur Darstellung in der Wiener Genesis, aber ähnlich der linken Gestalt in Cimitile (Abb. 32) – in einer kurzen, gegürteten Tunika.

Unter den mittelalterlichen Darstellungen dieser Szene lassen sich zwar noch weitere Monumente finden, die motivisch mit diesen spätantiken Beispielen verwandt sind, aber genaugenommen geben diese eine etwas andere Ringkampfstellung wieder. Es handelt sich um die größte Gruppe von Darstellungen eines gleichen Typus' innerhalb dieser Ikonographie; der betreffende Bildtypus scheint aber erst in christlichen Denkmälern des 8./9. Jh. aufzutauchen und ist im Westen und Osten besonders zahlreich belegt seit dem 12. Jh. (zB. Taf. 38d)[270]. Anders als bei den beiden spätantiken Darstellungen fassen sich die zwei Kämpfer jeweils mit beiden Armen um die Hüften bzw. um die Schultern, von einem verwundenden Griff oder Schlag ist daher so gut wie nie etwas zu sehen. Die Hauptkörperachsen der Kontrahenten sind häufig x-förmig überkreuzt. Wie bei den meisten Beispielen dieser Ikonographie seit dem 8. Jh. ist durchweg auch in dieser

---

[269] Auf der Lipsanothek links Jakob und Rachel am Brunnen und rechts die Himmelsleiter (mit einem der im Bibeltext erwähnten Engel; Gen 28,12), »die Jakob im Traum sah«; s. KOLLWITZ, Lipsanothek 28 Taf. 4 und DELBRUECK 8. 10. Für die Bestimmung der Szenen in der Wiener Genesis s. Lit. o. Anm. 263.

[270] In chronologischer Anordnung führe ich die mir in Abb. zugänglichen Denkmäler hier kurz auf: a) Für etwaige antike Vorläufer aus der paganen Ringkampfikonographie verweise ich auf die Vermutungen von SCHRÖDER (o. Anm. 266) 125f, mit Vorbehalt auf die Darstellungen o. Anm. 266 b und g und auf spätsassanidische Ringkampfszenen, bei denen die Personen sogar leicht bekleidet sind (P. O. HARPER, The royal hunter: Art of the Sassanian Empire, Ausstellungskat. New York [1978] 53f. 74f. – b) Die zT. stark verwitterten irischen Kreuze vom 8. (?) bis 10. Jh. zeigen zwei – nach A. KINGSLEY PORTER – »stark naked« (vielleicht auch nur teilweise bekleidete) Gestalten, die sich umarmen; nur durch bestimmte Beinstellungen oder die meist starke Neigung und Überkreuzung der Körper lassen sie sich als Ringkämpfer identifizieren; von ihrem christlichen Kontext her und im Vergleich zu anderen mittelalterlichen Beispielen ergibt sich eine mögliche Deutung auf Jakob und den Unbekannten; A. KINGSLEY PORTER, Notes on Irish crosses: Konsthistoriska Studier tillägnade J. Roosval (Stockholm 1929) 85/90 (Lit. in seiner Anm. 1 mit antiken und mittelalterlichen Beispielen) Fig. 1f. 7; 3/6 (weitere mittelalterliche Vergleichsbeispiele); F. HENRY, La sculpture irlandaise (Paris 1933) 132. 134 fig. 98 Taf. 29,1. 2; 30f. – c) Bern, Burgerbibliothek, Cod. 264, fol. 4ᵛ (9. Jh.; Jakob ausnahmsweise größer dargestellt): R. STETTINER, Die illustrierten Prudentiushandschriften 1. 2 (Berlin 1895/ 1905) 16 Taf. 156; allgemein dazu MÜTHERICH/GAEHDE (o. Anm. 122) 17. 28. – d) Für die zahlreichen Denkmäler seit dem 11./12. Jh. sei nur auf folgende Literatur verwiesen: P. CLEMEN, Die romanische Monumental-

malerei in den Rheinlanden (Düsseldorf 1916) 109f Taf. 7; R. SALVINI, Wiligelmo e le origini della scultura romanica (Milano 1956) 163f Fig. 160f; A. BOECKLER, Die Regensburger-Prüfeninger Buchmalerei des XII. und XIII. Jahrhunderts (München 1924) 36 Taf. 28; R. BERTON, I capitelli del chiostro di Sant'Orso (Novara 1956) 61 nr. 21; P. DE PALOL SALELLAS, Gerona monumental (Madrid 1955) 20f; A. KRACHER (Hrsg.), Millstätter Genesis und Physiologus Handschrift = Codices selecti X (Graz 1967) fol. 45ʳ; T. EHRENSTEIN, Das AT im Bilde (Wien 1923) 241f Fig. 7f. 10; G. HASELOFF, Die Psalterillustration im 13. Jahrhundert (o. Ort 1938) 17f. 64. 100f. 118f Taf. 2; H. R. HAHNLOSER, Villard de Honnecourt (Wien 1935) Fig. 110. 123f; KURTH (o. Anm. 266) 227 Taf. E; S. DER NERSESSIAN, Program and iconography of the frescoes of the Parecclesion: P. A. UNDERWOOD (Hrsg.), The Kariye Djami 4 (Princeton 1975) 334f Fig. 12. 13 Taf. 438f; vgl. auch K. WESSEL, Art. Jakob: RBK 3 (1978) 522, aber nur nr. 2/4; KAUFFMANN, Jakob 379 (Beispiel des 14. Jh.; vgl. auch ebd. 376 u.); die Beispiele u. Anm. 276 und B. NARKISS, The Golden Haggadah (London 1970) fol. 5 (eine wohl vom christlichen Bildtypus abhängige Darstellung in einer jüdischen Handschrift). Für weitere Denkmäler s. Index of Christian art (Princeton) s. v. »Jakob: wrestling with Angel«. – An den antiken Typus dieser Ikonographie (s. S. 79) erinnert die etwas unklare Darstellung auf dem sog. Konstantinskreuz im Lateran, dessen Szenen häufig mit denen aus dem Zyklus in S. Paolo fuori le mura korrespondieren; s. M. ANDALORO: Catalogo della Mostra dei Tesori d'Arte Sacra delle Chiese di Roma e del Lazio (Rom 1975) 68f nr. 142. Ausführlicher dazu demnächst die Dissertation von U. KOENEN (Bonn), Das sog. Konstantinskreuz im Lateran. Vgl. zu dieser Darstellung diejenige aus den Wandmalereien in S. Giovanni a Porta Latina in Rom (WMM 4, Taf. 252/5).

speziellen Gruppe die Bestimmung der himmlischen Gestalt als Engel von der Darstellungsform her (u. a. Flügel) gegeben[271], auch wenn von den gängigen Bibeltextversionen her (zu Gen 32,23/33) eine Wiedergabe der Person als »Mann« bzw. »Mensch« gefordert wäre (anders aber schon Hos 12,3f)[272].

Abgesehen von einigen mittelalterlichen Sonderformen oder Varianten des eben genannten Typus'[273] gibt es auch noch eine zweite, aber kleinere Gruppe von Darstellungen dieses Themas, die erst seit dem 9. Jh. beinahe nur auf byzantinischen oder byzantinisch beeinflußten Monumenten zu finden sind (zB. Taf. 38e): Ein im allgemeinen größer dargestellter Engel faßt ein Bein Jakobs am Oberschenkel und hebt es meist demonstrativ hoch, wobei sich die beiden Gegner mehr oder weniger eng umfassen[274].

Auch wenn strenggenommen nicht, wie C. M. KAUFFMANN noch 1970 schreibt, »in den meisten Fällen ... der urspr. Typus sowohl in der byz. wie auch in der westl. Kunst bewahrt« worden ist[275], so kann man doch nach diesem Überblick sagen, daß auf fast allen genannten Monumenten ein *Kampf* dargestellt ist und von daher keine direkten Parallelen zum Bild in Cimitile gegeben sind.

Ein einziges Beispiel, das eine größere Ähnlichkeit zu dieser Darstellung aufweist, soll aber nicht unerwähnt bleiben: Es handelt sich um eine in der Deutung umstrittene Illustration dieser Genesisszene, die fast identisch in den zwei jüngeren Oktateuch-Handschriften aus Konstantinopel (beide 12. Jh.) überliefert ist: 1) ehemals Smyrna, Evang. Schule, Cod. A I, fol. 46ᵛ II (Taf. 38f); 2) Rom, Vat. gr. 746, fol. 108ᵛ[276].

---

[271] Die früheste derartige Darstellung in S. Maria Antiqua in Rom wird inschriftlich als die Segnung nach dem Kampf bezeichnet: W. DE GRÜNEISEN, Sainte Marie antique (Rome 1911) 107. 358f Fig. 86. 88 Taf. IC. XXI-A nr. 6. Nach A. B. VILEISIS, The Genesis cycle of Santa Maria Antiqua, phil. Diss. Princeton (1979) 46/52. 141/51 (u. a. zur Datierung) stellt diese einzigartige Darstellung einen östlichen Bildtypus dar.
[272] Es gibt aber griechische und lateinische Textversionen, die für diese Gestalt den Begriff »Engel« verwenden; FISCHER, Genesis 349 zu Gen 32,25.
[273] Dazu P. DIEMER, Stil und Ikonographie der Kapitelle von Ste.-Madeleine, Vézelay, Diss. Heidelberg (1975) 311f. 388f; EHRENSTEIN (o. Anm. 270) 242 nr. 9; das Beispiel aus Brescia (u. Anm. 302); D. GRIVOT / G. ZARNECKI, Gislebertus, sculpteur d'Autun (Paris 1960) 66 Taf. 26 (diese beiden Autoren nehmen an, daß die Oktateuche allgemein »ont certainement servi de modèle à Gislebertus«; die betreffende Szene wird in den einzelnen Handschriften dieser Gruppe aber nicht immer in der gleichen Form wiedergegeben; vgl. u. Anm. 274 sowie 276/8; O. DEMUS, The mosaics of Norman Sicily (London 1949/50) 45₁₈₄ Abb. 285 (Palermo, Cappella Palatina); 122₄₅₃ Abb. 109A (Monreale).
[274] Im Paris. gr. 510, fol. 174ᵛ (9. Jh.): L. BRUBAKER, The illustrated copy of the »homilies« of Gregory of Nazianzus, Diss. Baltimore (1982) 386f. – Im 10. Jh.: W. NEUSS, Die katalanische Bibelillustration um die Wende des 1. Jahrtausends und die altspanische Buchmalerei (Bonn 1922) 46. 72 (Abb. im Index of Christian art). 137 Taf. 53, Fig. 154. – Im 11. Jh.: a) Wandmalerei in Kiew; H. LOGWYN, Kiewer Sophienkirche (Kiew

1971) 38 Abb. 194. b) Bronzetür in Monte S. Angelo; MATTHIAE, Porte bronzee (o. Anm. 150) 86 Abb. 56: »Pure in stretta dipendenza dagli Ottateuchi« (von allen?; s. u.). c) Vat. Cod. Ross. 251, fol. 5ʳ; J. R. MARTIN, The illustration of the Heavenly Ladder of John Climacus = Studies in Manuscript Illumination 5 (Princeton 1954) 108f Taf. 82. d) Vat. gr. 747 fol. 55ʳ; bisher anscheinend unveröffentlicht (Abb. nach Index of Christian art). – Im 12./13. Jh.: a) Wandmalerei aus S. Maria delle Grazie/Marcellina (eine Bildvorlage verdanke ich M. HUNOLD); G. MATTHIAE, Les fresques de Marcellina: CahArch 6 (1952) 73 (ohne Abb.), wo seltsamerweise Beziehungen zu den ganz anderen Darstellungen in Palermo und Monreale und gleichzeitig zu den Oktateuchen allgemein (s. aber o. Anm. 273) postuliert werden. b) Wandmalerei in Trapezunt; DER NERSESSIAN (o. Anm. 270) 336 Fig. 11. – Für ein antikes Vorbild dieser Gruppe sei auf ein Mosaik aus dem 3. Jh. nC. mit dem Ringkampf zwischen Theseus und dem Minotaurus verwiesen (J. M. BLAZQUEZ, Mosaicos romanos de Cordoba, Jaen y Malaga = Corpus de mosaicos de España 3 [Madrid 1981] 46f Lam. 35 nr. 24,14). Vgl. auch BRUBAKER 387f.
[275] KAUFFMANN, Jakob 379. – Demnächst zu dieser Ikonographie H. FRENCH, Jacob and the angel. A study in medieval iconology, Diss. Emory University/Atlanta (so nach Gesta 21 [1982] 159f).
[276] HESSELING, Miniatures 36 nr. 111 (S. VIII nur allgemeine Benennung). GERSTINGER, Wiener Genesis 95. 224 Taf. XIV, 73 geht nur auf die zweite (rechte) Darstellung der Doppelszene im Vat. gr. 746 ein: »Jakob ringt mit dem Herrn«. – Im Serail-Codex

In den betreffenden Miniaturen sind in einem Bildstreifen jeweils zwei Szenen auf der gleichen Bodenzone nebeneinander aufgereiht und durch eine Beischrift miteinander verbunden. Da auch beim Bild in Cimitile möglicherweise weitere Darstellungsdetails vorhanden waren, ist schon von daher ein Vergleich zwischen diesen Monumenten statthaft. Während die rechte, an Begegnungsszenen erinnernde Darstellung[277] sehr wahrscheinlich den eigentlichen Ringkampf zwischen Jakob und dem unbekannten Mann zeigt[278] (vergleichbar mit der Hauptgruppe dieser Ikonographie; s. o.), stellt die linke Szene – wie in Cimitile (Abb. 32) – deutlich keinen Ringkampf dar. Die Art der Hervorhebung beider Akteure auf der Bildfläche, zT. die Armhaltung der Personen und die Wiedergabe der linken, in eine kurze Tunika gekleideten Gestalt mehr im Profil bzw. die der rechten mehr en face, all das ist auf diesen drei Monumenten zwar vergleichbar, die Handlung muß aber bei der Darstellung in Cimitile eine andere sein als bei den zwei Oktateuchbildern: In letzteren ist nämlich eine Art Gespräch[279] zwischen zwei aufeinander ausgerichteten Personen (Jakob und ein Engel) gegeben, wobei sich diese noch jeweils mit einer Hand berühren. Auf Grund dieser Einzelheiten wird es sich hier um die Szene nach dem eigentlichen Ringkampf handeln (Gen 32,26/9). – Der in vergleichbarer Form nur auf den spätantiken Beispielen dieser Ikonographie (Taf. 38a. b) vorkommende Griff des Engels an die Oberschenkel-Hüftgegend bei Jakob findet zwar eine gewisse Entsprechung bei der rechten (flügellosen) Gestalt in Cimitile (Abb. 32), doch ist dort die Hand selbst nicht zu sehen[280]. Außerdem nimmt die linke Figur in Cimitile keine standhafte Stellung ein, was – bei der Annahme eines vorausgegangenen Kampfes – die rechte noch stehende Gestalt als Sieger ausweisen würde. Eine derartige Deutung ließe sich aber mit dem Tenor in der

---

befindet sich an der entsprechenden Stelle nur ein vom Schreiber leer gelassenes Feld; OUSPENSKY, Octateuque 135 nr. 115/20; 184 zu fol. 114ᵛ.

[277] Für die Form der Umarmung der zwei Männer vgl. in etwa einige Begegnungsbilder aus dem Zyklus, die ihre Vorläufer in antiken und frühchristlichen Begegnungsszenen haben; zu den Oktateuchen s. zB. HESSE-LING, Miniatures nr. 109. 112. 140. 159; dazu vgl. nur das Bild der Begegnung Jakobs und Labans in S. Maria Maggiore (DECKERS, SMM 76f; BRENK, SMM 65f); weiterhin die Begegnung Jakobs und Josephs auf der Maximianskathedra in Ravenna (C. CECCHELLI, La cattedra di Massimiano [Rom 1944] 120f). Die Tradition dieser Bilder reicht schon mindestens bis in trajanische Zeit hinab, wie DECKERS, SMM 145 (widersprüchlich BRENK, SMM 166₇₀. 149₁₄₈) und H. STERN, Un calendrier romain illustré de Thysdrus (Tunisie): Atti del convegno internazionale sul tema Tardo antico e alto medioevo (Roma 1967/68) 178f Taf. III,1 zeigen konnten. – Auch manche anderen Beispiele der Ikonographie des Kampfes Jakobs mit dem Unbekannten weisen gewisse Ähnlichkeiten zu den oben genannten Begegnungsszenen auf, zB. die Lipsanothek von Brescia (s. Taf. 38a) und die irischen Kreuze; KINGSLEY PORTER (o. Anm. 270) 85.

[278] Das im Bibeltext folgende Zusammentreffen Jakobs mit Esau ist hier trotz formaler Beziehungen zu Begegnungsszenen (s. o. Anm. 277) wohl nicht, wie DE GRÜNEISEN (o. Anm. 271) 360 meint, dargestellt. Einerseits spricht die Beischrift des Gesamtbildes nur vom

Ringkampf. Andererseits ist dieses Zusammentreffen mit Sicherheit auf der jeweils anschließenden Handschriftenseite in einer eigenen, in Komposition und Details, aber auch im Stil (andere Vorlagen?) etwas abweichenden Illustrationsform wiedergegeben; außerdem sind die jeweiligen Gewänder der beiden Paare im Vat. gr. 746 fol. 108ᵛ von der gleichen Farbe, während auf fol. 109ᵛ nur noch eine der beiden Hauptgestalten, Jakob, ein ähnlich rotes Gewand, wie vorher, trägt (so nach Farbfotos); s. auch HESSELING, Miniatures nr. 112. – Eine Deutung dieser Szene in den jüngeren Oktateuchen als Ringkampf zwischen dem Unbekannten und Jakob schon bei GERSTINGER, Wiener Genesis 93f; von BUBERL (o. Anm. 23) 105f, H. MENHARDT, Die Bilder der Millstätter Genesis und ihre Verwandten: Beiträge zur älteren europäischen Kulturgeschichte, Festschr. R. Egger 3 (Klagenfurt 1954) 313, MAZAL, Wiener Genesis 145 und mit Vorbehalt auch von DECKERS, SMM Anhang, Tabelle I nr. 157f als erste Phase des betreffenden Bibelberichtes angesehen.

[279] Nur auf Grund der (undeutlichen) Geste der linken Hand des Engels zusätzlich eine Segnung Jakobs anzunehmen, wie GERSTINGER aO. meint, ist nicht zweifelsfrei möglich, zumal die Beischrift (im Gegensatz zB. zu S. Maria Antiqua, s. o. Anm. 271) nur allgemein vom Ringkampf spricht. Dazu ähnlich die anderen bisherigen Bearbeiter (s. Anm. 278). – Vgl. J. POESCHKE, Art. Segen: LCI 4 (1972) 145f.

[280] Auch der zweite Arm der linken Gestalt fehlt.

Jakobsepisode nicht vereinbaren: Nach dem Bibelbericht geht Jakob aus dem Ringkampf trotz einer Verletzung an der Hüfte (Gen 32,26. 32f) erfolgreich hervor, von einem etwaigen Umfallen oder Hinsetzen ist nie die Rede (Gen 32,27. 29; vgl. auch Hos 12,4f; Weish 10,12). Bevor man nun an eine ins Bild umgesetzte christliche Umdeutung des alttestamentlichen Berichtes, wie sie in der Kirchenväterliteratur und möglicherweise auch bei den zwei spätantiken, ikonographisch mit der Darstellung in Cimitile aber nicht vergleichbaren Monumenten gegeben ist[281], denken sollte, ist eine genaue Analyse der Funktion der Personen notwendig.

b) Untersuchungen zu Körperhaltung, Gewandform und Insignien

Bei der rechten Person erinnert die majestätisch wirkende Haltung zusammen mit der rangbezeichnenden Farbe der Kleidung und den insignienhaften Attributen (der goldene Stab und das etwa gleichfarbige Halsband) nicht an die beim eben genannten Bildthema üblichen, anders gekleideten Gestalten eines »Mannes« bzw. später eines Engels, sondern eher an Figuren im imperialen Bildzusammenhang: Man vergleiche nur für die Haltung des rechten Arms und das Halten eines dünnen Stabes ein sehr verwandtes Beispiel, die von V. M. STROCKA als Genius Senatus gedeutete Gestalt auf den Reliefs des Severusbogens in Leptis Magna (Taf. 39d)[282]. Für einen ähnlichen, aber längeren, purpurfarbenen Mantel, der von einer Fibel gehalten wird, sei auf Darstellungen der gottgleichen Kaiser in der Apsis des tetrarchischen Kaiserkultraumes von Luxor verwiesen[283]. Darstellungen von Engeln in einem vergleichbaren purpurfarbenen Mantel, der kaiserlichen Chlamys, sind erst ab dem 5. Jh. zu belegen; zumindest in dieser Zeit scheint eine solche Gewandfarbe und Kleidung nur für in der himmlischen Hierarchie hochstehende Engel, die eine besondere Funktion haben, gebräuchlich gewesen zu sein (zB. Taf. 39e)[284], aber nicht bei den betreffenden Gestalten in der oben behandelten Ikonographie vorzukommen.

---

[281] Eine siegreiche Position des Unbekannten – wie sie literarisch besonders bei Augustinus, sermo 122,3 (PL 38,681f) und etwas anders bei Novatian, trin. 112/4 (CCL 4,49f) anklingt – wird möglicherweise in den zwei frühchristlichen Darstellungen durch die in der Antike vorzufindende »Stand- und Bewegungsrichtung des Siegers nach rechts« (s. J. ENGEMANN, Akklamationsrichtung, Sieger- und Besiegtenrichtung auf dem Galeriusbogen in Saloniki: JbAC 22 [1979] 157f$_{23}$) angedeutet. Ein ›Besiegtsein‹ Jakobs ist aber nicht extra hervorgehoben.

[282] V. M. STROCKA, Beobachtungen an den Attikareliefs des severischen Quadrifrons von Lepcis Magna: Antiquités Africaines 6 (1972) 164f; für eine ähnliche Stellung einer Person I. S. RYBERG, Rites of the state religion in Roman art = MemAmAcRome 22 (Rome 1955) Taf. LXIII, 106e. f; LIX, 93/5 und R. BRILLIANT, Gesture and rank in Roman art = Mem. of the Connecticut Acad. of Art and Sciences 14 (Copenhagen 1963) 116f Abb. 3, 26/9.

[283] J. G. DECKERS, Die Wandmalerei im Kaiserkultraum von Luxor: JbInst 94 (1979) 642f Abb. 27. 29. – Vgl. M. REINHOLD, History of purple as a status symbol in antiquity = Collection Latomus 116 (Bruxelles 1970)

59f; dazu die Rezension von F. KOLB: Gnomon 45 (1973) 50/8.

[284] Nach KLAUSER, Engel 309 tragen Engel »in der Regel« ein Pallium. Die Darstellung des »Führers der himmlischen Heere« in S. Maria Maggiore zeigt eine mit einer Purpurchlamys bekleidete Gestalt (DECKERS, SMM 240/2). Auf den erhaltenen Fragmenten der Cotton-Genesis haben sich die »Engel« der Abraham-Lot-Erzählung (Gen 18f; fol. 25/9) einen purpurroten Mantel, der als »Chlamys« beschrieben wird, zT. um den Körper geschlungen. Zumindest auf einem Bild ist einer dieser besonderen »Engel«, die in ihrer Linken – ähnlich der Gestalt in Cimitile – öfters dünne goldene (kürzere?) Stäbe halten, durch einen gänzlich goldenen Nimbus hervorgehoben: fol. 25ᵣ (DECKERS, SMM 47). Der Engel einer anderen Genesisepisode (16,7/14) trägt dagegen weißliche Gewänder (fol. 24ᵣ?). Zu allem vgl. TSUJI, Genèse de Cotton 45f. 88f Abb. 44/52; dies., Nouvelles observations sur les miniatures fragmentaires de la Genèse de Cotton. Cycles de Lot, d'Abraham et de Jacob: CahArch 20 (1970) 30/2 Fig. 1/4; WEITZMANN, Buchmalerei 73 Abb. 21; zur Datierung s. o. Anm. 122. Farbdiapositive verdanke ich J. G. DECKERS. – Auf dem Triumphbogenmosaik in S. Apollinare in

Es fragt sich nun, ob die Andeutung von kurzen, wenig über die Knie reichenden roten Hosen (S. 77) noch eine besondere Bedeutung hat. Schon seit dem Beginn des 2. Jh. nC. kann sogar der Kaiser mit derartigen Hosen[285] bekleidet sein (zB. Taf. 39f)[286], während sie im 1. Jh. nC. bei regulären Truppen zuerst nur bei der Auxiliarreiterei vorkamen und in Rom sogar noch ziemlich verpönt waren, da sie als Barbarentracht angesehen wurden[287]. Wie aber schon L. M. WILSON 1938 ausgeführt hat[288], scheint diese spezielle Hosentracht meist[289] in Verbindung sowohl mit einem reinen Militärgewand als auch mit einer als »Exerzieranzug«, »military travel dress« oder »militärisches Friedens-« bzw. »Dienstkostüm« benannten Kleidung sowohl bei (im weitesten Sinne) militärischen Anlässen wie auch bei Veranstaltungen im Rahmen einer Jagd getragen worden zu sein; es handelt sich bei dieser – im kaiserlichen Bereich purpurfarbenen – Kleidung um eine mehr oder weniger kurze, gegürtete Tunika und eine Chlamys oder ein Paludamentum,

Classe (Ravenna) sind die Erzengel ebenfalls in eine purpurfarbene Chlamys gehüllt; KLAUSER, Engel 274 nr. 72; für hellrote Mäntel in Bawit, in der Wiener Genesis (fol. 1ʳ) und im Rabbula-Evangeliar (fol. 13ᵛ) und für die meist weiße Gewandung der Engel auch im 6. Jh. s. ebd. 271/91. 310; grundsätzlich auch K. A. WIRTH, Art. Engel: RDK 5 (1967) 347f. 358f und D. I. PALLAS, Art. Himmelsmächte, Erzengel und Engel: RBK 3 (1978) 26/32, bes. 29f (Farbsymbolik im 5./6. Jh.). – Bei der Darstellung eines »Engels« auf dem Silberkästchen von San Nazaro in Mailand (Ende 4. Jh.) ist das in der christlichen Kunst weit verbreitete Thema der Rettung der drei Jünglinge im Feuerofen zugunsten einer neuen Aussage, »die Allmacht Gottes«, verschoben. Die Gestalt eines Engels ist hier, wie in einer Sarkophagdarstellung (KÖTZSCHE-BREITENBRUCH, Via Latina 84), durch ein sog. Amtsbotenkostüm ausgezeichnet; KLAUSER, Engel 264 nr. 27 (allgemein 301f); PALLAS 27; V. ALBORINO, Das Silber-Kästchen von San Nazaro in Mailand (Bonn 1981) 93/100; daß »der Engel zB. keinen Panzer, sondern eine Tunika« mit Orbiculus, eine Chlamys und Campagi trägt, kann nicht wie ebd. 98 mit einer nochmaligen Umwandlung »höfische(r) Bildkomponenten« erklärt werden. Es handelt sich vielmehr um eine eigenständige Gewandkombination (das sog. »militärische Friedenskostüm«; s. u. Anm. 290), die hier als Vorlage diente.

[285] In den antiken Schriftquellen, die für die Verbreitung von Hosen in römischer Zeit herangezogen werden, scheint nicht immer eindeutig, ob mit der dortigen lateinischen Bezeichnung »bracae« die verschiedenen Arten von Hosen oder nur eine spezielle Form gemeint ist. Die nur wenig über das Knie reichenden Hosen konnten zumindest in der spätrömischen Zeit auch »femoralia oder feminalia heißen«. S. dazu A. MAU, Art. Ἀναξυρίδες: PW 1,2 (1894) 2100; H. LE-CLERCQ, Art. braies: DACL 2,1 (1910) 1126/32, bes. 1128 und Anm. 7: Hinweis auf Hieronymus, der bei der Beschreibung der Priesterkleidung diese Hosen »feminalia« nennt und sie als »bracae usque ad genua pertingentes« bezeichnet: ep. 64,10 (PL 22, 613); WILSON (o. Anm. 255) 73/5. 111, bes. 74 deutet mit Hinweis auf diese Hieronymusstelle die feminalia als

kurze und die bracae – in der Spätzeit – als die langen Hosen der Barbaren; von D. MAGIE, The Scriptores Historiae Augustae 2 = The Loeb Classical Library (London/Cambridge, Mass. 1924) 261₁ und L. BON-FANTE WARREN, Roman costumes: Aufstieg und Niedergang der röm. Welt 1,4 (1973) 605 werden »bracae« ebenfalls mit den langen (weiten) Hosen identifiziert (ebd.: »never worn by Romans«); A. ALFÖLDI, Die monarchische Repräsentation im römischen Kaiserreiche (Darmstadt 1970) 175/84 versteht unter dem Wort »bracae« anscheinend Hosen jeder Art; dagegen bezeichnet S. LAUFFER (Hrsg.), Diokletians Preisedikt (Berlin 1971) 239 diese als »breeches, kurze Hosen«; so schon in der Antike Isid., etym. 19, 22, 29 (so nach Thesaurus Ling. Lat. 2 [1900/6] 2154: braca; vgl. ebd. 6 [1912/26] 464f: feminalis).

[286] K. LEHMANN-HARTLEBEN, Die Trajanssäule (Berlin/Leipzig 1926) zB. Abb. 6. 10. 44. 90. – In einer (leider unsicheren) Schriftquelle ist für die Zeit der Severer sogar überliefert, daß der Augustus Severus Alexander »bracas albas habuit non coccineas ut prius solebant«; s. MAGIE (vorige Anm.) 260; für die Spätdatierung und Problematik dieser Quelle s. das Vorwort von J. STRAUB: Historia Augusta 1, übersetzt von E. HOHL, bearbeitet von E. MERTEN und A. RÖSGER = Bibliothek der Alten Welt (Zürich/München 1976) V/ XLII, bes. XXVI und XXXVI; nach ALFÖLDI 181₂ gilt dieser Beleg erst für Ende 4. Jh.

[287] H. BLÜMNER, Die römischen Privataltertümer³ = Handbuch der klass. Altertumswissenschaft 4,2,2 (München 1911) 220₁₁f; ALFÖLDI 179/81; zu den archäologischen Belegen s. H. UBL, Waffen und Uniform des Römischen Heeres der Prinzipatsepoche nach den Grabreliefs Noricums und Pannoniens, Diss. Wien (1969) passim.

[288] WILSON (o. Anm. 255) 74.

[289] Hirten können aber auch ähnliche Hosen tragen. Außer dem Trierer ›Agricius-Sarkophag‹ (mit einem Hirten in etwas weiteren Hosen: Taf. 30e) nennt DEICHMANN: Gnomon 25 (1953) 480 noch als Beispiel einen Sarkophag in der Villa Doria Pamphili in Rom (Rep. 396 nr. 950; dort werden die Hosen aber nicht erwähnt).

also eine Gewandkombination, die wir auch bei der Gestalt auf dem Bild in Cimitile vor uns haben (Abb. 32; für eine ähnliche Drapierung der Chlamys vgl. die Darstellung auf Taf. 39e)[290]. Bei einer Durchsicht von Denkmälern bis zum Anfang des 5. Jh. (zB. Taf. 38c) habe ich für eine derartige Kleidung keine anderen als die genannten Darstellungszusammenhänge finden können. Vom Ende des 3. bis zum ausgehenden 4. Jh. scheinen aber selbst bei Kaiserdarstellungen vorzugsweise längere Hosen im Zusammenhang mit dem ›Dienstkostüm‹ oder einem Militärgewand verbreitet gewesen zu sein, während die kürzeren Hosen erst wieder am Ende dieser Zeitspanne in Mode kamen[291].

Nachdem sich Zweckbestimmung und Datierung dieser Gewandkombination eingrenzen ließen, ergibt sich die Frage nach der Bedeutung des dünnen, goldfarbenen Stabes.

---

[290] Vgl. E. SANDER, Die Kleidung des römischen Soldaten: Historia 12 (1963) 145f. 148f Taf. 1,2. – ALFÖLDI aO. (o. Anm. 285). – I. S. RYBERG, Panel reliefs of Marcus Aurelius = Monographs on Archaeology and Fine Arts 14 (New York 1967) 34. Nach ALFÖLDI aO. 57. 65 ergänzte eine bestimmte Art von Schuhen – »die campagia« – das »Dienstkostüm«, in Cimitile ist jedoch nicht klar, um welche Art von Schuhen es sich handelte (s. S. 88). – Weitere Beispiele für die Drapierung einer Chlamys o. Anm. 284.

[291] Für die Verbreitung der kürzeren Hosen im 2. und am Anfang des 3. Jh. nC. s. UBL (o. Anm. 287) 578/89. Für das Vorkommen derartiger Hosen auf Sarkophagdarstellungen noch aus der Mitte bzw. 2. Hälfte des 3. Jh. s. KOCH/SICHTERMANN, Römische Sarkophage (o. S. 14₄₆) Taf. 78. 84 (bei der Jagd sogar bis zum Ende des Jh.: B. ANDREAE, Die Sarkophage mit Darstellungen aus dem Menschenleben 2. Die römischen Jagdsarkophage [Berlin 1980] Taf. 1,2. 3,1. 6,3. 7,3. 13,1f. 36,1. 36,4. 37,1. 52,2. 53,1. 55,4. 74,2. 75,2[?]. 76,1. 80,1[?]. 81,1f. 124,2); die dortigen Abbildungen relativieren UBLS Feststellung »Mit an Sicherheit grenzender Wahrscheinlichkeit wurde in der bald nach Septimius Severus anzusetzenden großen Uniformierungsreform ... auch die lange Hose anstatt der früher getragenen halblangen Hose für alle Truppen und alle Chargen Vorschrift« (aO. 597; Beispiele ebd. 590/8). – ZB. bei der Kaiserdarstellung in der tetrarchischen Wandmalerei von Luxor, auf den Reliefs des Galerius- und des Konstantinsbogens, auf zahlreichen Sarkophagen des gesamten 4. Jh. und auf der Leningrader Silberschale mit reitendem Triumphator sind nur *längere* Hosen oder Gamaschen dargestellt; DECKERS, Wandmalerei (o. Anm. 283) 636 (purpurfarben); H. P. LAUBSCHER, Der Reliefschmuck des Galeriusbogens in Thessaloniki = Archäologische Forschungen 1 (Berlin 1975) Taf. 31,1. 34. 41,2. 48,1. 61,2; H. P. L'ORANGE / A. VON GERKAN, Der spätantike Bildschmuck des Konstantinsbogens = Studien z. spätant. Kunstgesch. 10 (Berlin 1939) 42₁ Taf. 6a. 8a. 15a; im Rep. zB. nr. 6,1. 20. 24. 45. 677,2; A. EFFENBERGER (und andere), Spätantike und frühbyzantinische Silbergefäße aus der Staatlichen Ermitage Leningrad, Ausstellungskat. Berlin, Frühchristlichbyzantinische Sammlung (1978) 78/81 Abb. 1. Vgl. generell ALFÖLDI (o. Anm. 285) 180f. 270. – Vom ausgehenden 4. Jh. an lassen sich wieder vermehrt

Denkmäler mit Darstellungen von kürzeren Hosen finden (zB. WS Taf. 73,1 [Herodes/Soldaten]; C. RIZZARDI, I sarcofagi paleocristiani con rappresentazione del passagio del Mar Rosso [Faenza 1970] Fig. 3. 4. 19[?]. 26. 30. 35; DE WIT, Miniaturen 111. 113 Taf. 20,4. 21,1: »violette Kniehosen«; 119 Taf. 22,1 [braune?]; 144. 146 Taf. 26,2 27,1f [rote und dunkelfarbige Kniehosen]; G. BECATTI, La colonna coclide istoriata [Roma 1960] Taf. 77); Modeerscheinung oder Gegenreaktion traditionell gesinnter Kreise auf den zunehmenden Barbareneinfluß? Für letzteres könnte vielleicht sprechen, daß in den Jahren 397 und 399 unter Strafandrohung (Konfiszierung des Vermögens bzw. Exil) das Tragen von »bracae« innerhalb Roms verboten wurde (Cod. Theod. 14,10,2f; vgl. ALFÖLDI 180; SANDER 152). – Aus dem davorliegenden Zeitraum kann ich nur zwei Beispiele anführen, auf denen eventuell eine derartige Hosentracht vorkommt: Eine Münze des Constans, auf der merkwürdig kurze ›Hosen‹ (?) wiedergegeben sind (Byzantinische Kostbarkeiten aus Museen, Kirchenschätzen und Bibliotheken der DDR, Ausstellungskat. Berlin, Bode-Museum [1977] 43f nr. 40), und Rep. 173B auf S. 107 (falls es sich um den Originalzustand handelt – man beachte die zahlreichen, in der dortigen Beschreibung aufgeführten Ergänzungen –, wäre seltsamerweise nur einer der Barbaren so gekleidet; am Original lassen sich im Bereich des Oberschenkels der Gestalt immerhin Bruchlinien feststellen; alle übrigen als antik gesicherten Barbarengestalten tragen lange Hosen). Bei einem weiteren Beispiel ist die Datierung umstritten: M. LAWRENCE, Columnar sarcophagi in the Latin West: ArtBull 14 (1932) 149f Fig. 59 (frühes 4. Jh.); F. BENOIT, Sarcophages paléochrétiens d'Arles et de Marseille = Gallia Suppl. 5 (1954) 33 nr. 1 (»1ʳᵉ moitié IVᵉ s.«); STUTZINGER (o. Anm. 89) 146f: wie F. GERKE »in die erste Hälfte der 80er Jahre« des 4. Jh. Vgl. auch o. Anm. 112. – Beispiele dieser Hosentracht aus dem 6. und 7. Jh.: D. LEVI, Antioch mosaic pavements 1 (Princeton 1947) 358f. 363/5. 626; im Wiener Genesis zB. fol. 16, p. 32 (Lit. s. o. Anm. 263); im Ashburnham-Pentateuch zB. fol. 50ʳ. 56ʳ (Abb. bei VON GEBHARDT, Ashburnham Pentateuch). Bei diesen Beispielen ist auffallend, daß besonders hochrangige Personen, wenn sie im Bild mitauftreten, immer durch längere Hosen hervorgehoben werden. – S. auch S. 93.

Derartige mehr oder weniger gleichmäßig dünne Stäbe können in verschiedenen Zusammenhängen vorkommen und auch so gehalten werden wie in Cimitile. Besitzen sie eine besondere Bekrönung – in Cimitile ist dieser Teil nicht erhalten –, so läßt sich ihre Funktion leichter spezifizieren[292]. Von der Handhabung, Form und Farbe her kann dieser Stab jedoch nur als Kurzszepter oder als Botenstab gedeutet werden: Bei der Deutung als Botenstab wäre auf das analoge Attribut bei Engeldarstellungen zu verweisen, zumal ja eine Deutung dieser Gestalt als Engel in Frage kommen kann. Nach KLAUSER ist ein Stab als »Attribut des Reisenden« oder »des Boten« bei Engeldarstellungen vom 5. Jh. an zu finden; die Beispiele in seinem das Gros der spätantiken Monumente zusammenfassenden Katalog zeigen aber meist im vergleichbaren unteren Teil längere Stäbe[293]. Es läßt sich indessen ein Beispiel aus dem 7. Jh.[294] anführen, bei dem in einer alttestamentlichen Szene eine als Bote gedeutete Gestalt mit Nimbus einen kurzen, dünnen Stab trägt (Taf. 39a)[295]. Schon der Götterbote Merkur kann mit einem solchen Stab in der Hand dargestellt werden[296]; dergleichen findet man auch bei einigen römischen Darstellungen von Dienern, Praecones[297] und von Viatores bzw. Cursores[298]. Auch wenn sich in Cimitile eine Deutung als Botenstab aus solch einer Bildtradition herleiten ließe und damit sogar im

[292] R. DELBRUECK, Die Consulardiptychen und verwandte Denkmäler = Studien z. spätant. Kunstgesch. 2 (Berlin 1929) 61f; F. J. DE WAELE, Art. Stab: PW 3A,2 (1929) 1894/923; ALFÖLDI (o. Anm. 285) 228/35; G. FORNI, Art. Insegna: EAA 4 (1961) 163/6 Abb. 200; A. VORETZSCH, Art. Stab: LCI 4 (1972) 193/8; K. WESSEL, Art. Insignien: RBK 3 (1978) 398/403.

[293] KLAUSER, Engel zB. 292/4 nr. 3. 7. 13f; 296 nr. 20; vgl. dazu schon R. BOETZKES, Art. Kerykeion: PW 11,1 (1921) 337; F. W. DEICHMANN, Kassettendecken: Jb-ÖsterrByz 21 (1972) 90. – Für möglicherweise kürzere Stabformen s. CECCHELLI (o. Anm. 277) Taf. XXIII (nur zufällig so, zumal sonst die Engel dort längere Stäbe halten?) und hier Anm. 284 (Cotton-Genesis).

[294] So schon DEICHMANN, Kassettendecken 91; die neueste Lit. zusammenfassend H. L. KESSLER, David plates from Cyprus: Age of Spirituality 477 nr. 426; 483.

[295] In dem Zusammenhang ist als weiterer Vergleich eine bisher als alttestamentlicher Bote gedeutete Gestalt auf einer (späten) Holzdeckenkassette in Berlin anzuführen, die aber wegen ihrer Nacktheit, einem kurzen Stab und einem goldfarbenen Nimbus eher als heidnische Gottheit oder als Götterbote angesehen werden muß. Anders DEICHMANN, Kassettendecken 89/91, mit der Einschränkung (ebd. 91): »Die Möglichkeit, daß ein Bote aus ... der antiken Mythologie dargestellt ist, kann man aber nicht völlig ausschließen«. Daß die Figur keine »durch Falten (Lichtstreifen) gegliederte kurze weiße Tunica« (ebd. 90) trägt, sondern nackt ist, zeigt die auch auf die Hände und das Gesicht übergreifende weiße Hautfarbe, die nicht wie die rote Chlamys von dünnen Falten durchzogen ist, sondern nur großflächigere grünliche und rosafarbene Schattierungen aufweist (man vgl. dazu DEICHMANNS Umzeichnung ebd. 28, die aber bei einigen anderen Punkten noch zu ergänzen wäre). Außerdem ist durch

eine geschwungene, schwarze Linie, die am oberen Ende des zwischen den Beinen verlaufenden – nur in Resten erhaltenen – Begrenzungsstriches ansetzt, der Bereich der Scham angegeben. Auch sonst zeigen die Konturlinien an, daß es sich eher um einen nackten Körper als um eine am ganzen Leib enganliegende Tunika handelt. – Während DEICHMANN 89 meint, »es fehlen alle Spuren eines Nimbus«, möchte ich darauf hinweisen, daß sich zwischen dem oberen Ende des Stabes und den erhaltenen Partien des Gesichtes deutlich eine halbkreisförmige, goldbraune Fläche vom blauen Hintergrund abhebt. – Wie noch ein Stück dieses Hintergrundes anzeigt, hatte der (sicher) kurze Stab – man beachte die grüne Bodenzone darunter – wohl keine besonders charakteristische Bekrönung (so nach eigenen Beobachtungen vor dem Original im Herbst 1982).

[296] F. J. DE WAELE, The magic staff or rod in Graeco-Italian antiquity (Ghent 1927) 57/9 mit Hinweis auf dessen (meist) magische Bedeutung. Vgl. Anm. 295.

[297] So BOETZKES (o. Anm. 293) 337; anders dagegen K. SCHNEIDER, Art. Praeco: PW 22,1 (1953) 1197. Erstaunlich aber ist, daß die gleiche Gestalt eines Herolds (?) auf der augusteischen Münze das Kerykeion, auf der des Domitian nur noch einen Stab hält; H. MATTINGLY, Coins of the Roman Empire in the British Museum 1 (London 1923) 13 Taf. 2,19f; 2 (1930) 326f Taf. 63,18. 64,1/3. Zu einer als »Trikliniarch« oder »Hausmarschall« bezeichneten Dienergestalt auf einer Wandmalerei des 3. Jh. in Rom s. WIRTH, Wandmalerei (o. Anm. 195) 128 Taf. 29.

[298] W. WEBER, Die Darstellungen einer Wagenfahrt auf römischen Sarkophagdeckeln und Loculusplatten des 3. und 4. Jh. nC. (Rom 1978) 17. 23. 26(?). 28(?). 29. 32. 57f (sie weisen nicht nur mit den »kürzeren Stöcken auf den Weg«, sondern halten diese auch aufrecht) Taf. 2,1. 6f. 9(?). 10,2. 12,1. 15. 23. 26,1. 28f.

Einklang mit einer der aufgezeigten Zweckbestimmungen der Gewandung stünde (»military travel dress«), so ist doch bemerkenswert, daß die Person hier nicht wie die angeführten Botengestalten Halbstiefel anhat (Taf. 39a), sondern campagi oder Sandalen (Taf. 7c)[299]; Engel tragen meistens in frühchristlichen Darstellungen zu Tunika und Pallium Sandalen und seltener – als übliche Ergänzung zum römischen ›Dienstkostüm‹[300] – campagi[301]. Da es jedoch im 4. und am Anfang des 5. Jh. für eine so kurze Stabform bei Engeln keine direkten Vergleichsbeispiele zu geben scheint, bleibt auch von daher eine Deutung der Person auf dem Bild in Cimitile als Engel (in der noch flügellosen Frühform) zweifelhaft. – In bezug auf die Jakob-Engelkampf-Ikonographie ist schließlich bemerkenswert, daß erst im Mittelalter zwei, im Vergleich zum Bild in Cimitile andersartige, Darstellungen existieren, auf denen der mit einem langen Mantel bekleidete Engel einen Stab trägt[302]. – Deutet man dagegen die Gestalt im Bild von Cimitile von ihrer purpurfarbenen Gewandung und der Standhaltung her (s. o.) als hochrangige Persönlichkeit, dann wäre eine Bestimmung des Stabes als Kurzszepter und damit als Zeichen der Macht[303] sinnvoll. Vergleichbare Kurzszepterformen findet man im herrscherlichen Bereich auf römischen Münzen, Reliefdarstellungen (zB. Taf. 39d) und in Resten auch bei einigen Statuen[304].

Nun gilt es noch, das goldfarbene Halsband zu deuten (Abb. 32; Taf. 8e). Obwohl sich nur geringe Reste eines leicht geschwungenen Bandes erhalten haben (S. 78), kann man von den geschlossenen Konturen und dem ziemlich gleichmäßigen Farbauftrag her annehmen, daß es sich eher um einen Reif (mit einer Verdickung in der Mitte) als um eine Kette handelte. Bemerkenswert ist, daß dieser Gegenstand in einer etwas helleren Farbe als der ockergelbe Stab, aber auch andersfarbig als die hellen Linien auf dem Gewand gemalt ist, und zwar in einem leuchtenderen Gelb. Alles in allem erinnert dieses Gebilde an einen weitgeschwungenen Torques bzw. Maniakes.

Derartige Halsbänder wurden bei den Römern als militärische Ehrenzeichen, als Senatsgeschenke oder – bis ins 5. Jh. hinein – als kaiserliche Belohnung in besonderen Fällen, zB. dem großen Sieg eines Ringkämpfers, verwandt[305]. Auf Denkmälern seit dem frühen 4. Jh. tragen die meist als Barbaren gekennzeichneten Leibwächter des Kaisers des öfteren derartige Halsringe (zB. Taf. 39b)[306]. Von der zweiten Hälfte des 4. Jh. an ist

---

[299] S. 77. Zu den verschiedenen Arten von »Campagi« vgl. DECKERS, Wandmalerei (o. Anm. 283) 628₅₂ Abb. 12a. 17/9. 24f. 34.

[300] S. o. Anm. 290.

[301] DEICHMANN, Kassettendecken 90; PALLAS (o. Anm. 284) 29.

[302] a) F. ODORICI, Antichità cristiane di Brescia 1 (Brescia 1845) 36 Taf. II,6; A. MORASSI, Catalogo delle cose d'arte e di antichità d'Italia. Brescia (Roma 1939) 496 Abb. und Lit. (Kapitell aus S. Salvatore). b) Monreale (s. Lit. o. Anm. 273).

[303] J. W. SALOMONSON, Chair, sceptre and wreath, Diss. Groningen (1956) 65.

[304] ALFÖLDI (o. Anm. 285) 231 und Anm. 250 Abb. 3,1/5; 4; Taf. 4,5/9. 6,3. 7,5. 7,7; ders., Hasta summa Imperii: AmJournArch 63 (1959) 6f Taf. 7,1; STROCKA (o. Anm. 282) 165; K. STEMMER, Untersuchungen zur Typologie, Chronologie und Ikonographie der Panzerstatuen = Archäol. Forsch. 4 (Berlin 1978) 67. 103. 124 Taf. 42,3. 71,1. Vgl. auch das vielleicht mittellange

Szepter ohne Bekrönung bei der Herrscherfigur auf einer Malerei in S. Maria in Stelle: DORIGO, Pittura Taf. 214.

[305] S. REINACH, Art. Torques: DAREMBERG/SAGLIO 5 (1919) 375/8; E. SCHUPPE, Art. Torques: PW 6A,2 (1937) 1800/5; W. H. GROSS, Art. Torques: KlPauly 5 (1975) 890; V. A. MAXFIELD, The military decoration of the Roman army (London 1981) 86/9.

[306] Während sie noch auf dem Konstantinsbogen nur vereinzelt von römischen Soldaten in der Nähe des Kaisers getragen werden (L'ORANGE / VON GERKAN [o. Anm. 291] 42f. 76f Taf. 12a), scheinen die Torques ungefähr seit der Mitte des 4. Jh. vermehrt als Kennzeichen des Leibwächters vorzukommen: DELBRUECK (o. Anm. 292) 41; G. BRUNS, Der Obelisk und seine Basis auf dem Hippodrom zu Konstantinopel (Istanbul 1935) 45; J. KOLLWITZ, Oströmische Plastik der theodosianischen Zeit = Studien z. spätant. Kunstgesch. 12 (Berlin 1941) 34f; für weitere Denkmäler s. die folgenden Anmerkungen.

außerdem literarisch überliefert, daß einige west- und später vor allem oströmische Kaiser bzw. Usurpatoren sogar mit einem Torques gekrönt wurden; er gehört in der betreffenden Zeit jedoch nicht zu den eigentlichen Insignien des Kaisers, ist aber seit Ende des 4. Jh. als Amtsinsigne verschiedener Hofränge belegt[307]. Im Gegensatz dazu wird zuweilen vom Perserkönig, wenn er in Jagd- oder Kampfszenen wiedergegeben ist, bis in die Spätantike hinein ein ähnlicher Halsring getragen[308]. Die historischen Überlieferungen, daß der Torques bei der ersten bekannten Krönung dieser Art im römischen Reich (360 nC.) »nur ein Notbehelf statt des Diadems gewesen wäre«, und daß weiterhin in einem Brief des Konzils von Aquileia (381) an die regierenden Kaiser das Auftreten eines arianischen Bischofs vor dem römischen Heer mit einem Torques um den Hals (?) als barbarisch/heidnisch verworfen wurde[309], kann man wohl als Zeichen einer noch nicht gefestigten Sitte bzw. vorhandener Abwehrreaktionen gegen eine Übernahme fremden Brauchtums ansehen. Spätestens seit dem 6./7. Jh. können dann aber auch in der rein christlichen Kunst sowohl Heilige, die einen Offiziersposten innehatten[310], als auch eine Gestalt aus dem AT, nämlich Joseph als Vizekönig von Ägypten (Gen 41,40/4; Taf. 40d. 45f)[311], mit einer solchen Auszeichnung versehen sein, und zwar jeweils auf Grund einer bestimmten Textstelle. Bei diesen Beispielen – wie auch bei anderen spätantiken Monumenten (zB. Taf. 39c)[312] – läßt sich eine für die Darstellung in Cimitile zu rekonstruierende weite und geschlossen wirkende Form eines dünnen Halsbandes aufweisen, so daß die zuweilen als merkwürdige Ausnahme bezeichnete Charakterisierung durch Isidor von Sevilla nicht vereinzelt dasteht: »torques sunt circuli aurei a colle ad pectus dependentes«[313]. Auch die glatt (zB. Taf. 39b) und nicht wie häufig gedreht

[307] ALFÖLDI (o. Anm. 285) 170/2; O. TREITINGER, Die oströmische Kaiser- und Reichsidee (Jena 1938) 20/2; WESSEL (o. Anm. 292) 417/9; BRUNS 57 Abb. 63 (dazu J. KOLLWITZ: Gnomon 13 [1937] 424); vgl. auch M. SCHAPIRO, The Josephscenes on the Maximians throne in Ravenna: Gazette des Beaux Arts 40 (1952) 37$_{38}$. Nach K. HAUCK, Un immagine imperiale a Ravenna non ancora identificata: Felix Ravenna 29 (1959) 34/6 trugen die oströmischen Kaiser seit der 2. Hälfte des 6. Jh. bei bestimmten Anlässen den Torques auch um den Hals.

[308] Die Formen entsprechen in etwa dem, was man auch in der römischen Kunst zur entsprechenden Zeit findet (H. FUHRMANN, Philoxenos von Eretria [Göttingen 1931] 135$_{60}$; B. ANDREAE, Das Alexandermosaik aus Pompeji [Recklinghausen 1977] Abb. 2; HARPER [o. Anm. 270] Fig. 4. 17).

[309] Zu ersterem s. ALFÖLDI (o. Anm. 285) 170 und J. SZIDAT, Historischer Kommentar zu Ammianus Marcellinus Buch XX–XXI = Historia Einzelschr. 31 (Wiesbaden 1977) 133. 155/8. Zum Brief J. D. MANSI, Sacrorum conciliorum nova et amplissima collectio (Paris 1901) 617 = Ambr. ep. 2 (10),9 (CSEL 82,3, 322f [über Julianus Valens]; K. HAUCK, Halsring und Ahnenstab als herrscherliche Würdezeichen: P. E. SCHRAMM, Herrschaftszeichen und Staatssymbolik 1 [Stuttgart 1954] 175f). Für REINACH 377$_{28}$ und SCHUPPE 1804 galt daher »mit dem Sieg des Christentums der t. als heidnisch und barbarisch«. Man vgl. aber zB. eine zeitweilig ähnliche Reaktion gegen die als barbarisch empfundenen »bracae«; s. o. Anm. 291 und S. 99.

[310] So schon allgemein HAUCK, Halsring 169 und H. KOETHE, Die Hermen von Welschbillig: JbInst 50 (1935) 208$_4$ (mit einer Zusammenstellung von torques-Darstellungen ab dem 4. Jh. nC.). Bei Sergius und Bacchus, entsprechend einem hagiographischen Text, wonach diese der goldenen »Maniakia beraubt wurden, die sie als Symbol ihrer Würde um den Hals trugen«; G. WEIGERT, Art. Sergius und Bacchus: LCI 8 (1976) 329f nach Passio antiquior SS. Sergii et Bacchi: AnBoll 14 (1895) 380 nr. 7. Für die frühesten Darstellungen s. Age of Spirituality 548f; A. XYNGOPOULOS, The mosaics of the church of St. Demetrius at Thessaloniki (Thessaloniki 1969) Pl. 19.

[311] So in der Wiener Genesis, aber dort nur auf vier Bildern (GERSTINGER, Wiener Genesis Pict. 45/8), die möglicherweise von einem anderen Maler oder anderen Vorlagen stammen als die übrigen Szenen, in denen Joseph als Vizekönig erscheint (vgl. MAZAL, Wiener Genesis 172). S. auch u. Anm. 316.

[312] Vgl. Lit. o. Anm. 310; BRUNS (o. Anm. 306) Abb. 47f; GERSTINGER, Wiener Genesis 132 und Pict. 36. – Ob es sich bei der Darstellung auf Taf. 39c wegen der herzblattförmigen Anhänger nur um ›dona militaria‹ handelt, müßte noch untersucht werden.

[313] Isidor, etym. 19,31,11. Dagegen REINACH 377 und SCHUPPE 1800 (beide o. Anm. 305), mit dem Hinweis, »daß die gefundenen und auf Denkmälern abgebildeten t. den Hals ziemlich genau umschließen« (zwei späte Beispiele bei VOLBACH [o. Anm. 262] nr. 35. 45). Die o. Anm. 310 und 312 genannten Denkmäler wurden aber nicht berücksichtigt (vgl. auch schon die

wirkende Oberfläche des Halsringes in Cimitile läßt sich ebenso wie die mittlere
Verdickung des Bandes (der Verschluß; vgl. Taf. 39b. 40d. 45f) auf einigen Denkmälern
finden, bei denen die Bestimmung als Torques sicher ist[314]. – Da für das Tragen eines
Torques nur bestimmte Personengruppen in Frage kommen, bei Engeln derartiges bisher
nicht gesichert ist[315], bleibt auch von diesem Ergebnis her eine etwaige Deutung der Figur
in Cimitile als eine Art Erzengel fraglich. Es muß sich eher um eine herrscherliche Gestalt
handeln, für die eine derartige Auszeichnung typisch ist. Im biblischen Bereich trifft dies –
wie schon erwähnt – auf Joseph nach seiner Erhöhung durch den Pharao zu, weshalb
zumindest einige der textgetreueren Darstellungen seit der Spätantike diese Auszeichnung
wiedergeben (zB. Taf. 40d. 41c. 45f)[316].

Bevor wir einer derartigen Deutung der Gestalt weiter nachgehen, bleibt u. a. noch zu
klären, in welcher Haltung die linke Figur in Cimitile gegeben ist und welche gesellschaftliche Position sie innehat (Abb. 32).

Für eine Bestätigung der einen Annahme, daß sie nach hinten *fällt* (S. 76), habe ich
keine motivisch unmittelbar vergleichbaren Beispiele aus der antiken Kunst finden
können[317]. Dagegen läßt sich bei antiken Sitzfiguren ein derartiges (etwas unsicheres)
Haltungsschema eher aufweisen (zB. Taf. 40c)[318]. Die heute vorliegende Trennung
zwischen der Figur und dem einen der zwei von CHIERICI als Felsen bezeichneten Gebilde

weit geschwungenen Torques der Perser auf dem
Alexandermosaik aus Pompeji; ANDREAE [o. Anm. 308]
Abb. 2). Daß es sich bei den aufgeführten, bis auf die
Brust hinabreichenden Halsbändern wohl meist um
einen Torques bzw. Maniakes und nicht nur allgemein
um einen Enkolpion (H. GERSTINGER, Art. Enkolpion:
RAC 5 [1962] 322/32; K. WESSEL, Art. Enkolpion:
RBK 2 [1971] 152/64) handelt, wird durch folgendes nahe-
gelegt: Da man bei Darstellungen von Leibwächtern
anfangs die geschlossenere und später die weitere
Form findet, also regelrecht eine Entwicklung beim
gleichen figürlichen Typus beobachten kann (vgl. o.
Anm. 306 und 312), ist anzunehmen, daß in vielen
Fällen das gleiche Insigne gemeint ist. Für die Benennung ist nun interessant, daß das Halsband, das sich
ein Offizier Julians (vgl. SZIDAT [o. Anm. 309] 155f)
auszog, um damit den Kaiser zu krönen, in den
antiken Quellen als »torquem«, »μανίακην« bzw.
»στρεπτόν« bezeichnet wird; s. ALFÖLDI (o. Anm. 285)
170₁. Für die gleiche Benennung der weit ausladenden
Halsbänder bei den Offizieren Sergius und Bacchus s.
o. Anm. 310 – Vgl. auch u. Anm. 316.
[314] Für REINACH 375₁ und SCHUPPE 1801 (beide o. Anm.
305) ist es »unrichtig, glatte oder sonst andersartig
ausgeführte Halsbänder als t. zu bezeichnen« (vgl.
dagegen neuerdings MAXFIELD [o. Anm. 305] 88 und
SZIDAT [o. Anm. 309] 158f). Vom eigentlichen Sinn und
antiken Deutungen bzw. den in Frage kommenden
Begriffen her haben sie auf den ersten Blick recht, daß
»die schraubenförmigen Windungen charakteristisch«
(SCHUPPE 1800) und daher besonders auf frühen Beispielen zu finden seien, doch zeigt schon die Anzahl
der genannten späten Exemplare, daß zumindest in
den Darstellungen dieses Detail fehlen kann (vgl. auch

M. ROTILI, Il codice purpureo di Rossano [Cava dei
Tirreni 1980] 15₄₆ Taf. 14); ob aus mangelnder Sorgfalt
der Künstler oder (eher) auf Grund eines auch hierin
veränderten Typus', möchte ich offenlassen. – Die
Mittelverdickung wird als »Medaillon oder Juwel«
gedeutet: EFFENBERGER (o. Anm. 291) 78 zu Taf. 1;
HAUCK, Halsring (o. Anm. 309) 169 Abb. 15.
[315] So nach den Beispielen im Katalog von KLAUSER,
Engel und eigenen Nachforschungen.
[316] Vgl. dazu zB. Anm. 311; HESSELING, Miniatures IX.
42 nr. 130; G. FOLENA / G. L. MELLINI, Bibbia istoriata
padovana della fine del trecento. Pentateuco – Giosuè
– Ruth (Venice 1962) Taf. 64/74. – Im hebr. Text von
Gen 41,42 wird das Halsband als רְבִד הַזָּהָב, in der LXX
als »κλοιὸν χρυσοῦν«, in den lateinischen Versionen
als »torquem auream« bezeichnet; zu letzteren FISCHER,
Genesis 428. – ZB. im Ashburnham-Pentateuch fol.
40ª/50ª (Abb. bei VON GEBHARDT, Ashburnham Pentateuch), im Paris. gr. 510 fol. 69ᵛ (s. DOP 16 [1962] 223f
Fig. 18), in den Sacra Parallela (K. WEITZMANN, The
miniatures of the Sacra parallela, Parisinus Graecus
923 = Studies in manuscript illumination 8 [Princeton
1979] 46f Pl. XIII, 46f) und in San Marco (DEMUS, San
Marco [o. Anm. 121] Taf. 59. 264) fehlt ein derartiges
Halsband bei Joseph.
[317] Nur sehr allgemein vergleichbar einige Besiegten-
darstellungen bei antiken Kampfszenen: S. REINACH,
Répertoire des reliefs grecs et romains 1 (Paris 1909)
Abb. 415,3. 463,4; 2 (1912) 65; ebenso Gladiatorensze-
nen: DUNBABIN (o. Anm. 266) 259 nr. 21b. 278 nr. 1e Pl.
XX,47. XXI,50.
[318] Vgl. BIANCHI BANDINELLI (o. Anm. 203) 238. 328;
DORIGO, Pittura Abb. 198; GRABAR, Frühes Christentum
24. 228; BENOIT (Anm. 291) nr. 45 Pl. XVII.

hat sich wahrscheinlich erst durch die schräge Einschlagstelle in der Malschicht ergeben (Taf. 7c), so daß die Figur einst wohl regelrecht auf diesem Gebilde zu sitzen kam. Für eine genauere Bestimmung der Sitzgelegenheit ist der Vergleich mit einer Art Kathedra aus dem obersten erhaltenen Bild auf der Nordwand dieses Raumes (Taf. 8d)[319] hilfreich, weil dadurch die Eigenheiten deutlich werden. Gerade wegen der zwei Stuhlbeinen ähnlichen Gebilde könnte es sich vielleicht um eine Art Hocker (vgl. Taf. 40d) oder eher – nach der Sitzhaltung der Person (Abb. 32) – um einen Stuhl mit sehr hoher, heute weitgehend zerstörter Rückenlehne[320] handeln, dessen Sitzfläche in Höhe der genannten Einschlagstelle zu denken wäre. Doch auch derartige Deutungen lassen sich nicht weiter sichern, da die beiden Gebilde unterschiedliche Formen aufweisen; außerdem ist die betreffende Bildfläche durch mannigfaltige Beschädigungen stark verunklärt[321].

Nach der Kleidung (der kurzen, halbärmeligen Tunika mit purpurroten Clavi) zu urteilen, ist eine vom Rang her nicht sehr hohe Person dargestellt. Da sie aber dessen ungeachtet im Beisein einer ranghöheren stehenden Gestalt sitzend wiedergegeben ist, müssen besondere Gründe für eine Darstellung in dieser Haltung vorliegen. Man könnte an ein verwandtschaftliches Verhältnis, etwa Vater – Sohn, denken oder an Krankheits- bzw. Altersgründe, also körperliche Schwäche.

c) Weitere Deutungsvorschläge

FINK hat bei seiner Benennung der Figuren als »Hiob und seine Frau« bereits selbst zu Recht Zweifel gehabt (S. 76), da es sich bei der stehenden Gestalt sicher nicht um eine Frau, sondern um einen Mann handelt. Seine Deutung der linken Gestalt als Job geht aber von der gleichen Annahme wie die unsere aus, daß es sich hier um eine Sitzfigur handelt. Da Job in der frühchristlichen Kunst ähnlich wie die Gestalt hier mit einer kurzen Tunika oder mit einer Exomis bekleidet sein kann, sein Körper mehrfach ohne Wunden wiedergegeben ist und er zuweilen sogar statt auf dem in der Bibel erwähnten Misthaufen auf einem Faltstuhl oder hockerartigen Gebilde sitzt (vgl. Job 2,8; Taf. 40a)[322], könnte man sich fragen, ob nicht doch eine Szene aus der Job-Geschichte vorliegt. Wegen der stehenden, herrscherlichen Gestalt wäre an eine Darstellung des Besuchs der drei Freunde zu denken, denn in der Textversion der Septuaginta, die für einige der mittelalterlichen Bildbeispiele maßgeblich war (zB. Taf. 40b), werden diese Freunde als »Könige« beschrieben (Job 2,11 bzw. 42,17e)[323]. Aber auch gegen eine solche Deutung lassen sich so erhebliche Bedenken anführen[324], daß sie mE. höchst unwahrscheinlich ist.

---

[319] Dort ist es eine einheitlich durchgehende Sitzfläche mit einer hohen, schrägen Rückenlehne (s. S. 158).

[320] Man beachte dazu o. Anm. 254. Vgl. dazu in etwa WMK Taf. 124.

[321] S. S. 77₂₅₃.

[322] H. LECLERCQ, Art. Job: DACL 7,2 (1927) 2554/68 Fig. 6275f (für eine ähnliche ›Rede‹-Haltung 2560 nr. 11); Rep. 61; WMK 351/4 Taf. 56. 166,2 (Job in Tunika mit Clavi oder Besätzen). Vgl. allgemein R. BUDDE, Art. Job: LCI 2 (1970) 407/14.

[323] Zum möglichen Vorhandensein im altlateinischen Bibeltext SABATIER, Bibliorum sacr. lat. vers. 1,837 zu Job 2,11 und 908 zu Job 42,17. – Für die Bildbeispiele BUDDE aO. 412; K. WEITZMANN, Die byzantinische Buchmalerei des IX. und X. Jh. (Berlin 1934) 77/80 Fig. 333.

340. 529; G. JACOBI, Le miniature dei codici di Patmo: Clara Rhodos 6/7 (1932/33) 586 Fig. 106f Taf. XIX (u. a. die im Mittelalter früheste Darstellung der Freunde Jobs als Könige). – Nur auf einem stark fragmentierten Sarkophag in Brescia sind zumindest zwei der drei hinter der Frau Jobs stehenden Freunde nicht, wie sonst in der Antike, in Tunika und Pallium, sondern mit Tunika, langer Chlamys und langen Hosen bekleidet; P. PORTA, Il sarcofago paleocristiano frammentario »a colonne« del Museo Cristiano di Brescia: Atti del III congresso nazionale di archeologia cristiana (Trieste 1974) 333/41. Wahrscheinlich kann diese besondere Gewandung als Hinweis auf deren königlichen Stand angesehen werden, der ungefähr in der vermutlichen Entstehungszeit des Sarkophags im nahen Mai-

Es bleibt nun, die oben angesprochene Benennung der herrscherlichen Gestalt als »Joseph von Ägypten« zu überprüfen. Besonders bemerkenswert ist von vornherein die weitgehende Ähnlichkeit mit der sicher als Joseph zu bezeichnenden Person aus der Nachbarszene des Jakobssegens (s. S. 102). Beide Male erscheint die Gestalt in einer mittellangen Purpurgewandung, wobei die sichtbaren, zu einer Tunika gehörenden Ärmel immer etwa halblang und mit einem dunkelpurpurfarbenen Zierstreifen versehen sind (Taf. 6c. 8e). Möglicherweise hat die Gestalt auf beiden Bildern die gleiche Hosentracht getragen (Abb. 32f). Beim Schuhwerk ist auffallend, daß jedesmal nur sehr spärlich vom Fußknöchel ab riemenartige Striche vorhanden sind, also etwa Sandalen oder campagi, nicht aber Stiefel dargestellt gewesen sein können[325]. Eine genau vergleichbare Tracht konnte ich auf anderen Denkmälern aus der Josephsikonographie zwar nicht wiederfinden, doch sind gerade darin die meisten dieser Darstellungen verschieden. Auf den frühesten Monumenten aus dem 3. und 4. Jh., die Joseph nach seiner Erhöhung durch den Pharao zeigen, trägt er allein bei der Darstellung des Jakobssegens in Dura eine purpurfarbene – aber sassanidische – Hoftracht (Taf. 42)[326], ansonsten entweder Tunika und Pallium (zB. Taf. 45b) oder eine Art langer Ärmeltunika[327]. Schon von der Beschreibung des (vom Pharao verliehenen) Gewandes in Gen 41,42 existieren immerhin drei verschiedene Textversionen: »stola« oder »veste bissina« (στολὴν βυσσίνην) bzw. »pallium byssinum«[328]. Erst aus dem 5./6. Jh. haben sich Darstellungen erhalten, in denen Joseph das – bei den Malereibeispielen zumindest in Teilen purpurfarbene – einem spätantiken Herrscher eigene ›Dienstkostüm‹ trägt (zB. Taf. 40d. 45f)[329]. In der schriftlichen Überlieferung findet man aber schon bei Tertullian, daß Joseph mit dem »Schmuck und Purpur« eines Statthalters von Ägypten ausgezeichnet war[330]. Auf einem spätantik-frühmittelalterlichen Denkmal, dem Ashburnham-Pentateuch (Taf. 45d), kommt wenigstens eine – wie in

land von Ambrosius (Iob 2,1,2 [CSEL 32,2, 233]) ausdrücklich erwähnt wird. Vorläufig dazu D. KOROL, Eine Sarkophagdarstellung Hiobs als Beispiel einer fortgeschrittenen ›Christianisierung‹ der spätantiken Kunst: The 17th international Byzantine congress. Abstracts of short papers (Washington D. C., August 3–8 1986) 177/9.

[324] a) Um eine Darstellung der drei Freunde als Könige im Gespräch mit Job kann es sich – von der geringen zur Verfügung stehenden Bildfläche her – kaum gehandelt haben (vgl. Abb. 32). Die vergleichbaren antiken Darstellungen zeigen zwar meist nur einen (seltener zwei oder drei) der Freunde, doch wird die Frau Jobs immer hinzugefügt und durch ihre Aktion (s. u.) oder ihre Stellung in den Vordergrund bzw. in die Nähe von Job gerückt (vgl. die Beispiele bei LECLERCQ, Job 2560/6 und KOROL aO.). Man müßte demnach und von der vorhandenen Fläche her (die noch einer weiteren Person Raum böte; s. S. 97f) als Hypothese annehmen, daß hier die Frau hinter dem Freund angeordnet gewesen wäre. b) Um eine reine Gesprächsszene handelt es sich hier jedenfalls – von der Handhaltung der herrscherlichen Gestalt her – nicht. Die auffallende Art, wie sie ihren rechten Arm so in Richtung der Oberschenkel-Hüft-Gegend der Sitzfigur hält, daß die Hand verdeckt und damit wohl

eine Berührung angedeutet wird, steht im Widerspruch zu der sonst in antiken Beispielen dieser Ikonographie (s. LECLERCQ aO.; WMK 352 Taf. 147) zu beobachtenden Berührungsangst der Frau, die Job das Brot auf einer Stange reicht (nach Job 2,7 war dieser vom Aussatz befallen). c) Schließlich wären auch zwei Darstellungsdetails für die antike Job-Ikonographie ungewöhnlich: ein goldfarbener Stab und ein Torques bei einem der Freunde.

[325] S. S. 88[299]. 102[371].

[326] S. u. Anm. 440f.

[327] Rep. 690; s. S. 119[468]; KÖTZSCHE-BREITENBRUCH, Via Latina 72f Taf. 14a.

[328] FISCHER, Genesis 428. Vgl. auch u. Anm. 361.

[329] Zur Charakterisierung vgl. schon GERSTINGER, Wiener Genesis 129 und SCHAPIRO (o. Anm. 308). Als frühestes Beispiel sind die Darstellungen in der Cotton-Genesis zu nennen (zur Datierung s. o. Anm. 122). Die betreffenden Josephsszenen sind noch nicht in Farbfotografien veröffentlicht; vorläufig TSUJI, Genèse de Cotton zB. 60 zu Abb. 109 (Gen 42,6; Josephs »Chlamys purpurfarben«; zur Übers. s. u. Anm. 339). – Vgl. auch u. Anm. 440.

[330] Tertullian, idol. 18,2 (CCL 2,1118); vgl. auch zB. Zonaras, ann. 1,10 (PG 134,80).

Cimitile – kürzere, zT. aber andersfarbige Bekleidung bei Joseph vor[331]; auffallend ist jedoch, daß er hier nicht wie seine Kinder, seine Brüder und andere Personen niedrigeren Ranges die kürzeren, sondern längere (rote) Hosen trägt[332]. Fürstliche Gestalten (wie Aeneas; Taf. 38c) oder Personen in einer Führungsposition (wie der Statthalter Pontius Pilatus) können aber noch zumindest bis ins 5. Jh. hinein mit kürzeren Hosen dargestellt sein[333].

Nachdem alle genannten Aspekte auf eine Deutung der rechten Gestalt als Joseph hinweisen, stellt sich die Frage, welche Szene aus der Josephsgeschichte gemeint sein könnte. Vergleicht man daraufhin die sitzende Figur (Taf. 7c) mit Jakob aus der Segensszene (S. 101; Taf. 6c), dann lassen sich trotz des schlechten Erhaltungszustandes noch gewisse Ähnlichkeiten aufweisen: das die Arme nicht verdeckende Gewand, die roten Zierstreifen und die helle Farbe der Kleidung[334]. Zu diesen Beobachtungen kommt noch die oben erarbeitete Charakterisierung der Person hinzu, so daß eine Benennung als Jakob möglich ist. Gerade wegen der Schwäche und Würde des Alters kann sicherlich der Vater – ungeachtet des Standesunterschieds – im Angesicht seines Sohnes sitzend dargestellt sein (vgl. dazu eine sogar in der Komposition sehr ähnliche Josephsszene in der Wiener Genesis; Taf. 40d). Im Zusammenhang mit einer derartigen Deutung der Person findet dann auch die bemerkenswerte Geste Josephs eine Erklärung, die zur Gesamtdeutung der Szene führen könnte. In der biblischen Szene, die der auf dem benachbarten Bild dargestellten Segensepisode unmittelbar vorausgeht, steht das Berühren der Hüfte (als Sinnbild eines Schwurs) im Mittelpunkt.

1.3.3 Die Episode in Gen 47,29/31

a) Der Bibelbericht

»Es näherten sich aber die Tage, da Israel« – dessen hohes Alter vorher ausdrücklich erwähnt worden war (Gen 47,28)[335] – »sterben würde, und er rief seinen Sohn Joseph und sagte zu ihm: ›Wenn ich Wohlwollen vor dir gefunden habe, lege deine Hand unter meine Hüfte‹«. Dies sollte als Zeichen für Josephs Versprechen gelten, den Vater im Falle des Todes nicht in Ägypten, sondern im Lande Kanaan zu bestatten[336]. Als Joseph sich dazu bereit erklärte, sagte Jakob zu ihm (nach der Septuaginta und der Vetus Latina): »Schwöre mir und er schwor ihm und es verbeugte sich Israel über der Spitze des Stabes desselben« (oder »seines Stabes«; nach dem hebräischen Text und der Vulgata: »und es verneigte sich Israel [Gott] anbetend über das Kopfende des Bettes hin«)[337].

Beim letzten Vers ist zu beachten, daß neben der Vulgata auch noch Texte der der Septuaginta folgenden Vetus Latina bis weit ins Mittelalter hinein überliefert wurden.

---

[331] Zu den Farben s. Lit. Anm. 332; für die Darstellungsweise in den Oktateuchen s. u. Anm. 440 (nur in den jüngeren Handschriften ist die Gewandung ebenfalls kurz).

[332] Vgl. dazu o. Anm. 291 (Schluß). – Auffallend ist, daß Joseph auf einigen Bildern dort – wie in Dura (s. u. Anm. 427) – ein Schwert an der Seite trägt (VON GEBHARDT, Ashburnham Pentateuch 19 nr. 2. 4).

[333] Vgl. auch DE WIT, Miniaturen Taf. 26,2. 27,1 (militär. Führer). In den Mosaiken von S. Maria Maggiore (Rom) gibt es aber nur ein Beispiel für diese Hosentracht: WILPERT/SCHUMACHER (u. Anm. 668) Taf. 67. – Für die Lit. und Spätdatierung des Sarkophags aus

Arles, auf dem eine etwas längere Hosentracht bei Pilatus vorkommt, s. STUTZINGER (o. Anm. 89) 163f.

[334] Bei Jakob in der Segenszene ist das Gewand jedoch mehr grau.

[335] Vgl. außerdem Gen 43,27 und 44,20.

[336] Dies wird in Gen 50,5f noch einmal aufgegriffen.

[337] Gen 47,31: Hebr.: »וַיִּשְׁתַּחוּ יִשְׂרָאֵל עַל־רֹאשׁ הַמִּטָּה«; LXX: »προσεκύνησεν Ισραηλ ἐπὶ τὸ ἄκρον τῆς ῥάβδου αὐτοῦ«; Vetus Latina: »adoravit Istrahel super cacumen virgae eius« oder »suae«; Vulgata: »adoravit Israhel deum conversus ad lectuli caput«. Für die benutzten Textausgaben s. o. Anm. 19. Übers. aus dem Hebr. von H. G. BRAUNSHAUSEN.

Daher konnten einige christliche Schriftsteller sagen, daß Jakob sich zur Spitze von Josephs Szepter hin verneigte, andere, daß er sich auf seinen eigenen Stab gestützt – als Zeichen des Greisenalters – verbeugte[338].

b) Die Bildbeispiele

In der Cotton-Genesis haben sich zwar Reste von Bildern erhalten, die Episoden nach Gen 47 bzw. 48 (Anfang) illustrieren, doch ist wegen des schlechten Erhaltungszustandes eine genaue Identifizierung der Darstellungen schwierig.

Nach S. Tsuji, die das Original in neuerer Zeit untersucht hat, besteht bei fol. »108 V/Gen 47,?/Themenunklarheit... Das rechte Ende des Großbildes besteht noch und im Bild können wir erkennen, die Baumotive (zB. [ein weißlicher] Pfeiler), den blauen Hintergrund und den Rücken eines Menschen [in hellblauer Gewandung], der sich davor auf das niedrige [braune] Gestell [?] gesetzt hat« (Taf. 41b); während auf fol. »108 R/Gen 47,19/22/nur der Buchtext« vorhanden sei, müßte sich vom Gen-Text 47,23/31 »ein Teil des Anfangs auf 108 V« befunden haben; dagegen auf fol. »109 R/Gen 48,1/2/Joseph, der den kranken Jakob besucht (Gen 48,1/2), oder Jakob, der Ephraim und Manasse segnet (Gen 48,5)... Wir können den Rand des linken Bildendes, den olivfarbenen [zT. fast grauen] Hintergrund, die violette [von einem hellen Band umrahmte] Matratze und noch sonst etwas erkennen« (Taf. 45e). Auf der nächsten erst wieder von ihr gedeuteten Darstellung, auf fol. 134 R (»Jakobs Tod / Gen 49,33«), ist nochmals ein »Teil einer violetten Matratze« und darunter möglicherweise noch ein »zinnober- und goldfarbenes Bettgestell« zu sehen[339]. – Aus ihrer Beschreibung, den beigegebenen Umzeichnungen, dem Bibeltext und an Hand von Fotos der erhaltenen Folios 106–109 und 134 R läßt sich somit schließen, daß auf fol. 108 V wohl eine Person aus einer Szene nach Gen 47,19/23 dargestellt ist, die sich anscheinend in einem Innenraum auf einer niedrigen Sitzgelegenheit befindet (Taf. 41b). Auf fol. 109 R, das schon den Anfang von Kapitel 48 wiedergibt, ist dagegen eine runde »Matratze« zu sehen, auf der wohl Jakob gelegen oder gesessen hat (Taf. 45e). Man kann daher vermuten, daß hier entweder Jakob im Moment der Verbeugung vor Joseph (nach Gen 47,31) oder bereits eine Anfangsphase der Segnungsszene in Gen 48 wiedergegeben war. Allein, daß Jakob anscheinend nicht stehend dargestellt war, wäre somit als Vergleichsmoment zur Szene in Cimitile (Abb. 32) zu nennen.

Abgesehen von diesen spätantiken Miniaturen haben sich Darstellungen zum Schlußkapitel von Gen 47 erst aus dem Mittelalter erhalten; aber auch da sind es nur sehr wenige Monumente, und zwar immer nur Buchmalereidarstellungen. Für die in Frage

---

[338] S. dazu Fischer, Genesis 488f; darüber hinaus vgl. schon im Hebräerbrief 11,21: »fide Iacob moriens singulis filiorum Ioseph benedixit et adoravit fastigium virgae eius« (Text nach Weber [o. Anm. 19] 1854); als Beispiel aus dem Mittelalter Georgios Kedrenos, historiarum compendium P. 38 (PG 121,97): »ἐπὶ τὸ ἄκρον τῆς ῥάβδου Ιωσήφ«! (vgl. dazu u. Anm. 340 zu c und d; Taf. 41d). Die bei Ginzberg, Legends of the Jews 2,130; 5,364354f und bei M. M. Kasher, Encyclopedia of Biblical interpretation. Genesis 6 (New York 1956) 103 angeführten jüdischen Schriften folgen dem hebräischen Bibeltext.

[339] Tsuji, Genèse de Cotton 63f Abb. 147/9 (die Übersetzung ihres japanischen Textes verdanke ich Dr.

Toshiyuki Hirota). Zu fol. 109 V schreibt sie: »Gen 48,5–8/ nur der Buchtext?« Bis auf die nicht so wellige, sondern mehr halbrunde Form der »Matratze« (Taf. 45e) und einige schwer identifizierbare Details (wie etwa ein als Kopf Jakobs zu deutendes Oval am rechten mittleren Rand des Fragmentes auf fol 134 R) geben die Zeichnungen von Tsuji einigermaßen genau den verbliebenen Bildbestand der Fragmente wieder (so nach Fotos des Originals). Das nächste vor fol. 108 erhaltene fol. (= 106) weist nach Tsuji den Gen-Text 47,4/14 auf. Von den vorhandenen zwei Bildresten zeigt der etwas besser erhaltene auf fol. »106 R... Joseph vor dem König? Abb. 146... einen Menschen mit purpurner Kleidung«. – Vgl. u. Anm. 474.

kommenden Handschriften werden häufig ältere Vorlagen angenommen; dabei wird neben dem Traditionsstrom, den die Oktateuche widerspiegeln, hauptsächlich die Cotton-Genesis-Rezension angesprochen[340]. Auf den ersten Blick lassen sich aus diesen Beispielen drei Gruppen bilden, die aber, genauer besehen, keine völlig homogenen Einheiten darstellen. Bei der größten Gruppe wird Jakob immer auf einem Bett lagernd wiedergegeben, wobei zuweilen der in der Bibel erwähnte Griff Josephs an die Hüfte Jakobs fehlen oder verändert sein kann (zB. Taf. 41a. d). Je zwei Monumente zeigen Jakob dagegen entweder stehend (zB. Taf. 41f) oder in etwa frontal sitzend (zB. Taf. 41e)[341]. Mit letzteren kämen wir der Darstellung in Cimitile am nächsten (Abb. 32), einzig bei der Szene in der Aelfric-Paraphrase (Taf. 41e) wird aber wie dort die rechte Hand Josephs vom Bein Jakobs teilweise verdeckt. Dennoch ist bei den zwei späten Beispielen mit einem sitzenden Jakob die andersartige, d. h. gebeugte bzw. kniende Haltung Josephs und das Fehlen eines Stabes auffallend, von sonstigen zT. sicherlich zeitbedingten Unterschieden in Details ganz

[340] Im 11. Jh.: a) fol. 69^v in der Aelfric-Paraphrase; C. R. DODWELL / P. CLEMOES, The old English illustrated Hexateuch. British Museum Cotton Claudius B IV = Early English Manuscripts in Facsimile 18 (Copenhagen 1974) 30f; während hier die Meinung vertreten wird, daß nicht »simply copies of an earlier and external cycle of illustrations« vorlägen und »the basic originality« dieser eng an den englischen Bibeltext angelehnten Bilder hervorgehoben wird (ebd. 65/72), sehen andere Autoren Beziehungen entweder zur Cotton-Genesis-Rezension oder zu einer davon verschiedenen, frühen griechischen Buchillustration; KÖTZSCHE-BREITENBRUCH, Via Latina 34$_{191}$. 55$_{345}$. 59; G. HENDERSON, Late-antique influences in some English mediaeval illustrations of Genesis: JournWarbInst 25 (1962) 187f. 195f; vgl. auch F. BUCHER, The Pamplona Bibles 1 (New Haven/London 1970) 87; KOSHI (o. Anm. 124) 51$_{21}$. 63; KESSLER (o. Anm. 143) 25$_{15}$; b) fol. 66^r im Vat. gr. 747 (Oktateuch; unveröffentlicht). Im 12./13. Jh.: c) fol. 134^v im Vat. gr. 746 (Oktateuch; unveröffentlicht); d) fol. 58^r im Oktateuch von Smyrna, Evang. Schule, Cod. A I (HESSELING, Miniatures IX nr. 143); e) fol. 140^v im Oktateuch der Serail-Bibl., Cod. 8/Istanbul (OUSPENSKY, Octateuque 140 nr. 84 Pl. XVIII); f) fol. 75^v in der Millstätter Genesis, Klagenfurt, Mus., Cod. VI, 19 (A. KRACHER [Hrsg.], Millstätter Genesis und Physiologus Handschrift = Codices Selecti 10 [Graz 1967] Faksim.; MENHARDT (o. Anm. 278) 326f nimmt allgemein eine Verbindung zu den Oktateuchen an; anders H. VOSS, Studien zur illustrierten Millstätter Genesis [München 1962] 57; zum Bild s. ebd. 156. 166. 199; für Beziehungen zur Cotton-Genesis-Rezension vgl. KOSHI 52$_{25}$; KÖTZSCHE-BREITENBRUCH 34$_{188f}$); g) fol. 36^r in der Bibel von Amiens, Bibl. de la Ville, 108 (BUCHER 1,212; 2, Pl. 91; die Genesis-Szenen in dieser, wie auch in den verwandten Handschriften in Harburg und New York, »preserve the tradition of an early archetype of the Cotton Genesis character and perhaps are also of the same date«, ebd. 83. 134$_{56}$); h) fol. 33^v in der Bible moralisée Oxford, Bodleian Library, 270 b (nur durch die Beischrift ist ein Hinweis auf Josephs Schwur gegeben; A. LABORDE, La Bible moralisée 1

[Paris 1911] Pl. 33; vgl. dazu eine formal etwas andere Szene »zu Gen 47,29« aus einer verwandten Handschrift; R. HAUSSHERR (Hrsg.), Bible moralisée, Faksimile-Ausgabe im Originalformat des Codex Vindobonensis 2554 der Österreichischen Nationalbibliothek = Codices selecti 40 (Graz/Paris 1973) Kommentarbd. 44 zu nr. 26; nach seinen Untersuchungen ebd. 36/8 lassen sich bei den »frühen Redaktionen und Handschriften der Bible moralisée . . . zumindest einzelne Szenen des Illustrationszyklus zur biblischen Erzählung . . . letzten Endes auf sehr alte Vorlagen zurückführen«: Cotton-Genesis- und Oktateuch-Zyklus. Im 14. Jh.: i) fol. 19^v im Queen Mary's Psalter, London, Brit. Lib., cod. Roy. 2 B VII (G. WARNER, Queen Mary's Psalter [London 1912] 65 Pl. 36; nach G. K. VIKAN, Illustrated manuscripts of Pseudo-Ephraem's Life of Joseph and the romance of Joseph and Aseneth, Diss. Princeton [1976] 229$_{51}$ und ders., Joseph iconography on Coptic textiles: Gesta 18 [1979] 104: »its core may be shown to derive from the Cotton Genesis tradition«); j) fol. 50^v in der Velislav Bibel, Prag, Universitätsbibl., cod. XXIII C 124 (K. STEJSKAL [Hrsg.], Velislai Biblia Picta = Editio Cimelia Bohemica 12 [Prag 1970]; KOSHI 54$_{31f}$. 70. 75. 82. 85 sieht für »die Genesisbilder, vor allem die Adam-und-Eva-Szene« letztlich den »Cottongenesis-Typus« als Vorlage; BUCHER 1, 82. 87. 90$_{143-145}$ sieht dies differenzierter); k) fol. 36^v der Bibel in Rovigo, Accad. dei Concordi, Cod. 212 (FOLENA/MELLINI [o. Anm. 316] 22 Taf. 72, CCLXXXI; nach VIKAN, Joseph iconography 104$_{49}$ bestehen »numerous parallels to monuments of the Cotton Genesis tradition«; vgl. KESSLER aO. 25$_{136}$; etwas anders BUCHER 1, 82. 90). – In unserem Zusammenhang würde es zu weit führen, zu der in der Lit. angesprochenen, komplexen und in vielen Punkten strittigen Frage nach den Vorlagen eingehend Stellung zu beziehen, zumal ausführlichere Analysen aller Einzelbilder bei den betreffenden Handschriften – zB. im Verhältnis zu den Fragmenten der Cotton-Genesis – mW. noch nicht vorgenommen worden sind (so schon zT. BUCHER 1, 134$_{55}$. 146$_{145}$).
[341] Für Abb. der anderen zwei Beispiele s. Anm. 340 unter g (sitzend; Joseph gebeugt) und i (stehend).

zu schweigen. Was die Darstellung eines Stabes anbelangt, lassen sich überhaupt nur vier unter den 13 mir bekannten Beispielen finden, bei denen er vorkommt; aber schon in den Bildbeischriften, die in elf der angeführten Fälle vorhanden sind, wird die betreffende Bibelstelle (Gen 47,31) bloß dreimal erwähnt, was möglicherweise dafür sprechen könnte, daß meist nur die vorausgehenden Bibelverse illustriert worden sind[342]. Anzumerken ist auch, daß der im Abendland zu dieser Zeit eher maßgebliche Vulgatatext gerade dieses Detail anders wiedergibt (s. o.). Die wenigen Darstellungen mit einem Stab sind wohl mehr oder weniger auf der Basis der griechischen bzw. altlateinischen Textversion illustriert worden[343]. So wie diese Version verschiedene Deutungen erfahren hat (s. o.), so steht es auch mit der Art der Darstellung: Auf zwei Bildern stützt sich Jakob auf einen Stock (Taf. 41a. f), auf den anderen beiden hält Joseph, aufrecht stehend, mit seiner Rechten einen etwas längeren Stab »an den Mund Jakobs«, während er mit seiner Linken dessen Unterschenkel berührt (zB. Taf. 41d)[344].

Um diese Vergleichsreihe zu vervollständigen, sei noch erwähnt, daß aus der Spätantike immerhin drei Darstellungen überliefert sind, bei denen das eine Mal wohl Jakob seltsamerweise in der Szene der Segnung der Söhne Josephs noch einen Stab hält (Taf. 46a. b; eine Art Kompilation oder Reflex aus der vorausgehenden Schwurszene?)[345], und das andere Mal Joseph in einer Episode nach seiner Erhöhung (Gen 43,15) einen — wie in Cimitile (Abb. 32) — dünnen, kurzen Stab in der Hand hält (Taf. 40f)[346].

---

[342] Beischriften haben die Beispiele o. Anm. 340 nr. c. d. f. i. j. k; bei h und anscheinend auch bei g in den 3 zusätzlich genannten Handschriften. Während in c und d der »Stab« erwähnt wird (OUSPENSKY, Octateuque 140 nr. 84 und MENHARDT [o. Anm. 287] 326f, letzterer auch zu f), gibt die Beischrift in k den Bibeltext Gen 47,31 nur sehr allgemein wieder (vgl. dazu u. Anm. 343).

[343] Sicher trifft das für die Oktateuche (b. d. e in Anm. 340) zu. Da sich in der Velislav-Bibel das geschriebene Wort allgemein »nur auf die kürzesten Auszüge aus dem lateinischen Bibeltext« beschränkt (so STEJSKAL [o. Anm. 340] 45), kann man nur vermuten, daß der für das Bild (oder dessen Vorlage) maßgebliche Bibeltext der altlateinischen Version folgte, wenn nicht gar der Stab nur allgemein als Zeichen für das Greisenalter Jakobs steht. Immerhin kommt er auch in fol. 51ʳ bei Jakob vor.

[344] Zu den letzteren schon HESSELING, OUSPENSKY und MENHARDT (o. Anm. 340 unter d. e. f). Auffallend ist, daß die Darstellung im Vat. gr. 747 (Taf. 41a; b in Anm. 340), der als »purer copy of the archetype« gilt (WEITZMANN, Roll and codex 190; weitere Hinweise und Lit. bei KÖTZSCHE-BREITENBRUCH, Via Latina 29₁₄₇₆), sich völlig davon unterscheidet (für ähnliche Unterschiede vgl. die Jakob-Engelkampfszenen in den einzelnen Oktateuchen o. Anm. 274. 276; außerdem u. Anm. 449). Die Darstellung im Vat. gr. 746 (c in Anm. 340) könnte dagegen eine bewußte Veränderung von d und e sein: Es sei nur die (nach dem Bibeltext)

korrekte Position der Schwurhand hervorgehoben (so nach Abb. im Index of Christian Art/Utrecht).

[345] Nach L. H. ABDEL-MALEK, Joseph tapestries and related Coptic textiles, Diss. Boston (1980) 65 wird auf koptischen Stoffen Jakob auch in vorausgehenden Szenen mit einem Stab dargestellt; nur allgemein Zeichen seiner Würde bzw. des Greisenalters (vgl. o. Anm. 343) oder generelle Übernahme aus der Episode in Gen 47,31? Eine Verbindung dieser Textstelle mit Gen 48 existiert schon im Hebräerbrief (Anm. 338).

[346] S. TSUJI, Genèse de Cotton 61 Abb. 136. Im Text ihrer Arbeit, den mir wiederum Dr. TOSHIYUKI HIROTA übersetzt hat, steht: »Die Brüder, die wieder Joseph besuchen (mit Benjamin = Gen 43,15). . . . Die linke Seite des Bildes fällt aus. Joseph mit dem Szepter und vor ihm sieben Brüder sind ganz deutlich . . .« (es handelt sich um eine »durch den Brand verlorene Folio-Seite«, die wenigstens in einer Zeichnung überliefert ist). – In der Bibel von Rovigo auf fol. 33ᵛ (FOLENA/MELLINI [o. Anm. 316] Taf. 66) und im Königin-Isabella-Psalter in München, Staatsbibl. gall. 16, zB. in der Szene des Segens an Ephraim und Manasse auf fol. 45ᵛ (aber auch in anderen Josephsszenen dort; so nach Index of Christian Art / Utrecht) hat eindeutig Joseph einen Stab (so auch bei einer Josephsszene in S. Restituta/Neapel; Lit. u. S. 153₆₄₃). – Nach G. CHAPMAN, Jacob blessing the sons of Joseph: JournWaltersArt-Gall 38 (1980) 37 Fig. 6 ist das Szepter in der Linken Josephs in einer Szene des Jakobsegens aus dem 12. Jh. »a motif for which a visual tradition has not yet been discovered«.

1.3.4 Schlußfolgerungen für die Darstellungsform in Cimitile

Wenn auch keines der aufgeführten Beispiele dieser Ikonographie mit der Darstellung in Cimitile unmittelbar zu vergleichen ist[347], so zeigen dennoch die eben gemachten Beobachtungen, daß Einzelelemente der Schwurszene auf Grund einer mehr oder weniger genauen Umsetzung des betreffenden Bibeltextes (nach der Version der LXX oder der Vetus Latina) ins Bild in etwa ähnlicher Weise illustriert werden konnten, also von den Bilddetails her nichts direkt dagegen spräche, daß die Darstellung in Cimitile eine Mehrphasenszene nach Gen 47,29/31 wiedergibt: das Reden Jakobs (man vgl. seine Geste), der Schwur Josephs (mit der Rechten an der Hüfte) und die Episode mit dem Stab. Diese Einzelheiten sind jedenfalls für alle anderen in dieser Untersuchung genannten Deutungen in der vorliegenden Kombination untypisch, von den aufgezeigten zahlreichen Widersprüchen ganz zu schweigen. Im Zusammenhang mit dem Text in Gen 47,29 sei noch darauf verwiesen, daß die rechte Hand Josephs in der Darstellung in Cimitile wohl nicht ohne Grund fast völlig verdeckt wiedergegeben ist, zumal eine derartige Überschneidung durch Versetzen der Gestalt nach rechts hätte vermieden werden können, da auf der Bildfläche reichlich Platz vorhanden ist (Abb. 32); möglicherweise soll aber gerade durch diese Darstellungsart der Wortlaut in der Vetus Latina genau illustriert werden: »unterlege deine Hand unter meine Hüfte«[348].

Was schließlich die Art des Kompositionsschemas anbelangt, läßt sich zum Vergleich – neben der schon kurz erwähnten Darstellung einer textlich nahestehenden Josephsepisode in der Wiener Genesis (Taf. 40d)[349] – noch ein inhaltlich wie formal sehr eng verwandtes Bild aus den Oktateuch-Handschriften, die auf antike Vorbilder zurückgeführt werden[350], nennen. Es handelt sich um die biblische Episode, in der Abraham ebenfalls im hohen Alter von seinem Oberknecht verlangt, daß er ihm beim Schwur unter die Hüfte fasse (Gen 24,1/3. 9; Taf. 40e)[351]. Da sich bei den Wandmalereien aus Raum 14 in Cimitile sonst keine unmittelbaren Beziehungen zu diesen Handschriften feststellen lassen (vgl. zB. u. S. 123/5), kann man aus der Verwandtschaft in der Komposition dieser Darstellungen entweder auf eine gewisse Verbreitung dieses Bildschemas schließen oder dieses Phänomen mit den begrenzten Möglichkeiten der bildlichen Umsetzung eines bestimmten Themas erklären.

Abschließend gilt es noch, auf zwei Aspekte beim Bild in Cimitile näher einzugehen, die bei der vorgeschlagenen Deutung einer Klärung bedürfen.

a) Es ist nicht auszuschließen, daß in der rechten, heute größtenteils zerstörten Bildfläche noch ein weiteres Bilddetail vorhanden war (S. 79; Abb. 32). Sieben der

---

[347] Es bestehen immerhin auch keine engen Beziehungen zwischen der meist ebenfalls dargestellten Szene des Segens an Ephraim und Manasse (s. jeweils in der o. Anm. 340 angeführten Lit.; für die Oktateuche s. hier S. 115/7. 123f) und dem entsprechenden Bild in Cimitile.

[348] Gen 47,31: »suppone manum tuam sub femore meo«; so nach dem »Europäischen Text« der Vetus Latina; in der Vulgata dagegen nur »pone« (vgl. FISCHER, Genesis 487).

[349] Zum Anfang von Gen 49; so GERSTINGER 110, BUBERL 126 und MAZAL 124. 159 (alle o. Anm. 263). Die Schwurszene nach Gen 47,29 fehlt dagegen heute in dieser Handschrift.

[350] Vgl. zusammenfassend KÖTZSCHE-BREITENBRUCH, Via Latina 27/30. 105/7.

[351] In den einzelnen Oktateuchkatenen ist diese Szene (zur andersartigen Darstellung von Josephs Schwur s. Anm. 343f) ziemlich ähnlich wiedergegeben (Vat. gr. 747 fol. 44ᵛ; Vat. gr. 746 fol. 85ʳ [beide unveröffentlicht]; HESSELING, Miniatures nr. 83 fol. 36ʳ; OUSPENSKY, Octateuque Pl. XV, 49 fol. 90ᵛ). – In jüdischen Schriften wird schon bei der Schilderung der Schwurszene in Gen 47,29/31 auf Gen 24,1/3 verwiesen; GINZBERG, Legends of the Jews 2,130.

mittelalterlichen Darstellungen dieses Themas zeigen noch zusätzlich entweder die beiden Söhne Josephs bzw. eine unterschiedliche Anzahl seiner Brüder (zB. Taf. 41d)[352] oder verschiedene Phasen des Geschehens, wobei jedesmal ein Bote Joseph zu Jakob ruft (Taf. 41e. f). Auch wenn sich zu diesen sehr unterschiedlichen Beispielen keine engeren typologischen Beziehungen herstellen ließen, so können doch durch sie einige Möglichkeiten der Erweiterung dieser Szene aufgewiesen werden; außerdem ist damit das Vorkommen weiterer nicht durch den Bibeltext bedingter Details für eine derartige Szene belegt.

   b) Bei einer Benennung der Sitzfigur als Jakob stellt sich das Problem, daß dieser – nach Kauffmann – in der frühchristlichen Kunst bisher nur in Szenen bis zu den Episoden in Gen 32 ebenso wie hier in einer kurzen Tunika dargestellt ist (als Merkmal seines Hirtenstandes; zB. Taf. 38a), in darauffolgenden Szenen aber immer nur – »zum Zeichen der Patriarchenwürde« – in Tunika und Pallium erscheint (zB. Taf. 45a. b)[353]. Interessant für diesen Fragenbereich ist, daß Jakob beim Kampf mit dem Unbekannten (Gen 32,25/27) auf einem Denkmal aus dem 4. Jh. noch die kurze Tunika trägt (Taf. 38a), in einer ikonographisch sehr ähnlichen Darstellung aus dem 6. Jh. dann aber in Tunika und Pallium gekleidet ist (Taf. 38b). Bei Darstellungen mit der Himmelsleiter (Gen 28,11/13) zeigen ihn dagegen frühere Denkmäler in Tunika und Pallium, einige spätere aber in kürzeren Gewändern[354]. Es bleibt somit sehr fragwürdig, gerade in der Anfangszeit der Illustration alttestamentlicher Texte einen einheitlichen Jakobtypus anzunehmen[355]. – Der Bibelbericht könnte für die Wiedergabe einer einfacheren Gewandung gewisse Anhaltspunkte bieten, zumal bei zwei der deutbaren Bilder des gleichen Raumes in Cimitile eine große Texttreue feststellbar ist[356]: Noch in Gen 47,1/6B, bes. Vers 3, wird davon gesprochen, daß die Brüder Josephs wie ihre »Väter« Schafhirten sind[357]. Abgesehen davon muß man auch noch erwähnen, daß die Figuren auf fast allen erhaltenen Darstellungen dieses Grabbaus kürzere Gewänder tragen (s. S. 58₁₃₈). Als einziger direkter Bildvergleich läßt sich aber nur die betreffende Szene in der Velislav-Bibel aus dem 14. Jh. (fol 50ᵛ) anführen, doch mag es sich da vielleicht nur um die Wiedergabe einer bestimmten, zeitlich bedingten Mode handeln (Taf. 41f)[358].

   Auch wenn einige Fragen bei der vorgeschlagenen Deutung dieses Bildes in Cimitile als eine Szene zu Gen 47,29/31 schon mangels direkter Vergleiche offenbleiben, so konnten wir doch auf Grund zahlreicher Details wahrscheinlich machen, daß die

---

[352] Außerdem in Anm. 340: c. e. f. h. Die kleinere Figur neben dem Kamel in der formal verwandten Abraham-Szene (s. o. Anm. 351) ist auch nicht im Bibeltext erwähnt, also entweder eine künstlerische Zutat (vgl. Weitzmann, Roll and codex 165/71) oder von einem außerbiblischen Text abhängig.

[353] S. Kauffmann, Jakob 371f (aber nicht nur »bis zu seinem Auszug aus Labans Haus« [Gen 31], sondern bis Gen 32,25f; vgl. Taf. 38a). Nach Kraeling, Synagogue 221f₈₇₉ bestehen Zweifel, ob der Patriarch dort in der Segensszene ein langes Gewand trägt. Nach dem Foto von 1933 (Taf. 42) ist dies aber sicher.

[354] Vgl. Kötzsche-Breitenbruch, Via Latina 66/70 Taf. 12a/b. 13a; Kraeling, Synagogue Pl. XXVI; Age of Spirituality 470/2 Pl. XIII (Ashburnham-Pentateuch fol. 25ʳ).

[355] Vgl. dazu auch in den Darstellungen den Wechsel von Bärtigkeit und Unbärtigkeit bei Jakob (Kauffmann, Jakob 372). – Vgl. allgemein ähnliche Probleme bei anderen frühen Darstellungen, zB. u. Anm. 462. 468.

[356] S. Kap. II,1.1 und 1.4.

[357] Interessanterweise nennt sich – wohl deshalb – Jakob nach der Beischrift des Bildes im Queen Mary's Psalter, das der Schwurszene vorausgeht (ebenfalls fol. 19ᵛ), »pastuier«; Warner (o. Anm. 340) 65 zu Pl. 36.

[358] Nach Stejskal (o. Anm. 340) 52 ist diese Tracht dort »romanischen Ursprungs«; zu der Vorlagenfrage vgl. auch Koshi (o. Anm. 124) 54₃₁f und vorsichtiger Bucher (o. Anm. 340) 1, 90.

herrscherliche Gestalt Joseph darstellt und von daher eine Szene aus der Josephsgeschichte nach der Erhöhung durch den Pharao gemeint sein wird. Für eine Erklärung der meisten Charakteristika dieser Szene habe ich jedenfalls unter den in Frage kommenden Episoden von Gen 41 bis 50 nur die erwähnte Stelle in Gen 47 finden können. – Im Vergleich zu den wenigen mittelalterlichen Illustrationen dieser Genesis-Stelle, deren Gesamtzyklen meist auf spätantike Vorlagen zurückgeführt werden, stellt das Bild in Cimitile einen eigenständigen, vielleicht lokal begrenzten Typus dieser Szene dar. Außerdem ist es die älteste erhaltene Darstellung dieser Art.

Bemerkenswert im Zusammenhang mit der Deutung auf eine Jakob-Joseph-Szene ist schließlich, daß unter den alttestamentlichen Darstellungen in der von Paulinus von Nola wohl 401–403 neu errichteten Basilika mindestens zwei Bilder aus diesem Themenbereich vorhanden waren, nämlich Jakob auf der Flucht vor »Edom« bzw. Esau (nach Gen 27,43/28,18) und Josephs Flucht vor der Frau des Potiphar (nach Gen 39,7/12)[359]. Auch in seinen verschiedenen Schriften geht Paulinus öfters auf diese beiden alttestamentlichen Gestalten ein[360], wobei er zB. in einem im Jahre 400 (?) geschriebenen Gedicht die vom Pharao dem Joseph verliehenen Insignien – darunter auch den »Torques« – ausführlich behandelt und sogar als »Auszeichnungen, die für Christus angemessen« wären, beschreibt[361], was in einem gewissen Gegensatz zu den oben erwähnten Abwehrreaktionen kirchlicher Stellen (aus dem Jahre 381; s. S. 89) gegen eine Übernahme fremden Brauchtums steht. Bei der gesicherten Spätdatierung der Malereien dieses Grabraumes (S. 161/8) bestünde von daher die Möglichkeit, gerade diese Darstellung mit den zahlreichen Bau-Aktivitäten des Paulinus im Bereich des Felixgrabes (S. 21) in Verbindung zu bringen; ich verweise nur auf die m. W. zum ersten Mal in der christlichen Kunst vorkommende Darstellung eines Torques bei der Josephgestalt auf dem Bild in Cimitile.

[359] Die Bauzeit der neuen Basilika ist in der Literatur umstritten. Während als Enddatum meist 403 angegeben ist, wird als Baubeginn entweder 400 oder 401 angenommen. Für ersteres zB. CHIERICI: ASTL 2,2 (1960) 163 (vgl. dagegen ders., Sant'Ambrogio 318₈); VENDITTI 532. Für letzteres zB. GOLDSCHMIDT (o. S. 7₅) 4 (vgl. aber ebd. 192 zu carm. 28,267/9); WEIS (o. S. 9₁₃) 134. 142; KIRSTEN 616; nach KRAUTHEIMER (o. S. 9₁₃) 207 fällt die Bautätigkeit des Paulinus in die Jahre »401/2«; nach TOSCANO/MOLLO 165 ist die Basilika »eretta nel 400«. Auf Grund der neuesten Datierungen der dafür maßgeblichen Schriften des Paulinus (carm. 27: »14. 1. 403«; carm. 28: »14. 1. 404«; ep. 32: »404 summer«; so P. FABRE, Essai sur la chronologie de l'œuvre de Saint Paulin de Nole [Paris 1948] 34f. 39. 45. 113; LIENHARD 187. 189. 191; JUNOD-AMMERBAUER [o. S. 21₈₄] 25₂₂. 30. 36; nach GOLDSCHMIDT aO. 17f, WEIS aO. 138f₃₃ und TESTINI 174₅₃ stammt ep. 32 schon aus den Jahren 402/3) erscheint mir die Zeitspanne 401–403 am wahrscheinlichsten, zumal in carm. 28,266/9 »die Vollendung der Bauwerke und die Bauzeit mit etwas mehr als zwei Jahren angegeben [wird], da im dritten Jahr

die Bauten vollendet wurden« (so nach P. DAHMEN, Bilddarstellungen und -interpretationen bei Paulinus von Nola, unveröffentlichte Diplomarbeit im Fach Kath. Theologie, Bochum [1982] 8 und WALSH, Poems 411₁₉). – Für die Bildbeschreibung in carm. 27,620/9 s. E. STEINMANN, Die Tituli und die kirchliche Wandmalerei im Abendlande (Leipzig 1892) 15f und RIZZA (o. S. 21₈₄) 311.

[360] Vgl. WALSH, Letters 1,273; 2, 384f; ders., Poems 438 (jeweils s. v. »Jacob« bzw. »Joseph«).

[361] Carm. 24,783f: »stolam sed iste byssinam et torquem aureum gerat, apta Christo insignia«; vgl. auch Verse 791/4. 813. Zur Datierung s. FABRE, Essai aO. 117. 139 und LIENHARD 187. 190. – Die Bezeichnung des Gewandes von Joseph als »stola« wird in der Vulgata – aber auch schon in einer Version der Vetus Latina – »hauptsächlich als Männerkleid« und »vor allem für vornehme Gewänder gebraucht«; M. BIEBER, Art. Stola: PW 4A,1 (1931) 61; vgl. zu Gen 41,42 FISCHER, Genesis 428; Paulinus hält sich hier bei seiner Wortwahl zT. genau an den genannten Bibeltext.

1.4 Jakob segnet Ephraim und Manasse

1.4.1 Beschreibung und Stil

Das letzte Bild auf der Südwand vor der SO-Ecke von Raum 14 wird durch die davorgebaute nachantike Mauer zum größten Teil verdeckt. Es ist heute nur schwer zugänglich durch einen etwa 24 cm breiten Spalt, der von den Ausgräbern zur Freilegung des Bildes aus der späteren Mauer herausgeschlagen wurde (Abb. 26f; Taf. 24a. 25b).

CHIERICI erwähnt in seinen Veröffentlichungen diese Darstellung nicht ausdrücklich, sondern nur im Rahmen seiner allgemeinen Aufzählung der Malereien[362]. In seinem Grabungstagebuch schreibt er unter dem 20. 9. 1956: »Due ragazzi avanzano disinvolti; il minore ha la mano di una figura molto piu grande sulla testa in gesto protettivo. La figura è anch'essa mutila«.

HEMPEL bietet sogar eine Deutung: »eine Coronatioszene [erhaltene Breite 87 cm, Höhe 33 cm, Höhe der stehenden Figuren 22 cm]: im Zentrum einer vielfigurigen, durchweg frontal gerichteten Gruppe ein Palliatus, dem ein anderer einen Kranz? über das Haupt hält. Dieses Bild erinnert außerordentlich stark an die Salbung Davids durch Samuel in der Durener Synagoge«[363].

Entgegen den anderslautenden Feststellungen von FINK[364] hat sich der Zustand des Bildes im Vergleich zu 1961 kaum verändert. Die Gesamtbreite des Bildfeldes einschließlich der Rahmenstreifen beträgt 94 cm. Die Breite des rechten Vertikalrahmens von 13 cm ist recht ungewöhnlich für die Malereien dieses Raumes, zumal der Rahmen nicht einheitlich schwarz gemalt ist, sondern in seiner linken Hälfte fast 5 cm breite, vertikal verlaufende rötliche Farbflecken aufweist (Abb. 26). Da am linken Bildrand zwei ebenso breite Rahmenleisten nebeneinanderliegen – links eine rötlich-braune und dann eine schwarze (jede ca. 6 cm breit; Taf. 5b) –, ist es möglich, daß auch der rechte Rahmen einmal aus zwei Bändern bestand. Auffallend sind auch die größeren, ebenfalls roten Farbpartien im 6,5 cm breiten unteren Horizontalrahmen, der sonst schwärzlich wirkt. Es ist somit nicht klar, ob Teile des Bildrahmens in einer zweiten Phase übermalt worden sind oder ob das Bild weniger breit als vorgesehen angelegt worden ist. – Das Bildfeld mit seinem unteren Rahmen ist heute bis zu 36 cm hoch relativ gut erhalten. Über einer annähernd horizontalen Abbruchlinie zeichnen sich außerdem noch schwach weitere Farbflächen (s. u.) und der rechte Vertikalrahmen auf dem Verputz ab. Das obere Bildende ist nicht mehr faßbar (Taf. 25b).

Der besser erhaltene Teil des Bildes beginnt links mit einer rosafarbenen Fläche, die sich bis zum rechten Rand hin fortsetzt (Hintergrund; Abb. 33: 2; Taf. 5b). Als erstes Bilddetail folgt ein vertikal verlaufender, ockerfarbener Pfosten, der sich nach unten verjüngt. Über diesem erstreckt sich eine etwa gleichfarbige Lehne, die ein wenig nach rechts versetzt erst in einer senkrechten und dann in einer leicht ausladenden, gebogenen Form gestaltet ist. Der Pfosten und diese Lehne bilden den Rand einer größeren roten Fläche, die in der Mitte des Bildes noch einmal in einem kleineren Rest, nur etwas heller, vorkommt (s. S. 102). In ihrem unteren Teil wird die Fläche von einem waagerechten, ockerfarbenen Balken durchbrochen, der mit dem Pfosten in Verbindung steht. Unterhalb

---

[362] S. o. Anm. 1. – Die zT. schwer zugängliche Lage des Bildes schränkt das Fotografieren (bes. von Details) ein.

[363] ZAW 73 (1961) 302.

[364] FINK, Bildfrömmigkeit 58₂₃₈; dazu das Zitat auf S. 11.

der roten Fläche zeichnet sich auf einer stark zerstörten Malschicht noch eine unregelmäßig breite, mittel- bis dunkelbraune Horizontallinie von einer abgeriebenen, hellbraunen Farbfläche ab. Alle Details zusammengenommen, kann man wohl von einer Art Bett sprechen, von dem ein Bettpfosten links, darüber eine Rückenlehne, ein rotes Bettuch (bzw. Kissen) und darunter – mit Vorbehalt – vielleicht der Rest eines (seltsam hochstehenden) Fußschemels zu erkennen sind. Der rechte Abschluß dieses Bettes bleibt fraglich (s. S. 103). Ob über der roten Fläche des Bettes ein weiteres Bilddetail (wie zB. der Oberkörper einer Gestalt) gemalt war, ist wegen der unzugänglichen Lage dieser Stelle nicht zu ermitteln. Unmittelbar rechts von dieser roten Fläche befindet sich eine teilweise geschwungene weißlich-graue Farbpartie, die weiter rechts bei einer zerstörten Stelle noch von einer rötlichen, leicht gekurvten Linie durchzogen wird. Eine ähnliche, aber etwas hellere Farbe erscheint auf den oberen freien Flächen zwischen den vor dem Bett stehenden Figuren (s. u.) und in einem Reststück auf dem schlechter erhaltenen Malgrund darüber (zT. sicher Partien eines Gewandes mit einem roten Zierstreifen; Abb. 33; Taf. 6c).

Von der Gestalt, die dieses Gewand trägt, sind noch zwei Körperpartien sichtbar. Direkt unter der Abbruchlinie der Malerei befinden sich ihre beiden überkreuz gehaltenen, unbekleideten Arme. Die großen Hände liegen so auf den Köpfen zweier kleiner Gestalten, daß die auch vom Beschauer aus gesehen rechte Hand – ziemlich weit ausgestreckt – gerade die Haarkalotte der kleineren Figur berührt und die linke (vom Beschauer aus ebenfalls links) unter dem rechten Arm hervorkommt und ganz auf dem Kopf der ca. 3 cm größeren Figur ruht[365]. In etwa über dem Kreuzungspunkt beider Arme, 8 cm oberhalb der Abbruchlinie der Malerei, haben sich auf dem Malgrund noch deutlich fleischfarbene Reste des (einst vielleicht en face wiedergegebenen) Kopfes[366] über einem weiß-grauen Farbfleck des Gewandes erhalten. In der unmittelbaren Umgebung zeigen zahlreiche blaue Farbreste den Hintergrund an. Ergänzt man die fehlenden Teile des Körpers, so wird deutlich, daß die Person zumindest mit ihrem Oberkörper ziemlich aufrecht auf dem Bett dargestellt gewesen sein muß. Ob sie jedoch liegend oder wohl eher leicht schräg sitzend wiedergegeben war, ist nicht zweifelsfrei zu bestimmen, da die Position ihrer Beine nicht ganz eindeutig auszumachen ist[367].

Vor ihrem Bett stehen die oben schon erwähnten zwei kleineren Gestalten direkt nebeneinander (Taf. 5b). Beide sind frontal und aus dem Bild herausblickend dargestellt. Die vom Beschauer aus linke, größere Person trägt eine grün-gelbliche, ungegürtete und mittellange Ärmeltunika, die mit zwei dünnen Clavi verziert ist. Von ihren Händen bzw. Armen und von ihren Beinen haben sich nur wenige fleischfarbene Spuren erhalten. Immerhin läßt die Lage dieser Spuren darauf schließen, daß die Hände wahrscheinlich am Körper angelegen haben und die Arme zu einem großen Teil von langen Ärmeln verdeckt

---

[365] Die linke Hand und der Arm sind mehr rötlich-braun; letzterer ist besonders am Ellenbogen dunkler schattiert. Außerdem kann man noch gerade rote Binnenlinien als Angabe von Fingern erkennen. Die rechte Hand ist mehr hellbraun. Durch die Anordnung der Finger läßt sie sich deutlich als rechte Hand ausweisen. – Die vom Beschauer aus rechte kleine Gestalt war ca. 23 cm, die linke 25–26 cm groß.
[366] Vor dem Original schien mir, als könne man noch die dunkleren Partien der Augen schwach erkennen.

Ihre Anordnung läßt ein ziemlich frontal ausgerichtetes Gesicht vermuten. Die Farbflächen des Kopfes und des Halses haben heute insgesamt die Höhe von ca. 6 cm und eine maximale Breite von 3,5 cm.
[367] Die relativ weit auseinanderliegenden weißlich-grauen Farbpartien des Gewandes könnten, wie bei anderen Beispielen, auf den durch das Sitzen unten breiter werdenden Körper hinweisen (vgl. Taf. 45d. f); immerhin befinden sich beim vermutlichen Bettende rechts keine derartigen Farbpartien.

waren. Die Beine sind parallel nebeneinandergestellt gewesen. – Die rechte, kleinere Gestalt hat ein rötliches, ebenfalls nur mittellanges, ungegürtetes Kleidungsstück an, auf dem zahlreiche weißliche und zwei schwarze Vertikalstriche und unterhalb des Halses auch noch rote Querstriche zu sehen sind (Faltenbahnen und Clavi einer Tunika). Während ihr rechtes Bein wohl frontal wiedergegeben war, ist ihr linkes deutlich abgespreizt (ponderierter Stand). Die Haltung der Arme ist ungewiß. – Der Kopf der linken Gestalt ist 3,5 cm und der der rechten 3 cm hoch. Beide Köpfe sind in Höhe der Augenpartie ca. 3 cm breit; damit sind sie auffallend kleiner als die noch vorhandenen Reste des Kopfes der über ihnen befindlichen Gestalt (Taf. 6c). Beide Köpfe sind von einer knappen Haarkalotte bedeckt. Das linke Gesicht erscheint schmaler bzw. länglicher und nicht mehr so babyhaft gerundet und gleichproportioniert wie das rechte. Durch helle und dunkler geschattete Partien und durch aufgesetzte Lichter wirken die zwei Köpfe trotz ihrer Kleinheit sehr plastisch und qualitätvoll[368].

Neben der rechten Gestalt steht eine weitere, aber größere Figur (Taf. 5b). Dazwischen zeichnet sich noch eine ähnliche rote Fläche wie links im Bild ab (s. o.); sie hat ihren unteren Horizontalabschluß auf der gleichen Höhe wie jene. Mit den Händen[369] faßt nun die große Figur jeweils an die linke Schulter der vor ihr stehenden zwei kleinen[370] Gestalten. Sie selbst trägt ein purpurfarbenes, von Faltenbahnen durchzogenes Gewand (Tunika) vermutlich mit weiten Ärmeln, von denen der – vom Beschauer aus gesehen – rechte noch eine Abschlußbordüre besitzt. Möglicherweise gehören die breiten, etwas dunkleren Stoffbahnen entlang der Rückenpartie zu einem Mantel, der schräg über den Oberkörper gezogen ist (vgl. die Schrägfalten auf Taf. 6c). Die gesamte Gewandung ist nur etwa knielang. Deutlich sind auch noch die Beine zu erkennen, und zwar das rechte im Stand und das linke schräggestellt, an seinem oberen Ende möglicherweise mit dem Ansatz von einer roten Hose (Abb. 33; Taf. 5b; man vergleiche den rötlichen Farbrest direkt unterhalb des Gewandes mit den gleichfarbigen Hosenpartien der rechten Gestalt auf Taf. 7c). Der eine erhaltene, beschuhte Fuß[371] berührt nur mit der Spitze den rosa-braunen Bodenstreifen und wirft nach vorne zwei bräunliche, parallel laufende Schattenlinien. – Während die als Kinder anzusehenden kleineren Gestalten und die im Bett befindliche Person einen mehr statischen Eindruck machen, wirkt die große Figur durch die Laufstellung der Beine in Verbindung mit der Aktion ihrer Arme dynamischer. Der Oberkörper dieser Gestalt ist über der Abbruchlinie nur noch in wenigen dunkelroten Farbpartien faßbar. Wie die ockergelben Farbflächen, die links sogar einheitlich nach oben verlaufen, zu deuten sind, muß ich vor einer Restaurierung und Reinigung des Bildes offenlassen. Die eindeutig fleischfarbenen Reste etwa in der Mitte dieser Farbspuren geben immerhin einen deutlichen Hinweis auf die (leicht geneigte?) Position des Kopfes der Figur (Taf. 6c). Darüber und rechts bis zum roten Rahmen treten neben bräunlichen und schwärzlichen Flecken sonst nur hellblaue Farbspuren auf.

---

[368] Einige weiße Flecken auf den Gesichtern wie auch auf anderen Teilen der Bilder in Cimitile sind Kalkrosen.

[369] Ihre rechte Hand ist teilweise zerstört; man erkennt aber noch auf der Außenseite der Schulter des Kindes die Konturen eines Fingers und den anschließenden Unterarm. Ihre unförmig wirkende Linke liegt

dagegen (noch etwas deutlicher sichtbar) flach auf der Schulter der kleineren Gestalt.

[370] Zu den Maßen der kleinen Gestalten s. o. Anm. 365; die große war einst insgesamt etwa 40 cm hoch.

[371] Es läßt sich über dem Fußknöchel nur noch ein dunkler Riemen genauer ausmachen.

Rechts neben dieser großen Gestalt schließt noch ein Bilddetail an (Abb. 33; Taf. 5b): Ein vom Gewand aus schräg nach oben rechts verlaufender rot-orangefarbener breiter Strich, von dem orangefarbene Spuren senkrecht nach unten abgehen, bildete einst möglicherweise mit einer weiter rechts befindlichen rotbraunen Vertikallinie einen Winkel etwa auf Höhe der Abbruchlinie der Malerei. Die rötliche Fläche unterhalb des breiten, schrägen Striches hat grauweiße Farbhöhungen und nach etwa 5 cm unten einen ebenfalls schrägen dunkelroten Abschluß(?)-Strich besessen. Die übrige nach unten verlaufende Malfläche wirkt heute zT. noch grüngelblich-braun. Ob hier zB. das rechte Ende des Bettes (s. o.) dargestellt war, ist wegen der relativ starken Zerstörung dieser Bildfläche nicht sicher zu bestimmen. Es muß sich jedenfalls von der klar umrissenen Form her allem Anschein nach eher um den Rest eines Gegenstandes als um eine Art Landschaftsangabe gehandelt haben.

Diese Darstellung unterscheidet sich in all ihren Elementen so sehr von dem von HEMPEL zum Vergleich herangezogenen Bild der »Salbung Davids durch Samuel in der Durener Synagoge« (Taf. 44a)[372], daß man eine andere Deutung suchen muß. Auf Grund der beschriebenen Einzelheiten möchte ich in der Szene die Segnung Ephraims und Manasses durch Jakob (Gen 48,1/20) sehen, wobei sicher (mindestens) eine weitere Gestalt, wohl Joseph, mitdargestellt ist.

1.4.2 Der Bibelbericht in Gen 48,1/20

»Als nun die Zeit kam, daß Israel sterben sollte« (Gen 47,29), erfuhr Joseph, daß sein Vater krank sei; er nahm seine beiden Söhne Ephraim und Manasse und kam zu ihm. Jakob nahm seine Kräfte zusammen und setzte (richtete) sich in (oberhalb) seinem *Bett* bzw. Lager (auf)[373.] Daraufhin hielt er eine kurze Rede, in der er u. a. diese beiden Söhne Josephs, die in *Ägypten* geboren waren, zu den seinigen erklärte und seinen eigenen Söhnen Ruben und Simeon gleichstellte. Nach einem Gespräch mit Joseph und Umarmung der beiden Kinder wollte Jakob diese segnen. »Joseph zog sie von seinem Schoß (Knien) weg und (sie) verneigte(n) sich mit dem Angesicht zur Erde. Danach nahm Joseph seine zwei Söhne, den Ephraim zu seiner Rechten, aber zur Linken Israels, und den Manasse zu seiner Linken, d. h. zur Rechten Israels, und *führte sie heran.* Israel *streckte* aber seine *rechte Hand aus* und legte sie auf das Haupt Ephraims, der der Jüngere war, und die linke auf das Haupt Manasses, der der Ältere war, indem er seine Hände vertauschte (veränderte; verdrehte; bewußt führte)[374]. Und er segnete seinen Sohn Joseph« (bzw. »sie«)[375]. »Als Joseph aber sah, daß sein Vater die *rechte* Hand auf das Haupt Ephraims legte, mißfiel es ihm und er *ergriff die Hand* seines Vaters, um sie zu heben (wegzunehmen) vom Haupt Ephraims (und) auf das Haupt Manasses (hinüberzulegen)«[376]. Sein Vater

---

[372] Vgl. schon dagegen die Bildbeschreibung von CHIE-RICI O. S. 100; zum Bild in Dura s. KRAELING, Synagogue 164/8 Taf. LXVI.

[373] Gen 48,2: Hebr.: »וַיֵּשֶׁב עַל־הַמִּטָּה«; LXX: »ἐκάθισεν ἐπὶ τὴν κλίνην«; Vetus Latina: »sedit super lectum«; Vulgata: »Sedit in lectulo.«

[374] Gen 48,14: Hebr.: » שִׂכֵּל אֶת־יָדָיו «; LXX: »ἐναλλὰξ τὰς χεῖρας«; Vetus Latina: »immutans manus (transversis manibus)«; Vulgata: »Cummutans manus«; für die benutzten Textausgaben s. o. Anm. 19; bei Augustinus und möglicherweise auch bei Hieronymus kommt der

Ausdruck »decus(s)atim« vor (in Form einer römischen Zehn, also x-förmig; FISCHER, Genesis 493 unten rechts); Thes. Ling. Lat. 5,1 (1934) 248.

[375] Gen 48,15: Hebr.: »אֶת־יוֹסֵף«; LXX: »αὐτούς«; Vetus Latina: »eos«; Vulgata: »Joseph filio suo.«

[376] Gen 48,17: Hebr.: »מְנַשֶּׁה לְהָסִיר אֹתָהּ מֵעַל רֹאשׁ־אֶפְרַיִם עַל־רֹאשׁ«; LXX: »ἀφελεῖν αὐτὴν ἀπὸ τῆς κεφαλῆς Εφραιμ ἐπὶ τὴν κεφαλὴν Μανασση«; Vetus Latina: »auferre eam a capite Efrem ad caput Manasse«; Vulgata: »levare conatus est de capite Ephraim et transferre super caput Manasse«.

weigerte sich aber, die Hände zu vertauschen, denn der »jüngere Bruder wird *größer* als er« (der ältere bzw. »erstgeborene«) »werden, und sein Geschlecht wird eine Menge von Völkern werden; und er segnete sie«.

1.4.3 Exkurs: Zur Frage des Einflusses jüdischer Schriften auf bildliche Darstellungen dieses Themas

In zahlreichen neueren Untersuchungen zu bildlichen Darstellungen dieses Themas wird mehr oder weniger der Einfluß jüdischer Schriften als unmittelbar und allein maßgeblich für die Gestaltung bestimmter Bilddetails angesehen[377]. Es stellt sich deshalb die grundsätzliche Frage, ob derartige Text-Quellen tatsächlich die jeweiligen Bildformulierungen beeinflußt haben können. Für eine Beantwortung ist es notwendig, in einem Exkurs wenigstens auf die für unsere Untersuchung relevanten Textstellen etwas ausführlicher einzugehen. Nur so ist mE. eine richtige Beurteilung bzw. Einordnung etwaiger Eigenarten (und deren Ursprünge) sowohl bei der Darstellung in Cimitile wie auch bei vergleichbaren Szenen möglich.

In der nachbiblischen frühen jüdischen Überlieferung wird meist nur sehr allgemein auf diese Bibelstelle eingegangen[378]. In den Targumen, die zT. schon im 1. oder 2. Jh. nC. entstanden sein sollen, werden manche Worte oder Passagen anders als im betreffenden Bibeltext wiedergegeben[379]. Hervorheben möchte ich nur zwei für einige der zu behandelnden Bilder relevante Stellen:

Die Armhaltung Jakobs bei der Segnung wird allgemein entweder mit den Worten »überkreuzen« bzw. »umkehren« oder mit »absichtlich legen« beschrieben[380]. Letzteres könnte als Hinweis angesehen werden, daß man eine christliche Deutung der Armhaltung vermeiden wollte (s. S. 112f[425]).

Im Targum Pseudo-Jonatan (= Targum Jeruschalmi I), bei dem es sich um eine durch viele Legenden bereicherte, in galiläischem Aramäisch geschriebene Bibelübersetzung handelt (deren Spätdatierung ins 7./8. Jh. umstritten ist), wird die Mutter der beiden Kinder, Aseneth, ausdrücklich in diesem Zusammenhang erwähnt. Auf die vor der Segnung gestellte Frage Jakobs, von wem diese Kinder geboren seien, antwortet Joseph:

---

[377] J. Gutmann, Joseph legends in the Vienna Genesis: The Fifth World Congress of Jewish Studies 1969, Proceedings 4 (Jerusalem 1973) 183. 184 (Hinweis aber auf notwendige weitere Untersuchungen); U. Schubert, Spätantikes Judentum und Frühchristliche Kunst = Studia Judaica Austriaca 2 (Wien 1974) 24; G. Stemberger, Die Patriarchenbilder in der Via Latina: Kairos NF 16 (1974) 45f; K. Schubert, Die Miniaturen des Ashburnham Pentateuch im Lichte der rabbinischen Tradition: ebd. 18 (1976) 205f; Mazal, Wiener Genesis 158. 185; U. Schubert, Die Illustrationen in der Wiener Genesis im Lichte der rabbinischen Tradition: Kairos NF 25 (1983) 11/3. – Vorsichtiger oder allgemeiner W. Stechow, Jacob blessing the sons of Joseph: GazBA 23 (1943) 206/8[47], wiederabgedruckt in J. Gutmann, No graven images (New York 1971) 274/6[47]; H. von Einem, Rembrandt. Der Segen Jakobs = Bonner Beitr. z. Kunstwiss. 1 (Bonn 1950) 19[25] (außerbiblische Quellen); J. C. H. Lebram, Jakob segnet

Josephs Söhne: Oudtestamentische Studiën 15 (1969) 159/66; R. Haussherr, Rembrandts Jakobssegen = AbhDüsseldorf 60 (Opladen 1976) 32. 42/5; Kötzsche-Breitenbruch, Via Latina 75f (»einer legendären Erzählung folgende Darstellung«; ebd. 75[474f] Hinweis auf Stechow); Weitzmann, Buchmalerei 87 (»eine der vielen legendären Zutaten«; s. aber ebd. 80. 83); s. auch u. Anm. 395.

[378] Lebram 149/51; anders bei Philo von Alexandrien: ebd. 152[1]. 163f.

[379] S. dazu nur die Texte bei R. Le Déaut, Targum du Pentateuque 1 (Genèse) = SC 245 (Paris 1978) 424f und Anm.; zur Datierung der Targume s. Stemberger, Geschichte (o. Anm. 116) 81f.

[380] Le Déaut 426[h]. 427[8]; für die Auslegungen in den Midraschim GenRabba und NumRabba und für spätere jüdische Deutungen s. Kasher (o. Anm. 338) 6, 121f § 59.

»Meine Söhne sind sie, die mir das Wort Jahwes gab. Gemäß dieser Urkunde [Vertrag], die sie betrifft, habe ich die Aseneth geheiratet« als Tochter von Dinah, deiner Tochter[381].

In der Homiliensammlung Pesiqta Rabbati, deren endgültige Redaktion aus verschiedenen, zT. bedeutend älteren Quellen im 6. bzw. 7. Jh. nC. in Palästina angenommen wird, holt Joseph, als sein Vater den Segen nicht vollziehen kann, Aseneth sogar hinzu, damit er die Kinder, die wie Joseph »righteous« (BRAUDE) sind, ihretwegen segne[382]. Doch anders als es neuere Bearbeiter, die diese Quelle im Zusammenhang mit einer Bilddeutung anführen, schildern oder vermuten lassen, wird in diesem ebenso wie im oben genannten Text nirgends davon gesprochen, daß die Intervention der Aseneth die Segnung »ermöglichte«[383]. Im Gegenteil, es wird dort – nach W. BRAUDES Übersetzung – sogar gesagt: Jakob wolle sie zwar nun segnen, »but the holy spirit did not return to him, and when Joseph saw his father's distress, he took his sons and went outside«. Kurz darauf war es dann Josephs Verdienst, daß der »holy spirit« in den Vater zurückkehrte, wodurch dieser die beiden Enkel – besonders hervorgehoben Ephraim – segnen konnte[384]. – Bei der Annahme, die beiden zuletzt genannten Texte hätten eine bestimmte Bildformulierung beeinflußt, sollte man demnach den gesamten Wortlaut berücksichtigen, damit manche Besonderheiten des Textes nicht losgelöst von ihrem Kontext mit Bildformulierungen verglichen werden[385].

Beim Hinweis auf diese jüdischen Quellen wird schließlich folgendes in der Literatur[386] zwar häufig erwähnt, aber nicht weiter überprüft: In beiden Schriften wird in die

---

[381] Zitiert nach LEBRAM (o. Anm. 377) 159; er gibt aber für die letzten Worte eine andere Übersetzung als die hier im Text wiedergegebene von LE DÉAUT (427 § 9): ». . . als Tochter des Gesetzes«. Vgl. dazu U. SCHUBERT, Illustrationen (o. Anm. 377) 12. – Zur Datierung LE DÉAUT 37 (»rédaction finale . . . ne peut être antérieure au VIIIᵉ s.«); nach STEMBERGER, Geschichte 82: »geht (er) in viel frühere Zeit zurück . . . doch . . . viele spätere Zutaten«.

[382] STECHOW 207, LEBRAM 159 und HAUSSHERR 44 (o. Anm. 377); U. SCHUBERT, Illustrationen 12; eine neue Übersetzung und Kommentierung bei W. G. BRAUDE, Pesikta Rabbati = Yale Judaica Series 18 (New Haven/London 1968) 1, 78. 26 (zur Datierung und Lokalisierung; vgl. dazu auch STEMBERGER, Geschichte 92). – STECHOW zitiert den Text in einer gekürzten Fassung. Der von HAUSSHERR aO. und F. LANDSBERGER (Rembrandt, the Jews and the Bible [Philadelphia 1946] 164₅₅) herangezogene, ausführlichere englische Text von L. GINZBERG ist eine Kompilation GINZBERGS aus mehreren, zT. erheblich jüngeren Quellen, die natürlich in der Zeit Rembrandts eher bekannt gewesen sein konnten; s. GINZBERG, Legends of the Jews 1, Preface XIV; 2, 136ff; 5, Preface VII. IXf; 365 nr. 366f (Quellennachweis in »chronological . . . order«); s. dazu auch KASHER (o. Anm. 338) 6, 116f »Commentary« und »Anthology« § 41. – Nach LEBRAM (o. Anm. 377) 159 »entstammt« die Hinzufügung der Aseneth in diesem Midrasch »wohl einer Weiterentwicklung« früherer Gedankengutes bei zwei palästinensischen Amoräern des 4. Jh. nC. (ebd. 153₄; zu einem der dort genannten Namen s. E. DAVIS, Art. Samuel bar Nachman: Ency-

clopaedia Judaica 14 [1972] 812f: »late third and early fourth« Jh. nC.; nach STRACK/STEMBERGER [o. Anm. 116] 93: »Dritte Generation«), das im Midrasch Tanchuma überliefert ist (LEBRAM 151f; nach STEMBERGER, Geschichte 92 »Datierung auch der ältesten bestehenden Sammlungen nicht vor dem 9. Jahrhundert«; nach STRACK/STEMBERGER aO. 282 handelt es sich um eine »Weiterentwicklung« einer Textsammlung, die »materiell spätestens um 400 vorlag«).

[383] So aber GUTMANN und MAZAL (o. Anm. 377).

[384] S. BRAUDE (o. Anm. 382) 78f; so auch bei GINZBERG 2, 136 und HAUSSHERR (o. Anm. 377) 44.

[385] Der für den Bibelbericht und öfters auch für die nachfolgende jüdische (s. STEMBERGER [o. Anm. 377] 46, der bei Behandlung des Bildes in der via Latina [hier Taf. 45a] nur diese zitiert) und ebenso für die christliche Schrifttradition (s. zB. Hippolyt, bened. Isaac et Iacob 26 [PO 27, 108]; Augustinus, civ. Dei 16,42) charakteristische Disput zwischen Joseph und Jakob, wer von den Knaben den Hauptsegen mit der rechten Hand erhalten solle, wird auch in der Pesikta Rabbati erwähnt (anders aber STECHOW [o. Anm. 377] 207). – Im oben angeführten Targum Pseudo-Jonatan wird ein Detail der Episode dagegen etwas abgewandelt. Die Worte »er hob« bzw. »stützte die Hand seines Vaters« im Gegensatz zu dem sonst üblichen »Fassen« bzw. »Ergreifen der Hand« zeigen vielleicht schon ein direkteres Eingreifen Josephs an; s. LE DÉAUT (o. Anm. 379) 429; so schon LEBRAM (o. Anm. 377) 167.

[386] So bei STECHOW, GUTMANN, HAUSSHERR, WEITZMANN und MAZAL (s. o. Anm. 377).

Handlung eine Person eingeführt, die zwar in der Bibel an anderer Stelle kurz als die Frau Josephs und Mutter dieser beiden Kinder genannt ist (Gen 41,45. 50; 46,20), die aber ihre eigentliche weite Bekanntheit erst durch die Legenden erfuhr; von diesen Legenden ist der »hellenistisch-jüdische Roman ›Joseph und Aseneth‹« schon zwischen Ende 2. Jh. vC. und Anfang 2. Jh. nC. in Ägypten entstanden[387]. Dieser erfreute sich so großer Beliebtheit, daß er »einst – zumindest was seine Verbreitung anging – zur Weltliteratur gehörte« und zu einer Art »Volksbuch der Christenheit« wurde, wie es zahlreiche spätere Übersetzungen und illustrierte Handschriften anzeigen[388]; der früheste überlieferte Text ist eine etwa »in der ersten Hälfte des 6. Jh. entstandene« syrische Übersetzung aus dem Griechischen[389]. In christlichem Milieu – wohl spätestens seit Ende des 4. Jh. – findet man allerdings schon Reflexe und schließlich sogar Editionen dieses Romans[390]. Grundsätzlich war aber bereits im 3. Jh. eine jüdische Joseph-und-Aseneth-Legende dem Kirchenvater Origenes bekannt[391].

Die bisher getroffenen Feststellungen werden auf dem Hintergrund auch sonst vorhandener, noch weiter zu überprüfender Kontakte zwischen Juden und Christen

[387] C. BURCHARD, Untersuchungen zu Joseph und Aseneth = Wiss. Unters. z. NT 8 (Tübingen 1965) 142f (Zitat); ders., Joseph und Aseneth: W. C. KÜMMEL (Hrsg.), Unterweisung in erzählender Form = Jüdische Schriften aus hellenistisch-römischer Zeit 2,4 (Gütersloh 1983) 595. 614; M. PHILONENKO, Joseph et Aséneth = Studia Post-Biblica 13 (Leiden 1968) 108f; A. DENIS, Introduction aux pseudépigraphes grecs d'Ancien Testament (Leiden 1970) 47; STEMBERGER, Geschichte (o. Anm. 116) 56; D. SÄNGER, Antikes Judentum und die Mysterien. Religionsgeschichtliche Untersuchungen zu Joseph und Aseneth = Wiss. Unters. z. NT 2. R. 5 (Tübingen 1980) 1. 3. 4₄. – Durch die Ergebnisse dieser Arbeiten wird LEBRAMS Vermutung eines »samaritanischen Ursprungs« dieses Romans (aO. [o. Anm. 377] 160₂) wohl hinfällig.

[388] SÄNGER 3 (Zitat); LEBRAM 161; zur Verbreitung bzw. für die verschiedenen Übersetzungen s. ausführlich BURCHARD, Untersuchungen 1f; PHILONENKO 11/6. Für die späteren illustrierten Handschriften, die möglicherweise auf einen früheren »eleventh-century archetype« zurückgehen und anscheinend nicht, wie O. PÄCHT annahm, »from a sixth-century model« stammen, s. VIKAN, Manuscripts (o. Anm. 340) 425. 567f.

[389] BURCHARD, Untersuchungen 24f (Zitat) 133; PHILONENKO 12.

[390] Zu der Zeit sandte die Nonne Egeria ihren Pilgerbericht (zu der Ende des 4. Jh. unternommenen Reisen in die Ostprovinzen des römischen Reiches) in ihre Heimat nach Nordspanien oder Südfrankreich (s. J. WILKINSON, Egeria's travels. Newly translated with supporting documents and notes [London 1971] 3. 237f; P. DEVOS, Une nouvelle Égérie: Analecta Bollandiana 101 [1983] 43/70). In einer aus dem 12. Jh. überlieferten Passage, die der Urfassung zugerechnet wird, ist für die schon in der biblischen Josephsgeschichte genannte ägyptische Stadt »Heliopolis eine (jüdische oder aus dem Judentum übernommene?) Lokaltradition über ein Haus der Aseneth« bezeugt und spätestens durch diesen christlichen Bericht auch

im Westen des Reiches bekannt geworden (WILKINSON 7f. 27₇. 179f. 204; s. schon BURCHARD, Untersuchungen 137f [Zitat]; DENIS 41). Da in der Literatur anscheinend nur im Joseph-und-Aseneth-Roman, der in Ägypten entstanden ist (s. in der Lit. o. Anm. 387), und in einer »späte(n) syrische(n) Legende« ein Haus der Aseneth vorkommt, dürfte diese Lokaltradition ein Beleg für die Bekanntheit des Stoffs dieser Erzählung(en?) schon im 4. Jh. (so schon BURCHARD, Untersuchungen 96₆. 137₈ [Zitat]. 138₁; Text bei PHILONENKO 35₂) – zumindest in Heliopolis und möglicherweise auch bei Egeria – sein (der Autor des 12. Jh., der die betreffende Passage wohl aus dem Bericht der Egeria gezogen hat, »abbreviates and modifies her account« [WILKINSON 179], so daß ein etwaiger Hinweis auf die an diesem Ort erzählte Legende verlorengegangen sein könnte); ihr »reference Book« auf den Reisen scheint sonst nur die Bibel gewesen zu sein (so ebd. 6₂). – Etwa während des 5. oder 6. Jh. wurde jedenfalls der Joseph-und-Aseneth-Roman mit der in Syrien im 4. oder 5./6. Jh. entstandenen christlichen (wohl aus jüdischen Quellen schöpfenden) Josephs-Vita (PsEphraem) in einer christlichen Edition zusammengestellt und verbreitet (s. VIKAN, Manuscripts 22f. 31f₆₁f). Für die Bekanntheit des ersteren in christlichen Kreisen spricht auch sein Einfluß auf den Inhalt der Irenelegende, deren Datierung vor dem 5. Jh. aber unsicher ist (s. BURCHARD, Untersuchungen 134f; M. PHILONENKO: Encyclopaedia Judaica 10 [1972] 224; DENIS 41). – Zum möglichen Einfluß apokrypher Texte aus dem Bereich der Joseph-und-Aseneth-Legenden auch in anderen christlichen Schriften s. Hieronymus, quaest. hebr. in Genesim 41,45f (PL 23, 1049f); vgl. allgemein auch Augustinus, quaest. in heptateuchum 1,136 (CSEL 28,70f); jedoch schon im betreffenden Detail ähnlich Origenes (s. u. Anm. 391).

[391] Origenes, in Gen. 41,45: PG 12,136A; s. auch BURCHARD, Untersuchungen 98₈; PHILONENKO (o. Anm. 387) 39.

verständlicher[392]. G. K. VIKAN schreibt dazu im Zusammenhang mit dem Aseneth-Roman: »The Christian community was quick to appropriate and popularize Jewish apocrypha and pseudepigrapha. The history of the Romance of Joseph and Aseneth text is a perfect example«[393]. Auf Grund dieses Aspekts kann man besondere Bildformulierungen, wie etwa die Hinzufügung einer Frauengestalt (Aseneth?) auf zwei frühchristlichen Darstellungen des Jakobssegens (Taf. 45b. f; auch bei dem Bild in Cimitile ist nicht ausgeschlossen, daß sie dargestellt war; s. S. 122), nicht immer gleich unmittelbar auf »jüdische Traditionen« zurückführen[394]. Zumindest bestimmte jüdische Überlieferungen, wie die zur Joseph-und-Aseneth-Geschichte, waren nämlich schon bald auch den Christen bekannt und sogar in ihr Gedankengut eingeflossen.

Daß deshalb möglicherweise die Hinzufügung der Aseneth allgemein »mit dem Joseph-Roman zusammenhängen« könnte, ist schon von HEMPEL im Zusammenhang mit den Darstellungen in der Wiener Genesis und im Ashburnham-Pentateuch angemerkt worden[395].

Was das ungewöhnliche und zB. auch im Joseph-und-Aseneth-Roman nicht belegte Vorkommen der Aseneth bei der Segnungsszene selbst anbelangt, muß man nun noch die in der neueren Literatur getroffene Feststellung, daß wir »keinen literarischen Beleg von christlicher Hand für ihre Anwesenheit« kennen[396], relativieren. Von den zwei oben

[392] G. JOUASSARD, Art. Cyrill v. Alexandrien: RAC 3 (1957) 507; R. L. WILKEN, Judaism and the Early Christian mind (London 1971) 9/68; H. CHADWICK, Die Kirche in der antiken Welt (Berlin/New York 1972) 198. 354; VIKAN, Manuscripts 461₁₂₂; MAZAL, Wiener Genesis 185₈. Das Ausmaß solcher Kontakte müßte natürlich ausführlich überprüft werden, um »ein klares Bild von den Beziehungen zwischen Juden und Christen herzustellen, bevor der die Kunst betreffende Aspekt dieser Beziehungen erhellt werden kann«; so R. STICHEL, Außerkanonische Elemente in byzantinischen Illustrationen des Alten Testaments: RömQS 69 (1974) 160₈f/162. Vgl. H. STRAUSS, Jüdische Quellen frühchristlicher Kunst. Optische oder literarische Anregung?: ZNW 57 (1966) 127f.

[393] VIKAN, Manuscripts 27f. 461₁₂₃; außerdem: »Likewise . . . Syrian poets of the fourth to sixth centuries composed literal, popular adventure stories in which were incorporated many Jewish legends« (ebd. 461₁₂₄. 22₁₂. ₁₅); für eine Zusammenstellung der zahlreichen jüdischen wie christlichen Josephserzählungen s. ebd. 468f. – S. allgemein STICHEL 159f; die dort 160f angeführte Literatur für »ein derart massenhaftes Vorkommen jüdischer Elemente in der christlichen Kunst« ist aber wegen zahlreicher Fehlinterpretationen (s. nur Anm. 394; KOROL [o. Anm. 113] 176/90 und Anm., und hier in den Untersuchungen zu den einzelnen Bildern bzw. S. 175f) mit Vorbehalt zu sehen.

[394] Bei dem einzig sicheren jüdischen Bild (Taf. 43) fehlt die Aseneth. – Vorsichtig schon STECHOW 208₄₇; s. dagegen WEITZMANN, Buchmalerei 80. 87 (»durch jüdische Legenden« bzw. »aus der jüdischen Buchmalerei«), GUTMANN und MAZAL in Anm. 377. – Die gleiche Vorsicht sollte man auch bei anderen »legendären Zutaten« bei frühchristlichen und mittelalterlichen Darstellungen walten lassen (so VIKAN, Manuscripts

460₁₁₉f. 478₈₈ zB. für die Wiener Genesis). – Zur Möglichkeit einer indirekten Übernahme jüdischen Gedankenguts s. STICHEL 161f.

[395] H. L. HEMPEL, Jüdische Tradition in frühmittelalterlichen Miniaturen: Beiträge zur Kunstgeschichte und Archäologie des Frühmittelalters = Akten zum VII. Intern. Kongr. für Frühmittelalterforschung 1958 (Graz/Köln 1962) 58₂₇f; bei seinem Verweis auf »fol. 40ʳ« bzw. »v. Gebhardt, Pl. XI« muß es sich um einen Irrtum handeln; es kann nur heißen fol. 44ʳ bzw. Pl. XII. GERSTINGER, auf den HEMPEL hinweist, führt zwar den Joseph-und-Aseneth-Roman allgemein an (Wiener Genesis 110f), aber ohne eine direkte Verbindung mit der Hinzufügung der Aseneth in der Wiener Genesis-Darstellung anzusprechen. Vgl. auch H. L. HEMPEL, Zum Problem der Anfänge der AT-Illustration: ZAW 69 (1957) 128; hier sind für ihn bei der Zufügung der Aseneth in einer anderen Szene des Ashburnham-Pentateuch noch sehr allgemein »legendäre Stoffe faßbar«, die er jedoch, wie es u. a. seine Hinweise in der dortigen Anm. 106 zeigen, im jüdischen Raum ansiedelt. – Beide Aufsätze sind wieder abgedruckt bei J. GUTMANN, No graven images (New York 1971) 81/109. 347/61. – Vgl. auch schon BURCHARD, Untersuchungen (o. Anm. 387) 134₁. – Die für P. MASER, Irrwege ikonologischer Deutung?: RivAC 56 (1980) 358₉₀. 367 zu »komplizierte Hypothese einer . . . auf unsicheren Pfaden vermittelten jüdischen exegetischen Tradition, die dann im christlichen Bereich aus ungeklärten Gründen die Umsetzung in das Medium des Bildes erfährt«, gewinnt mE. in manchen Fällen (wie hier) an Glaubwürdigkeit.

[396] LEBRAM 161 und danach HAUSSHERR 44f (s. o. Anm. 377); vgl. allgemein U. SCHUBERT, Illustrationen (o. Anm. 377) 14f.

genannten späten jüdischen Quellen aus Palästina knüpft eine, der Targum Pseudo-Jonatan, wohl an die »frühestens Ende des 3. Jh.« nC. belegte und »in verschiedenen Formen variierte rabbinische Abstammungslegende Aseneths von Dina«, der Schwester der Josephsbrüder Simeon und Levi, an (dadurch wäre Aseneth keine Heidin!)[397]. Außer diesen beiden Quellen gibt es aber mindestens einen christlichen Text, der die Aseneth ausdrücklich im Zusammenhang mit dieser Bibelstelle nennt. Es handelt sich um eine längere Passage aus der vielleicht »vor 423« verfaßten Schrift γλαφυρὰ εἰς τὴν Γένεσιν des Patriarchen von Alexandrien, Cyrill[398]. Jakob hatte hiernach erwogen, die beiden Söhne, die Joseph von einer *ausländischen* Frau, Ἀσενὲϑ, hatte, zu segnen, damit sie nicht verabscheut und als fremde Nachkommenschaft angesehen, sondern gleichberechtigt in die Volksstämme Israels aufgenommen würden. Die Heiden-Christen bezeichnet er dann auch als Kinder einer ausländischen Mutter. In dieser christlichen Schrift, wie ähnlich in den beiden jüdischen Texten, wird also – nur unter einem etwas anderen Aspekt – unter Nennung der Aseneth »die Legitimität der Söhne Josephs« behandelt[399]. Einzig J. C. H. Lebram hat eine ähnliche christliche Interpretation schon im Zusammenhang mit den eben erwähnten frühchristlichen Darstellungen allgemein vermutet: »Die Josephssöhne hatten einen jüdischen Vater und eine heidnische Mutter und wurden so als Symbol des von Juden und Heiden abstammenden Gottesvolkes aufgefaßt«[400]. Da Cyrill bei seinen Abhandlungen – nach G. Jouassard – »grundsätzlich auch die älteren Interpreten«, d. h. auch die lateinisch schreibenden, benutzt hat[401], besteht die Möglichkeit, daß diese Vorstellungen schon älter sind. Auf jeden Fall war mit syrischen Übersetzungen seiner Schriften (später u. a. auch mit lateinischen) schon zu seinen Lebzeiten begonnen worden, so daß er bald zB. »für viele syrisch sprechende Theologen u. Gemeinden ›der Meister‹ gewesen sein muß«. Im 6. Jh. hat derselbe Mann, der auch für eine Übersetzung des Joseph-und-Aseneth-Romans verantwortlich zeichnet, die »γλαφυρά des Kyrillos« ins Syrische übertragen[402].

Nach all dem kann eigentlich nur das schon oben Gesagte wiederholt und bekräftigt werden: Bei der folgenden ikonographischen Analyse der möglichen Vergleichsbilder zu Cimitile, zB. bei der möglicherweise aus Syrien stammenden Wiener Genesis aus dem 6. Jh. (s. S. 120f Taf. 45f), aber auch allgemein, sollten auf Grund solcher bisher zu wenig beachteter Aspekte nicht mehr ungeprüft nur jüdische Schriften (deren Verbreitung

---

[397] Lebram (o. Anm. 377) 160 sieht das hingegen für die Schilderung in Pesiqta Rabbati. Vgl. auch o. Anm. 382. Für die zugrunde liegende Quelle vgl. Z. Kaplan, Art. Ammi Bar Nathan: Encyclopaedia Judaica 2 (1974) 852f: »end third century« (nach Strack/Stemberger [o. Anm. 116] 94 in diokletianischer Zeit); ausführlich Burchard, Untersuchungen (o. Anm. 387) 97. 98[1] (er schreibt zu einer Datierung der Legende ins 3. Jh.: »sicher ist das nicht«); Philonenko (o. Anm. 387) 32f. 37 (»peut-être beaucoup plus ancienne«, wohl wegen angeblicher Beziehungen zum Joseph-und-Aseneth-Roman, s. dazu aber Sänger [o. Anm. 387] 23f[4] und Vikan, Manuscripts [o. Anm. 340] 30[49]. 429). Der Midrasch GenRabba, in dem diese Episode erstmals mit der Angabe der Quelle belegt ist, wird bei Stemberger, Geschichte (o. Anm. 116) 87f »zu Beginn des 5. Jahrhunderts« angesetzt.

[398] Buch 6: Περὶ τοῦ Ἰωσὴφ καὶ τῶν υἱῶν αὐτοῦ Ἐφραὶμ καὶ Μανασσῆ 1f (PG 69,325/36, bes. 328f); zur Datierung s. Jouassard (o. Anm. 392) 503; A. Kerrigan, St. Cyril of Alexandria, interpreter of the Old Testament (Rome 1952) 13: vor 429 nC.

[399] Für diesen Tenor in jüdischen Schriften s. Lebram 160f und Haussherr 44f (o. Anm. 377).

[400] Lebram (o. Anm. 377) 161; vgl. Cyrill. Alex. aO.: PG 69,328f.

[401] Jouassard (o. Anm. 392) 500. 503; H. von Campenhausen, Griechische Kirchenväter[4] (Stuttgart 1967) 163; Kerrigan 309/22. 435/9 und Wilken (o. Anm. 392) 58f (zur Kenntnis jüdischer Legenden).

[402] Jouassard 511f; Philonenko (o. Anm. 387) 12f; A. Baumstark, Geschichte der syrischen Literatur (Bonn 1922) 160[1f]. 161.

auch im Westen des Reiches für die Spätantike jeweils belegt werden müßte) herangezogen werden[403]. Immerhin existieren auch zahlreiche Abhandlungen von christlicher Hand, die – um bei unserem Beispiel zu bleiben – diese biblische Segnungsszene, meist gezielt christlich, ausdeuten. Die Bevorzugung Ephraims vor dem erstgeborenen Manasse wird zB. als Präfiguration für die wachsende Bedeutung der Christen gegenüber den Juden, das Überkreuzen der Hände als Hinweis auf das Kreuz Christi angesehen[404]. – Sehr häufig wird bei Bildanalysen in den letzten Jahren aber wiederum nur die rabbinische Exegese zu der (auch in Cimitile auftretenden) Frage der unterschiedlichen Größendarstellungen der beiden Kinder Josephs herangezogen. Es handelt sich um Textstellen (zT. von Schriftgelehrten wohl des 4. Jh.) im Midrasch GenRabba, der vielleicht »zu Beginn des 5. Jahrhunderts« entstanden ist, und in der eben erwähnten Pesiqta Rabbati[405]. Nach G. STEMBERGER beruht die dortige ethische Auslegung, besonders die Betonung, »wer der Größere ist, ... auf der anscheinend unnötigen Aussage in Gen 48,14, daß Ephraim jünger ist, was somit einen bildlichen Sinn haben muß«. Dies allein »scheint jedenfalls die bildliche Darstellung« nach seiner und der Meinung anderer[406] »beeinflußt zu haben«. Bevor man aber (mit aller Vorsicht) außerbiblische Texte zur Deutung einer Darstellung heranzieht, müssen aus methodischen Gründen alle Bildelemente auf dem Hintergrund des Bibelberichtes und der antiken, im »ganzen römischen Reich ... allgemein verbreiteten ›Bildersprache‹« untersucht werden, damit erst einmal etwaige künstlerische Eigenheiten erkannt werden[407]. Auf jeden Fall dürfen Textdetails nicht ohne weiteres über Einzelheiten einer Darstellung ›gestülpt‹ werden.

1.4.4 Die antike und frühmittelalterliche Ikonographie dieser Szene

a) Die Einzelmonumente

Als erstes Vergleichsmonument zur Darstellung des Jakobssegens in Cimitile muß die Szene auf dem rechten Teil des zentralen Bildes über der Thoranische in Dura-Europos genannt werden (Taf. 43). Die dortige Szene ist nämlich die älteste erhaltene Darstellung dieser Ikonographie[408]. K. WEITZMANN hat schon auf »ikonographische Beziehungen

[403] Zur Quellenfrage in der Wiener Genesis vgl. Anm. 394. – Für die Schwierigkeit, Aussagen über den Grad der Verbreitung bes. außerkanonischer Literatur zu machen, s. STICHEL (o. Anm. 392) 162.

[404] Dazu ausführlich schon o. Anm. 377: STECHOW 193/5, VON EINEM 17f, LEBRAM 162f; HAUSSHERR 29f. 41₁₁₈; KAUFFMANN, Jakob 371; vgl. auch VIKAN, Manuscripts 22₁₃ und o. Anm. 393; dagegen U. SCHUBERT, Illustrationen aO. (o. Anm. 377) 11f. 14f (nach U. TREU soll sich auch sonst kein Beleg für einen möglichen Einfluß von Kirchenväterstellen »für die Erweiterung und Änderung bei bestimmten Bildern« der Wiener Genesis finden lassen [ebd.]; vgl. aber als weiteres Beispiel hier Anm. 281).

[405] S. o. Anm. 377: U. SCHUBERT, STEMBERGER, K. SCHUBERT und MAZAL (bes. 201₂₂₇); der auch bei LEBRAM 164₂ genannte Amoräer »R. Huna« in der betreffenden Stelle in GenRabba wird entweder der zweiten oder der vierten Generation zugerechnet (nach LEBRAM »der 2. Generation, gest. 297 vC.«; nach STEMBERGER [o. Anm. 377] 46. 22₁₇: »A 4«; nach STRACK/STEMBERGER [o. Anm. 116] 93 aber A 2; nach W. BACHER, Die Agada

der palästinensischen Amoräer 3 [Straßburg 1899] 272/302, bes. 288, und S. SAFRAI, Art. Huna: Encyclopaedia Judaica 8 [1974] 1075 aus dem 4. Jh. nC.).

[406] STEMBERGER [o. Anm. 377] 45f (sonst hat »die rabbinische Exegese ... zu dieser Erzählung kaum Relevantes zu bieten«) und die o. Anm. 405 am Anfang genannten Autoren. – Vgl. dagegen hier S. 118.

[407] DECKERS, SMM 270. Vgl. BIANCHI BANDINELLI (o. Anm. 203) 370f; H. KÄHLER, Rom und sein Imperium (Baden-Baden 1962) 6f; F. W. DEICHMANN, Zur Frage der Gesamtschau der frühchristlichen und frühbyzantinischen Kunst: ByzZs 63 (1970) 45f; WEITZMANN, Roll and codex 154/7. 173/80.

[408] So zB. KAUFFMANN, Jakob 380. – Stifterinschriften auf den Kassettenziegeln der Flachdecke der Synagoge, die auf das Jahr 244/245 nC. weisen, und die Eroberung der Stadt durch die Sassaniden im Jahr 256 ergeben eine Datierung der Ausstattung um die Mitte des 3. Jh. nC. So KRAELING, Synagogue 5f. 263; B. NARKISS: Age of Spirituality 372/4 und W. E. KLEINBAUER: ebd. 392f.

zwischen den Dura-Fresken und Miniaturen der Oktateuche« (Taf. 46c. d) hingewiesen. Die »weitgehende Entsprechung« kann für ihn »wohl nur so verstanden werden, daß die ... Szenen auf einen gemeinsamen Archetypus zurückgehen, nämlich einen frühen illustrierten Septuagintatext, wobei allerdings für den Augenblick [1964] die Frage offengelassen bleiben soll, ob dieser Septuagintatext zum ersten Mal für Juden oder für Christen illustriert wurde«[409]. E. R. GOODENOUGH nimmt ebenfalls dieses »common original« an, aber er sieht es eher als »Jewish original as is the Dura rendering«[410]. Damit folgt er WEITZMANNS älterer These (die später in ähnlicher Form auch von A. GRABAR geäußert wurde), »that the archetype was made for the Jews of the Dispersion and, ready made, taken over by the Christians«[411]. – Durch den Neufund eines Bildes verwandter Ikonographie in Cimitile stellt sich die Frage, ob sich Beziehungen zwischen den genannten Monumenten aufweisen lassen, die eindeutig die Abhängigkeit eines christlichen Bildes von einer jüdischen Darstellung anzeigen oder wenigstens auf einen gemeinsamen Archetypus hinweisen. Für eine Beantwortung dieser Frage muß jedoch das Schlüsselmonument, das Bild in Dura-Europos, einer erneuten Analyse unterzogen werden, da in der Literatur über wichtige zu vergleichende Einzelheiten – besonders die Art der Handhaltung Jakobs – bis heute Unklarheit herrscht, aber dennoch keine weitergehende Untersuchung erfolgte. Eine Beschreibung dieses Bildes ist wegen des schlechten Erhaltungszustandes eng mit einer kurzen Schilderung der Entdeckungs- und Dokumentationsgeschichte der Malereien über der Thoranische verknüpft. Deshalb ist bereits GOODENOUGH ausführlich darauf eingegangen[412]. Seine Ausführungen kann man aber noch in einigen Punkten präzisieren und teilweise korrigieren:

Am Morgen des 22. November 1932 ergaben sich erste Hinweise für das Vorhandensein einer Synagoge in Dura[413]. Hinter einer Erdschicht kamen sehr bald die Malereien der oberen Westwand des Gebäudes zum Vorschein. Unter ihnen befand sich wohl auch schon das Bild über der Thoranische[414]. Nach GOODENOUGH wurde in der momentanen Aufregung über den Gesamtfund kein Versuch gemacht, erste Fotografien anzufertigen[415].

[409] K. WEITZMANN, Zur Frage des Einflusses jüdischer Bilderquellen auf die Illustration des Alten Testaments: Mullus, Festschr. Th. Klauser = JbAC Erg.-Bd. 1 (Münster 1964) 402. 405, wieder abgedruckt und übersetzt in einer leicht veränderten Fassung (zT. vorsichtiger): The question of the influence of Jewish pictoral sources on Old Testament illustration: K. WEITZMANN, Studies in classical and Byzantine manuscript illumination (Chicago 1971) 77. 82; ders., Book illustration of the fourth century: ebd. 120 schreibt 1969: »We have today good reason to believe that the illustration of the Septuagint began with the Jews of the Diaspora«; ihm folgt zB. KÖTZSCHE-BREITENBRUCH, Via Latina 76. 105; dies.: Age of Spirituality 468; so schon allgemein, aber vorsichtiger, KRAELING, Synagogue 401; skeptisch E. ROSENTHAL, The illuminations of the Vergilius Romanus (Zürich 1972) 114 und J. GUTMANN, Early synagogue and Jewish catacomb art and its relation to Christian art: Aufstieg und Niedergang der römischen Welt 2,21,2 (Berlin/New York 1984) 1333f.
[410] E. R. GOODENOUGH, Jewish symbols in the Greco-Roman period 9 = Bollingen Series 37 (New York 1964) 106.

[411] K. WEITZMANN, The Octateuch of the Seraglio and the history of its picture recension: Actes du X. Congrès International d'Etudes Byzant., Sept. 1955 (Istanbul 1957) 183; vgl. allgemein ders., The study of Byzantine book illumination, past, present and future: The place of book illumination in Byzantine art (Princeton 1975) 51f und o. Anm. 409! Ähnlich dazu A. GRABAR, Christian iconography. A study of its origins (Princeton 1968) 95f. Vgl. auch K. und U. SCHUBERT, Jüdische Buchkunst 1 (Graz 1983) 53.
[412] GOODENOUGH (o. Anm. 410) 78f.
[413] R. DU MESNIL DU BUISSON, Les peintures de la synagogue de Doura-Europos (Roma 1939) 2; KRAELING, Synagogue 4.
[414] GOODENOUGH (o. Anm. 410) 78; C. HOPKINS, The excavations of the Dura Synagogue paintings: J. GUTMANN (Hrsg.), The Dura-Europos synagogue. A reevaluation, 1932–1972 (Missoula, Mont. 1973) 15f; C. HOPKINS, The discovery of Dura-Europos (New Haven 1979) 126f Abb. auf S. 132. 135.
[415] GOODENOUGH (o. Anm. 410) 78; vgl. HOPKINS, Excavations 16.

Zum ersten Mal der grellen Sonne ausgesetzt, soll aber innerhalb von nur zwei Stunden bei diesem Bild schon eine untere Malschicht durchgeschienen haben, die es bald schwer machte, verschiedene Farbflächen klar zu trennen[416]. Eine Ursache dafür war – nach der ausführlichen Schilderung von C. H. KRAELING – die mehrfache Bemalung und sogar Ausbesserung dieses Bildfeldes in antiker Zeit. Aus diesem Grunde blätterten die Farben an besonders gefährdeten Stellen schon bald ab. Beim Auftragen einer Schutzschicht einige Zeit nach der Ausgrabung erfolgte außerdem eine Vermischung mit losen roten Farbpigmenten, so daß heute nach weiterem Verblassen der Farben große Teile des Bildfeldes unter dem fast einheitlichen Rot wenig erkennen lassen[417]. Ich stütze mich daher bei meiner Analyse der Darstellung, die sich auf der (chronologisch gesehen) letzten Malschicht befindet, in der Hauptsache auf die erste veröffentlichte Farbabbildung (Taf. 43a) und frühe Fotografien, die bisher in der Diskussion fast nicht beachtet wurden[418]. Außerdem kann ich auf das früheste datierte (»février 1933«) und hier erstmals veröffentlichte Gesamtfoto dieses Bildes zurückgreifen (Taf. 42)[419]. Die in der Forschungsliteratur dagegen häufig herangezogenen Zeichnungen des Bildes und die Beschreibungen von Wissenschaftlern, die die Darstellung vor Ort studiert haben, kann ich nur ergänzend hinzuziehen. Einerseits sind nämlich die in Details unterschiedlichen Zeichnungen ungenau und meist erst geraume Zeit nach der Entdeckung der Malerei angefertigt worden[420].

---

[416] GOODENOUGH aO.

[417] Zur mehrfachen Ausmalung und zum Zustand des Bildes vor 1956 s. KRAELING, Synagogue 62/5. 147f. 216/25.

[418] S. aber u. Anm. 423. – Die einzigen vier veröffentlichten frühen Fotos, auf denen das Zentralbild zu sehen ist, zeigen, daß im April 1933 schon weniger zu erkennen war als Mitte Februar 1933; R. DU MESNIL DU BUISSON, Les peintures de la synagogue de Doura-Europos: RevBibl 43 (1934) Pl. III,1 zwischen S. 104/5; ders., Les deux synagogues successives à Doura-Europos: ebd. 45 (1936) Pl. I zwischen S. 80/1: »tableau central déjà très effacé«; weiterhin ders., Les peintures (o. Anm. 413) 180 Pl. XXXVIII (linke Seite; »février 1933«). Zur Datierung der zwei oben genannten Fotos s. ebd. 179f zu Pl. XIII,2 und XXXVII (»avril 1933«). – S. auch C. HOPKINS, Jewish prototypes of Early Christian art?: Illustrated London News, nr. 4919 (29. 7. 1933) 188/91 Abb. 8. 11 (letztere ist wegen des noch fehlenden Schutzdaches die früheste veröffentlichte Fotografie unseres Bildes). – Die Farbabbildung (vor 1956) nach »color-separation negative«: KRAELING, Synagogue 2 Taf. LXXIV.

[419] Ich verdanke dieses Taf. 42a zugrunde liegende Foto (s. Anm. 420) SUSAN B. MATHESON, The Dura-Europos Collection, Yale University Art Gallery, New Haven. – Von Dr. U. HEIMBERG, die im Herbst 1979 das Bild im Archäologischen Museum in Damaskus studieren konnte, habe ich freundlicherweise wichtige Informationen über den heutigen Zustand des Bildes erhalten, der demjenigen von 1964 in etwa entspricht; s. GOODENOUGH (o. Anm. 420) 11, Taf. IV; vgl. ebd. 9, VII. 78. – Zur Datierung des Fotos (Taf. 42) s. Anm. 420.

[420] Die anscheinend früheste Zeichnung, ein »croquis« von 1932/33 (?), stammt von DU MESNIL, der schon im Dezember 1932 ein Detail des darüberliegenden Bildfeldes gezeichnet und zusammen mit dieser undatierten Zeichnung im Januar 1936 veröffentlicht hat (Les peintures [o. Anm. 413] 184 zu Fig. 37 auf S. 43; und ders.: RevBibl 45 [1936] 87 Fig. 10 und 88 Fig. 11). Auf jeden Fall ist er ab Ende Oktober 1933 an einer anderen Ausgrabungsstelle in Dura beschäftigt gewesen; s. M. I. ROSTOVTZEFF / F. E. BROWN / C. B. WELLES, The excavations at Dura-Europos. Preliminary report of the seventh and eighth season of work 1933–1934 and 1934–1935 (New Haven 1939) 2. – Meiner Meinung nach hat diese Skizze möglicherweise das (nach 1935 / vor 1939 entstandene) »dessin de M. Berger-Lheureux, d'après une photo de M. Le Palud, février 1933« beeinflußt (s. Les peintures [o. Anm. 413] 180 zu Pl. XXIII und 190). So ist auch diese Zeichnung nur bedingt zu gebrauchen. Für Unterschiede sei zB. auf das obere Ende des linken Klinenbeines und die Schulterpartie von Jakob in der Segnung an Ephraim und Manasse auf der Zeichnung im Vergleich zu einem »croquis d'après l'original« (ebd. 185 zu Fig. 59 auf S. 79; s. auch ebd. 184 zu Fig. 23 auf S. 28) und den Farbabbildungen bei KRAELING und GOODENOUGH (s. o. Anm. 418) hingewiesen. Das der Zeichnung zugrunde liegende Foto, das wohl identisch mit dem hier auf Taf. 42a veröffentlichten ist, kann mW. als das früheste datierte Gesamtfoto von diesem Bild angesehen werden. Der Fotograf dieser Grabungskampagne, MAURICE LE PALUD, nahm seine Aufgabe, die Monumente von Dura zu fotografieren, erst seit Mitte Februar 1933 wahr (s. M. I. ROSTOVTZEFF / A. R. BELLINGER / C. HOPKINS / C. B. WELLES, The excavations

Andererseits sind die ausführlichen Beschreibungen der Hauptbearbeiter des Bildes zwar unter Verwendung der – für die rechte Szene jedoch wenig ergiebigen[421] – Aufzeichnungen im Grabungstagebuch erstellt, aber vor dem Original erst nach seiner Restaurierung und Überführung nach Damaskus (1936) formuliert worden[422]. Die wenigen und kurzen Ausführungen zu dieser Darstellung vor dem eben genannten Zeitpunkt geben auch kaum neue Aufschlüsse[423].

So haben sich auf Grund der widersprüchlichen (weil ungenauen) Dokumentation zwei konträre Meinungen zu einem wichtigen Bilddetail, nämlich der Handhaltung Jakobs in der rechten Darstellung (Taf. 42. 43), gebildet: Manche Autoren sehen eine mehr oder weniger starke Überkreuzung der Arme[424], während die meisten anderen keinerlei Überschneidung der Arme erkennen wollen und daraus zT. weitgehende Schlüsse ziehen[425]. Einige Forscher lassen die Deutung dieses Bilddetails offen[426].

at Dura-Europos. Preliminary report of the sixth season of work, October, 1932 – March, 1933 [New Haven 1936] 1f). – Die dritte, am häufigsten bei der Interpretation benutzte Zeichnung stammt vom Maler H. J. GUTE, der – während der siebten Grabungskampagne (ab Ende Oktober 1933) – »color copies« von den Fresken der Synagoge anfertigte; s. Preliminary report 6/7 [s. o.] 1f). Obwohl seine Zeichnung ziemlich genau ist, so zeigt sie doch in den Proportionen einzelner Formen (wie zB. der Matratze in der Partie oberhalb des Fußes Jakobs beim Segen Ephraims und Manasses) und in Details (wie zB. der Mittellinie der links am Bildrand stehenden kleinen Figur) Unterschiede zur frühen Fotografie Taf. 42a und der Farbabbildung bei KRAELING (s. o. Anm. 418). – Die zuweilen in der Literatur auch herangezogene Umzeichnung in KRAELINGS Buch, die GUTE nach seinen Farbkopien (und vielleicht nach Originalfotos?) angefertigt hat (KRAELING, Synagogue 2. 222 Fig. 58), ist zu schematisch gehalten und seltsamerweise in Details (wie zB. der Schulterpartie Jakobs rechts) von der Farbkopie abweichend. – Was die oben erwähnte Zeichnung von GUTE anbetrifft, kann man nicht ohne weiteres wie GOODENOUGH (o. Anm. 410) 9, VII. 79 behaupten, daß der Zeichner noch unbeeinflußt von einer Interpretationsthese gemalt hätte. Für das uns interessierende Bild gibt es nämlich bereits seit dem 2. Juni 1933 die Deutung als Jakobssegen (s. G. MILLET, Les peintures de la synagogue de Doura: CRAcInscr 1933, 238). Diese Deutung muß bald DU MESNIL und dadurch auch C. HOPKINS, der nach GOODENOUGH (aO. 79) die Zeichnung mit dem Original vergleichen half, bekannt gewesen sein; MILLET 237 und u. Anm. 423.

[421] Eine Transkription der »field notes« zu diesem Bild, angefertigt von C. H. KRAELING, wurde mir freundlicherweise von SUSAN B. MATHESON übersandt.

[422] Preliminary report 6 (o. Anm. 420) 367₆₆; DU MESNIL, Les peintures (o. Anm. 413) 51f; KRAELING, Synagogue 1. 221f. Zur Restaurierung vgl. GOODENOUGH (o. Anm. 410) 9, 79 o.

[423] HOPKINS, Jewish prototypes (o. Anm. 418) 188. 189 (Bildunterschrift zu Fig. 11); C. HOPKINS / R. DU MESNIL DU BUISSON, La synagogue de Doura-Europos: CRAcInscr 1933, 246 (beides noch ohne Deutung); J. HEMPEL,

Chronik: ZAW 51 (1933) 284/94. 302, besonders 285f (erste ziemlich ausführliche Beschreibung); M. I. ROSTOVTZEFF, Die Synagoge von Dura: RömQS 42 (1934) 209 (enthält sich einer Deutung). – Während für DU MESNIL im Januar 1934 das Bild noch unklar blieb, übernahm er – ohne weiter darauf einzugehen – spätestens seit Oktober 1934 (Les fouilles de Doura-Europos en 1932–33: RevArch Ser. 6, 4 [1934] 74) die schon 1933 von MILLET ausgesprochene Deutung als Segen Ephraims und Manasses (s. o.Anm. 420).

[424] C. R. MOREY: ArtBull 23 (1941) 232 (mit Hinweis auf die anderen spätantiken Beispiele dieser Szene, die immer eine Überkreuzung zeigen); I. SONNE, The paintings of the Dura Synagogue: Hebrew Union College Annual 20 (1947) 350. 353 (er zitiert die Beschreibung aus dem Vorbericht der Ausgrabungen [s. u.] ohne Kommentar, weist aber bei seiner Interpretation auf die Überkreuzung der Hände im Bibeltext und bei einem Bild ›Jakobs‹ in Bethaltung in Dura hin, ebd. 290f); WEITZMANN, Zur Frage des Einflusses (o. Anm. 409) 402 vergleicht dieses Bild in seinen »Einzelzügen« (darunter auch die Segnung beider Enkel mit der rechten und linken Hand) mit den Darstellungen in den Oktateuchen und sieht eine enge Verwandtschaft; GOODENOUGH (o. Anm. 410) 5 (1956) 108; 12 (1965) 162; für KRAELING/PEARSON: Preliminary report 6 (o. Anm. 420) 368 und KRAELING, Synagogue 223, s. Zitat S. 114.

[425] STECHOW (o. Anm. 377) 196₁₃ sieht ein Auslassen der Überkreuzung als möglich an, »since it was of no importance in his iconographical context« (s. u. Anm. 438!); für sichere, aber späte Vergleichsbeispiele s. ebd. 200/5; R. WISCHNITZER, The messianic theme in the paintings of the Dura synagogue (Chicago 1948) 934f zu Fig. 46 sieht (mit Vorbehalt wegen »the lack of clarity«) eine bewußte Vermeidung der Überkreuzung als möglich an, weil »the blessing of the sons of Joseph is particulary emphasized«; STEMBERGER (o. Anm. 377) 45₅₇: keine Überkreuzung, mit Hinweis auf KRAELING (s. aber o. Anm. 424); KAUFFMANN, Jakob 380 schreibt, daß »der Segen selbst mit gekreuzten Armen« nicht gezeigt sei; M. SCHAPIRO, Words and pictures. On the literal and the symbolic in the illustration of a text = Approaches to Semiotics 11 (Den Haag/Paris 1973) 28:

Bei einer erneuten Analyse des Gesamtbildes ergibt sich folgendes:

Ähnlich wie in der linken Szene des Bildes liegt rechts eine große Gestalt (Jakob) auf einer gelben Kline, unter die ein Suppedaneum von gleicher Farbe gestellt ist. Während links die Gestalt von zwölf hinter ihrem Bett stehenden Personen (die Söhne Jakobs) umgeben ist, stehen in der Szene rechts drei Personen vor dem Bett. Eine größere Gestalt (Joseph) befindet sich rechts neben der Kline. Sie trägt ein langärmeliges, gegürtetes rotes Gewand und darunter weite mittellange Hosen und hat auf ihrer linken Seite anscheinend ein Schwert umhängen[427]. Mit ihren nach vorne gestreckten Händen berührt sie die Köpfe zweier gleich- oder fast gleichgroßer und leicht einander zugewandter Knaben (Ephraim und Manasse)[428], die vor dem Kopfende des Bettes stehen. Jeder der Knaben trägt eine durch zwei Clavi verzierte Tunika. Ob das Gewand langärmelig und gegürtet war und ob die Gestalten noch Hosen darunter trugen, ist heute schwer zu entscheiden. Ebenso steht es mit der Frage, ob jeweils ein Arm leicht ausgestreckt gehalten wurde[429]. Die äußeren Arme lagen jedenfalls leicht angewinkelt am Körper an. – Von der hinter bzw. über ihnen liegenden Gestalt Jakobs waren schon zur Ausgrabungszeit größere Partien kaum zu erkennen: Nach dem Grabungsfoto auf Taf. 42a und der Farbaufnahme bei KRAELING (Taf. 43a) wird deutlich, daß Jakob aufrechter als auf der linken Seite des Bildes auf einer grünen, dunkelgestreiften Matratze liegt, wobei die Beine nach links ausgestreckt sind. Mit seiner Linken stützt er sich, wie links im Bild, auf ein rundes Kissen, das hier aber andersfarbig ist[430]. Seine (zumindest in der linken Szene prächtig verzierte) lange Kleidung genauer zu bestimmen, fällt schwer, da die Binnenzeichnung meistenteils zerstört ist. Das gleiche gilt für seine Gesichtszüge; immerhin scheint Jakobs Antlitz eher bartlos und ähnlich wie die anderen Gesichter mehr oder weniger frontal dargestellt gewesen zu sein[431]. Außerdem wurde der Kopf – wie bei Joseph – von einem breiten,

»the crossing is ignored«. Dies ist für ihn ein »reflex of inhibitory interpretation to avoid a distasteful analogy« mit der christlichen Deutung dieser Stelle (s. hier S. 109), die er als »polemic against the Jews« charakterisiert; HAUSSHERR (o. Anm. 377) 32f diskutiert ausführlich beide Möglichkeiten und deren Bedeutung; er scheint aber (mit großem Vorbehalt wegen der »nicht mehr klar lesbar[en] . . . Einzelheiten«) eher das Fehlen der »Überkreuzung der Hände Jakobs« anzunehmen, wodurch »die Möglichkeit ausgeschlossen worden [wäre], dies christlich zu deuten«. Im Anschluß an LEBRAM (o. Anm. 377) 165 weist er aber darauf hin, daß »bislang keine direkte, spätantike Stellungnahme durch Juden gegen die christliche Auslegung von Gen 48 bekanntgeworden« ist; für etwaige indirekte Anzeichen, die zT. schon sehr früh (nach STEMBERGER [o. Anm. 379] 81f: schriftliche Redaktion im 2. Jh., aber frühere Vorformen) anzusetzen wären, s. LEBRAM aO. und hier S. 104; vgl. auch BRAUDE (o. Anm. 382) 79; für die christliche antijüdische Auslegung dieser Bibelstelle seit ungefähr 100 nC. s. STECHOW 193/5 und M. SIMON, Verus Israel. Étude sur les relations entre chrétiens et juifs dans l'empire romain[2] (Paris 1964) 205[2]. – MAZAL, Wiener Genesis 158: »die Segnung [ist] dort selbst nicht mit gekreuzten Armen dargestellt«. – Zur Deutung vgl. u. Anm. 438.

[426] S. Lit. o. Anm. 423; DU MESNIL, Les peintures (o. Anm. 413); A. GRABAR, Le thème religieux des fresques de la synagogue de Doura: RevHistRel 123 (1941) 161/4; U. SCHUBERT, Spätantikes Judentum (o. Anm. 377) 57; P. MASER, Der Greis unter den Sternen: Kairos NF 18 (1976) 165; KÖTZSCHE-BREITENBRUCH, Via Latina 76.

[427] Nicht bei DU MESNIL, Les peintures 51f erwähnt, aber bereits in der dortigen Abb. XXXVII schwach zu erkennen; vgl. KRAELING, Synagogue 222. – Das Schwert wie auch die Farben der einzelnen Gewänder werden schon in den »field notes« von C. HOPKINS genannt.

[428] Die Clavi des linken Kindes wirken etwas breiter und das Gewand scheint etwas länger gewesen zu sein. – Gegen die Zweifel GOODENOUGHS ([o. Anm. 410] 9,105[128] Fig. 93) muß Joseph mit seinen ausgestreckten Armen die Köpfe beider Kinder berührt haben (s. Taf. 42); vgl. so schon HEMPEL aO. (s. o. Anm. 423).

[429] Anscheinend nur bei einem Kind (s. Taf. 42). Vgl. aber KRAELING, Synagogue 223 und hier Taf. 43b.

[430] So schon HOPKINS in seinen »field notes« und KRAELING, Synagoge Taf. LXXIV.

[431] So bereits HOPKINS aO. und hier Taf. 42. 43b, wie auch die meisten übrigen Bearbeiter dieses Bildes (s. o.); vgl. dagegen KAUFFMANN, Jakob 371.

schwarzen Haarkranz umfangen. – Was die Haltung der Arme anbetrifft, so kann man deutlich ein gebogenes und auf den ältesten Fotografien sogar etwas dunkleres Band (zB. Taf. 42a) erkennen, das sich von der (vom Beschauer aus gesehen) rechten Seite des Körpers auf den Kopf der rechten kleineren Gestalt hin erstreckt. Darüber zeichnen sich auf dem Oberkörper kurze, dunkle Striche ab, die zT. auch in der Zeichnung von H. Gute (Taf. 43b) ähnlich notiert worden sind. Möglicherweise lassen sich, wie es dort geschehen ist, zumindest einige dieser Striche als Faltenangaben zwischen der Ärmel- und Brustpartie des Gewandes deuten. Die Begrenzungslinie dieser Seite des Oberkörpers scheint jedenfalls dicht daneben zu liegen, wie es auch die Abbildung Taf. 43a zeigt. Die gegenüberliegenden Konturen des Körpers bleiben dagegen unklar[432]. Ein wenig links unterhalb dieser Striche und des Bandes kann man auf der letztgenannten Abbildung ein Gebilde sehen, das Gute in seiner Zeichnung durch die Angabe von Finger-Linien[433] wohl als Hand charakterisiert. Auf den ältesten Fotografien ist dieses Gebilde nicht so deutlich erkennbar, doch wird auch hier die Haarkalotte des direkt darunter stehenden Kindes von dem gleichen hellen Kompartiment unterbrochen, von dem – nur schwach sichtbar – Linien in leicht gekurvter Form nach oben rechts ausgehen. – Alle diese Einzelheiten zusammengenommen, ist es bei besonderer Beachtung der Stileigentümlichkeiten der Synagogenmalereien[434] nicht ganz von der Hand zu weisen, wenn Kraeling das gebogene Band als »a peculiar elongation of the arm« – eine Art Bedeutungsgröße – »to make the patriarch's right hand approach the head of Ephraim, the child actually most accessible to his left hand« deutet und schon dies als Hinweis genug ansieht, daß »the artist has kept in view the important detail of the story according to which Jacob crossed his arms, blessing with his right hand the younger of the two sons, contrary to Joseph's wishes (Gen 48,14/9)«[435]. Wenn man zusätzlich noch die Angabe der anderen (linken) Hand in dem in der Forschung bisher unbeachteten Gebilde über dem – vom Beschauer aus gesehen – linken Kind (bzw. unterhalb des auf das Kissen gestützten linken Armes Jakobs) erkennen will, dann läßt sich die Möglichkeit einer Darstellungsweise mit überkreuzten Händen nicht mehr ausschließen. Auf jeden Fall kann ich für die angesprochenen Bilddetails keine andere schlüssige Erklärung im Rahmen dieser Darstellung finden[436]. Immerhin lassen sie sich schon auf den frühesten Bilddokumenten aufweisen, die noch wenig von der darunter befindlichen, später verstärkt hervortretenden (s. o.) Malschicht zeigen. Aber selbst mit den dort vorhandenen Bildelementen, die – zT. etwas unterschiedlich – in einer »Originalpause« von H. Pearson[437] und in der Zeichnung von Gute (Taf. 43b) für diesen

[432] Vgl. aber Taf. 43b und die o. Anm. 420 genannten Zeichnungen gegenüber Taf. 43a.

[433] Zwei Linien sind auch auf Taf. 43a zu erkennen.

[434] Es handelt sich um eine teilweise naive Malerei, in der wichtige Details (ohne Anspruch zB. auf anatomisch richtige Wiedergabe) hervorgehoben bzw. verlängert oder vergrößert sind; vgl. Kraeling, Synagogue 371. 373. 376. Als Beispiele seien genannt: Sauls rechter Arm bei der Segnung Davids (s. Lit. o. Anm. 372 und Taf. 44) und in unserer Szene hier der rechte ausgestreckte Arm Josephs (s. o. Anm. 428).

[435] Kraeling, Synagogue 223. Vgl. dazu und zur Geste allgemein D. Korol, Art. Handauflegung II (ikonographisch): RAC 13 (1986) 499/501.

[436] Ein Überkreuzen der Arme kommt sonst in Dura noch in drei anderen Bildern – nur in weniger hervorgehobener Form – als eine Art Gebetsgestus vor; s. Sonne (o. Anm. 424) und Kraeling, Synagogue 376. – Die Beschreibung Wischnitzers aO. (s. o. Anm. 425), die sich auf die teilweise falsche Umzeichnung von Berger-Lheureux (s. Anm. 420) stützt, kann als überholt gelten. – Auf der Farbabb. bei Kraeling Taf. LXXIV erscheinen die betreffenden Bilddetails immerhin in den gleichen Farben wie die Gewänder der Gestalten. Die nur in etwa ähnlich verlaufenden Zierstreifen der Matratze (das Kissen hatte wohl – wie links im Bild – eine Horizontalverzierung; vgl. auch die Beispiele in Anm. 442) waren dagegen andersfarbig gemalt, zeigen damit also wenig Übereinstimmung.

[437] Kraeling, Synagogue 62[148] Taf. XVII.

Bereich des Bildes angegeben sind, sehe ich keinerlei Verbindung. – Es bleibt zwar bei einer Deutung der Details als Segensgeste mit überkreuzten Armen eine gewisse Unsicherheit, doch scheint mir ein derartiger Erklärungsversuch vom Monument her noch am einleuchtendsten. Darüber hinaus ist zu fragen, ob von der theologischen Situation her (um die Mitte des 3. Jh.) innerhalb des Judentums im syrischen Raum, in dem dieses Bild und sein vermutlicher Vorläufer entstanden sind, ein bewußtes Auslassen der Überkreuzung, zB. zur Vermeidung einer Deutung auf das Kreuz Christi, angenommen werden kann[438]. Überliefert ist eine derartige christliche Interpretation nämlich zum ersten Mal nur kurze Zeit vorher bei Tertullian (de baptismo 8,2) in Nordafrika[439].

Gegenüber dem später entstandenen Bild in Cimitile ergeben sich zahlreiche Vergleichspunkte:

Jakob liegt auch hier auf einem gelblichen Bett (so auch im Vat. gr. 747 fol. 67ᵛ; Taf. 44f), unter dem sich ein Suppedaneum befindet. Von der rechten Seite her präsentiert Joseph seinem Vater die zwei Enkelkinder; die beiden Knaben tragen ebenfalls eine Tunika mit Clavi und sind dem Beschauer und nicht Jakob zugewandt; in etwa ist dabei die Anordnung aller Personen zueinander, besonders das enge Zusammenstehen der Kinder, vergleichbar. Der Segen wird mit überkreuzten Armen ausgeführt, wobei die Rechte in Cimitile ebenfalls – nur nicht so stark (Abb. 33) – ausgestreckt ist[440]. Verschieden sind dagegen die Position des Kopfendes der Betten sowie die der Arme Josephs und das Größenverhältnis der beiden Enkelkinder zueinander; außerdem scheint in Cimitile Jakob – aus seiner Lage mehr in der Mitte des Bettes und aus der Haltung seiner Arme zu schließen (S. 101) – eher frontal auf der Kline gesessen als aufrecht gelegen zu haben. Die anderen zu Cimitile unterschiedlichen Elemente in Dura, wie die Kleidung, die Form des Bettes und die Haartracht der Personen, sind ohne weiteres auf den griechisch-römisch-sassanidischen Mischstil zurückzuführen, der bei den Synagogenmalereien maßgeblich war[441]. Im einzelnen lassen sich dort genaue Entsprechungen zu vielen Details in

[438] Vgl. Anm. 425. – Die Anbringung der beiden Segnungsbilder über der Thoranische in der letzten Phase der Ausstattung wird in der Literatur u. a. mit den messianischen Erwartungen des nachbiblischen Judentums, insbesondere mit der Erwartung eines Messias, Sohn Josephs (aus dem Stamme Ephraim), und eines Messias, Sohn Davids (aus dem Stamme Juda), in Verbindung gebracht, die nach K. SCHUBERT seit dem 2. Jh. nC. in der Literatur auftreten (aO. [o. Anm. 377] 206; ders., Die Bedeutung des Bildes für die Ausstattung spätantiker Synagogen – dargestellt am Beispiel der Thoraschreinnische der Synagoge von Dura Europos: Kairos N.F. 17 [1975] 18/23; U. SCHUBERT, Spätantikes Judentum [o. Anm. 377] 57; K. und U. SCHUBERT [o. Anm. 411] 53; MASER aO. [o. Anm. 426]; SONNE [o. Anm. 424] 353f; GRABAR, Le thème [o. Anm. 426] 168/72). Bei der Annahme einer derartigen Deutung wäre eine Überkreuzung gerade als Hinweis auf die Bevorzugung Ephraims sinnvoll. – Christus soll nach den Stammbäumen bei Matthäus (1,2/16) und Lukas (3,23/38) aus dem Hause David-Juda stammen; vgl. noch Hilarius, in Ps 59,10 (PL 9, 388); nach Origenes, in Gen hom. 1 (PG 12,145) aber aus dem Hause Ephraim.

[439] CCL 1,283. S. Anm. 377: HAUSSHERR 41₁₁₈ und

STECHOW 194 (die betreffenden griechischen Worte dort und 193₂ sind irrtümlicherweise verwechselt worden).

[440] Das stärkere Ausstrecken der Rechten ist in Cimitile durch die kleinere und daher tiefer stehende Gestalt Ephraims bedingt, in Dura aber u. a. durch die Position der Kinder etwas weiter rechts vor Jakob. – Die jeweils rötliche (purpurfarbene) Gewandung bei Joseph – in Dura kommt noch das Schwert, wohl als Insigne, hinzu (für beides s. KRAELING, Synagogue 222. 376) – läßt sich auch unabhängig voneinander auf die im Bibelbericht geschilderte Position Josephs am Hofe Pharaos zurückführen (die rabbinische Literatur braucht daher nicht unbedingt noch als Erklärung hinzugezogen zu werden; so aber U. SCHUBERT, Illustrationen [o. Anm. 377] 13; vgl. die Gewänder, die ihm dadurch zustanden: Gen 41,42 (ausführlich dazu o. S. 92). Aus diesem Grunde erklärt sich auch die besondere Kleidung zB. in den Darstellungen in der Cotton-Genesis (o. Anm. 329), der Wiener Genesis (zB. Taf. 40d. 45f) und in den Oktateuchen (Taf. 41a. d; 44f; 46c. d).

[441] KRAELING, Synagogue 366/88; O. EISSFELD, Die Wandbilder der Synagoge von Dura-Europos: For-

paganen Bankettszenen oder Totenmahldarstellungen auf Monumenten aus dem 3. Jh. nC. in Dura und im Umkreis von Palmyra finden. Aber auch grundsätzlich sind insbesondere die letztgenannten Szenen so mit dem Bild der Segenshandlung Jakobs vom Sterbebett aus verwandt (vgl. zB. Taf. 44e), daß sie wahrscheinlich als die maßgeblichen Vorlagen für die Grundform des Bildes angesehen werden können[442]; ähnliches hat GOODENOUGH schon für die benachbarte Darstellung der Segnung der zwölf Söhne vermutet[443]. – So müssen allgemein Bildelemente wie das Liegen Jakobs (im Gegensatz zum Sitzen) oder die Ausrichtung Josephs und seiner Kinder auf den Beschauer und nicht auf den Patriarchen auch unter diesen künstlerischen Gegebenheiten und nicht, wie bei GRABAR, nur vom Text der Bibel oder von anderen literarischen Quellen her betrachtet werden[444]. Bei der Zusammenfassung der Ergebnisse dieser ikonographischen Untersuchung werde ich deshalb noch einmal ausführlich darauf zurückkommen[445]. An dieser Stelle genügt es festzuhalten, daß eine (etwa zu vermutende) Abhängigkeit des christlichen Bildes in Cimitile von der früheren jüdischen Darstellung trotz mancher auffallender Vergleichspunkte nicht zu sichern ist. Ich meine, daß auch auf Grund der damaligen Gestaltungsprinzipien bzw. Darstellungsmöglichkeiten, die bei der Umsetzung eines solchen Themas in die »Bildersprache« mit ihren eigenen »schon vorgeprägten ›Bildvokabeln‹« gegeben waren[446], derartige Vergleichspunkte vorkommen können.

Dies mag auch für die oben erwähnten, mittelalterlichen Darstellungen in den Oktateuchen gelten (Taf. 46c. d); von WEITZMANN und anderen wurde jedenfalls unerwähnt gelassen[447], daß – abgesehen vom andersartigen Zeitstil – in der Art der Aktion Josephs ein wichtiger Unterschied zum Bild in Dura besteht: Joseph ist in den Oktateuchen immer

---

schungen und Fortschritte 31 (1957) 249[12]; B. GOLDMAN, The Dura synagogue costumes and Parthian art: GUTMANN (o. Anm. 414) 53/77.

[442] Vgl. A. PERKINS, The art of Dura-Europos (Oxford 1973) Abb. 25f; A. SADURSKA, Le tombeau de famille d'Alainê = Palmyre 7 (Warsawa 1977) 76f Abb. 18. 36. 42. 48. 50f; K. PARLASCA, Neues zu den Mosaiken von Edessa und Seleukia am Euphrat: III Colloquio (o. Anm. 116) 227 Abb. 1; M. A. R. COLLEDGE, The art of Palmyra (London 1976) 73/9 Abb. 61. 101. 105. 107; abgesehen von stilistischen und zahlreichen antiquarischen Einflüssen (zB. der Form des Bettes) könnten vielleicht auch Motive, wie der nach unten gerichtete, aufgestützte linke Arm (ebd. Abb. 62. 104. 109), die Position von kleineren Gestalten unterhalb des Bettes (zB. ebd. Abb. 102. 106) und allgemein die Darstellung (meist) zweier frontal dem Beschauer zugewandter Kinder der Verstorbenen (ebd. Abb. 60. 100. 102) den jüdischen Künstler bei der Erstgestaltung seines Themas mit angeregt haben.

[443] S. GOODENOUGH (o. Anm. 410) 9,105[126] Fig. 90; vgl. u. Anm. 498. – DU MESNIL, Les peintures (o. Anm. 413) 52 und KRAELING, Synagogue 221[877]. 221[880]. 223[882] vergleichen nur Einzelheiten (wie zB. die Bettform).

[444] GRABAR, Le thème (o. Anm. 426) 167[1]. 168 sieht im Liegen Jakobs »sur un magnifique lit de parade« allein einen Hinweis dafür, daß »le peintre s'inspira donc du Targum«, da nur dort das Bett als golden (in Dura ist

es gelb) beschrieben wird (so auch KRAELING, Synagogue 221[877]). GRABAR bemerkt zwar, daß das Sitzen (in anderen Monumenten) eine genauere Illustration des Bibeltextes (s. o.) ist, erwähnt aber nicht, daß in den Targumen (neben allgemeinen Hinweisen) auch das Sitzen angenommen wird (s. LE DÉAUT [o. Anm. 379] 424/7. 432f. 448f). Somit wird zumindest das Motiv des Liegens nicht eindeutig durch diesen Text erklärt. – KRAELING, Synagogue 222[881] bemerkt, daß in Dura durch die Ausrichtung der Personen auf den Beschauer »Joseph takes Ephraim in his right hand and Manasseh in his left, contrary to the Biblical narrative«. Eine allgemeine Erklärung gibt er immerhin auf S. 374: »In the Synagogue as in other monuments of Dura frontality is the order of the day. The figures almost never look in the direction of their gestures . . ., but normally out into space over the heads of the beholders«.

[445] S. S. 125/8.

[446] Vgl. DECKERS, SMM 23/5. 220f.

[447] WEITZMANN aO. (s. o. Anm. 409. 411); GOODENOUGH (o. Anm. 410) 9, 105; KÖTZSCHE-BREITENBRUCH aO. (s. o. Anm. 409); STEMBERGER (o. Anm. 377) 45; dagegen aber schon F. RUPPRECHT, Die Ikonographie der Josephsszenen auf der Maximianskathedra in Ravenna, ungedruckte Diss. Heidelberg (1969) 97f. 102. – Für Literatur zu den Oktateuchen s. o. Anm. 344 und KÖTZSCHE-BREITENBRUCH, Via Latina 27f.

nur in der Stellung eines Sprechenden und im Blickkontakt mit Jakob, aber *ohne* eine direkte Verbindung mit seinen Söhnen wiedergegeben, wie es auch noch in den mit diesen Darstellungen eng vergleichbaren Malvorschriften des Malerhandbuchs vom Berge Athos anklingt[448]. Vielleicht liegt deshalb eine etwas andere Bildaussage und damit die Illustrierung eines anderen Bibelverses vor (Gen 48,18f)[449]. Es bleibt dennoch bemerkenswert, wie ähnlich ansonsten bei der Darstellung in Dura sowohl das Bildschema als auch Einzelheiten gestaltet sind[450].

Nach L. Kötzsche-Breitenbruch »folgt« auch die in christlichem Kontext früheste erhaltene Darstellung desselben Themas in der via Latina-Katakombe in Rom (Taf. 45a; entstanden etwa vor der Mitte des 4. Jh.[451]) »weitgehend den Oktateuchen« und der dieser Rezension zugehörenden Darstellung in Dura[452]. U. a. daraus schließt sie, daß »the Via Latina catacomb paintings show that this cycle of illustrations was known in Rome during the fourth century«[453]. Die Darstellung zeigt Jakob in einer grünen Landschaft[454] auf einem Bett liegend, das ähnlich wie in Cimitile (Abb. 33; Taf. 5b) eine geschwungene Kopflehne und ein hohes Kopfkissen, aber keine Bettauflage wie dort und in Dura (Taf. 43) besitzt. Der Patriarch ist mit langärmeliger Tunika und Pallium bekleidet und wie in allen anderen Darstellungen dieses Themas (vielleicht mit Ausnahme von der in Dura, s. S. 113) bärtig wiedergegeben. Gegenüber der Darstellungsweise in den bisher vorgestellten Bildern ist er hier in einer mehr liegenden, nur wenig aufgerichteten Position gemalt. Während sein

---

[448] ΔΙΟΝΥΣΙΟΥ ΤΟΥ ΕΚ ΦΟΥΡΝΑ, ΕΡΜΗΝΕΙΑ ΤΗΣ ΖΩΓΡΑΦΙΚΗΣ ΤΕΧΝΗΣ, Hrsg. A. Papadopou-los-Kerameus (St. Petersburg 1909) 54 § 44: »ὁ Ἰωσὴφ ὄπισϑεν τῶν τοῦ ϑαυμάζων«; vgl. die Übersetzung im Malerhandbuch des Malermönchs Dionysios vom Berge Athos, hrsg. vom Slavischen Inst. (München 1960) 53 nr. 116. – Die andere Blickrichtung in Dura darf jedoch nicht als Vergleichsmaßstab herangezogen werden, da sie als ein Stilmerkmal anzusehen ist (s. o. Anm. 444). – Noch etwas anders, aber wohl von den Oktateuchen beeinflußt, wirkt die Darstellung auf der Westwand des Esonarthex der mittelalterlichen Kirche in Sopoćani (V. Djuric, Sopoćani [Leipzig 1967] Abb. S. 233; Rupprecht 91. 101). Vgl. auch (zT. in vielem ähnliche) westlich-mittelalterliche Darstellungen bei von Einem 22f Abb. 18. 19; Haussherr 30 Abb. 25 (beide o. Anm. 377); Chapman (o. Anm. 346) 36/41 Fig. 6. 12a. 16.

[449] So schon WMM 1, 445; Stechow (o. Anm. 377) 195; Menhardt (o. Anm. 278) 327 nr. 83; von Einem (o. Anm. 377) sieht hier, daß »das erzählerische Element verliert, das repräsentativ-symbolische Element dagegen zunimmt. Die eigentliche Handlung [das Eingreifen Josephs] kommt nicht mehr zur Darstellung«. Sein daran anschließender Vergleich mit einem byzantinischen Elfenbein ist auf jeden Fall so nicht möglich (s. o. Anm. 478). – Die Beischriften im Vat. gr. 746 fol. 135ʳ (Gerstinger, Wiener Genesis Abb. 466) und in Smyrna fol. 58ᵛ (Taf. 46c) sprechen nur vom Segen mit überkreuzten Armen, ohne den Einspruch Josephs zu erwähnen (vgl. Ouspensky, Octateuque 140 nr. 163). – Die Darstellung im Vat. gr. 747 fol. 66ᵛ (Taf. 46d) unterscheidet sich von der in den anderen Oktateuchen u. a. darin, daß Joseph nur eine Hand ausge-

streckt hat, die beiden Kinder ihre Arme nicht überkreuzt halten, der linke Knabe mehr frontal ausgerichtet und nur minimal größer (sonst ist es umgekehrt und deutlicher; s. S. 118), aber anscheinend etwas tiefer stehend wiedergegeben ist (daher wohl die andere Art der Überkreuzung der Arme Jakobs).

[450] Für Rosenthal (o. Anm. 409) 114 ist dies daher »an additional example of a copy, drawn from early types, in mediaeval octateuch illumination«. Man müßte, da möglicherweise enge Beziehungen vorliegen (vgl. auch hier S. 124₄₉₇), in einem umfassenderen Vergleich die Darstellungen von Dura mit denen in den Oktateuchen untersuchen; vgl. dazu die Ankündigung von Weitzmann, Study (o. Anm. 411); für die bisherigen Bildvergleiche s. in der Lit. o. Anm. 409. 411.

[451] S. Korol (o. Anm. 113) 175₄f.

[452] Kötzsche-Breitenbruch, Via Latina 76₄₈₄ (nach Hinweis von Weitzmann). 107, bes. 105; so auch allgemein schon Grabar, Iconography (o. Anm. 411; die Arbeit von W. L. Tronzo, Studies on the via Latina catacomb. A contribution to the history of Roman painting in the fourth century, Diss. Harvard [1982] war mir nicht zugänglich). Dagegen schon Rupprecht (o. Anm. 447) 98. 106 und Rosenthal (o. Anm. 409) 115.

[453] Kötzsche: Age of spirituality 468.

[454] In allen erhaltenen antiken Vergleichsbeispielen bis zum 5./6. Jh. ist entweder wie in Dura der Hintergrund neutral (vgl. auch Taf. 45b; einst bemalt?) oder wie hier und in der Wiener Genesis (s. o. Anm. 477) als Landschaft ausgeführt. Für Cimitile kann man wegen der Angabe von Himmel und zweier darunterliegender Farbzonen (eine bildet die Standfläche für die Figuren; Abb. 33) wohl letzteres annehmen.

leicht nach unten gerichteter Blick nach rechts geht, weisen seine Hände (in überkreuzter Form) auf die Köpfe seiner vor dem Bett stehenden Enkel, wobei diesmal (wie im Vat. gr. 747; Taf. 46d) sein *linker* Arm – kompositionsbedingt – etwas verlängert erscheint. Ephraim und Manasse, die in einer Art Gesprächshaltung[455] einander zugewandt sind, tragen über der Tunika mit den zwei Clavi einen langen Mantel, das Pallium – ähnliches findet sich nur noch auf einem Sarkophagbild (Taf. 45c). Ihre verschiedene Größe und Stellung im Raum[456] lassen, wie in Cimitile und auf anderen Monumenten[457], deutlich erkennen, wer der Jüngere und der Ältere ist. Anders als im jüdischen Bild in Dura wird damit der Bibelvers Gen 48,14 genau illustriert, in dem ausdrücklich hervorgehoben wird, daß Ephraim der Jüngere ist. Da zB. bei den Kirchenvätern seit Ende des 2. Jh. der Altersunterschied zwischen den beiden Kindern im Zusammenhang mit der Interpretation dieses Bibelberichtes oft ausdrücklich erwähnt wird und zT. dabei die Worte »maior« bzw. »minor« gebraucht werden[458], die auch auf die Größenunterschiede weisen können, ist es nicht notwendig, jüdische Schriften zur Erklärung dieses Phänomens heranzuziehen, geschweige denn sie allein als maßgeblich für diese christlichen Monumente anzusehen (vgl. aber o. S. 109). Außerdem könnte ein grundsätzlich ähnliches Bildschema, das in der paganen Ikonographie vorhanden war und den Künstlern bei der Erstgestaltung dieses christlichen Themas als Vorlage diente, mit zu einer derartigen Gestaltungsweise geführt haben (s. u. S. 125f). – Auffallend beim Bild in der via Latina ist jedoch das Fehlen Josephs. Vielleicht liegt hier »eine Reduktion auf das Wesentliche als Motiv für die Auslassung« vor[459]. Eine Auslassung wichtiger[460] Bilddetails findet man nämlich auch in einem gegenüberliegenden, gleichzeitigen Arkosolbild aus derselben Grabkammer[461]. – Alles in allem scheint es, daß das Katakombenbild des Jakobssegens, abgesehen von der nur generell verwandten Anordnung der Personen und der ähnlich wiedergegebenen Größenunterschiede der Kinder, weniger mit der Darstellung in Cimitile als mit der in Dura und den Oktateuchen gemein hat. Man vergleiche nur die Ausrichtung des Bettes und grundsätzlich das *Liegen* Jakobs auf einer Kline.

Ähnliches finden wir auch auf einem wohl ebenfalls etwa 340/50 entstandenen Sarkophagdeckel aus der Callixtus-Katakombe in Rom, dessen eine Szene auf der linken Seite man neuerdings schon als ikonographische Parallele zu einem anderen Fresko aus derselben Kammer in der via Latina-Katakombe hinzugezogen hat (Taf. 45b)[462]. Im

[455] So Ferrua (o. Anm. 224) 50; Kötzsche-Breitenbruch, Via Latina 74; aber Stemberger (o. Anm. 377) 45: »miteinander zu streiten scheinen«.

[456] U. Schubert, Spätantikes Judentum (o. Anm. 377) 23 sieht in der Bodenangabe unter dem kleiner wiedergegebenen Ephraim einen »Schemel«.

[457] S. zB. Taf. 45d. f und u. Anm. 485; selbst in der Physiognomie sind die Kinder – wie hier – meist unterschieden.

[458] S. Fischer, Genesis 493f; P. Prignet / R. A. Kraft, Épître de Barnabé = SC 172 (Paris 1971) 176f; Datierung ebd. 25f »vers la fin du IIᵉ siècle«.

[459] Dagegen Stemberger (o. Anm. 377) 45 (danach das Zitat). Entweder ist diese Reduktion vorlagenbedingt oder vielleicht eher bei der Übernahme in die Katakombenmalerei erfolgt. – Stembergers Zweifel ergaben sich auf Grund der Mehrfigurigkeit in einer weiteren umstrittenen Darstellung eines verwandten Themas

aus der gleichen Kammer der via Latina (ebd. 46f; Kötzsche-Breitenbruch, Via Latina 75). Vgl. die ziemlich einleuchtende Erklärung bei Fink, Bildfrömmigkeit 92/4.

[460] Vgl. o. Anm. 385.

[461] Kötzsche-Breitenbruch, Via Latina 48f; Korol (o. Anm. 113) 187₆₉. Vgl. u. S. 150 Taf. 51a.

[462] Rep. 185 nr. 397. – J. G. Deckers, Zum ›Lot-Sarkophag‹ von S. Sebastiano in Rom: RömQS 70 (1975) 147; ders., SMM 46. 64; Kötzsche-Breitenbruch, Via Latina 56f. 60. 75f. In dieser zweiten Szene, der Erscheinung der drei Männer vor Abraham (?) – die neueste Deutung bei Wischmeyer (o. Anm. 222) 94f »Joseph wahrscheinlich in seiner Amtseinführung« überzeugt nicht – wäre letzterer unbärtig und auf einem Thron sitzend wiedergegeben (links auf Taf. 45b; anders zB. in der via Latina, Kötzsche-Breitenbruch aO. Taf. 6a, aber ähnlich ebd. Abb. auf S. 57).

Unterschied zu einigen der spätantiken Szenen[463], aber ähnlich den drei Oktateuchbildern aus dem 12. Jh. (zB. Taf. 46c), ist hier Ephraim größer als sein älterer Bruder Manasse dargestellt. DE BRUYNE sieht in dieser Bedeutungsgröße – einleuchtend – einen Hinweis auf den »effet de la bénédiction, qui le« (Ephraim) »rend plus grand, moralement, que Manassé« (so Gen 48,19)[464]. Die beiden in eine ungegürtete Tunika gekleideten, diesmal mehr im Profil dargestellten Kinder tragen aber eigentümlicherweise Gaben, die an das Erstlingsopfer Kains und Abels und an die ›Arbeitszuweisung‹ an Adam und Eva erinnern[465]. In unserem Zusammenhang genügt es, im Anschluß an WILPERT festzuhalten, daß diese »Szene nicht rein historisch«, sondern sicher auch symbolisch gedacht war[466]. – Anders als alle bisherigen Monumente zeigt diese Darstellung noch zwei weitere Personen, die sich hinter dem Bett befinden. Seit WILPERT[467] werden häufig der Bärtige links als Joseph[468] und die Frau daneben als Aseneth[469] bezeichnet. Da die Hinzufügung und die seltsame Anordnung von zwei Personen keine Entsprechung im Bibeltext finden, bleibt zu fragen, ob außerbiblische Quellen[470] und/oder pagane Vorbilder eines verwandten Bildtypus maßgeblich für diese Gestaltung waren[471]. Auf jeden Fall muß aber hier die

---

[463] S. Taf. 45a. d. f.

[464] L. DE BRUYNE, L'imposition des mains dans l'art chrétien ancien: RivAC 20 (1943) 120₁. – Die Ähnlichkeit der genannten Monumente in diesem Punkt kann zurückzuführen sein auf die allgemeine Verbreitung der Bedeutungsgröße (vgl. zB. Korol [o. Anm. 113] 181₃₅ und J. ENGEMANN, Art. Bedeutungsgröße: LexMA 1 [1980] 1781f).

[465] So WS 2, 237; STECHOW (o. Anm. 377) 195. 206₄₁; KÖTZSCHE-BREITENBRUCH, Via Latina 75; WISCHMEYER (o. Anm. 222) 95.

[466] WMM 445; für Deutungsmöglichkeiten ebd. und KÖTZSCHE-BREITENBRUCH, Via Latina 75.

[467] WS 2, 237; DE BRUYNE (o. Anm. 464) 120; STECHOW 195. 206₄₁; VON EINEM 39₂₄; LEBRAM 161; GUTMANN 183; HAUSSHERR 32 (alle o. Anm. 377); KÖTZSCHE-BREITENBRUCH, Via Latina 75. Rep. 185 nr. 397 und RUPPRECHT (o. Anm. 447) 98 benennen den Bärtigen nur mit Vorbehalt als Joseph.

[468] In der antiken und frühmittelalterlichen Kunst ist Joseph in dieser Szene anscheinend immer unbärtig wiedergegeben (so schon WS 2, 237; vgl. hier Taf. 43. 45. 46). Bei der Deutung der Nachbarszene zeigt sich aber auch ein ähnliches Problem (s. o. Anm. 462). Man kann vermuten, daß entweder bei diesen relativ frühen Darstellungen noch kein fester christlicher Bildtypus vorlag (vgl. allgemein dazu S. 98) oder daß der Steinmetz dieses sehr roh gearbeiteten Stückes seine Vorlage nicht exakt kopierte (vgl. WMM 446; s. dazu aber u. Anm. 504. Eine andere Physiognomie als bei Jakob ist aber immerhin gegeben. – Diese Gestalt nur als eine Art Beifigur (wie sie auf Sarkophagen dieser Zeit auch mit einer ähnlichen Buchrolle in der Hand zu finden ist) zu bezeichnen, bleibt fraglich, da auf den noch weitgehend erhaltenen Sarkophagdeckelteilen sonst keine Beifigur vorkommt. Die auffallende Geste der rechten Hand (Zeige- und Mittelfinger sind zum Kinn geführt) wird in Verbindung mit der vom Geschehen abgewandten bzw. auf die andere Szene

gerichteten Position und Blickrichtung der Gestalt zwar oft hervorgehoben, aber sehr verschieden interpretiert (s. die betreffende Lit. in Anm. 464/6). Von der Stellung her kann man mE. nur sagen, daß die Person mit dem Geschehen nichts direkt zu tun hat oder vielleicht nicht haben will. Auf Grund der bisherigen Untersuchungen zur Gestik in der Antike möchte ich im Zusammenhang mit der Ausrichtung der Gestalt die Handhaltung als ein Zeichen für Nachdenken, Zweifel oder Ratlosigkeit deuten (vgl. M. L. HEUSER, Gestures and their meaning in early Christian art, Diss. Radcliffe College [Harvard 1954] 184. 189 F 1; NEUMANN, Gesten 109f. 125f; K. GROSS, Art. Finger: RAC 7 [1969] 921. 941; als Bildbeispiele für die Handhaltung: Rep. nr. 23a. 241. 807). Für zT. andere Deutungen dieser Gebärde s. DE WIT, Miniaturen 110₅ (»Angst«); J. M. C. TOYNBEE, Rez. zu LCI 2: JbAC 13 (1970) 95 (»surprise, wonder, admiration«); SITTL (o. Anm. 60) 272f (überrascht, verlegen, schüchtern); MCNIVEN (o. Anm. 169) 90f (»grief, worry, puzzlement or concentration«); HEUSER 184f. 231 (»doubt, meditation, grief, modesty«, mit den Hinweisen: »the forms and meaning may easily overlap«; nur durch die Stellung der Gestalt und den Kontext läßt sich die Bedeutung der Geste genauer ermitteln).

[469] Die Benennung der Frau kann vielleicht u. a. durch die jüngere Darstellung in der Wiener Genesis (s. Anm. 480) gestützt werden. Jedoch anders als dort steht sie direkt vor Jakob bzw. hinter dessen Bett und streckt ihre Rechte ihm entgegen. Die Hand ist nur sehr grob ausgearbeitet, so daß unklar ist, ob sie etwas hält oder eine Art Redegestus gemeint ist (vgl. NEUMANN, Gesten 10f). – Für eine formal darin sehr ähnlich gestaltete Darstellung s. DE WIT, Miniaturen 72f Pict. 20 (hier Taf. 32c).

[470] VON EINEM (o. Anm. 377) 39₂₅.

[471] Für weitere Erklärungen s. STECHOW (o. Anm. 377) 206₄₁ und DE BRUYNE (o. Anm. 464) 120.

Frage eines unmittelbaren Einflusses jüdischer Quellen offenbleiben, wie die obigen Untersuchungen gezeigt haben (S. 104/8). Vergleicht man die dortige Schilderung des Geschehens mit der Darstellungsweise hier (das ratlose oder nachdenkliche Abwenden des Mannes und die aktivere Rolle der Frau)[472], dann liegt beim Sarkophagbild zumindest keine direkte Illustration dieser Texte vor. – Auf Grund aller aufgeführten Eigentümlichkeiten kann man vielleicht gerade hier, wie wir es oben beim Vergleich zwischen Dura und Cimitile schon angesprochen haben, die dennoch vorhandenen Ähnlichkeiten mit dem Bild in der via Latina und letztlich auch zu Dura und den Oktateuchen auf die relativ begrenzten Gestaltungsmöglichkeiten eines solchen Themas zurückführen.

Eine in Details ähnlich eigenwillige Szene ist auf einem Baumsarkophag im Louvre aus der zweiten Hälfte des 4. Jh. wiedergegeben (Taf. 45c). Gegen die jüngste These, es handele sich hierbei um die Segnung der Söhne Noes, lassen sich nicht nur der große Unterschied zu den gesicherten Noe-Segnungen spätantiken Ursprungs (zB. Taf. 51c. f)[473], sondern auch ein bislang kaum beachteter Aspekt anführen: Die stehende, von zwei Assistenzfiguren umrahmte bärtige Gestalt wendet sich dem deutlich kleineren der beiden neben ihr stehenden Kinder zu und legt ihm die wichtigere Hand, ihre Rechte, auf den Kopf. Nach Gen 9,26f bzw. 10,21 wurde jedoch der ältere (d. h. wohl größere) Sohn Noes zuerst gesegnet. In der Bibelepisode Gen 48,14 wird dagegen eigens hervorgehoben, daß der jüngere Sohn Josephs von Jakob mit der Rechten gesegnet wurde. Bei einer Deutung der Sarkophagdarstellung auf diese Szene hin bliebe aber als Besonderheit, daß es die einzige antike Darstellung eines stehend und ohne die sonst übliche Überkreuzung der Arme segnenden Jakob wäre. Während der maßgebliche Bibeltext, was die Segenshaltung der Arme anbelangt, verschieden ausgelegt werden kann (s. o. S. 103), müßte für das Stehen der Person erst noch eine Erklärung gefunden werden, bevor sich eine derartige Deutung sichern ließe.

Die von Tsuji angeführten Bildreste in der Cotton-Genesis (aus dem 5./6. Jh.), auf denen die betreffende Segensszene – vermutlich in einzelnen Phasen – dargestellt gewesen sein wird, können wegen des sehr schlechten Erhaltungszustandes nicht weiter in diese Untersuchung einbezogen werden; immerhin läßt sich feststellen, daß dort ein Innenraum und möglicherweise ein Bett oder zumindest eine Matratze wiedergegeben waren (s. S. 94₃₃₉; Taf. 45e)[474].

Eine wirklich andere Art der Darstellung findet man im 6. Jh. in der Wiener Genesis auf fol. 23ʳ, pict. 45 (Taf. 45f) und auch auf zwei koptischen Stoffen (aus dem 7. Jh. [?]; Taf. 46a. b), die vor kurzem erst ausführlich behandelt wurden[475]. Die betreffenden, nicht ganz

---

[472] S. Anm. 468f.

[473] GERSTINGER, Wiener Genesis 78f (immer mit den drei Söhnen und sitzendem, ohne Handauflegung segnendem Noe); die Noe-Deutung bei DE BRUYNE (o. Anm. 464) 124. 123₁ (Widerlegung früherer Deutungen) und J. POESCHKE, Art. Segen: LCI 4 (1972) 146. Zur Datierung s. GERKE (o. S. 54₁₁₂) Tab. IV: 380/400 (»Ephraim und Manasse«); M. SOTOMAYOR, S. Pedro en la iconografia paleocristiana (Granada 1962) 44₃₈. 52₇₃. 178 nr. 106: 350/60; dagegen F. BARATTE/C. METZGER, Musée du Louvre. Catalogue des sarcophages en pierre d'époques romaine et paléochrétienne (Paris 1985) 311f: 1. Hälfte 4. Jh. – Die Haar- und Barttracht des Segnenden findet sich auf dem Sarkophag nur

noch ähnlich bei der Gestalt »Gottvaters« (vgl. o. Anm. 116) in der Kain-und-Abel-Szene.

[474] Vgl. Tsuji, Genèse de Cotton 63f; während sie zu fol. 109 V, 107 R, 110 V / 111 RV schreibt: »nur der Text?« (Gen 48,15–49,27), sagt sie zu fol. 107 V: »Gen 48,? Themenunklarheit . . . eine Säule, die ein Zimmer anzeigt, ist rechts« am Ende eines Bildrestes (das Bild in fol. 110 R [Gen 49,1–] ist unbestimmbar). Zur Datierung s. o. S. 56₁₂₂.

[475] ABDEL-MALEK (o. Anm. 345) 65/8. 78. 89f. 222f Fig. 52. 56 – vgl. dazu auch hier Anm. 496; J. M. TUCHSCHERER / G. VIAL, Le Musée Historique des Tissus de Lyon (Lyon 1977) 12f Taf. 8 (noch ungedeutet; »Art copte, VIᵉ–VIIᵉ siècles«). – Die beiden nur als Büsten wieder-

sicher zu deutenden Szenen auf den Stoffen sind mit dem Handschriftenbild im Sitzmotiv verwandt. In der Wiener Genesis und zumindest auf einem dieser Stoffe (Taf. 46b) ist darüber hinaus, anders als in den bisher vorgestellten Monumenten, die Überkreuzung der Arme Jakobs gleichmäßig gestaltet und dadurch besonders hervorgehoben – dabei ist sogar der für die Segnung bedeutendere rechte Arm vom linken überschnitten. Es mag damit eine für manchen damals lebenden Christen deutlich erkennbare Gleichsetzung mit dem Kreuz Christi angezeigt sein[476]. Verstärkt bzw. erst richtig ermöglicht wird diese Art der Armhaltung in der Wiener Genesis durch die in etwa symmetrische Dreieckskomposition, die von dem fast frontal thronenden Jakob und seinen – ähnlich der Sarkophagdarstellung in Rom (Taf. 45b) – im Dreiviertelprofil davor stehenden Enkelkindern gebildet wird. Diese vom bisher Gezeigten völlig verschiedene Art der Darstellung[477] (insbesondere auch das Sitzen nicht mehr in oder auf einem Bett, sondern auf einem Stuhl) ist gleichermaßen für die meisten mittelalterlichen Beispiele dieser Ikonographie typisch[478]. Darüber hinaus ist auch die Thematik des Bildes in der Wiener Genesis eine etwas andere als bisher. Zum ersten Mal in der christlichen Kunst wird hier unzweifelhaft der Einspruch Josephs (Gen 48,17f) verdeutlicht. Entgegen der Schilderung im Bibeltext ergreift dieser dabei aber die *linke* Hand Jakobs[479]. Etwas anders als bei der Sarkophagdarstellung tritt außerdem noch eine weibliche, in der Literatur als Aseneth bezeichnete Gestalt links hinter Joseph auf. Auch von den Bilddetails her – zur Textanalyse s. S. 104/9 – kann für die Hinzufügung dieser Gestalt nicht allein der Einfluß der oft herangezogenen jüdischen Quellen, sondern ebenso der christlicher Schriften wirksam gewesen sein[480].

gegebenen Kinder befinden sich hier – vielleicht wegen der auf Stoffen oft vorhandenen verkürzten Wiedergabe von Szenen (Platzmangel etc.) – nicht unterhalb der Arme »Jakobs«. Dieser ist nach links ausgerichtet und hat, besonders deutlich erkennbar auf Taf 46b, seine Arme überkreuzt. Eine dritte Gestalt ist außerdem noch auf Taf 46a zu finden; mE. muß es sich dort links um die beiden Kinder und rechts um einen Erwachsenen (etwas größerer Kopf) handeln. Abdel-Malek bezeichnet diese Figur (mit längeren Haaren?) als Joseph (aO. 67). Die dortigen Beischriften in Form von »scattered letters« können vielleicht als »deformations of words« angesehen werden und wären dann grundsätzlich mit den Beischriften im Ashburnham-Pentateuch vergleichbar (s. u. Anm. 489). – Für die Wiener Genesis s. Gerstinger, Wiener Genesis 109, Buberl (o. Anm. 23) 125 und Mazal, Wiener Genesis 124. 158.

[476] So Stechow 196 und Lebram 162₂ (o. Anm. 377); H. L. Kessler, Narrative representations: Age of Spirituality 454.

[477] Nach Weitzmann, Roll and codex 101 ist die Landschaftsangabe hier (vgl. o. Anm. 454) ein Hinweis, daß diese Darstellung ursprünglich »for a narrow column in a two-column text« konzipiert war; so auch Mazal, Wiener Genesis 172 (der »Archetypus [ist] . . . im 4. Jahrhundert« entstanden).

[478] Diese kommen häufig in typologischen Zusammenhängen vor, und meist fehlt dabei die Gestalt Josephs. Vgl. Chapman (o. Anm. 346) 36₆. 44 Fig. 1. 17 und Stechow 196/200, von Einem 20/3, Haussherr 30f

(alle o. Anm. 377). A. Goldschmidt / K. Weitzmann, Die byzantinischen Elfenbeinskulpturen des X.–XIII. Jh. 1 (Berlin 1930) 55 nr. 96 Abb. LVI; die beiden Autoren sehen in diesem Stück ein Vergleichsbeispiel zur Wiener Genesis, u. a. in der Aktion Josephs (von Einem aO. verneint letzteres); Kötzsche-Breitenbruch, Via Latina 76.– Als mögliche Erklärung für das Sitzen auf einem Stuhl s. u. Anm. 511.

[479] Während für Mazal, Wiener Genesis 158 in der »Gestik der Personen . . . die Bibelverse 48,16–19 getreu wiedergegeben« sind (sic!), sieht Gerstinger, Wiener Genesis hierin »eine etwas freie Verbildlichung von Gen XLVIII 17« und Garrucci (Gerstinger aO. 202₂₄₁) einen Fehler des Malers (vgl. aber dazu die bei Goldschmidt/Weitzmann Abb. LVI aufgeführte Elfenbeintafel und die Aelfric-Paraphrase [London, Brit. Mus., Cotton Claudius B IV] fol. 70ᵛ; Abb. nach Dodwell/Clemoes [o. Anm. 340] 31 fol. 70ᵛ).

[480] Die abseits stehende Frau, die ihren rötlichen Mantel über den Kopf gezogen hat, hält den rechten angewinkelten Arm wohl vor den Oberkörper und führt die linke Hand unters Kinn, wobei sie mit ihren Fingern möglicherweise ins Gewand greift (vgl. eine ähnliche Gestik in der Wiener Genesis pict. 30). Diese in der bisherigen Forschung nicht beschriebene Haltung und Gestik der als Aseneth bezeichneten Frau (s. Lit. o. Anm. 377. 467. 475) kann in der Terminologie Neumanns (Gesten 125/8) als »besorgtes Nachdenken« bezeichnet werden (vgl. Heuser [o. Anm. 468] 193. 231: »meditation«). Durch ihren auf die Handlung Josephs gerichteten Blick scheint sie mit dem in diesem Bilde

Auf zwei antiken Monumenten spielt also seit der Mitte des 4. Jh. in der Szene des Jakobssegens zusätzlich eine Frau eine besondere Rolle, nur in verschiedenem Maße. Diese Frau ist wahrscheinlich mit der selten in der Kunst dargestellten Frau Josephs, Aseneth[481], gleichzusetzen. In der analogen, in vielem unkanonischen Szene in Cimitile könnte sie demnach auch dargestellt gewesen sein, und zwar hinter dem dortigen Bett (links neben Jakob), auf der weniger ausgefüllten Seite des Bildes also; diese Seite ist zu einem großen Teil noch unzugänglich (Abb. 26f; Taf. 24a). Aus diesem Grunde war es mir nicht möglich, sichere Anhaltspunkte zur Lösung dieser Frage zu finden[482]. Immerhin könnte auch im Nachbarbild eine Figur vorhanden gewesen sein, die ebenfalls nicht durch den dort maßgeblichen Bibeltext belegt wäre (Abb. 32; S. 97f).

Das letzte Beispiel, das ich zum Vergleich heranziehen möchte, die Szene links im Bild auf fol. 50r im sog. Ashburnham-Pentateuch (wohl aus dem 7. Jh.; Taf. 45d)[483], bietet gegenüber den bislang gezeigten Darstellungen eine Art Mischtypus: In etwa ähnlich wie im Bild in Cimitile sitzt Jakob[484] in der Mitte auf einem in anderer Richtung als meist üblich stehenden Bett; er erteilt den Segen aber mit gleichmäßig überkreuzten Armen, wodurch man allgemein an die Darstellung in der Wiener Genesis erinnert wird[485]. Jedoch anders als dort steht auf der linken Seite nur Joseph, während auf der rechten neben dem Bett seine elf Brüder aufgeführt sind[486]. Joseph ergreift nicht die rechte Hand seines

illustrierten Geschehen verbunden zu sein. Die oben erwähnten jüdischen Quellen führen die Gestalt der Aseneth aber nur bei der Schilderung eines vorherigen Momentes der Segnung an. Gerade ein solcher muß wohl auch in der Wiener Genesis illustriert gewesen sein (s. Anm. 495), doch ist es müßig, darüber zu spekulieren, ob die Frau auch dort dargestellt war. – Entweder liegen bei unserem Bild andere Quellen zugrunde oder es handelt sich um eine Art »Mehrphasenszene« (generell dazu WEITZMANN, Roll and codex 11. 13f. 25f. 33f) oder allgemeiner vielleicht eher nur um den Hinweis auf die Legitimität der beiden Söhne Josephs (vgl. S. 108. 126). Nach GERSTINGER, Wiener Genesis 110 pict. 48, kann auch in einer anderen Szene dieser Handschrift eine Frau, die neben Joseph steht und sogar die gleiche Kleiderkombination wie eben trägt, als Aseneth bezeichnet werden. Im betreffenden Bibeltext Gen 50,8 und 14 findet sich aber nur ein allgemeiner Hinweis, der zur Darstellung geführt haben könnte. – Die von É. REVEL, La Genèse de Vienne et les textes rabbiniques: Byzantion 42 (1972) 126/30 angenommenen weiteren Aseneth-Darstellungen sind in ihrer Deutung umstritten.

[481] Vgl. die Zusammenstellung der Denkmäler bei VIKAN (o. Anm. 340) 381/3; STECHOW, VON EINEM und HAUSSHERR aO. (o. Anm. 377) für weitere, zT. spätere Beispiele (in der Cotton-Genesis wohl auf fol. 90r [so TSUJI, Genèse de Cotton 58f Abb. 122]). S. außerdem o. Anm. 395. 469. 480.

[482] Da in den zwei Beispielen, in denen die Aseneth vorkommt, ihre Anordnung jeweils verschieden ist (s. o. Anm. 469), spräche von daher generell nichts gegen eine etwaige Position hinter dem Bett (zu der noch sichtbaren, aber stark zerstörten Fläche unterm Bett s. S. 101). Das Bild in Cimitile scheint jedoch mehr bibeltextgetreu (s. S. 128), so daß eine etwaige Darstel-

lung der Aseneth hier bemerkenswert wäre. Zur Bekanntheit des Joseph-und-Aseneth-Romans s. S. 106f.

[483] VON GEBHARDT, Ashburnham Pentateuch 19 Abb. XIII; vgl. zur Datierung und umstrittenen Lokalisierung KÖTZSCHE-BREITENBRUCH, Via Latina 35f; nach D. W. WRIGHT: ArtBull 43 (1961) 250f: »second half of sixth century?«, B. NARKISS: Age of Spirituality 470: »Late 6th, early 7th«.

[484] So bisher RUPPRECHT (o. Anm. 447) 98. 107, CHAPMAN (o. Anm. 346) 42 und vielleicht STECHOW (o. Anm. 377) 196. Die hohe Position des Oberkörpers und der Faltenbahnen des Übergewandes, die in der Mitte – wie von Beinpartien hinabfallend – nach unten durchhängen (vgl. Taf. 45d), lassen auf eine derartige Stellung schließen; nach Untersuchungen am Original von Dr. F. RICKERT, der 1985 in Bonn eine Dissertation »Studien zum Ashburnham-Pentateuch« abgeschlossen hat, handelt es sich bei zwei »rosafarbenen« Gebilden unterhalb des mit mehr Falten durchzogenen, weniger leuchtend-weißen Untergewandes (vgl. auch die zugehörigen langen Ärmelpartien) um die Füße Jakobs.

[485] Dagegen erinnert die frontale Darstellung der Kinder an Dura, Cimitile und die Oktateuche. Die gleichmäßige Überkreuzung der Arme Jakobs wird hier aber dadurch erreicht, daß der kleinere Knabe höher steht und Jakob mehr frontal sitzt.

[486] J. GUTMANN, The Jewish origin of the Ashburnham Pentateuch miniatures: Jewish Quarterly Review 44 (1953) 68 (wiederabgedruckt in: ders. [Hrsg.], No graven images [New York 1971] 342) und K. SCHUBERT (o. Anm. 377) 206 sehen hier in der »Kombination von Gn 48 und Gn 49« allein jüdischen Einfluß. Ähnliche Kombinationen findet man auf einer byzantinischen Elfenbeintafel (s. o. Anm. 478) und bei KRACHER (o. Anm. 340) Abb. von fol. 76r (auf fol. 76v existiert auch

Vaters, sondern umfaßt von unten her dessen rechten Arm[487]. Die Architektur, vor der die Szene spielt, findet eine sehr allgemeine Entsprechung nur in der Cotton-Genesis und in späteren Darstellungen, wie zB. in den Oktateuchen (Taf. 46c. d)[488]. Alle Elemente zeigen, daß es sich um eine eigenständige, besonders weit gespannte Mehrphasenszene handelt, die gemäß den Beischriften zum Bild sogar auf die zwei verschiedenen, im Bibeltext hintereinander folgenden Segnungen Jakobs hinweist[489].

b) Folgerungen aus der Analyse dieser Darstellungen

Bei der Darstellung des Segens Jakobs an Ephraim und Manasse in der Spätantike und im Mittelalter lassen sich vom Motiv her hauptsächlich zwei Bildgruppen unterscheiden: Die eine, bei der Jakob mehr oder weniger aufrecht in einem Bett liegt (wie zB. in Dura, in der via Latina, auf dem Sarkophag aus San Callisto, in den Oktateuchen und vielleicht einst auch in der Cotton-Genesis), und die andere, zuerst anscheinend nur im Osten verbreitete, im Mittelalter aber im Westen am häufigsten zu findende Gruppe, bei der Jakob auf einem Stuhl sitzt – allgemein ist das Sitzen eher bibeltextgetreu – und dabei die Arme gleichmäßig überkreuzt (wie zB. in der Wiener Genesis und auf einem der koptischen Stoffe)[490]. Eine Vermischung beider Elemente finden wir in der Darstellung im Ashburnham-Pentateuch und ähnlich auch – nur in etwas anderer Form – in Cimitile. In wichtigen Details und damit oft auch in der Bildaussage unterscheiden sich aber die hier vorgestellten Einzeldenkmäler, besonders die der ersten Gruppe, voneinander. Somit ist die in der Forschungsliteratur zu findende Annahme einer von der Antike bis zum Mittelalter durchlaufenden, ikonographisch eng zusammenhängenden Bildrezension[491] bei dieser für einen Vergleich mit dem Bild in Cimitile besonders wichtigen Gruppe zu überdenken.

Eine jeweils andere Bildaussage könnte vielleicht u. a. durch den Darstellungsort bzw. -zweck bedingt sein. Sieben der hier vorgeführten Beispiele dienen als Buchillustrationen innerhalb eines mehr oder weniger ausführlichen Zyklus', während die anderen sich meist im Kult- oder Grabbereich befinden. Von letzteren soll zwar die Mehrzahl von Buchmalereidarstellungen beeinflußt worden sein[492], doch können – vorausgesetzt, diese Annahme

---

noch eine eigene Darstellung zu Gen 49). Somit stellt sich die Frage, ob diese Szenenzusammenziehung etwa aus Platzmangel erfolgte oder ebenso durch christliche Texte beeinflußt sein kann? Gegen die Erklärung der Größenunterschiede der beiden Kinder hier allein mit Hilfe der »rabbinischen Schriftdeutung« durch K. SCHUBERT 205 s. nämlich schon S. 118.

[487] K. SCHUBERT (o. Anm. 377) 205 verweist hierfür wieder auf die Darstellung in Dura, aber gerade dort ist dieses Bilddetail völlig anders (s. S. 113); somit ist in beiden Monumenten zumindest an diesem Punkt die Aussage schwer zu vergleichen. Die Abweichung vom Bibeltext scheint mir kompositionell bedingt zu sein, denn auch in jüdischen Schriften ist dies nicht direkt vergleichbar; s. o. Anm. 385.

[488] Vgl. o. Anm. 474; ansonsten o. Anm. 454.

[489] Für die Beischrift »Iacob ubi benidicet filios suos« vgl. VON GEBHARDT, Ashburnham Pentateuch 19 Abb. XIII.

[490] Eine derartige Gruppierung schon bei WEITZMANN, Zur Frage des Einflusses (o. Anm. 409) 402[7]. 407[24];

RUPPRECHT (o. Anm. 447) 97; KAUFFMANN, Jakob 380; KÖTZSCHE-BREITENBRUCH, Via Latina 76. Die Bibeltexttreue des Sitzens wurde mW. bisher nur von GRABAR, Le thème (o. Anm. 426) 168[1] im Zusammenhang mit Darstellungen gesehen. KRAELING, Synagogue 221[877] erkennt immerhin die Problematik beim Liegen Jakobs bei einer der beiden Segnungen in Dura: »The Biblical text does not mention Jacob's lying on the bed in Gen. 49, but this may readily be inferred from the previous story, more especially from Gen. 48,2«. Schon DU MESNIL, Les peintures (o. Anm. 413) 52[1] hat aber darauf hingewiesen, daß in beiden Bibelschilderungen angezeigt ist, »que Jacob était assis sur le bord du lit« (vgl. Gen 48,2. 12 und 49,33). Für eine Erklärung des Liegens s. u. Anm. 501. – Für mittelalterliche Beispiele s. Anm. 448. 478.

[491] S. WEITZMANN und KÖTZSCHE-BREITENBRUCH aO.: o. Anm. 409; GOODENOUGH aO.: o. Anm. 410.

[492] Für Dura s. KRAELING, Synagogue 389f. 401; für die via Latina s. KÖTZSCHE-BREITENBRUCH, Via Latina 106f; für die Stoffe s. ABDEL-MALEK (o. Anm. 345) 90f.

träfe zu – manche Details, und damit zT. auch die jeweilige Aussage, im Zuge eines bestimmten Bildprogramms oder wegen räumlicher oder künstlerischer[493] Gegebenheiten verändert bzw. bevorzugt worden sein. Im einzelnen kann der Frage in diesem Rahmen nicht weiter nachgegangen werden. Es genügt hier festzustellen, daß die Szene im christlichen Grabbau in Cimitile von der Bildaussage her mit der (in Einzelheiten jedoch etwas anderen) Darstellung in der Synagoge von Dura enger verwandt ist: Beide Male handelt es sich um eine zweiphasige Darstellung (die Hinzuführung bzw. Präsentation der beiden Kinder durch Joseph und der Segen Jakobs), die jeweils zusammen mit einer Szene aus der gleichen Bibelepisode (in Cimitile der vorhergehende Schwur Josephs, in Dura die nachfolgende Segnung der zwölf Söhne) in einem Kontext von Bildern verschiedener Thematik vorkommt. In etwa ähnlich wie bei der Szene in der via Latina-Katakombe wird die Segenshandlung in den Vordergrund gerückt. Joseph spielt nämlich vom Ablauf des dargestellten Geschehens her eine eher – von den Auftraggebern des Bildes gewollte? – periphere Rolle. Der nicht bloß für jüdische Schriftsteller[494] wichtige Einspruch Josephs ist dagegen deutlich nur bei den ebenfalls mehrphasigen Szenen in Handschriften, wie der Wiener Genesis und dem Ashburnham-Pentateuch, wiedergegeben. – Für die beiden in Cimitile und Dura vorkommenden, aber inhaltlich nicht vergleichbaren Nachbarszenen läßt sich nur folgendes sagen: In den drei jüngeren Oktateuchhandschriften, wie einst vermutlich auch in der Wiener Genesis und in der Cotton-Genesis, befindet sich jeweils noch ein eigenes Bild, das ein vorhergehendes Geschehen des Bibelberichtes illustriert[495]; direkte Beziehungen zum Bild in Cimitile lassen sich jedoch nicht aufweisen (s. S. 97). Während im Ashburnham-Pentateuch zusätzlich noch im gleichen Bild die anschließende Segnung der Söhne Jakobs anklingt, bieten sonst ebenfalls nur Buchmalereibeispiele – neben einer weiteren Szene aus dem betreffenden Bibelbericht – auch noch, wie in Dura, eine eigene Darstellung dieses Themas[496]. Vom Motivischen her ist einzig diejenige in den Oktateuchen (zB. Taf. 44f) wieder mit der in Dura (Taf. 43) verwandt, doch lassen sich auch hier gewisse – nur zeitbedingte? – Unterschiede aufweisen[497]. Für die Annahme eines »common original«[498] bieten demnach

---

[493] Vgl. nur S. 115[438]. 118[459]. 119. 126.

[494] Vgl. Anm. 385.

[495] Für die Wiener Genesis erschließen es BUBERL (o. Anm. 23) 125 und MAZAL, Wiener Genesis 124. 158: Der Beginn der Segensepisode. – Für die Oktateuche s. o. Anm. 340; für die Cotton-Genesis s. S. 94[389].

[496] MENHARDT (o. Anm. 278) 327 nr. 84; OUSPENSKY 140 nr. 164f; HESSELING Abb. 145f; Vat. gr. 746 fol. 136[r]. 137[r]; Vat. gr. 747 fol. 67[r/v]; für die Wiener Genesis BUBERL (o. Anm. 23) 126f pict. 46f (Jakob sitzend). – Eine zweite, aber andere Szene (der Tod Jakobs) kommt auch auf einer byzantinischen Elfenbeintafel (s. o. Anm. 478) und mE. auf einem der Stoffe (Taf. 46b o. rechts; nach ABDEL-MALEK [o. Anm. 345] 223 nur »a group of unidentified figures«) vor; in der zuletzt genannten Darstellung liegt eine mumienhafte Gestalt (Jakob) auf einem Bett, das von mehreren Personen (den Söhnen) umrahmt wird. – Für die Cotton-Genesis s. TSUJI, Genèse de Cotton 63f fol. 110. 111. 134 Abb. 149 (vgl. o. S. 94. 120[474]).

[497] In allen Oktateuchen (s. o. Anm. 496) ist Joseph besonders hervorgehoben; zu den übrigen 11 Brüdern sind noch zwei weitere Gestalten, die in einer ähnlichen Kleidung (einer sogar mit überkreuzten Armen) wie Ephraim und Manasse in der Segnungsszene wiedergegeben sind, hinzugefügt (im älteren Vat. gr. 747 fol. 67[v] ist dies nicht so klar, da die dortige Gruppe zwar auch mehr als 11 Mitglieder umfaßt, aber zT. nur die Köpfe sichtbar sind); schließlich liegt Jakob flach in einem Bett, das in entgegengesetzter Richtung wie in Dura dargestellt ist, und er befindet sich im Gespräch mit seinen Söhnen.

[498] So GOODENOUGH (o. Anm. 410) 9, 105f; sein hervorragender Vergleich mit einem Grabrelief aus Smyrna (3. Jh. vC.; s. RH. N. THÖNGES-STRINGARIS, Das griechische Totenmahl: AthMitt 80 [1965] 42[150]. 71 nr. 18) zeigt, daß auch dieser »type of scene is familiar from paganism«.

auch die mit den Nachbarszenen vergleichbaren Darstellungen keine in größerem Maße verwertbaren Anhaltspunkte; allenfalls zwischen den Oktateuchen und Dura lassen sich dadurch weitere Beziehungen aufweisen. Es bleibt somit die Frage bestehen, ob man für die aufgezeigten Ähnlichkeiten innerhalb der ersten Bildgruppe des Jakobssegens, zu der im weitesten Sinne vielleicht auch die Szene in Cimitile gerechnet werden darf, noch eine andere Erklärung finden kann.

Die schon mehrfach angesprochene Erklärung für die grundsätzliche Ähnlichkeit zwischen all diesen Darstellungen könnte mE. die Verwendung bzw. Umbildung gleicher Vorlagen aus dem paganen Bildrepertoire sein. Wie bei der Szene in Dura (S. 115f), lassen sich auch für die späteren Beispiele auf dem Sarkophag in San Callisto, in der via Latina und in den Oktateuchen Parallelen zum antiken Klinenmahltypus, der nach N. HIMMELMANN noch bis in die Mitte des 4. Jh. nC. vorkommen kann[499], und zum Bildtypus des Kranken oder Sterbenden auf einer Kline aufweisen[500]. Nicht nur die Form des Bettes und dessen Ausrichtung, sondern auch besonders die Art, wie eine einzelne Person mehr oder weniger aufrecht darauf liegt und zT. von mehreren Personen (u. a. Verwandten oder Dienern) umgeben ist, die sogar vor dem Bett stehen können (zB. Taf. 44b), all dies läßt sich gut vergleichen. Selbst das dortige Thema (Tod bzw. Sterben und Abschied) klingt bei den genannten christlichen Beispielen an, zumal wenn man sich den Rahmen der zugrundeliegenden Bibelepisode (Gen 47,29 – Gen 50) vor Augen führt[501]. – Eine im weitesten Sinn ähnliche Thematik und formale Bezüge verbinden diese christlichen Denkmäler auch mit der Sterbeszene aus dem Alkestismythos auf römischen Sarkophagen (zB. Taf. 44d)[502]. Hier ist noch besonders die immer wiederkehrende Darstellung der beiden Kinder vor dem Bett und zweier Erwachsener (ein bärtiger Mann und eine Frau), die neben oder hinter der Kline stehen (man vergleiche dazu auch das Bild auf Taf. 32c), hervorzuheben.

---

[499] N. HIMMELMANN, Typologische Untersuchungen an römischen Sarkophagreliefs des 3. und 4. Jahrhunderts nC. (Mainz 1973) 15/7. 28 (vgl. dazu C. DALTROP, Anpassung eines Relieffragments an den Deckel des Junius Bassus Sarkophags: RendicPontAcc 51/52 [1978/80 (1982)] 157/70 Abb. 1) und Taf. 33. 42a; H. WREDE, Klinenprobleme: ArchAnz 1980, 109f Abb. 25/7; K. PARLASCA, Zur Stellung der Terenuthis-Stelen: KairMitt 26 (1970) 173ff Taf. LX/LXIX; TH. KLAUSER, Die Cathedra im Totenkult der heidnischen und christlichen Antike³ (Münster 1979) 70₁₂₂. ₁₂₄ Abb. 19,1. 20,1. 22,2; BORDA, Pittura romana 365 Abb. S. 366; THÖNGES-STRINGARIS 1f Beilagen 1/30; I. J. M. DENTZER, Le motif du banquet couché dans le proche-orient et le monde grec du VIIᵉ au IVᵉ siècle avant J.-C. = Bibl. des Éc. Franç. d'Athènes et de Rome 246 (Rome 1982): Beispiele mit einer kleinen Dienerfigur nahe bzw. unterhalb des Liegenden in Fig. 458/679; R. HORN, Hellenistische Bildwerke auf Samos = Samos 12 (Bonn 1972) Taf. 84/93 Beilagen 17/24 (bes. nr. 142); H. GABELMANN, Ein Eques Romanus auf einem afrikanischen Grabmosaik: JbInst 94 (1979) 594₃ Abb. 1. – Nachwirkungen dieses Typus auf christliche Darstellungen haben schon HIMMELMANN aO. 18₁₀₄ und bes. STEVENSON (o. Anm. 266) 99f₁₆₆ aufgezeigt.

[500] N. HIMMELMANN: BonnJbb 179 (1979) 791₁; ders., Untersuchungen (o. Anm. 499) Taf. 42b; KLAUSER, Cathedra 23₄₄. 24 Abb. 1. – Zur Bettform s. G. M. A. RICHTER, The furniture of the Greeks, Etruscians and Romans (London 1966) 105f fig. 530/60. Eine im Vergleich zum Bild in Cimitile sehr ähnliche schlichte Bettform bei DE WIT, Miniaturen 56/8 pict. 15 und hier Taf. 32c. – Vgl. generell auch u. Anm. 514.

[501] Der Bibeltext in Gen 48,1 setzt voraus, daß Jakob zuerst in seinem Sterbebett lag (vgl. dazu und zum folgenden Anm. 490). Allein an Hand dieser Stelle wäre aber nicht eindeutig auszumachen, ob Jakob dann auch während der Segnungen im Bett aufgerichtet lag oder auf dem Bettrand saß. Erst durch nachfolgende Stellen wird letzteres deutlich gemacht. Demnach konnte gerade von spätantiken Künstlern bei einer Erstillustration, die sich nicht streng an den Gesamttext hielt (wenn zB. keine ausführlichen oder eindeutigen Malvorschriften gegeben waren), leicht auf die paganen Bildformeln zurückgegriffen werden, da diese thematisch sehr verwandt sind (aber einen sterbenden Mann liegend wiedergeben, vgl. u. Anm. 511).

[502] ROBERT, ASR 3,1,23f Taf. VI,22/4; VII,26/9; neueste Lit. dazu bei KOCH/SICHTERMANN, Römische Sarkophage (o. S. 14₄₆) 136f. – In der Variation bzw. Gestaltung der Figuren liegt hier jedoch noch ein ganz anderer Stil vor.

Von den beiden Kindern ist in der Mehrzahl das linke größer wiedergegeben, so wie wir es auch im Bild in der via Latina, in Cimitile und in den späteren Monumenten meist vorfinden[503]. Möglicherweise hat ein derartig vorgegebenes Bildschema bei der Erstgestaltung des christlichen Themas Pate gestanden. Die auf den heidnischen Sarkophagbildern fast gleichbleibenden Positionen eines Bärtigen links neben dem Bett und einer Frau links daneben oder hinter der Kline erinnern immerhin an die christlichen Darstellungen auf dem Sarkophag in San Callisto und in der Wiener Genesis (Taf. 45b. f)[504]. In diesem Zusammenhang ist hervorzuheben, daß für das Auftreten der zwei Personen auf den paganen Darstellungen, die von C. ROBERT als die Eltern der Alkestis bezeichnet werden, keine literarische Vorlage vorhanden zu sein scheint (der Vater war immerhin schon lange vorher gestorben)[505]. Analog dazu könnte u. a. auch bei den zwei christlichen Monumenten die Hinzufügung der nicht im Bibeltext erwähnten Mutter der beiden Kinder, Aseneth, vorgenommen worden sein, aus einem Grund, wie ihn WILPERT beschreibt: »essendo necessaria per rappresentare la famiglia« – ein Phänomen, das zumindest noch bei einer thematisch anderen christlichen Darstellung zu beobachten ist[506].

Bei all diesen Vergleichen fällt auf, daß die Szene in Cimitile durch die Umstellung des Bettes und das (vermutliche) Sitzen Jakobs typologisch gesehen aus dem Rahmen fällt und daher auch mit den eben gezeigten paganen Bildern weniger gemein hat. Bei Details in Cimitile, die wir auch auf anderen alttestamentlichen Segnungsbildern fanden, wie zB. der Darstellungsform und Anordnung bzw. Ausrichtung der beiden Kinder, muß man sich nun mit Recht fragen, ob nicht zahlreiche Vergleichspunkte, die sich sogar zwischen Beispielen aus den zwei typologisch verschiedenen Hauptgruppen dieser Ikonographie anführen ließen[507], wenigstens zT. auf Grund der in dieser Zeit im ganzen römischen Reich vorhandenen Gestaltungsmöglichkeiten eines bestimmten Themas[508] auftreten können (in diesem Fall zB. Frontalität als oft zu findendes Gestaltungsprinzip in der Spätantike). Ähnlich gängige antike Bildvokabeln, wie zB. die Bedeutungsgröße (S. 119) oder das Liegen auf dem Totenbett mit mehr oder weniger aufgerichtetem Oberkörper, dürfen mE. nicht ohne weiteres als Hinweise auf eine direkte Zusammengehörigkeit einer Bildgruppe oder Abhängigkeit von einem bestimmten Text[509] angesehen werden. Somit bieten auch nicht zahlreiche formale wie inhaltliche Übereinstimmungen zwischen dem Bild in Dura und dem in Cimitile, genausowenig wie zwischen den Darstellungen in Dura, den Oktateuchen, der via Latina und auf dem Sarkophag in San Callisto, allein sichere Anhaltspunkte für die einstige Existenz einer von der Antike bis zum Mittelalter

---

[503] Auf den paganen Monumenten sind es aber ein Junge und ein Mädchen.

[504] Auffallend ist, daß – ähnlich wie bei den paganen Beispielen – sowohl in der Wiener Genesis als auch beim Sarkophagbild die Kinder im Profil dargestellt sind. Die Darstellung des Bärtigen auf dem Sarkophag könnte jedenfalls von diesen oder den in Anm. 499f genannten paganen Monumenten beeinflußt sein. WILPERTS Vermutung (WMM 446), daß der Sarkophagkünstler »die Regeln der Kunst nicht genügend kannte«, da er Joseph bärtig wiedergab, scheint mir dagegen nicht zwingend für diese Zeit, in der manche ikonographischen »Regeln« noch nicht so festlagen (vgl. o. Anm. 468).

[505] ROBERT, ASR 3,1,23. – Die alten Eltern des Ehemanns Admetos, der zuweilen auf diesen Darstellungen fehlt, lebten immerhin zu diesem Zeitpunkt noch; K. KERÉNYI, Die Mythologie der Griechen 2. Die Heroen-Geschichten[4] (München 1979) 127.

[506] WS 2, 237 (zu der »Erweckung der Tochter des Jairus«, die WILPERT auch anführt, s. aber Mk 5,40 bzw. Lk 8,51); E. LUCCHESI PALLI, Art. Abraham: LCI 1 (1968) 27 (Sara bei der Opferung Isaaks).

[507] Vgl. zB. o. Anm. 457. 464. 485f und S. 121.

[508] S. o. Anm. 407. – Immerhin gab es auch in Cimitile ein Totenmahlrelief (Taf. 44c; 1980 gestohlen), das als Bildvorlage gedient haben könnte.

[509] Vgl. o. Anm. 444.

durchgehenden, einheitlichen Bildrezension[510], ganz besonders in den Fällen, wo wichtige Merkmale der einzelnen Bilder differieren. Man muß nämlich folgendes beachten:

Als vom Bibeltext beeinflußte Neuschöpfungen der Künstler des jüdischen Bildes und der zahlreichen christlichen Darstellungen des gleichen Themas können Charakteristika dieser Ikonographie, wie die gleichbleibende Grundkomposition aus mindestens drei oder vier Personen, das Überkreuzen der Arme und – in zwei Bildbeispielen (Abb. 33; Taf. 45d) – wohl auch das Sitzen[511] Jakobs auf seinem Sterbebett, angesehen werden. Die ersten zwei dieser Charakteristika sind so eindeutig vom Bibelbericht vorgegeben, daß sie bei einer erstmaligen Umsetzung des Themas ins Bild auch von verschiedenen Künstlern aus derselben oder aus verschiedenen Regionen in gleicher Weise gestaltet werden konnten. Beide Elemente zusammengenommen (die Neuschöpfungen und die gängigen Bildvokabeln) machen es nicht – wie GRABAR schreibt[512] – »almost inevitable«, daß »certain iconographic similarities between Jewish and Christian works« (zB. Dura, via Latina und Oktateuche) nur auf einen »direct contact between Jewish and Christian works« zurückzuführen seien. Ebenso vorsichtig sollte man jetzt aus den gleichen Gründen die Feststellung WEITZMANNS sehen, daß »the fact that so many details of the ... representations correspond can be explained only in terms of a common archetype«[513].

Die trotz aller Übereinstimmungen vorhandenen Unterschiede zB. zwischen dem Bild in Dura und der Darstellung in Cimitile müßte man, wenn man diese beiden Hypothesen akzeptieren würde, sinnvoll deuten können. Eine das Bild in Cimitile betreffende Erklärung, die aber wiederum nur eine Hypothese wäre, läge in der Annahme, daß dem dortigen Künstler oder dem Auftraggeber ein Beispiel dieser angeblich schon im 4. Jh. in Rom (Taf. 45a) bekannten[514] Bildrezension geläufig war und er aus bestimmten Gründen nur gewisse Aspekte davon kopiert hätte. Da zu der angenommenen Entstehungszeit des Bildes jährliche Reisen des Paulinus von Nola nach Rom belegt sind[515], sich außerdem schon früh in seiner ›Mönchs‹-Gemeinschaft ein konvertierter Jude (als Vermittler

---

[510] Ebensowenig kann allein hiermit eine Lokalisierung der Oktateuchrezension in Antiochia begründet werden; anders aber in der Lit. in Anm. 409/11. 452f. Vorsichtiger aber schon RUPPRECHT (o. Anm. 447) 98. 102. – Allgemein zu diesen Fragen DECKERS, SMM 270.

[511] Vgl. o. Anm. 490. – Nach KLAUSER, Cathedra (o. Anm. 499) 43/82, bes. 71 scheint das Sitzmotiv bei »Familien-, Heroen- und Totenmahlbildern« in der späteren Antike für Frauen, nicht aber für Männer (die anscheinend immer liegen) üblich zu sein. Eine Ausnahme könnte vielleicht ein Wandbild der Flaviergalerie in der Domitillakatakombe sein, doch ist das Geschlecht der beiden Sitzenden wegen der starken Zerstörung der Malerei schwer zu bestimmen; WMK 475 Taf. 7,4 (»uomini«). In der von HIMMELMANN, Untersuchungen (o. Anm. 499) 28[100] genannten Darstellung eines »sitzenden« Mannes scheint mir dieser mehr zu liegen; P. GAUCKLER, Inventaire des mosaïques de la Gaule et de l'Afrique, Tafelbd. 2,2 (Paris 1914) nr. 25. – Für »das Sitzen auf einem ... Stuhl« (vgl. die zahlreichen Beispiele nach Anm. 478) »als Ausdruck der Machtstellung und Würde« s. KLAUSER aO. 57.

[512] GRABAR, Iconography (o. Anm. 411) 96.

[513] S. Anm. 409f, bes. WEITZMANN, The question 77, wo englische im Gegensatz zum (früheren) deutschen Text schon vorsichtiger geworden ist: »presumably an early illustrated text of the Septuagint«.

[514] S. o. Anm. 452f. Bemerkenswert ist, daß gerade dieses Beispiel im Gegensatz zum Bild in Dura und in den Oktateuchen (aber auch zu den anderen genannten Szenen dieses Themas) Jakob in einer mehr liegenden, nur wenig aufgerichteten Haltung zeigt. Das könnte vielleicht ein Hinweis dafür sein, daß dieses Bild von ganz bestimmten Totenmahldarstellungen (vgl. WREDE Abb. 25 und KLAUSER, Cathedra Taf. 19,3 [beide o. Anm. 499]) oder Darstellungen von Sterbenden (HIMMELMANN, Untersuchungen Taf. 42b) oder Schlafenden (zB. DE WIT, Miniaturen pict. 15 und Taf. 32c) beeinflußt ist. Eine eigenständige Entstehung ohne eine Beeinflussung durch die anderen christlichen Vergleichsbeispiele (so schon ROSENTHAL [o. Anm. 452]; man vgl. die weiteren Eigenarten: S. 117f) wäre dann wahrscheinlich, da diese besondere Beziehungen zu Totenmahldarstellungen aufweisen, bei denen immer die gleiche aufrechte Haltung des Liegenden zu finden ist (Beispiele in der Lit. o. Anm. 442. 499).

[515] S. dazu o. S. 23[88]; zur Datierung der Malerei s. S. 166.

jüdischen Gedankengutes?) befunden haben soll[516], wären – mit allem Vorbehalt – einige Anhaltspunkte für eine solche Hypothese gegeben. Die oben aufgezeigten, noch zahlreicher vorhandenen Diskrepanzen auf einem anderen römischen Monument (Taf. 45b), das zu dieser Gruppe ebenfalls Beziehungen aufzuweisen hatte, müßten dann aber vielleicht auch ähnlich erklärt werden können[517].

Bei so vielen Prämissen und bei Beachtung der eben aufgezeigten, möglicherweise nur allgemein verwandten Gestaltungsprinzipien möchte ich die Fragen offenlassen, ob es nur einen gemeinsamen Archetypus der behandelten Bilder gab (oder nicht auch mehrere, in manchem ähnlich gestaltete, aber unabhängig voneinander entstandene Bildfamilien) und ob dieser Archetypus sogar von jüdischen Künstlern geschaffen worden ist. Die von manchen Wissenschaftlern – ohne Beachtung der hier vorgetragenen Aspekte – zT. so eindeutig gezogenen Schlußfolgerungen können mE. deshalb nur als eine Möglichkeit der Erklärung betrachtet werden, bevor sie nicht im Rahmen einer umfassenderen Untersuchung, wie etwa der mit den zwei Segensdarstellungen in Dura immerhin am engsten verwandten Oktateuchhandschriften, noch einmal überprüft werden. Denn »häufig handelt es sich sicherlich bei den vermuteten Abhängigkeiten der christlichen von der jüdischen Kunst um nichts anderes als auf Interdependenz innerhalb der allgemeinen antiken Tradition zurückgehende Erscheinungen«, wie F. W. DEICHMANN schreibt[518].

1.4.5 Ergebnis der Untersuchung für das Bild in Cimitile

Für Cimitile kann man nun sicher sagen, daß es sich bei dem dortigen Bild um eine sehr eigenwillige Darstellung des Themas handelt, für die keine christlichen Gesamtvergleichsbeispiele oder direkten paganen Vorbilder gefunden werden konnten. Ob eine Buchmalereivorlage für dieses Bild maßgeblich war[519], läßt sich deshalb von dieser Seite aus nicht ermitteln. Die vorhandenen Details zeigen immerhin, daß der Text der Bibel (Gen 48,13/6)[520] vom Künstler – an Hand von Malvorschriften oder schon existierenden Bildvorlagen – ziemlich getreu illustriert worden ist (man vergleiche u. a. das mögliche Sitzmotiv). Das Fehlen einer zu erwartenden Innenraumangabe ist für alle erhaltenen Beispiele dieser Ikonographie bis zum 5./6. Jh. typisch[521], so wie auch sonstige Einzelelemente der Darstellung – wie die Frontalität der Kinder – sicher aus der spätantiken ›Bildersprache‹ heraus zu erklären sind. Außerbiblische Textquellen brauchen jedenfalls

[516] Ep. 5,19 (entweder aus dem Jahre 396 [so zuletzt LIENHARD 189] oder 394/5 [so DESMULLIEZ (o. S. 20[76]) 62]); dazu WALSH, Letters 1, 68. 223[84] und FABRE, Saint Paulin de Nole 40[3] (zum strittigen Text und eventuellen Einfluß). Zur Anwesenheit von Juden in Campanien s. J. B. FREY, CIJ 1 (1936) 408/19; R. CALVINO, Cristiani a Puteoli nell'anno 61: RivAC 56 (1980) 325.

[517] S. S. 120. Für KÖTZSCHE-BREITENBRUCH, Via Latina 76, die fast als einzige dieses Monument unter derartigen Aspekten behandelt (vgl. noch RUPPRECHT [o. Anm. 447] 98. 106), »muß offenbleiben«, ob es »dieser Tradition ebenfalls zugezählt werden darf«.

[518] Für das Zitat s. DEICHMANN, Zur Frage der Gesamtschau (o. Anm. 407) 46. Demgegenüber skeptisch und der Meinung, daß die »zwar noch verhältnismäßig kleine Gruppe spätantik-jüdischer Kunstwerke … mit Nachdruck für eine direkte ›optische‹ Anregung der frühchristlichen durch die jüdische Kunst« spräche (so generell?), ist zB. MASER (o. Anm. 395) 356[86]. 366.

[519] S. dazu S. 10 und 172.

[520] Eine bestimmte Bibeltextversion ist jedoch schwer auszumachen; man beachte immerhin S. 103[375]. – Eine ähnliche Texttreue liegt in der Darstellung im Ashburnham-Pentateuch (Taf. 45d) vor. Dadurch erklären sich vielleicht einige der Vergleichspunkte.

[521] S. o. Anm. 454 und S. 123 o. Dies könnte auch auf eine Vereinfachung zurückgehen, die der Künstler des Bildes im Grabraum beim Kopieren der Vorlage vornahm. – »Daß die Söhne Josephs als Kinder und nicht als junge Männer dargestellt sind, entspricht der Bildtradition«; nur sehr scharfsinnige Leser des Gesamttextes der Bibel konnten sich daran stören, da die Söhne »mindestens 17 Jahre alt gewesen sein müssen«, so HAUSSHERR (o. Anm. 377) 21[41]. ROSENTHAL (o. Anm. 452) hebt beim Segensbild in der via Latina hervor, daß die Söhne Josephs als Erwachsene dargestellt seien (s. hier S. 188).

nicht unbedingt zur Erläuterung der nach dem heutigen Grabungsstand sicher erschließbaren Bildelemente herangezogen zu werden. Man muß aber wegen der großen Texttreue mit einer theologisch vorgebildeten Person, die dieses Bild erstmals konzipiert hat, rechnen.

Über den Grund, warum gerade dieses so gestaltete Bild (vor allem die hier gezeigten Handlungselemente) für die Ausmalung dieser im 4. Jh. entstandenen Grabkammer in Frage kam, möchte ich wenigstens eine Vermutung anstellen. Nimmt man die im Jahre 400 abgefaßte Interpretation des Jakobssegens durch Paulinus von Nola, der möglicherweise auch sonst an der Deutung nahe verwandter Genesisstellen besonders interessiert war, und diejenige anderer christlicher Schriftsteller in der Spätantike[522], dann bietet sich folgende Deutung an: Die Darstellung kann die Bevorzugung der Christen, als der Auserwählten[523], gegenüber dem älteren Volk der Juden[524] symbolisieren (man beachte die Größenunterschiede der Kinder), wobei die Art, wie diese Bevorzugung in der alttestamentlichen Geschichte erreicht wird (die Vertauschung bzw. Überkreuzung der Arme), zB. für Paulinus »crucis mysterium« bezeichnet, d. h. für »Christianis futura gloria« und »salus«[525]. Der Einspruch Josephs (Gen 48,17f) spielt bei diesen Überlegungen – wie auch bei der Darstellung in Cimitile – keine Rolle.

Zusammen mit der benachbarten Schwurszene (nach Gen 47,29/31) hätten wir hiermit den Rest eines alttestamentlichen Zyklus' vor uns, für dessen besondere ikonographische Ausgestaltung wir keine direkten Parallelen oder Nachfolger anführen konnten. Bei einer solchen Annahme ist auffallend, daß das Bild des nach dem Bibeltext später folgenden Jakobssegens links von der Schwurszene angebracht ist, also eine Leserichtung von rechts nach links vorhanden wäre. Liegt somit diesen Illustrationen ein linksläufiger semitischer Text zugrunde? Eine ähnliche Leserichtung findet man zB. bei Szenenfolgen der Jakobsgeschichte in den jüngeren Oktateuchen (Taf. 38f) und auf der Lipsanothek von Brescia (Taf. 38a), doch wurde bei letzterer die Vermutung DELBRUECKS auf eine solche Textvorlage schon zu Recht in Frage gestellt[526]. In Cimitile kann diese Leserichtung zB. von der Art der Aneinanderreihung von Bildstreifen bei einem zu vermutenden Vorbild herrühren, das – wie bei einigen Bildstreifen in der Wiener Genesis, die ebenfalls Jakobsepisoden illustrieren (zB. Taf. 38b)[527] – eine fortlaufende Erzählung in einem in zwei Register aufgeteilten Bild zusammengefaßt hatte, wobei die Erzählfolge oben von links nach rechts und dann unten von rechts nach links weiterging. Andererseits könnte es sich hier um eine Leserichtung handeln, die durch eine wohl durchdachte Anordnung der zahlreichen Darstellungen (s. S. 172f) bedingt war[528]. Von den ikonographischen Einzelelementen der Schwurszene her ist jedenfalls eine jüdische Vorlage eher auszuschließen[529].

[522] S. Lit. Anm. 404. Paulinus, ep. 23,41 (neueste Datierung nach LIENHARD, Paulinus of Nola 189: »400, spring«). – In den Briefen 46,3 und 47,2 an Rufinus, deren Datierung – beide »406–407(?)« – und »authenticity« umstritten ist (s. LIENHARD 190; anders WALSH, Letters 2, 354f), wird nach Deutung des Patriarchensegens Gen 49 gefragt. Vgl. dazu M. SIMONETTI, Rufin d'Aquilée. Les bénédictions des Patriarques = SC 140 (Paris 1968) 25. 94.

[523] Vgl. Paulinus, ep. 23,41. Fast wörtliche Übernahme des Bibeltextes zB. bei Cyrill (o. Anm. 398 = PG 69,333), Augustinus und Ambrosius (s. FISCHER, Genesis 496 u.).

[524] Vgl. auch allgemein Paulinus, ep. 24,8.

[525] Paulinus, ep. 23, 41.

[526] Vgl. TOYNBEE (o. Anm. 262) 293 u.; FINK, Bildfrömmigkeit 70[276].

[527] S. dazu in der Lit. o. Anm. 263.

[528] Vgl. dazu grundsätzlich DECKERS, SMM 169/71. – Obwohl zB. bei den römischen mythologischen Sarkophagen »die zeitliche Aufeinanderfolge der Szenen mit Vorliebe die Reihenfolge von links nach rechts hat«, so existieren doch mehrere Beispiele mit einer »Linksrichtung«: G. RODENWALDT, Über den Stilwandel in der antoninischen Kunst = AbhBerlin 1935, nr. 3, 4f.

[529] S. Kap. II,1.3, bes. S. 93[337f]. 96f. – Vgl. dagegen u. S. 175[12].

1.5 Die drei Bilder aus dem Jonaszyklus

Da es sich um thematisch verwandte Darstellungen handelt, möchte ich drei Bilder im Zusammenhang untersuchen, obwohl eines davon aus einem anderen, zeitlich früher entstandenen Raum stammt.

1.5.1 Beschreibung und Stil

a) Der Meerwurf mit herannahendem Ketos

Das Arkosolbild an der Nordwand unter der heutigen Eingangstür des Raumes 13 (Abb. 21; Taf. 17a) wurde schon 1957 durch Chierici bekannt gemacht (»Giona che entra nelle fauci del mostro. . . . la vivacità dei marinai che, colti dal panico, gettano in mare Giona«)[530]; es ist aber erst 1962 von R. Causa in einem Foto veröffentlicht worden[531].

Hempel schreibt dazu[532]: »Arkosol Nordwand unter der Treppe, der Meerwurf des Jonas, [Maße: Höhe 69 cm, Tiefe 60 cm, Breite 181 cm; Rahmen und] einheitlich hellblauer [Hintergrund des Bildfeldes und Bogen wie bei A« (Adam-und-Eva-Arkosol), »ebenso die Rahmenmaße. Höhe der Barke bis zur Mastspitze 42 cm, Breite ca. 62 cm, Figuren 14–16 cm, Ketos ca. 25 cm lang. Inkarnat der Figuren wie Adam in A]«. – Andere ausführliche Beschreibungen gibt es mW. nicht[533].

Der Erhaltungszustand des Bildes auf der Rückwand des Arkosols hat sich 1979/84 so verschlechtert, daß die Farbaufnahme von 1961 noch am besten den einstigen Gesamteindruck wiedergibt (Taf. 2a). Der rote, mit einer weißen Linie abgesetzte Rahmen hat etwa die gleiche Breite wie der im nordöstlichen Arkosol dieses Raumes, unterscheidet sich aber auffällig vom unregelmäßigen Rahmen beim Adam-und-Eva-Bild (Abb. 22; Taf. 32a; in der Rundung durchschnittlich 4 cm, beim waagerechten unteren Abschluß max. 8 cm breit). Der einheitlich hellblaue Maluntergrund des Bildes bzw. des Arkosolbogens ist in der Ausführung mit den entsprechenden Malflächen der übrigen zwei Arkosolien (Taf. 1. 2b) identisch.

Auf der Bildfläche hier ist eine kleinteilige Szene – mit einem Schiff im Mittelpunkt – gemalt. Dieses Segelboot schwebt gleichsam vor dem Hintergrund, eingebettet in einen schmalen, aber geschickt angedeuteten Wasserstreifen. Zwei weißblaue Wellenlinien auf dem Schiffskörper geben die Oberfläche des Wassers an. Die unter Wasser befindlichen Teile des Bootes sind mit einer grünlichen Farbe nur so dünn übermalt worden, daß sie noch durchscheinen. Das relativ lange, gelbliche Schiff ist in einer etwas gestreckten Halbkreisform ausgeführt. Sein weit ausladendes Heck besaß anscheinend einen schwalbenschwanzähnlichen Abschluß. Der Bug ist nur in seiner unteren Hälfte erhalten geblieben. Auf dessen Vorderseite sind zwei hellbraune Linien so gemalt, daß sie mit dem oberen Bootsrand ein Dreieck bilden. Durch bräunliche Farbabsetzung, einige gelbliche, leicht gebogene Vertikalstriche und eine hintere Bootsrandleiste von gleicher Farbe entsteht der räumliche Eindruck von einer (wohl hölzernen) Plankenwand im Innern des Schiffes (Taf. 4b). Etwas aus der Mitte nach rechts versetzt erhebt sich ein Mast von dunkelbrauner, unten mit Weiß vermischter Farbe; er ist nach oben zu schmaler

---

[530] RivAC 33 (1957) 113.
[531] Causa (o. Anm. 158) 265 (ohne Beschreibung); vgl. auch Fink, Bildfrömmigkeit 59₂₃₈ Abb. 11: »Jonas' Meerwurf«.

[532] ZAW 73 (1961) 301.
[533] Für nur kurze Erwähnungen des Bildes vgl. die Literatur o. Anm. 157/62.

gezeichnet. Das Oberteil des Mastes wird von einem großen, wohl trapezförmigen Rahsegel verdeckt, das wie vom Winde aufgebläht erscheint. Das Innere des Segeltuchs ist dabei deutlich durch seine mehr weißliche Farbe von der Außenseite unterschieden, die ein rechteckiges rotes Liniennetz auf beige-weißem Grund aufweist. Am oberen Rand des Segels befindet sich noch ein dunkelbrauner Quermast (die Rahe), von dessen etwaiger Mitte aus eine gleichfarbige Linie (die Brasse?) schräg nach unten abzweigt und auf die Reste der Hand (?) einer rechts neben dem Segel stehenden, ziemlich frontal wiedergegebenen Figur (vielleicht der Oberbootsmann) zuzulaufen scheint. Sowohl der untere Teil dieser Linie wie das Stück zwischen dem rotbraunen Pinseltupfer (Hand?) und dem gleichfarbigen rechten Arm der Person weisen verschieden große Schadstellen auf. Auch andere Stellen zeigen bei dieser Person wie auch bei den übrigen Gestalten des Bildes, daß Farbpartien abgeblättert sind und die Konturen dadurch wie ausgefranst wirken. Bei allen Figuren wird der rötliche, teilweise ockerfarbene Körper von rosa-weißen Binnenstrichen aufgelockert. Soweit erkennbar, scheinen alle vier Seeleute nackt zu sein. Mit dem Schiff selbst sind nur zwei Gestalten beschäftigt. Die am Heck sitzende, ebenfalls nur in groben Zügen erhaltene Figur hat einen Arm nach vorne ausgestreckt. Sie könnte als Beobachter, Taktschläger für die Ruderer oder als Steuermann angesehen werden. Bei letzterem wäre aber bemerkenswert, daß sie nicht das etwas weiter vorne dargestellte, seitliche Steuerruder betätigt, von dem noch in Resten die gelbliche Ruderstange und das breite Ruderblatt erhalten geblieben sind. Die anderen drei Ruder, von denen zumindest eines – das zweite von links – in einer goldgelben Halterung (die Dolle) liegt, besitzen einen längeren Schaft, an dessen Ende aber kein Ruderblatt zu sehen ist. Alle diese Ruder erhalten durch Schattenangaben an der rechten Seite eine gewisse Plastizität. Außerdem wird durch hellbraune Schattenlinien, die jeweils rechts unter den Rudern verlaufen, eine Raumillusion geschaffen[534]. – Nur die Person rechts des Segelmastes hält eines der Ruder mit ihrer rechten und einst vielleicht auch mit ihrer linken Hand. Ihr (schlecht erhaltener) Kopf ist wohl nach rechts gewandt. Einzig die kurze, braune Haarkalotte sticht von der übrigen rotbraunen Farbe ab. Rechts neben ihr steht mit gegrätschten Beinen eine nach vorne gebeugte Gestalt, die mit ihrem Kopf die Figur am Bug des Schiffes leicht überschneidet. Auch bei ihr lassen sich nur wenige Einzelheiten erkennen: Zwischen den Beinen sind in Dreiecksformen wohl männliche Geschlechtsteile angegeben[535]. Die Aktion dieser im vorderen Teil zerstörten Gestalt muß von ihrer Ausrichtung her im Zusammenhang mit einer vorne vom Boot stürzenden Person gesehen werden, von der nur ein Teil des nackten Oberkörpers, des Kopfes und ihres rechten Armes erhalten geblieben sind. An Hand dieser Gestalt läßt sich ermitteln, wie die Details aller Gestalten dieses Bildes einst ausgesehen haben können: In verschiedenen fein abgestuften, ocker- bis rotbraunen Farbnuancen erscheint das Inkarnat; Einzelheiten wie die Rippen, Augen oder Brauen sind durch rötliche bzw. braune Striche angedeutet, größere Partien des vorgestreckten Armes zeigen eine rosa-weiße Aufhöhung. Das mehr von oben gesehene Gesicht wurde auf den schon vorhandenen blauen Grund gemalt, wie die unteren, zerstörten Teile

---

[534] Vom ersten zum zweiten Ruder verläuft auf dem Bootsleib von links oben nach rechts unten eine dünne bräunliche Schlängellinie, deren Funktion unklar ist (versehentlich ausgeführter Pinselstrich?).

[535] Ob beim Kopf, auf dessen Oberseite noch schwach die dunkelbraune Haarmasse zu erkennen ist, ein dreieckförmiger weißer Farbfleck mit dunkler Umrandung und Punktierung als Auge bezeichnet werden kann, ist schwer zu entscheiden. Immerhin sitzt dieser Fleck ziemlich weit links im Gesicht.

zeigen. Besonders auffällig ist noch eine Art Stirnglatze; dunkelbraune Teile der Haare erscheinen nur an den Seiten des Kopfes. Direkt unterhalb des Gesichts befindet sich der längliche Kopf des Untieres, dessen nur im Oberteil gut erhaltene Schnauze den linken Arm der Gestalt überschneidet. Das eine sichtbare Auge des Tieres wird von einem dunkelbraunen, kreisrunden Fleck gebildet. Die Innenseiten der zT. nach hinten versetzt wiedergegebenen Ohren wurden mit der gleichen Farbe gemalt, die auch noch einmal an zwei Stellen des gedrehten Hinterleibes zu finden ist. Weiße Binnen- bzw. Konturlinien hoben einst die Rundungen dieses Wesens hervor. Die Hauptfarbe des Ungeheuers ist jedoch grün. Als weitere Einzelheiten sind noch zwei flossenartige, teils in hellem Braun gemalte Beine und der heute in einer halbkreisförmigen Windung endende Schwanz hervorzuheben. Die unteren Teile des Untieres sind von dünnen blau-weißlichen Wasserstreifen übermalt.

Es kann kein Zweifel bestehen, daß diese Darstellung den Meerwurf des Jonas durch einen der Bootsinsassen – nicht mehrere, wie CHIERICI etwas salopp schreibt (s. o) – zeigt, wobei auch das Verschlingen durch das Seeungeheuer angedeutet wird.

b) Meerwurf, Verschlingen und Ausspeiung

Die Darstellung des nördlichen Arkosols in Raum 14 ist von CHIERICI als erste der Malereien aus den Grabbauten in Cimitile veröffentlicht worden (Taf. 23b. 47a)[536]. Er deutete das rechteckige Bild auf der Rückwand als »Giona che esce dalle fauci del mostro«[537].

HEMPEL schreibt dazu: »[. . . auf gelbem Grund Bildfeld mit rosa und lichtblauem Grund mit Darstellung von Verschlingen], Meerwurf und Ausspei des Jonas [(24 cm), Breite des Bogens 123 cm, erhaltene Höhe 68 cm, Tiefe 79 cm. Breite des Bildfeldes ohne Rahmen 97 cm, größte erhaltene Höhe 46 cm, Breite der roten Rahmenlinie 2,3 cm. Im Bogen Ansatz des Rosendekors bei 65 cm v. u. Der Bogen auf der Außenseite bei 65 cm v. u. doppelte schwarze Rahmenlinie (untere 0,8 cm, obere 1,8 cm, Abstand 1–2 cm variierend), diese Rahmenlinie setzt sich auf der Längswand der Grabreihe (Nordwand) fort]«[538].

Gegenüber dem Befund zur Zeit der Entdeckung des Bildes hat sich der Erhaltungszustand 1979/84 merklich verschlechtert. Eine dicke Sinterschicht liegt auf der Malfläche, so daß zahlreiche Details nur mit Hilfe der Fotografie von CHIERICI (Taf. 47a. b) geklärt werden können[539].

Die größte Breite des Arkosolbogens beträgt bei der Rückwand 124 cm (Abb. 14); dort ist der Bogen noch bis zu 70 cm hoch erhalten geblieben. Das rechteckige, auf gelblichem Untergrund gemalte Bildfeld ist 96–97 cm breit und noch bis zu 49 cm hoch (gemessen ohne die rote Rahmenleiste, die 2–2,3 cm breit ist)[540]. – Mehr als die Hälfte des Bildes nimmt eine hell- bis dunkelblaue Farbzone ein, die durch verschieden blaue Horizontalstriche aufgelockert wird (Angabe von leicht bewegtem Wasser). Die Fläche darüber und links daneben ist in Rosa gemalt und soll – sehr schematisch – das Land andeuten.

---

[536] CHIERICI: RivAC 16 (1939) 39; ders., Sant'Ambrogio 322 Taf. 50: »Giona e la Balena«.
[537] RivAC 33 (1957) 120.
[538] ZAW 73 (1961) 302.
[539] FINK, Bildfrömmigkeit 59₂₃₈ hat 1975 seltsamerweise nichts mehr von diesem Bild gesehen.

[540] Anscheinend wurde das Bild innen noch von einem dünnen Rahmen (etwa 1 cm breit) umfangen, dessen dunkle Farbe heute fast überall abgeblättert ist.

Darüber haben sich in der linken oberen Ecke noch Reste einer weißlichen Horizontalzone erhalten (Himmel?). Aus der blauen Wasserfläche ragt auf der linken Seite ein Seeungeheuer mit seinem Kopf und Teilen des mit dunkelbraunen Rückenspornen versehenen Körpers heraus[541]. Seine unteren Partien kommen fast unmittelbar mit dem roten Horizontalrahmen in Berührung. – Die Gestalt eines schon größtenteils von diesem Ungeheuer ausgespienen Menschen (etwa 24 cm lang) ist besser erhalten geblieben (Taf. 6b). In leicht schräger Position und noch größtenteils über dem Wasser schwebend, berührt sie mit ihren beiden Händen gerade den schmalen, sich nach oben verjüngenden Bodenstreifen. Der Körper der Figur ist im Profil wiedergegeben, der Kopf in Dreiviertelansicht. Nase, Mund und Augen sind durch dicke Pinselstriche ziemlich schematisch angedeutet. Die braunen Haare umschließen in leicht welliger Form den Kopf. Dicke, braune Striche an der Unterseite der Körperteile und eine heller braune Schattenfläche rechts des Auflagepunktes der Hände zeigen, daß hier[542] die Lichtquelle links angenommen werden muß. U. a. dadurch wird wiederum der Versuch, Plastizität und Raumeindruck zu erreichen, deutlich.

In der Mitte der Bildfläche reicht die Zerstörungsschicht ziemlich tief hinunter. Außer zwei schräg verlaufenden braunen Stangen – wohl die Ruder eines Schiffes – rechts oberhalb des Ketos' ist dort nichts mehr zu erkennen.

Die Darstellung auf der rechten Bildhälfte ist schon zur Zeit der Ausgrabung in einem schlechten Erhaltungszustand gewesen. Man sah aber noch deutlicher einen Körper, der von oben schräg in etwas innerhalb der Wasserfläche hineinstürzt. Dieser Körper erscheint in den gleichen bräunlichen Farben, die links bei der nackten Gestalt verwandt wurden. Die ovale, dunkelbraune Farbfläche am unteren Ende (die Kopfhaare) und die Teile des ausgestreckten Arms links erweisen, daß es sich hier um eine von oben gesehene menschliche Gestalt handelt. Vom unteren sichtbaren Ende dieser Figur ausgehend bis nahe an die untere Bildecke heben sich von der blauen Wasserfläche braungrüne Farbpartien und einige dunkelrotbraune Striche ab. In Analogie zu der gegenüberliegenden Darstellung handelt es sich hierbei wohl um die Reste eines ähnlichen Ungeheuers, das gerade die Arme der menschlichen Gestalt verschlingt[543].

Nur auf dem Arkosolbogenrest im Norden hat sich noch ein Ansatz des Blütendekors erhalten (Abb. 25; Taf. 8b. 25a): Rotbraune und blau-weiße Blüten (zT. 4,5 cm breit und 5 cm hoch) verteilen sich auf einem dunkelblauen Untergrund, der nach unten mit einem ca. 1 cm breiten schwarzen Strich abschließt.

Der im Norden erhaltene Teil der Stirnwand dieses Arkosolbogens zeigt noch über einer 41 cm langen, doppelten schwarzen Rahmenlinie (zu den Maßen s. o.) eine rötliche Fläche, die nach rechts zur Ecke hin mit einem ca. 6 cm breiten, gelblichen Band abschließt (Abb. 14; Taf. 23). Wie schon Hempel bemerkt hatte, setzt sich der untere Doppelrahmen auf der Nordwand des Raumes 14 fort und liegt außerdem auf der

---

[541] Auf der Fotografie von Chierici (Taf. 47a) sieht es so aus, als ob zwei der blauen Wasserlinien auch über den Körper des Ungeheuers gemalt waren, also das Tier zum größten Teil noch als unter Wasser schwimmend gedacht war.
[542] Für die übrigen Bilder vgl. aber o. S. 39₆.
[543] Für diese Deutung gibt es auf der Fotografie von

Chierici (Taf. 47a) noch einen Hinweis. Auf der Unterseite des – vom Betrachter aus gesehen – linken Armes der Gestalt sind deutlich fünf bis sieben kurze, dunkle Striche zu erkennen (wahrscheinlich die bei einem geöffneten Maul sichtbaren Zähne). Das kreisrunde Gebilde etwas weiter rechts unterhalb des ›Maules‹ kann man wohl als Auge deuten.

gleichen Höhe wie der Abschlußstrich des Blütendekors auf der Innenseite des Arkosolbogens. Darüber hinaus ist die jeweils vorhandene Sockelzone gleichfarbig. Somit liegen
mehrere Indizien für die Gleichzeitigkeit der Malereien in den Arkosolien und auf den
Wandflächen vor[544].

Von den vorhandenen Bildelementen her kann man sich eher der Deutung HEMPELS
als der von CHIERICI (s. o.) anschließen und somit im Lunettenbild zwei Darstellungen aus
der Jonasgeschichte erkennen, die drei Phasen der Erzählung illustrieren: Meerwurf,
Verschlingen und Ausspeiung.

c) Die Ruhe unter der Kürbislaube

Vom Bild an der Rückwand des südwestlichen Arkosols des Raumes 14 ist trotz einer
größeren, bereits in der Ausgrabungszeit vorhandenen Schadstelle (Abb. 14; Taf. 23b)[545]
noch so viel erhalten geblieben, daß eine Klärung des Darstellungsinhaltes möglich ist
(Taf. 6a. 8f).

Schon CHIERICI hat das Bild einige Zeit nach seiner Entdeckung zutreffend gedeutet als
»Giona disteso sotto la pergola (quasi sparita)«[546].

Eine etwas ausführlichere Beschreibung liefert wiederum HEMPEL: » . . . auf gelbem
Untergrund ein rechteckiges Bildfeld mit hellblauem und rosa Grund und darauf . . . den
ruhenden Propheten [Jonas]. Die Wölbung [des Arkosolbogens] ist vor blauem Grund mit
einem Blumenornament (Rosen?) bedeckt. [Bogenhöhe 89 cm, Breite 131 cm, Tiefe 77 cm.
Bildfeld der Rückwand 85 x 53 cm einschließlich Rahmen, rot 3–4 cm; erhaltener
Jonasrest 28 cm]«[547]. – Eine Fotografie dieses Bildes wurde mW. noch nicht veröffentlicht[548].

Die maximale Höhe des Arkosolbogens (von der heutigen Gräberoberfläche aus
gemessen) beträgt an der Rückwand etwa 90 cm und die größte Breite 130 cm. Das
rechteckige Bildfeld hat einschließlich der Rahmenleisten folgende Maße: 85 cm Breite
und 52/53 cm Höhe. Der äußere rote Rahmen ist durchschnittlich 2 cm breit, zusammen
mit dem inneren schwarzen Rahmen 3–4 cm. – Die Mitte des (meist rosabraunen)
Bildfeldes nimmt eine Gestalt ein, die mit leicht angewinkelten Beinen schräg ausgestreckt
auf einer etwas dunkler braunen Fläche lagert. Ihr Oberkörper muß sich einst in einer
leicht aufgerichteten Position befunden haben, wie es die erhaltenen Teile und die linke,
aufgestützte Hand der Gestalt anzeigen. Die Figur war – von den vorhandenen (jeweils an
der linken Seite dunkler gemalten) fleischfarbenen Partien her zu urteilen – völlig nackt
dargestellt. Deutlich sind noch (unterhalb einer Schadstelle) dunkler gemalte männliche
Geschlechtsteile und (weiter oben) der Nabel der Gestalt zu sehen. Die Füße, die nur
wenig über oder direkt auf der schwarzen Rahmenleiste gelegen haben müssen, sind nicht
mehr klar zu erkennen. Auch die Haltung des rechten Arms der Figur ist nicht ganz
eindeutig zu ermitteln. Die vier ähnlich hellbraunen Putzstücke, die sich links von der

---

544 S. dazu S. 31[143f].
545 Auffallend ist hierbei der ziemlich gleichmäßig
vertiefte horizontale Einbruch (9–12 cm hoch) in der
Ziegelwand, der etwa bei 55 cm über der heutigen
Gräberoberfläche beginnt. Vgl. dazu die etwa in gleicher Höhe verlaufenden und ähnlich hohen horizontalen Einbrüche auf der Nordwand: Abb. 25 (s. dazu S.
31).

546 RivAC 33 (1957) 120; für die Entdeckung s. schon
RivAC 16 (1939) 39.
547 ZAW 73 (1961) 301f.
548 Eine kurze Erwähnung findet sich auch bei FINK,
Bildfrömmigkeit 59[238].

Brust der Gestalt ziemlich hoch hinauf erstrecken, deren genaue ursprüngliche Position (zueinander und im Gesamtbild) auf Grund der Restaurierung aber nicht mehr zweifelsfrei zu sichern ist, könnten zu diesem (schräg ausgestreckt gehaltenen?) Arm gehört haben. – Gerahmt wird die nackte Gestalt links und rechts von je zwei verschieden weit auseinanderliegenden, rötlichen Stäben, von denen einer jeweils etwas tiefer steht. Bei dreien dieser Stäbe laufen auf das untere Ende jeweils zwei Schattenlinien zu. Um diese Stangen herum sind grüne Rankenstränge gewunden[549], von denen gleichfarbige Blätter und dunkelbraune, mandelförmige Früchte herabhängen. Die linke Seite des Bildfeldes nimmt zT. eine dreieckige dunkelblaue Farbfläche ein, die von dünnen, in etwa horizontalen Strichen hellerer Farbe aufgelockert wird (Angabe von Wasser). – Die dreieckige Form dieser Fläche, die Schattenwiedergabe bei einzelnen Bildelementen und die verschieden hohe Position der Stäbe im Bild zeigen immerhin noch das Bemühen des Malers um Raumperspektive, auch wenn dies letztlich durch die schematische Wiedergabe des Verhältnisses vom Land zum Wasser und der dazu perspektivisch verkehrten Stellung der Stäbe mißlungen ist.

Direkt über diesem Bildfeld sind in der (maximal 16 cm hohen) Lunette und etwa auf gleicher Höhe in der Wölbungsfläche des Arkosolbogens (Abb. 26; Taf. 6a. 25b) auf dunkelblauem Grund locker verteilt rote, rotbraune und blau-weiße Blüten gemalt (zT. 6 cm hoch und 5,5 cm breit).

Die vier von Ranken umwundenen Stäbe mit herabhängenden Früchten lassen sich mit Hilfe von Vergleichsbeispielen (zB. Taf. 47c. 49b) zu einer ›Kürbislaube‹ ergänzen, unter der Jonas nach seiner Ausspeiung (vgl. die Angabe von Wasser) ruht.

1.5.2 Zur biblischen Jonasgeschichte und entsprechenden außerbiblischen Texten

Schon R. DELBRUECK hat die verschiedenen Textversionen im Zusammenhang mit einer bildlichen Darstellung dieser Episode wiedergegeben und ausführlich analysiert[550]. Es ist hier dennoch notwendig, eine kurze Zusammenfassung der Jonasgeschichte zu geben, besonders der Passagen, die für die hier vorgestellten Bilder maßgeblich sind, und bei wichtigen, zT. unterschiedlich gedeuteten Stellen den genauen Wortlaut des Bibeltextes zu referieren[551].

Jon 1,1/16: Auf der Flucht vor Gott geriet der Prophet bei der Fahrt mit einem Schiff in einen heftigen Sturm. Da es der Mannschaft (darunter ein »Oberbootsmann« bzw. »Steuermann/Oberster der Schiffsmannschaft«)[552] nicht gelang (durch »Rudern«), mit dem

---

[549] An einer Stelle scheint das Rankengewinde von oben bis etwa auf die Waden herunter zu hängen.
[550] DELBRUECK (o. Anm. 262) 21/4.
[551] Für die benutzten Textausgaben von der hebräischen und griechischen Bibelversion bzw. der Vulgata s. o. Anm. 19. Für die Vetus Latina s. jedoch SABATIER, Bibliorum sacrorum Latinae 2, 936/40; im Einzelfall mußte – mangels neuerer Textgrundlage – der Wortlaut einer Bibelstelle nach den lateinischen Kirchenvätern vor Hieronymus hinzugezogen werden. Eine ausführliche Kommentierung und Zusammenfassung der Literatur zum Jonasbuch H. W. WOLFF, Dodekapropheton 3. Obadja und Jona = Bibl. Komm. AT 14,3 (Neukirchen-Vluyn 1977); Y.-M. DUVAL, Le Livre de Jonas dans la littérature chrétienne grecque et latine (Paris 1973) passim.

[552] Jon 1,6: Hebr.: »רַב הַחֹבֵל«; LXX: »πρωρεύς«; Vetus Lat.: »proreta«; Vulgata: »gubernator«. Vgl. zur Übersetzung des Hebr. WOLFF 83/6. 89. W. PAPE, Griechisch-Deutsches Handwörterbuch³, bearb. von M. SENGEBUSCH 2 (Graz 1954) 804: »πρωράτης, ... der Untersteuerman, der seinen Platz auf dem Vordertheile des Schiffes hatte«; K. E. GEORGES, Ausführliches lateinisch-deutsches Handwörterbuch⁹ 2 (Hannover/Leipzig 1951) 2020: »proreta, ... der Oberbootsmann, der auf dem Vorderteile des Schiffes stand ..., unter dessen Aufsicht und Befehl auch alles stand, was zum Takelwerk ... des Schiffes gehörte« (»nach dem Steuermann – der am Hinterteile des Schiffes saß – dem Range nach der nächste«).

Schiff zurück »ans Land« zu kommen[553], dies sogar zu zerbrechen drohte, warfen »sie« den Jonas – auf seinen eigenen Rat hin – »ins Meer; und das Meer ließ ab von seinem Toben«. Die Seeleute fürchteten sich nun vor Gott, brachten ihm Opfer dar und machten Gelübde.

Jon 2,1/11: »Und der Herr hatte einen großen Fisch (Meerungeheuer)[554] bestellt, damit er den Jonas verschlinge«. Nachdem Jonas sich drei Tage und drei Nächte im Bauch des Ungeheuers aufgehalten und zu Gott für die Errettung aus der Todesnot gebetet hatte, spie dieses ihn aufs Land.

Jon 3,1/10: Daraufhin erhob sich Jonas und ging – auf Geheiß Gottes – in die Stadt Ninive, um die Einwohner zur Umkehr und Buße zu bewegen, da sonst Unheil über sie käme. Als Gott durch ihre umgehende Reue in seinem Zorn besänftigt wurde, war Jonas enttäuscht und zornig (im folgenden Jon 4,1/11), »ging aus der Stadt hinaus und ließ sich im Osten der Stadt nieder; er machte daselbst eine Laube[555] und lagerte in deren Schatten, um zu sehen, was der Stadt geschehen würde. Und Gott der Herr ließ eine Kürbisstaude (Rizinusstaude, Efeu)[556] über dem Haupt des Jonas wachsen, damit über seinem Kopf Schatten sei und sie ihn vor seinen Nöten schütze«. Jonas freute sich sehr darüber, aber schon »am Morgen bei Beginn der Morgendämmerung« ließ Gott die Pflanze verdorren. Durch einen heißen Ostwind und die sengende Sonne wurde Jonas ganz matt und wünschte sich voll Unmut den Tod. Daraufhin begründete Gott in einem Gespräch mit ihm sein Erbarmen gegenüber der Stadt und erwähnte u. a. noch einmal die Staude, die »in einer Nacht entstand und in einer Nacht verging«.

In der bisherigen Literatur zu den Jonasbildern ist nun heftig umstritten, ob die Jonasikonographie dem Bibeltext folge[557] oder ihm widerspräche[558]. Wie schon Y. M. Duval festgestellt hat[559], sind beide Positionen in der Ausschließlichkeit, wie sie vertreten werden, zu extrem. Daß zB. die Darstellung der Stadt Ninive in der frühchristlichen Kunst

---

[553] Jon 1,13: Hebr.: »וַיַּחְתְּרוּ הָאֲנָשִׁים לְהָשִׁיב אֶל־הַיַּבָּשָׁה«; LXX: »καὶ παρεβιάζοντο οἱ ἄνδρες τοῦ ἐπιστρέψαι πρὸς τὴν γῆν«; Vetus Lat.: »Et conanbatur viri ut reverterentur ad terram«; Vulgata: »et remigabant viri ut reverterentur ad aridam«.

[554] Jon 2,1: Hebr. » דָּג גָּדוֹל «. LXX: »κήτει«; Vetus Lat.: »ceto«; Vulgata: »piscem grandem« (nicht aber »pistris«, wie B. Narkiss, The sign of Jona: Gesta 18 [1979] 73₂₃ meint). Für weitere Stellen (zu Jon) bei latein. Kirchenschriftstellern von ca. 200 – 4. Jh., in denen das Wort »cetus« gebraucht wird, s. Thesaurus Ling. Lat. 3 (1906/12) 977. In der Vetus Latina-Fassung des Matthäusevangeliums Kap. 12,40 heißt es – wie in der Vulgata – »in ventre ceti« (Itala. Das Neue Testament in altlateinischer Überlieferung 1. Matthäus-Evangelium, hrsg. von A. Jülicher [Berlin 1971²] 78).

[555] Jon 4,5: Hebr.: »סֻכָּה«; LXX: »σκηνὴν«; Vetus Lat. und Vulgata (nach Sabatier 940): »umbraculum«. A. Ferrua, Paralipomeni di Giona: RivAC 38 (1962) 53 übersetzt den griechischen Text mit »tabernaculum« (»questo ... doveva essere molto rudimentale, fatto con quatro pali appoggiati a un muro e coperto alla bella meglio«). σκηνή ist aber mehr noch »ein leichtes Gebäude ohne feste Wände ..., ein ›tabernaculum‹ hat man sich dagegen wohl eher als einen ... festeren

Bau zu denken« (vgl. dazu ausführlich Deckers, SMM 50/3 und Anm.; nach Pape [o. Anm. 552] 895: »ἡ σκηνή ... jeder bedeckte oder beschattete Ort, Laube, Zelt, Hütte«).

[556] Jon 4,6: Hebr.: » קִיקָיוֹן «; LXX: »κολοκύνθη«; Vetus Lat.: »cucurbitae«; in der altsyrischen Bibelübersetzung: »Flaschenkürbis« (nach Wolff [o. Anm. 551] 143f); Vulgata: »hederam«. Zur Übers. der Worte vgl. ausführlich schon O. Mitius, Jonas auf den Denkmälern des christlichen Altertums (Freiburg i. Br. 1897) 37₁. 45/7. 114; Delbrueck (o. Anm. 262) 23; Ferrua, Paralipomeni 57/9; Duval (o. Anm. 551) 26f; Narkiss (o. Anm. 554) 67₄₉.

[557] L. De Bruyne, Refrigerium interim: RivAC 34 (1958) 113f; Ferrua, Paralipomeni 52f.

[558] Delbrueck 24; A. Stuiber, Refrigerium interim = Theophaneia 11 (Bonn 1957) 137f; E. Stommel, Zum Problem der frühchristlichen Jonasdarstellungen: JbAC 1 (1958) 112f; C. O. Nordström, Some Jewish legends in Byzantine art: Byzantion 25/27 (1955/57) 501/8; Narkiss 63/76. – Grundsätzliche Bedenken dagegen schon bei Dassmann, Sündenvergebung 385/97.

[559] Duval (o. Anm. 551) 21f.

selten in Jonasszenen zu finden ist[560] und die in Ninive gehaltene Bußpredigt des Jonas und deren Auswirkungen sogar erst in frühmittelalterlichen illustrierten Handschriften vorkommen[561], zeigt nur, daß der schon früh in der Kunst auftretende Jonas-Zyklus einen wichtigen Aspekt der biblischen Geschichte nicht berücksichtigt und von daher eine bloße Illustrierung des Bibeltextes nicht gewollt sein kann[562].

Obwohl als Gründe für die häufige bildliche Darstellung von Teilen der Jonasgeschichte mehr oder weniger andere Aussageabsichten als in der biblischen Gesamterzählung angenommen werden müssen[563], können sowohl Hauptelemente der Szenen als auch Details bei einzelnen Darstellungen[564] mit dem Wortlaut der Bibel in eine gewisse Verbindung gebracht werden. Gerade die in dieser Frage besonders umstrittene Darstellung der Ruhe des Jonas unter der Kürbislaube (oder -staude) steht nicht völlig »im Widerspruch zur Bibel« oder hat gar dort »keine Entsprechung«, wie es ein Großteil der Bearbeiter bis heute annimmt[565]. Schon A. FERRUA hat u. a. darauf hingewiesen, daß im Bibeltext in einem eigenen Kapitel (Jon 4) von einer Laube und ausführlicher von einer auf Gottes Geheiß hin entstandenen Pflanze berichtet wird, die (in der vor Hieronymus bei Christen gebräuchlichen Bibeltextversion) immer als Kürbis bezeichnet wird[566]. Weiterhin finden sich im Text Motive wie das Lagern darunter und die große Freude über die Pflanze, die Schatten spendete; das Sitzen »in gespannter Erwartung des Untergangs der Stadt Ninive« ist somit nur ein (wenn auch wichtiges) Erzählmotiv dieses Teils der Episode[567]. Selbst die Ruhelage des Jonas, die auf den Darstellungen dieser Szene häufiger als das wache Lagern vorkommt[568], ließe sich – entgegen der Textanalyse C. O. NORDSTRÖMS[569] – zumindest allgemein mit dem Bibelbericht verbinden, denn ausdrücklich

[560] Vgl. die Zusammenstellung bei DASSMANN, Sündenvergebung 385[241] und bei DUVAL 21[46]. Die dort erwähnte Darstellung in der sog. Sakramentskapelle A3 in der Callixtus-Katakombe in Rom ist von MITIUS (o. Anm. 556) 34 in Zweifel gezogen worden (s. dazu WMK Taf. 26,2): Küstenlandschaft oder -architektur? (mit einer Art Tür; so nach eigener Anschauung iJ. 1983). Die übrigen drei Beispiele zeigen immer eine Architektur neben bzw. im Zusammenhang mit einer Szene der Ruhe bzw. des Sitzens unter der Pflanze/ Laube (zweimal ist dabei Jonas sogar bekleidet; ebenso im Rabbula-Codex: C. CECCHELLI / J. FURLANI / M. SALMI, The Rabbula gospels [Olten/Lausanne 1959] 57 fol. 6a). Im genannten Katakombenbild ist auch die Szene der Ausspeiung (so auch auf einer merowingischen Gürtelschnalle; J. WERNER [Hrsg.], Die Ausgrabungen in St. Ulrich und Afra in Augsburg 1961/68 [München 1977] 275f Taf. 85,1).

[561] Vgl. dazu NARKISS (o. Anm. 554) 69; J. PAUL / Red., Art. Jonas: LCI 2 (1970) 417f.

[562] Dazu J. SPEIGL, Das Bildprogramm des Jonasmotivs in den Malereien der römischen Katakomben: RömQS 73 (1978) 6; H. SICHTERMANN, Der Jonaszyklus: Spätantike und frühes Christentum, Ausstellungskat. Frankfurt (1983) 244f; dagegen zB. STUIBER (o. Anm. 558) 137f. Vgl. auch die kontroverse Diskussion in den Atti del IX Congr. Int. di Arch. Crist. 1975, 1 (Roma 1978) 484/7 (TESTINI/BRANDENBURG/PROVOOST/RUSSO). – Für die frühesten Jonasdarstellungen s. in der Lit. u. Anm. 597.

[563] Vgl. schon DE BRUYNE 114; NORDSTRÖM 504; FERRUA, Paralipomeni 53; DUVAL 22; SPEIGL 8. NARKISS 69/71 meint, daß es einen Archetypus der Jonasdarstellungen gegeben habe, und zwar »a detailed narrative cycle . . . the work of Jewish artists . . . from which the Christians could have adopted the most christianizing elements« (s. dazu u. Anm. 591. 593).

[564] Vgl. die Beispiele o. Anm. 560; J. FINK, Noe der Gerechte in der frühchristlichen Kunst = Beih. z. Archiv f. Kulturgesch. 4 (Münster/Köln 1955) 20. Zu letzterem s. schon F. GERKE, Die christlichen Sarkophage der vorkonstantinischen Zeit = Stud. z. spätant. Kunstgesch. 11 (Berlin 1940) 170. 171[3].

[565] Außer den in Anm. 558 genannten Autoren s. MITIUS 93; HIMMELMANN, Hirten-Genre (o. S. 17[61]) 149f. Dagegen J. FINK in der Rez. zu diesem Buch: RömQS 76 (1981) 115, SICHTERMANN, Jonaszyklus (o. Anm. 562) 245 und die o. Anm. 557 angeführten Bearbeiter.

[566] S. o. Anm. 556.

[567] Anders STUIBER und STOMMEL aO. (o. Anm. 558); HIMMELMANN, Hirten-Genre 150. S. dagegen FERRUA, Paralipomeni 57.

[568] Für die Bildvorlagen s. E. KNOLL, Die schlafenden Gestalten der griechischen Mythologie in griechischer und römischer Kunst, Diss. Wien (1981) passim; SICHTERMANN, Jonaszyklus 245f; die Normaldarstellung der Jonasruhe schon analysiert bei MITIUS 35/7; für Ausnahmen s. u. Anm. 609.

[569] NORDSTRÖM (o. Anm. 558) 506.

wird dort gesagt, daß die Pflanze »in einer Nacht entstand und in einer Nacht verging«; erst nach der »Morgendämmerung« erfolgen die Ereignisse, die zu einer erneuten Verschlechterung des Gemütszustandes des Jonas führen. – Von den genannten Einzelelementen ist nun die »Kürbislaube« (bzw. die u. a. auf den meisten Sarkophagreliefs vorkommende Kürbisstaude)[570] das Bilddetail, das am direktesten mit dem Bibelbericht in Verbindung gebracht werden kann[571]. In dem Zusammenhang ist erwähnenswert, daß die genaue Bestimmung der Pflanze aus dieser Jonasepisode als »Kürbis« im frühen Christentum selbst bei Laien bekannt gewesen sein muß, wie man u. a. aus einer von Augustinus überlieferten Begebenheit ersehen kann[572]. Das Detail des unter einer »Kürbispflanze« ruhenden Jonas war – möglicherweise auf Grund bildlicher Darstellungen – sogar Nichtchristen schon ab Ende des 2. Jh. geläufig[573].

Diese Tatsachen, sowie das in der spätantiken Kunst häufige Vorkommen einer derartigen Szene, stehen nun in einem bemerkenswerten Gegensatz zur relativ unwichtigen Rolle, welche diese Ruhe-Szene im Kontext der biblischen Erzählung spielt[574]. Auffallend ist weiterhin, daß diese Darstellung oft sogar – mehr oder weniger eng – in einem unbiblischen, zT. wohl von paganen Vorbildern beeinflußten Kompositionszusammenhang mit Szenen des Meeresabenteuers zu finden ist[575]. Dadurch, daß Jonas auf der Mehrzahl der Denkmäler – jedoch ohne direkten Anhaltspunkt im Bibelbericht[576] – wie in den Meeresszenen nackt und jugendlich wiedergegeben ist, wird jedenfalls die Verbindung der Szenen unterstrichen.

[570] Für die auf Sarkophagen auftretende Staude s. Mitius 57: »Den Fortfall der Laube ... mag wohl zunächst die Scheu vor der technisch schwierigen Aufgabe veranlaßt haben, sich kreuzende Latten und durchlaufende Zweige mit dem Meißel unterschiedlich herauszuarbeiten, und sodann das Bestreben, die Kürbispflanze dem Epheu anzunähern« (für die erst späten Darstellungen von »Epheu« vgl. dagegen Ferrua, Paralipomeni 58f; für andere Denkmäler s. Lit. S. 150[680]. Während man den Grund für die Darstellung der Staude einerseits vielleicht in einer zT. eigenständigen, unter anderen Einflüssen stehenden Bildentwicklung sehen kann (vgl. Engemann, Untersuchungen 70[2]), mag andererseits auch die gesonderte biblische Schilderung vom Bau der Laube und vom Wachsen der Pflanze einen Einfluß bei der Bildgestaltung gehabt haben (vgl. Narkiss 67). – Für die seltenere Darstellung einer Kürbislaube auf Sarkophagen s. H. Rosenau, Problems of Jewish iconography: GazBA 56 (1960) 12 Fig. 8. Zur ›Kürbispflanze‹ s. o. Anm. 556; Thes. Ling. Lat. 4 (1906/9) 1283f s. v. cucurbita; Dict. de la Bible 2,1 (1912) 1081/3.
[571] »Die künstlerische Anordnung der Laube« ist nach Mitius 36 »den Anlagen in den römischen Vignen« entlehnt.
[572] Vgl. schon Mitius 46; van der Meer (o. Anm. 111) 359f; Duval (o. Anm. 551) 26f. Bei der erstmaligen Verlesung des von Hieronymus erstellten Bibeltextes in der Kirche von Oea (Tripolis) gab es einen Aufruhr der Gemeinde wegen der dortigen Übersetzung »hedera« (Augustinus, ep. 71,5; 82,35 [CSEL 34, 253. 386f]). Mitius und Duval verweisen auch auf weitere Gegenreaktionen in Rom und bei Rufinus von Aquileia.

Letzterem waren gerade Darstellungen der »Kürbispflanze« aus den Gräbern bekannt! Gegen frühere Fehlinterpretationen der Textstelle bei Rufinus, apol. 2,39 (CCL 20, 114) durch Mitius und Wilpert s. Ferrua Paralipomeni 58 und Duval 26f.
[573] Vgl. dazu Dassmann, Sündenvergebung 227. 230f; Duval 19. 28 zu Origenes, c. Cels. 7,53 (GCS 2,203).
[574] Ähnlich Speigl (o. Anm. 562) 7.
[575] Für eine Zusammenstellung von Kombinationsmöglichkeiten vgl. Speigl 7/10 und Wischmeyer, Tafeldeckel (o. Anm. 462) 101f; zu den Szenen, in denen ein Ketos in direkter Verbindung mit der Ruheszene erscheint, s. Gerke, Sarkophage (o. Anm. 564) 161f. 172; für derartige Malereibeispiele, die es nach Gerke aO. und W. Wischmeyer, Das Beispiel Jonas: ZKG 92 (1981) 170[57] »nicht gibt«, s. hier Taf. 48b, WMK Taf. 119,1 und Brandenburg, Überlegungen 342f. Der Hinweis aufs Meer findet sich auch in der einzeln wiedergegebenen Ruheszene in Cimitile (Taf. 6a). – Als formale Vorbilder für die Jonasruhe mit Ketos können möglicherweise pagane Darstellungen des liegenden Okeanos, vor dem sich ein Seeungeheuer erhebt, angesehen werden; V. Tusa, I sarcofagi romani in Sicilia (Palermo 1957) 85 Taf. 48,81 (vgl. dazu Lindner [o. S. 14[46]] 68f nr. 78: »2. V. 3. Jh. ... Oceanus, hinter dem die Köpfe des Cerberus sichtbar werden«?); Koch/Sichtermann, Römische Sarkophage (o. S. 14[46]) Taf. 152; WS 2 Taf. 193,1; 3,10 Taf. 275,1. 296,4 mit dem allgemeinen Hinweis: »È da queste imagini ed altri simili, tutte ovvie, che gli artisti cristiani presero il pistrice per le rappresentazioni di Giona« (anders Ferrua, Paralipomeni 60/3).
[576] Vgl. dazu u. Anm. 582.

Diese Besonderheiten und die oben genannten, angeblich dem Bibeltext widersprechenden Bildelemente waren bei vielen Bearbeitern dieses Themas bis heute ausschlaggebend, außerbiblische, insbesondere jüdische Text- oder Bildquellen anzunehmen, die für die Erstgestaltung der Jonasszenen neben paganen Bildvorlagen maßgeblich gewesen seien[577]. Erst in jüngster Zeit hat B. NARKISS eine dem »ganzen Zyklus« zugrunde liegende jüdische Quelle genauer zu bestimmen versucht, die sog. De-Rossi-Version der etwa ins 9. Jh. datierbaren Textkompilationen des Midrasch Jonah[578]. In diesem Rahmen genügt es, auf möglicherweise allgemeingültige, also auch auf die Bilder in Cimitile zutreffende Einzelheiten näher einzugehen.

Das beinahe wichtigste Bilddetail aus der Jonasruhe, die Kürbispflanze, wird im Midrasch Jonah anscheinend als »Rizinus« bezeichnet, von der »Laube« ist hier, wie auch im betreffenden arabischen Text, überhaupt nicht die Rede[579]. Das Ungeheuer, das den Propheten verschlingt, wird ebenfalls in beiden Überlieferungen im Anschluß an den hebräischen Bibeltext als »Fisch« und gerade nicht als »Ketos« bezeichnet; anscheinend zeigen fast alle antiken Jonasdarstellungen ein Ketos[580]. Da die altlateinische Bibeltextfassung wie die Septuaginta die Worte »Kürbispflanze« und »Ketos« aufweisen und damit eine gewisse Verbreitung dieser speziellen Textversion im ganzen Römischen Reich anzunehmen ist, lassen sich die davon abhängigen Bilddetails auch nicht – wie zT. vermutet – unbedingt nur auf eine »legendarisch abgewandelte Nacherzählung« des Jonasbuches aus dem »hellenistischen Diasporajudentum« zurückführen[581].

[577] So DELBRUECK (o. Anm. 262) 24. 92; STOMMEL (o. Anm. 558) 112/4 mit Hinweis auf die Wiedergabe des rabbinischen Materials bei H. L. STRACK / P. BILLERBECK, Kommentar zum Neuen Testament aus Talmud und Midrasch 1³ (München 1961) 642/51; NORDSTRÖM 501/8; ROSENAU (o. Anm. 570) 9f; TH. KLAUSER, Der Beitrag der orientalischen Religionen, insbesondere des Christentums, zur spätantiken und frühmittelalterlichen Kunst = Accad. Naz. dei Lincei 105 (1968) 55₁₁₇; FINK: RömQS 76 (1981) 115 und ders., Bildfrömmigkeit 70/3. FINK sieht ebd. 70 einerseits einen »Zusammenhang mit jüdischen Illustrationsformen« (»den Eingang der Jonasthemen in die Kunst hat gewiß die Buchmalerei vollzogen«: RömQS aO.), andererseits sieht er es als »überzeugend« an, »daß die sepulkrale Unmittelbarkeit aus den jüdischen Vorstellungen stammte, die sich mit den Bildern verbanden« (ebd. 72; er zitiert dabei aus dem Midrasch Jonah); ähnlich auch ders., Die christliche Kunst begann mit einer Seefahrt: RivAC 59 (1983) 338/41.
[578] NARKISS (o. Anm. 554) 63/71. Zu diesem Midrasch s. auch DUVAL (o. Anm. 551) 103/5.
[579] Vgl. dazu GINZBERG, Legends of the Jews 4, 252; STRACK/BILLERBECK 1³, 649; DELBRUECK 22f; NARKISS 67.
[580] Pirke de Rabbi Eliezer, übersetzt von G. FRIEDLÄNDER (London 1916) 69/72; GINZBERG 4, 249; STRACK/ BILLERBECK 1³, 645/7; DELBRUECK 22f; die Argumentation von NARKISS 65: »It was in accordance with the midrash that the Septuagint translators chose the term ketos to make it clear that the ›large fish‹ is different from Leviathan«, ist nicht überzeugend, da in der LXX Job 3,8 Leviathan ebenso als κῆτος und in Job 40,25 – wie auch in Ps 104 (103), 26 – als δράκων bezeichnet wird. Seine Festellung (»according to ... Jewish

concept, Leviathan had to be essentially a fish«) trifft also für die griechische Bibelversion nicht zu. Ebenso beruht ein Hinweis, daß auf einem Jonasbild in der Katakombe SS. Pietro e Marcellino in Rom ein Fisch statt eines Seeungeheuers dargestellt sei, auf einem Irrtum (ebd. 73₂₉; WMK Taf. 61; nach Auskunft von J. G. DECKERS ist ein solcher Eindruck auf die mindere Qualität dieser Malerei zurückzuführen; s. dazu demnächst im Repertorium der Malereien zu dieser Katakombe). – Als etwaige Ausnahmen, bei denen ein Mensch von einem Fisch ›ausgespien‹ wird, verweise ich auf späte nordafrikanische Tonlampen (MITTIUS [o. Anm. 556] 65 nr. 144; mit Vorbehalt schon J. ENGEMANN, Art. Fisch: RAC 7 [1969] 1081). – D. VON BOESELAGER: Spätantike und frühes Christentum (o. Anm. 562) 613 nr. 204 schreibt: »Die in der antiken Bildwelt verhafteten Künstler verwendeten das Motiv [des Ketos] ... wohl deshalb, weil sie sich einen Menschen verschlingenden großen Fisch nicht anders als unter der Form des Ketos vorstellen konnten. Die Wahl des Motivs ist kaum auf eine bestimmte griechische Bibelübersetzung oder eine jüdische Erzählung zurückzuführen«. So auch SICHTERMANN: ebd. 243/5 mit der Behauptung, daß die Darstellung des Ketos »gänzlich ohne biblische Begründung« sei (vgl. dagegen hier Anm. 554). Nach W. WISCHMEYER, Zur Entstehung und Bedeutung des Jonasbildes: Actes du Xe congrès international d'archéologie chrétienne, Thessalonique 28 septembre – 4 octobre 1980, 2 (Città del Vaticano 1984) 707 ist die Ketosdarstellung »eine der vielen Eigentümlichkeiten des Jonasbildes«.
[581] So aber DELBRUECK 92f; STOMMEL 113f. Für die zwei Worte s. hier Anm. 554 und 556.

Während das Phänomen der Jugendlichkeit auch bei anderen alttestamentlichen Gestalten (wie zB. Noe, Moses, Daniel) auf frühchristlichen Darstellungen zu finden ist, kann man die in allen Szenen des Meeresabenteuers sowohl bei Jonas wie bei den Seeleuten häufig vorkommende Nacktheit auf Grund von bisher angeführten überzeugenden Bild- und Textverweisen als typisch für zahlreiche antike Seefahrtsdarstellungen ansehen, aber nicht ohne weiteres von den besagten Legenden her erklären (s. u.)[582]. Die Nacktheit in der Ruheszene könnte – besonders auf Grund der oben erwähnten neuen formalen wie auch inhaltlichen Verbindung – als eine vom Künstler vorgenommene, durchaus sinnvolle Angleichung an die Darstellungsweise in den übrigen Szenen gewertet und/oder als eine aus paganen Bildvorlagen vielleicht bewußt übernommene ideale Nacktheit des christlichen Heros gedeutet werden[583].

[582] Für diese Deutung und betreffende Bildvergleiche s. schon MITTIUS 24[8f]; WMK Testo 48; GERKE, Sarkophage (o. Anm. 564) 162f; M. LAWRENCE, Ships, monsters and Jonah: AmJournArch 66 (1962) 289f; FERRUA, Paralipomeni 55f (auch zur Jugendlichkeit in anderen AT-Szenen; so auch SICHTERMANN, Jonaszyklus 245). Nach NARKISS 65f ist die Nacktheit des Jonas vor der Ausspeiung von derartigen Bildquellen abhängig, bei der Ausspeiung selbst dann aber erstaunlicherweise »no doubt inspired by the midrash« und – im Anschluß an STOMMEL – übereinstimmend mit den in der Antike auch bei Juden und Christen angeblich »widespread . . . ideas of the naked soul« (»commonly depicted as a small, naked putto«); KAISER-MINN 65[53]. 74. 77[27] hat nun aber darauf hingewiesen, daß es in der Kunst mehrere Darstellungsformen gegeben hat; für antike Vorstellungen von der Seele vgl. ebd. 93/106. – NORDSTRÖM (o. Anm. 558) 505 vermutet, daß die Nacktheit in den angeblich vom Midrasch (s. hier S. 139) beeinflußten Szenen der Ausspeiung und Ruhe auch auf die Darstellung des Meerwurfs übertragen wurde; DELBRUECK 24. 92 und STOMMEL 112f führen die Nacktheit ebenso auf eine solche Textquelle zurück, wobei STOMMEL dieses Phänomen (zusammen mit der »Ruhelage und . . . Meerszenerie«) damit erklärt, daß »in dieser Erzählung . . . die ›Ruhe‹, den Bildern des Jonaszyklus entsprechend, unmittelbar auf die ›Ausspeiung‹ folgt; zumindest nach den Texten bei STRACK/BILLERBECK 1[3], 646/9 und GINZBERG 4, 250/2 wird zwischen beidem von »Ninives Buße« berichtet. – Gegen den Einfluß derartiger Quellen schon in ihren Rezensionen zu DELBRUECK: L. DE BRUYNE: RivAC 28 (1952) 211 und H. STERN: RömQS 50 (1955) 117; außerdem FINK, Bildfrömmigkeit 73[287]; für ihn erfolgte – ohne sicheren Beleg – die Übernahme solcher Nacktheit wie auch der Bildtypen dennoch »nicht durch die Christen«, sondern »durch die Juden . . . als die hellenistische Entwicklung noch blühte« (ähnlich TH. KLAUSER, Frühchristliche Sarkophage in Bild und Wort [Olten 1966] 49[9]); denn »die direkte Übertragung nackter mythischer Bilder wäre viel weniger verständlich, wenn nicht unverständlich« (FINK aO. 73 mit Anm. 289). Vgl. aber allgemein ENGEMANN, Untersuchungen 70/2. DUVAL (o. Anm. 551) 26[63] weist überdies auch auf einen bekannten Topos in der heidnisch- und

christlich-antiken Literatur als einen möglichen Grund für die Nacktheit hin: »La nudité est le symbole du naufragé antique« (so auch noch bei Paulinus von Nola, carm. 24, 188/262; die Geschichte des Schiffbrüchigen Martinianus, dessen Nacktheit ausdrücklich hervorgehoben wird, vergleicht er mit der Meeresepisode des Jonas). Für HIMMELMANN, Hirten-Genre (o. S. 17[61]) 149[525], der einer Ableitung von einer »jüdischen Legende« anscheinend ebenfalls skeptisch gegenübersteht, bedeutet die Nacktheit des Jonas in der Ruheszene, »daß er mit dem nackten Leben der Gefahr entronnen ist« (dagegen FINK, Kunst [o. Anm. 577] 340). – Während Augustinus noch hervorhebt, daß der Bibeltext nichts darüber aussagt, ob Jonas bekleidet war oder nicht (ep. 102,6,30f), wird die Nacktheit in christlichen Texten anscheinend erst spät (zwischen dem 5. und 8. Jh.) ausdrücklich erwähnt; ausführlich dazu und zur gesamten Frage DUVAL 28/30. 470. – Für die in der frühchristlichen Kunst selteneren Darstellungen, in denen Jonas zT. sogar in allen Szenen bekleidet ist, s. GERKE, Sarkophage (o. Anm. 564) 50[2]; K. WESSEL, Art. Jonas: RBK 3 (1978) 647/651 und hier Anm. 560; G. FOERSTER, The story of Jonah on the mosaic pavement of a church at Beth Govrin (Israel): Atti del IX Congr. Int. di Arch. Crist. Roma 21–27 sett. 1975,2 (Città del Vaticano 1978) 293f Fig. 1; C. CARLETTI: RivAC 47 (1971) 106; W. WISCHMEYER, Die vorkonstantinische christliche Kunst in neuem Lichte. Die Cleveland-Statuetten: VigChr 35 (1981) 262[69/72].
[583] Zur Angleichung vgl. schon FERRUA 55. Für eine Ableitung des Details aus einer paganen Vorlage E. DINKLER, Abbreviated representations: Age of Spirituality 402; STUIBER (o. Anm. 558) 141; STERN (o. Anm. 582) 117 und FINK, Bildfrömmigkeit 73; ders.: RömQS 76 (1981) 115 sieht die Nacktheit des Jonas in dieser Szene »dadurch motiviert, daß . . . er nach Kühlung und Schatten lechzte in der Sonnenglut, so daß Gott ihm die Staude über der selbstgemachten Hütte wachsen ließ«; vgl. auch SICHTERMANN, Jonaszyklus 245; allgemeiner ENGEMANN, Untersuchungen 71[8] Taf. 35a; DUVAL 24f; NARKISS 67. Kritisch demgegenüber HIMMELMANN, Hirten-Genre 149f und SICHTERMANN aO.; vgl. auch zu allem o. Anm. 582. – Darauf, daß möglicherweise der Jonastypus in der Ruheszene zT. »als ein Idealbild angesehen wurde, als ein Spiegel der ewigen

Was die zuweilen vorkommende Kahlköpfigkeit des Jonas anbetrifft, läßt sich folgendes anführen. Während seit dem Frühmittelalter zahlreiche Darstellungen Jonas erst bei der Ausspeiung kahlköpfig zeigen, findet sich – kaum beachtet – in der Spätantike sowohl im Bild in Cimitile (Taf. 4b) wie auf einigen nordafrikanischen Tontellern (zB. Taf. 50c) eine Jonasgestalt mit Stirnglatze sogar schon in der Szene des Meerwurfs[584]. Für die späteren Darstellungen wird wiederum meist nur auf die eben erwähnten jüdischen Quellen verwiesen, wonach dem Jonas erst im Bauch des Ungeheuers die Kleider und Haare verbrannten[585]. Einerseits gibt es aber auch eine ähnlich lautende und zeitlich etwa ebenso spät entstandene christliche Textquelle, und andererseits wird schon u. a. bei Cyrill von Alexandrien in direktem Zusammenhang mit der Jonasgeschichte ein analoges Heraklesabenteuer erwähnt, das uns zum ersten Male in einer paganen, anscheinend im 2. Jh. vC. entstandenen Dichtung überliefert ist[586]. Damit wird sehr unsicher, ob gerade jüdische Quellen für dieses wahrscheinlich von einem Text abhängige Bilddetail maßgeblich waren. Bei den genannten spätantiken Darstellungen scheint es sich jedoch eher um einen reinen Bildtypus zu handeln[587].

Was schließlich die häufige Kombination von Szenen oder Requisiten aus dem Meeresabenteuer mit der Darstellung der Ruhe anbelangt, so haben schon mehrere Bearbeiter mit Recht darauf hingewiesen, daß die Künstler bei bestimmten Aussageabsichten zuweilen ziemlich frei vom Bibeltext ihre Bildthemen gestalteten und dabei manches verkürzten oder aus gängigen, zT. sogar inhaltlich verwandten Bildvorlagen fast wörtlich übernahmen[588]. Die für manche Jonasdarstellungen eindeutig aufzuweisenden sepulkralen Bezüge, die seit dem 2. Jh. auch in frühchristlichen, auf die Jonasgeschichte eingehenden Texten zu finden sind, lassen es auf diesem Hintergrund verständlich erscheinen, wenn die weniger für den Sepulkralbereich verwertbare Ninive-Episode zumindest in diesen Fällen nicht berücksichtigt wurde, dafür aber die in solchem

Jugend«, hatten schon MITIUS 97 und SICHTERMANN aO. hingewiesen (zur Deutung als Heros vgl. Origenes, c. Cels. 7,53 [GCS 2,203]). Eine Vermischung verschiedener Einflüsse ist trotzdem nicht auszuschließen.

[584] Für diese Besonderheit auf den Tontellern s. bisher nur MITIUS 68; nach DUVAL 26 aber: »Jonas n'est jamais chauve à époque ancienne« (sic!). Zu den späteren Beispielen schon NORDSTRÖM 506/8; PAUL (o. Anm. 561) 415; WESSEL (o. Anm. 582) 652/4 (er nennt auch zwei Buchmalereibeispiele, bei denen Jonas schon beim Meerwurf kahlköpfig, aber zusätzlich bärtig ist); NARKISS (o. Anm. 554) 66 (die Goldglasschale aus Köln-Braunsfeld, die er als antikes Beispiel anführt, zeigt wohl keine Kahlheit – die Frisuren dort scheinen nämlich nur zT. genauer angegeben zu sein; ebd. Fig. 3).

[585] NORDSTRÖM 505/8; ders., Elementi ebraici nell'arte cristiana: Gli ebrei nell'alto medioevo = Settimane di studio del Centro Italiano di Studi sull'Alto Medioevo 26 (Spoleto 1980) 978; WEITZMANN, The question (o. Anm. 409) 92; NARKISS (o. Anm. 554) 66. Zu anderslautenden jüd. Quellen s. WISCHMEYER, Entstehung aO. [o. Anm. 580] 714₆.

[586] Zur christlichen Quelle – »la version versifiée (au IXᵉ siècle) de la Cena Cypriani« – und einer allgemei-

nen Erwähnung der betreffenden Herakleslegende s. DUVAL 26₆₅. 29₈₄. 470; zu letzterer WISCHMEYER aO. 714 und H. SCHMIDT, Jona. Eine Untersuchung zur vergleichenden Religionsgeschichte (Göttingen 1907) 4/6. 94f (zu mittelalterlichen, von einer ähnlichen »Tradition« abhängigen Darstellungen; zur Datierung des Textes s. K. ZIEGLER, Art. Lykophron 6 (Alexandra): KlPauly 3 (1975) 815f; zur Stelle bei Cyrill, comm. in Jon 2,11 (PG 71,616) s. SCHMIDT 9₂ (er verweist auch auf eine Stelle bei Theophylakt) und F. MÜTHERICH, Die Bilder der Psalterillustration. Der Stuttgarter Bilderpsalter 2 (Stuttgart 1968) 170₁₁₄ mit dem Hinweis, daß »das Motiv . . . ein anschauliches Beispiel für jene synkretistische Verschmelzung der Kulte und Legenden [ist], die das Ende der Spätantike begleitet und mit der neben dem Weiterleben jüdischer Tradition in der christlichen Exegese gerade in diesem Zusammenhang . . . immer wieder zu rechnen ist«.

[587] Vgl. auch die zwei in Anm. 584 genannten mittelalterlichen Buchmalereibeispiele.

[588] So schon MITIUS 93f; DE BRUYNE (o. Anm. 557) 114; FERRUA, Paralipomeni 53; BRANDENBURG, Überlegungen 346; SICHTERMANN, Jonaszyklus 241/6. Vgl. auch FINK, Bildfrömmigkeit 11₄₁ und hier Anm. 575

Zusammenhang logisch erscheinende Ruhe (hier etwa Hinweis auf den friedlichen Zustand nach der Rettung) mitunter sogar besonders betont wird (s. u. S. 147)[589]. Da aber auf den Denkmälern in der Spätantike insgesamt Jonas-Darstellungen in den unterschiedlichsten Bildzusammenhängen und nicht immer in der gleichen Szenenkombination und Anzahl vorkommen, ja sogar die Ikonographie nicht völlig einheitlich ist, scheint es mir jedoch schwer, eine »gleichmäßig alle Denkmäler erfassende Bedeutung« anzunehmen[590].

Für Bilder in einem Grabbereich wie in Cimitile kann man zusammenfassend sagen, daß sicher keine wörtliche Anlehnung an den Bibeltext vorliegt, zahlreiche Einzelelemente diesem aber auch nicht widersprechen. Jüdische Texte oder (bisher nur hypothetisch anzunehmende) Bildquellen[591] brauchen in den erörterten Fällen jedenfalls nicht zur Erklärung von Besonderheiten herangezogen zu werden. In jedem Einzelfall sollte dagegen für die mögliche Aussageintention in erster Linie das jeweilige Bild selbst, etwaige bildnerische Vorlagen und der Bildzusammenhang in Verbindung mit dem Anbringungsort untersucht werden[592].

1.5.3 Bildanalyse und Vergleich mit anderen Jonasdarstellungen

Während die Jonasbilder im Grabraum 14 den häufig in der frühchristlichen Kunst vorkommenden sog. »dreiszenigen Zyklus mit Meerwurf bzw. Verschlingung, Ausspeiung und Ruhe unter der Laube«[593] wiedergeben (Taf. 8f. 47b), ist beim derzeitigen Ausgrabungsstand bzw. wegen der Zerstörung oder schlechten Erhaltung zweier Arkosolien unklar, ob die Darstellung in Raum 13 (Taf. 2a) das einzige Bild aus diesem Themenkreis war[594]. Für die in beiden Grabkammern erfolgte Darstellung des Jonasthemas in den

[589] Für die Textstellen s. schon MITTIUS 6₂. 96₉; NORD-STRÖM (o. Anm. 558) 504 mit ähnlicher Schlußfolgerung; DASSMANN, Sündenvergebung 225₂₄₃f. 230₂₆₄. 231₂₇₃. Ausführlich behandelt sind derartige Fragen neuerdings bei SPEIGL (o. Anm. 562) 9/15, u. a. mit dem Hinweis für manche Darstellungen im Grabbereich, daß »in der Ruheszene ... das biblische Rettungszeichen gleichsam appliziert [wird] auf die hier ruhenden Verstorbenen und ausgeweitet [wird] zur eigenen Glaubensaussage« (Verweis auf ein an betonter Stelle angebrachtes Einzelbild über einem Arkosolgrab in Cyriaka mit der Inschrift: »Zosimiane in Deo vivas« = WMK Taf. 205); ähnliche Folgerungen schon bei ENGE-MANN, Untersuchungen 70/2; MITTIUS 97f; BRANDENBURG, Überlegungen 341f. 346. 485 und J. ENGEMANN: Atti del IX Congr. Int. (o. Anm. 562) 489f; vgl. DUVAL 34₁₀₂: »On a noté avec raison que la cucurbite constituait un paysage paradisiaque« (mit Lit.). Ob die sepulkralen Bezüge mehr aus den »jüdischen Vorstellungen« herzuleiten sind, wie J. FINK: RömQS 76 (1981) 115 meint, bleibt fraglich.

[590] So schon WESSEL (o. Anm. 582) 650. – Für weitere Deutungen, auf die ich im Rahmen dieser Untersuchung – d. h. ohne eine Analyse aller Denkmäler (s. dazu demnächst R. H. M. OTTEN, Jonas in de oudchristelijke iconografie, Diss. in Leiden [bei P. P. V. van Moorsel] und K. PRIX, Jonasdarstellungen in der Spätantike [Arbeitstitel], Diss. Innsbruck) – nicht näher eingehen kann: DASSMANN, Sündenvergebung 397 (mit guten Gründen dagegen SPEIGL 8₂₇. 15); WISCHMEYER, Tafeldeckel (o. Anm. 222) 103 und ders., Beobachtun-

gen zu den Jonasdarstellungen in der frühchristlichen Kunst: Xᵉ Congr. Int. d'Arch. Chrét., Thessalonique 28 septembre – 4 octobre 1980. Résumés des communications, 102; vgl. auch DUVAL 31/9; zT. noch MITTIUS 98/101 und P. STYGER, Die altchristliche Grabeskunst (München 1927) 64/7.

[591] Einige sehr zweifelhafte Beispiele nennt GOODE-NOUGH (o. Anm. 410) 2 (1953) 55. 109. 225/7 Fig. 855. 1042; NARKISS 76₉₂; für E. DINKLER, Petrus und Paulus in Rom: Gymnasium 87 (1980) 10 ist die »sog. Jonas-Szene« im Juliermausoleum unter St. Peter in Rom »als christlich nicht gesichert«, sondern kann auch »eine jüdische Darstellung sein«; vgl. u. Anm. 598. – Vgl. DUVAL 29₈₄. 39₁₁₉.

[592] So auch bei WISCHMEYER, Beobachtungen (o. Anm. 590).

[593] Vgl. dazu MITTIUS 41/4. 58f; SPEIGL 8f. Darauf, daß es sich hierbei eigentlich um vier Phasen handelt, von denen die ersten zwei ursprünglich mehr getrennt waren, haben schon mehrere Autoren hingewiesen: GERKE, Sarkophage (o. Anm. 564) 171₃; FINK, Noe (o. Anm. 564) 20; NARKISS 70. – Es bleibt mE. unsicher, den Ursprung dieser zyklischen Darstellungsweise in jüdischer Buchillustration anzunehmen (so aber FINK: RömQS 76 [1981] 115 und NARKISS 69/71; nach W. WISCHMEYER: ZKG 92 [1981] 170f und ders., Entstehung [o. Anm. 580] 707/19 gehen »die christlichen Jonasbilder ... auf ein in Jaffa zu lokalisierendes, repräsentatives, vielszeniges Jonasbild zurück«).

[594] Zur unsicheren Deutung des benachbarten Bildes s. S. 150f; zum Ausgrabungsstand s. S. 27f.

Lunetten der Arkosolien wie auch für die besondere Hervorhebung der Ruheszene bei den zwei einen Dreierzyklus wiedergebenden Bildern in Raum 14 lassen sich unter den Katakombenmalereien Roms und – für letzteres – auch auf früchristlichen Sarkophagen und einer nordafrikanischen Tonschale Vergleichsbeispiele finden[595].

Da die Jonasdarstellungen in Cimitile nicht wesentlich von der üblichen, bekannten Ikonographie dieses Themas[596] abweichen, genügt es im Rahmen dieser Arbeit, nur noch auf die Bildelemente etwas ausführlicher einzugehen, die als Besonderheiten auffallen oder als Anhaltspunkte für eine Datierung der Malereien dienen können.

Bei einer Gegenüberstellung der Bilder mit der Darstellung des Meeresabenteuers aus Raum 13 und 14 ergeben sich Unterschiede, die man zT. durch die verschiedene Zeitstellung der Bilder erklären kann. Vergleicht man die beiden Darstellungen mit den frühesten, zT. schon bei TH. KLAUSER und E. DASSMANN zusammengestellten Monumenten des gleichen Themas[597], dann lassen sich bestimmte Charakteristika dieser Monumente nur beim Bild im Raum 13 aufweisen:

a) F. GERKE hat schon festgestellt, daß die Darstellungen des Meerwurfs im 3. Jh. zuerst ausschließlich ohne einen Werfer und den Vorgang des Verschlingens (zB. Taf. 47c), später, wie im Bild in Cimitile (Taf. 2a), häufig in einem Stadium kurz vor dem Verschlingen gegeben sind (zB. Taf. 49c) – damit werden deutlich die zwei verschiedenen Phasen des Bibelberichtes (s. S. 136) illustriert; in den Meerwurfszenen des 4. Jh. ist dagegen öfter »die Form bevorzugt, in der Jonas von einem Bootsinsassen direkt in das Maul des Ungeheuers geworfen wird«, das ihn – wie bei Raum 14 (Taf. 47b) – schon mehr oder weniger »verschluckt« hat (zB. Taf. 49b)[598].

b) Während das Schiff auf dem Bild in Raum 13 in seiner (schon durch den vorhandenen freien Raum gegebenen) Größe und im Detailreichtum mit den meisten

---

[595] Für ersteres zB. WMK Taf. 34. 44,2. 106,1; GARRUC-CI (o. Anm. 183) Taf. 62,1. Für letzteres s. etwa WMK 44,1. 45. 67. 109; ENGEMANN, Untersuchungen 70f Taf. 32. 34a; zur Tonschale s. Anm. 607.

[596] Bisher immer noch maßgeblich dazu MITIUS aO. und H. LECLERCQ, Art. Jonas: DACL 7,2 (1927) 2572/631; G. SIMONETTI, Art. Giona: DizPatr 2,1522f.

[597] KLAUSER, Studien IV (o. Anm. 173) 131/3; DASSMANN, Sündenvergebung 386f; der bei beiden aufgeführte Sarkophagdeckel (Rep. 795) ist nach WISCHMEYER, Tafeldeckel (o. Anm. 222) 68 – zu Recht – eher »frühkonstantinisch«. Somit bleiben als früheste Monumente mit einer Meerwurfszene: die Malereien in den sog. Sakramentskapellen A2/3. A6 (Lit. bei KLAUSER aO. 131₁₀), aus der Plastik Rep. 35. 46. 591b. 997. (894?), WS Taf. IV,3. LIX,3, der Sarkophag von Le Mas-d'Aire (E. LE BLANT, Les sarcophages chrétiens de la Gaule [Paris 1886] 99 Taf. 26); ein Sarkophag in Belgrad (TH. KLAUSER, Studien zur Entstehungsgeschichte der christlichen Kunst VIII: JbAC 8/9 [1965/66] 163 Taf. 17); eine der sog. Cleveland-Statuetten aus Kleinasien (ein Ketos mit dem schon halb verschlungenen Jonas; WISCHMEYER, Kunst [o. Anm. 582] 256 Abb. 3); eine verlorengegangene Grabmalerei aus der Nähe von Cagliari, Sardinien, wird ins 3. oder 4. Jh. datiert: G. PINZA, Notizie sul cemetero cristiano di Bonaria:

NuovBullArchCrist 7 (1901) 63/5 Fig. 1; H. LECLERCQ: DACL 2,1 (1924) 1003/6; L. PANI ERMINI: Studi Sardi 20(1966) 11/17; vgl. auch MITIUS aO. 28f. Relativ früh ist vielleicht auch noch eine als Meerwurf gedeutete Darstellung in der Januariuskammer in der Praetextat-katakombe (WMK Taf. 34); die in neuerer Lit. gegebenen Datierungen reichen vom 3. bis (mE. wahrscheinlicher, vgl. RivAC 53 [1977] 48) zum Anfang des 4. Jh.: DASSMANN, Sündenvergebung 15₄₀; DORIGO, Pittura 159; GERKE, Spätantike 99; GRABAR, Frühes Christentum 320 zu Abb. 90/3; eine ausführliche Beschreibung bei WMK (Text) 368; zur Unsicherheit bei diesen Datierungen vgl. MIELSCH, Wandmalerei 231.

[598] GERKE, Sarkophage (o. Anm. 564) 171₃. 175₁. 178. 180f; zwei Ausnahmen im 3. Jh.: O. PERLER, Die Mosaiken der Juliergruft im Vatikan (Freiburg 1953) Taf. 4b (Jonas wird statt mit dem Kopf zuerst mit den Füßen verschlungen; vgl. dazu eine jüdische Textquelle bei STRACK/BILLERBECK [o. Anm. 577] 1³, 645; E. DINKLER: Age of Spirituality 411f – ob es auch eine christliche Parallelstelle gibt, müßte überprüft werden) und hier Anm. 597; für einige spätere Monumente, auf denen Jonas nicht ins Meer geworfen oder vom Ketos direkt verschlungen wird, GERKE aO. 170 (hier Taf. 50c; weitere Beispiele in der Lit. u. Anm. 607); vgl. auch das o. Anm. 584 zuletzt genannte Stück.

älteren (zB. Taf. 47c. 49c), seltener aber mit jüngeren Jonasdarstellungen vergleichbar ist[599], kann man einen Vergleich mit dem dichter ausgemalten Bild in Raum 14 wegen der Zerstörung der betreffenden Stelle nicht mehr in der Art anstellen. Es läßt sich dort aber – von der noch zur Verfügung stehenden Fläche her – wenigstens erschließen, daß dieses Schiff wie auf manchen Monumenten seit Anfang des 4. Jh. (zB. Taf. 49b)[600] kleiner gewesen sein muß und sich dadurch das Größenverhältnis zwischen ihm und den Seeungeheuern bzw. den menschlichen Figuren zugunsten letzterer etwas verändert hatte.

c) Auf Grund dieser Tatsache wird auch die Anzahl der Seeleute auf dem Schiff hier wohl nicht so groß gewesen sein wie beim Bild in Raum 13. Die dortige Vierzahl – wie überhaupt eine über drei Personen hinausgehende Anzahl von Besatzungsmitgliedern – findet man in spätantiken Jonasszenen selten, gar nicht jedoch auf den im 3. Jh. frühesten Denkmälern (vgl. Taf. 47c)[601].

d) Das geblähte Segel »mit gut verstandener Takelage« auf dem Schiff desselben Bildes kommt innerhalb der Jonasikonographie mW. erst auf Darstellungen des ausgehenden 3. und des 4. Jh. vor (zB. Taf. 49c)[602]. – Der Bootstyp wie auch die Seeungeheuer auf beiden Bildern in Cimitile lassen sich unverkennbar von schon öfters in der Forschungsliteratur angeführten paganen Bildtypen herleiten[603]. Bei wichtigen Bilddetails, wie dem Verschlingen und Ausspeien, ist es mE. schwieriger bzw. weniger eindeutig, eine direkte Verbindung mit den wenigen überlieferten, ähnlichen Darstellungen aus der heidnischen Bilderwelt, die häufig zum Vergleich herangezogen werden, herzustellen, da meist nur eine sehr allgemeine formale Verwandtschaft besteht und die dargestellten Handlungen sich in einigen charakteristischen Punkten unterscheiden[604].

e) Ein auffallender Unterschied zwischen den Jonasdarstellungen in Raum 13 und 14 liegt in der Wiedergabe einer Art Stirnglatze, die allein bei der Figur des Jonas auf dem

---

[599] Vgl. dazu schon Mittius 25/7. 54f; Gerke, Sarkophage 65f. 177. 181. 183. 262. Vgl. auch die frühen Sarkophagdarstellungen der Jonasruhe mit Schiff und Ketos (Klauser und Dassmann aO. [o. Anm. 597]).

[600] S. Lit. in Anm. 599 (zuweilen kann seit Anfang des 4. Jh. das Schiff sogar völlig fehlen).

[601] Vgl. Mittius 23f; Gerke, Sarkophage 170f. 180f. 183f; Narkiss 65₁₉. 75 (nach Stern [o. Anm. 23] 110f Fig. 4 hat das Schiff in den Malereien von El-Bagawat fünf und nicht sieben Insassen, wie Narkiss in Anlehnung an Nordström schreibt); zur Malerei aus Sardinien und zum Sarkophag aus Belgrad (letzterer mit vier Seeleuten) s. die Lit. o. Anm. 597.

[602] Gerke, Sarkophage 177. 181. bes. 183 (zu Ruderbooten 163f); Engemann, Untersuchungen Taf. 34; Le Blant aO. (o. Anm. 597); WMK Taf. 34; Grabar, Frühes Christentum Abb. 31. Vgl. auch Fink, Bildfrömmigkeit 60₂₃₉. – Mittius 26. 54 hat schon »auf den darin liegenden Widerspruch mit der biblischen Erzählung« hingewiesen, »die den Steinmetzen ebenso wie den Malern durch den Hinweis auf den tobenden Sturm und das brandende Meer« (s. hier S. 135f) »den Gedanken hätte nahelegen sollen, daß das Schiff, um dem Winde die Kraft zu nehmen, mit gerefftem Segel fahre«, wie es zB. einige der frühesten Darstellungen

dieses Themas zeigen (s. hier Anm. 597). Er erklärte dies mit formalen Gründen, wie einer künstlerischen Tendenz, eine sonst »leere Stelle« auszufüllen bzw. den Bootsinsassen mehr »einen malerischen Hintergrund« zu geben.

[603] Mittius 24/7; Gerke 44₃. 90₅. 162/4; Lawrence (o. Anm. 582); Narkiss 65₂₁. Zum Schiffstyp vgl. in etwa Dunbabin (o. Anm. 266) 273 nr. 1a; 262 nr. 3a; 248 nr. 1c; 255 nr. 3 Fig. 17f. 122. 124. 154 und allgemein I. Pekáry, Vorarbeiten zum Corpus der hellenistisch-römischen Schiffsdarstellungen: Boreas 7 (1984) 172/92.

[604] So schon Mittius 85/7. Für die herangezogenen Vergleiche s. auch Lawrence 289/96 Taf. 77,1f. 78,7f; U. Steffen, Das Mysterium von Tod und Auferstehung (Göttingen 1963) 32f. 41f Abb. 1. 5; U. Heimberg, Oinophoren: JbInst 91 (1976) 265; Wischmeyer, Entstehung [o. Anm. 580] 710/3. Formal kann man für die Darstellungsart der Ausspeiung in etwa auf das Bild auf der griechischen Duris-Schale verweisen; so – anders als Mittius – bereits Schmidt (o. Anm. 586) 22/4 Abb. 4 (zu den anderen Vergleichen dort S. 8f Abb. 1. 5); Fink, Noe (o. Anm. 564) 8₂₈; Klauser, Studien IV (o. Anm. 173) 144₉₁.

Bild im erstgenannten Raum vorkommt (Taf. 4b; vgl. S. 141₅₈₄). Als Parallelen innerhalb der antiken Jonasikonographie kann ich nur spätere Darstellungen auf nordafrikanischer Reliefkeramik anführen. J. W. Salomonson hat 1969 zum ersten Male zahlreiche, untereinander sehr verwandte Beispiele mit Szenen aus der Jonasgeschichte zusammengestellt, die in vielen Teilen des ehemaligen römischen Reichsgebietes gefunden wurden, meist jedoch nur fragmentarisch erhalten geblieben sind (zB. Taf. 50a)[605]. Bei den frühesten, erst etwa ab der Mitte des 4. Jh. entstandenen Exemplaren handelt es sich um runde Schalen (bzw. um deren Reste), die von Salomonson als Terra Sigillata Chiara C Form A und von J. W. Hayes jüngst als »African Red Slip Ware, Form 53 A 1« klassifiziert worden sind[606]. Die bei beiden Autoren erfolgte Zusammenstellung kann man neuerdings um fünf vollständig erhaltene Schalen erweitern (zB. Taf. 50b/d), von denen zwei noch nicht veröffentlicht sind[607]. Soweit die Gestalt des Jonas besser erhalten bzw. Einzelheiten bei ihr noch erkennbar sind, scheint der Prophet wohl bei drei der bisher bekannten Beispiele (zB. Taf. 50b. c) einheitlich in den drei wiedergegebenen Szenen des Zyklus' durch eine Stirnglatze charakterisiert zu sein[608]; auf zwei Stücken ist dieser Jonastypus nur in Szenen nach dem Verschlingen zu sichern (Taf. 50a. d).

f) Neben dieser Besonderheit ist im Zusammenhang mit einer möglichen Rekonstruktion der Ruheszene aus Raum 14 (Taf. 8f; s. S. 134f) noch das wache Lagern des Jonas (mit nach vorne ausgestreckter rechter Hand) bei der gleichen Szene auf den angeführten Tonerzeugnissen hervorzuheben (Taf. 50a/c); diese seltene Darstellungsform findet sich auch auf einem Sarkophag in London und auf einem Katakombenbild in Rom[609]. Gerke hat außerdem schon festgestellt, daß die Gestalt des Jonas in den späteren, anders als in

[605] J. W. Salomonson, Spätrömische rote Tonware mit Reliefverzierung aus nordafrikanischen Werkstätten: BABesch 44 (1969) 27f. 57. 99 (nr. 12406. 12409. 12414). 101 (nr. 6/8). 103 (nr. 35). 107 (nr. 64b); vgl. auch ebd. 83 Abb. 118f.

[606] Salomonson 17. 55f Abb. 18. 82; J. W. Hayes, Late Roman pottery (London 1972) 78f. 81f nr. 7 und ein Fragment, das fälschlich ebd. 89₄ aufgeführt ist; für die übrigen Exemplare s. ebd. 217 nr. 46; vgl. auch ders., A supplement to Late Roman pottery (London 1980) 496/8. – Das späte Auftreten dieser Vergleichsbeispiele kann an sich noch nicht als Argument gegen eine Datierung des Jonasbildes aus Raum 13 ins 3. Jh. (s. S. 146. 162f) angesehen werden, da es sich bei den Vergleichen um Produkte der Kleinkunst handelt, die sich in ihren Motiven eher auf gängige oder ältere Bildvorlagen stützen.

[607] E. Lucchesi-Palli: Age of Spirituality 426 nr. 384; J. N. Carder: ebd. 520f nr. 465 (dazu Himmelmann, Hirten-Genre [o. S. 17₆₁] 171f Taf. 77); bei einer ebenfalls in Mainz im Römisch-Germanischen Zentralmuseum befindlichen Reliefschale mit Jonaszyklus aus »Tunesien« (Inv. nr. 0.39746) hat sich der Generaldirektor Dr. K. Weidemann die Publikationsrechte vorbehalten. Es handelt sich um eine Schale des Typus Hayes 53 A2. Dargestellt sind Jonas (übergroß) unter der Kürbislaube, der Meerwurf und das Herannahen des Ketos. Für die Möglichkeit, die angeführten Scha-

len im Original studieren zu können, danke ich Dr. H. W. Böhme. Eine Schale ist im RGM Köln (von Boeselager [o. Anm. 580] nr. 204). Eine bisher unpublizierte fünfte Schale befindet sich in Berlin in der frühchristlich-byzantinischen Abteilung des Museums in Dahlem (Inv. nr. 10/72).

[608] So auch nach Autopsie bei der Schale Mainz Inv. nr. 0.39746 (o. Anm. 607). Der Kopf des Jonas ist auf den Schalen in Mainz und Köln zT. so verschliffen, daß sich dies nicht bei allen Figuren in gleicher Weise eindeutig bestimmen läßt. Ob die bei Salomonson (o. Anm. 605) Abb. 18 sichtbare Stirnlinie bei Jonas einen Hinweis auf Vorderhaupthaare gibt (die hintere Haarfläche ist welliger), kann ich ohne eine Detailaufnahme nicht entscheiden (bei zahlreichen anderen Stücken ist dieses Detail nicht mehr erhalten). Bei der Schale in Berlin (o. Anm. 607) hat Jonas zumindest bei der Ausspeiung – nach meinen Beobachtungen vor Ort – sicher fülliges Haar. Dieser Unterschied ist bei den sonst so ähnlichen Motiven bemerkenswert.

[609] Vgl. Mitius (o. Anm. 556) 37. 68; Rosenau (o. Anm. 570) 10₁₄; WMK Taf. 109; Lucchesi-Palli (o. Anm. 607); in einem von Stuiber (o. Anm. 558) 150 angeführten Beispiel erhebt Jonas zwar einen Arm, er blickt aber nicht »gespannt auf die Stadt«, sondern liegt ziemlich horizontal da (vgl. WS Testo 222 Fig. 139). – Vgl. u. Anm. 611.

den frühesten Malereibeispielen Roms öfter »halb sitzend« wiedergegeben ist[610]. In einer solchen Haltung muß auch der ruhende Jonas in Cimitile dargestellt gewesen sein (Taf. 8f). Für das sich Aufstützen nur mit der Hand (bei leicht erhobenem Oberkörper) kann man immerhin auf drei Malereidarstellungen in der Januariuskatakombe in Neapel aus dem 4. Jh. verweisen, wo ebenfalls, wie in Cimitile, die Jonasruhe als Einzelbild dargestellt ist (Taf. 48a. b; 49a)[611]. Während auf dem einen Bild in Neapel (Taf. 48b) – ähnlich wie in den »abgekürzten Jonasdarstellungen« auf den Sarkophagen[612] – ein Seeungeheuer den Bezug zum Meeresabenteuer herstellt, wird bei der betreffenden Darstellung in Cimitile (Taf. 6a) eine derartige Verbindung durch eine dreieckförmige Wasserfläche geschaffen. Die gleiche relativ schematische Darstellungsweise des Meeresufers als Teil eines fest umrissenen Raumgefüges findet sich schon auf dem zweiten Jonasbild desselben (Taf. 47b), nicht aber des anderen Raumes (Taf. 2a); in diesem Punkt unmittelbar vergleichbare Darstellungen aus der antiken Jonasikonographie kenne ich nicht[613].

Faßt man die Ergebnisse dieser Analyse der Jonasbilder in Cimitile zusammen, dann lassen sich zwei Aussagen machen: Zahlreiche Elemente weisen darauf hin, daß die Malereien weder *zeitgleich* im 2., noch im 3. Jh. angesetzt werden können, wie es viele Autoren meinen (s. S. 11f). Während das Bild aus Raum 13 auf Grund mancher Einzelzüge wohl noch im 3. Jh. entstanden ist, zeigen die betreffenden Darstellungen aus Raum 14 schon mehr Merkmale der Jonasikonographie des 4. Jh. Einige Besonderheiten bei den Jonasbildern in beiden Grabbauten lassen gegenüber dem Gros der Darstellungsformen in Rom wohl auf eine gewisse Eigenständigkeit der Maltradition im antiken Nola (bzw. in Campanien) schließen.

1.5.4 Zur Aussageintention der Jonasbilder in Cimitile

Bei der Frage nach der Aussageintention der Jonasbilder ist zu beachten, daß diese Darstellungen innerhalb von Grabbauten und noch dazu unmittelbar über den dortigen Gräbern angebracht sind, also von daher sepulkrale Bezüge vorliegen könnten. In Raum 14 werden gerade Jonasszenen gegenüber anderen, einst sehr zahlreichen Bildthemen (s. S. 31. 172) dadurch hervorgehoben, daß sie an prominenter Stelle, und zwar beide Male in der Lunette eines nur über dem Kopfende der Gräber errichteten Arkosols gemalt sind,

---

[610] GERKE, Sarkophage (o. Anm. 564) 172₄. Bei der angeblich sehr frühen Darstellung der Jonasruhe aus Alexandria ist Jonas aber schon in einer aufgerichteten Position wiedergegeben; s. BRANDENBURG, Überlegungen 342; H. RIAD, Tomb paintings from the necropolis of Alexandria: Archaeology 17 (1964) 169/72; G. GRIMM, Alexandrien (Mainz 1981) 22₈₇.

[611] GARRUCCI 107 Taf. 91 (mit Wiedergabe der Hand) und ACHELIS 39f. 58 Taf. 20 (beide o. Anm. 183); FASOLA, S. Gennaro 63 Taf. IVb; zu den zT. abwegigen Deutungen von ACHELIS s. schon die Rezension von L. DE BRUYNE: RivAC 14 (1937) 370 und bes. FASOLA, Raffigurazioni (o. Anm. 198) 772₃₁; MITTIUS 40f sieht in der Szene (hier Taf. 48b) den wachen und den »murrenden Propheten«. – Die Darstellungen auf Taf. 48a. 49a sind heute (1983) von den Wänden abgenommen

und auf Platten aufgezogen. Möglicherweise wurden erst bei diesem Vorgang einige Bilddetails zerstört, die auf den hier erstmals publizierten Fotos von H. ACHELIS (angefertigt vor 1936) noch zu sehen sind.

[612] Vgl. o. Anm. 575 und ENGEMANN, Untersuchungen 70.

[613] Eine gewisse Ähnlichkeit mit der schematischen Wiedergabe des Landes findet man bei den ebenfalls scharf umrandeten Landstücken der Jonasdarstellungen im Bodenmosaik der ›Südhalle‹ in Aquileia; DORIGO, Pittura Farbtafel XV. – Für eine ähnlich fest umrissene Meeresfläche vgl. A. BAUER / J. STRZYGOWSKY, Eine alexandrinische Weltchronik (Wien 1905) Taf. III^r (neuere Lit. dazu bei J. VAN HAELST, Catalogue des papyrus littéraires juifs et chrétiens [Paris 1976] nr. 631); außerdem hier S. 163.

das jeweils noch mit einem – in antiker Grabmalerei öfter zu findenden[614] – Blütenstreumuster ausgezeichnet ist (Abb. 14; Taf. 23). Auch wenn nicht mehr geklärt werden kann, ob für die gesamte Malereiausstattung des Raumes ein Leitgedanke bzw. ein Bildprogramm maßgeblich war, so wird doch eine Aussageabsicht bei den Jonasdarstellungen deutlich. Schon auf Grund des besonderen Anbringungsorts dürften diese Bilder aus Raum 14 einen direkten Bezug zum Sepulkralbereich haben, zumal bei ihnen als Grundgedanken gerade das Verschlungenwerden (gleichsam das Sterben), die Rettung aus dem Todesbereich des Ungeheuers und der idyllische Zustand des Gerettetseins ermittelt werden können[615]. Formal und damit auch inhaltlich eng verbunden sind diese drei Phasen schon durch die gleichbleibende Nacktheit des Jonas und die Angabe des Meeresufers auch im Ruhebild, dem Endpunkt der hier dargestellten Geschichte. So merkt man nicht unmittelbar, »daß dieser logisch scheinende Abschluß vom Jonas der Bibel wegführt und diesen auswechselt mit den Toten, die dort ruhen, wo der ruhende Jonas gemalt ist«[616]. Bezeichnenderweise ist eben nur der sog. Dreierzyklus wiedergegeben, und die Darstellung der Ruhe – auf Grund ihres Einzelszenencharakters und der größeren, durch eine Laube gerahmten Jonasgestalt – sogar besonders betont[617]. Darüber hinaus läßt sich eine der Schlußfolgerungen in der Untersuchung von E. Dassmann auf die zwei vom Anbringungsort her gesehen gleichwertigen Bilder dieses Raumes übertragen: »Dort, wo die Interpretation der Jonasruhe als Jenseitsruhe des Toten zutrifft, beschränkt sich die ikonographische Aussage in vielen Fällen nicht auf diesen Gedanken, sondern erweitert ihn . . . um konkrete soteriologische Vorstellungen«[618]. Da es sich im Raum 14 um Darstellungen handelt, die in einer Zeit gemalt wurden, in der eine Deutung der Jonasgeschichte – wie etwa bei Paulinus von Nola[619] – »als Zeichen der Auferstehung Christi im Sinne von Mt 12,40« geläufig war[620], ist es denkbar, daß diese Vorstellungen hier konkret Auferstehungshoffnungen beinhalten.

Für das Jonasbild aus Raum 13 (Taf. 2a) läßt sich eine dermaßen weitgehende Deutung nicht geben, da der bisher aufgedeckte geringe Bildbestand (aus erheblich früherer Zeit) keine so eindeutigen Schlüsse über Art und Gründe der Auswahl der Bildthemen zuläßt.

---

[614] Eine Zusammenstellung zahlreicher, in der Mehrzahl anscheinend etwa ab 300 datierbarer Beispiele (u. a. auch in Arkosolbögen) schon bei V. M. Strocka, Die Wandmalerei der Hanghäuser in Ephesos = Forschungen in Ephesos 8,1 (Wien 1977) 58/62; für ein Beispiel aus Süditalien (4./5. Jh.) s. C. Colafemmina, Scoperte archeologiche in Venosa paleocristiana: Atti 2° Conv. Naz. di Storiografia Lucana, Montalbano Jonico – Matera 10–14 sett. 1970 = Coll. Cult. Luc. 4 (1976) 19f Taf. 9; zum möglichen Hinweis auf »elysinische Gefilde« s. Strocka 63f und Kaiser-Minn 63/6. – Stilistisch gesehen weist das Blütenstreumuster aus Raum 14 (wie auch das relativ ähnliche aus Raum 11: Taf. 8c. 3c) erhebliche Unterschiede zu der motivisch in etwa vergleichbaren, aber flüchtiger ausgeführten Malerei in den (wohl in der ersten Hälfte des 4. Jh. entstandenen) Grabbauten B und C (S. 16; vgl. o. S. 19[74]. 33; Taf. 9b) auf.

[615] Vgl. Speigl (o. Anm. 562) 9[30]; nach Brenk (o. S. 10[26]) 30 bleibt eine derartige »Interpretation . . . allerdings hypothetisch«.

[616] So Speigl 14f; vgl. Mitius 93f und Fink, Bildfrömmigkeit 10[41].

[617] Darauf, daß eine derart »emblemartige Fassung« auf »einen allegorischen Sinn« der Ruheszene schließen lassen kann, hat schon Stommel (o. Anm. 558) 114 hingewiesen.

[618] Dassmann, Sündenvergebung 397; vgl. zT. noch Mitius 2[3]. 95/8.

[619] Ep. 49,10 und carm. 24,205. Vgl. auch Duval (o. Anm. 551) 286f. Zur Datierung der Malerei s. S. 166.

[620] Für die Textstellen vgl. Dassmann, Sündenvergebung 223/31; Duval zB. 32[97]. 173f. 233f. 240f. 246f. 262f. 283f. 288f; Speigl 11. 15. – Allgemein skeptisch gegenüber einer derartigen Deutung Sichtermann, Jonaszyklus (o. Anm. 562) 246.

2. Undeutbare oder nicht eindeutig identifizierte Darstellungen

Vom übrigen Bildbestand in den Grabräumen 13 und 14 war schon zur Zeit der Ausgrabung nicht viel mehr erhalten als heute (1979; vgl. Taf. 23); allerdings sind diese Malereien nach nunmehr dreißig, zT. sogar mehr als fünfzig Jahren seit ihrer Freilegung in einem so schlechten Zustand, daß in weiten Partien kaum noch etwas zu erkennen ist. Auch wenn manches damals hätte eher geklärt werden können, ist es doch − von der Bedeutung des Monuments her − für mögliche weitere Studien sinnvoll, diese immer mehr verfallenden Malereireste ausführlich in Wort und Bild zu dokumentieren. Dabei werden die zu einigen Bereichen vorliegenden Deutungen überprüft und, wenn möglich, weiterführende Hinweise gegeben.

2.1 Das nordöstliche Arkosolbild im Mausoleum 13

Das nordöstliche Arkosol des Raumes 13 bietet wegen des schlechten Erhaltungszustandes der Malfläche für eine Deutung der Darstellung nur noch wenige Anhaltspunkte (Abb. 21; Taf. 2b. 4a. 5a). CHIERICI schreibt nur, daß dieses Arkosolbild nicht gut erhalten geblieben ist[621].

HEMPEL beschreibt als erster die Malereireste dieses Arkosols[622]. »Auf Grund der Via-Latina-Katakombe« ist das Bildfeld »mit ziemlicher Sicherheit zu deuten . . . : Vor hellblauem Grund lehnt an einem großen, blattlosen (?), grau gemalten Baum eine sitzend-liegende, nackte, männliche Gestalt [Höhe der Reste der sitzenden Figur 14 cm, Inkarnat etwas violett rötlicher als in den vorherigen Szenen«] der anderen Arkosolien; neben dieser Figur sind »links Reste eines Frauen(?)-Kopfes sichtbar; von rechts kommen 2 wesentlich kleinere nackte [? (rötliches Inkarnat)] Gestalten heran [ganze Größe ca. 14 cm: Predigt des Jonas??]; die Stammeltern auf der dürren Erde mit Kain und Abel? FERRUA bildet . . . eine im kompositorischen Schema sehr ähnliche Darstellung auf der Decke des linken Arkosols des Cub. B (neben der o. a. Vertreibung) ab« (Taf. 51a)[623].

Seit HEMPEL haben mW. nur noch H. BRANDENBURG und F. W. DEICHMANN eine Deutung dieser Malerei gegeben. Beide sehen darin offensichtlich eine Noe-Szene. Eine nähere Bestimmung der Episode geben sie jedoch nicht[624].

1979 konnte ich vor dem Original noch einen Großteil von dem erkennen, was HEMPEL 1961 beschrieben und in zwei Farbdias (Taf. 2b. 5a) festgehalten hat.

Durch Reste der späteren Zumauerung des Arkosols mit Tuff (Abb. 21) werden zwar untere Partien der Lunette noch verdeckt, aber die wichtigsten Teile des Bildes sind bereits freigelegt. In der linken Ecke der Malfläche lassen sich noch zwischen bzw. unter zahlreichen hellblauen Farbspuren vertikal verlaufende braune Striche ausmachen. Die fast 11 cm langen und maximal 2,5 cm breiten Striche scheinen sich nach unten hin zu einer kompakteren Masse (ein Stamm?) zu verdichten, die in einem hellen Braun − mit roten Strichen dazwischen − gehalten, in ihrer Ausdehnung aber nicht mehr genau zu

[621] RivAC 33 (1957) 113.
[622] ZAW 73 (1961) 301. Im Manuskript außerdem: »Rahmen wie A und B« (die anderen Arkosolbilder), »insgesamt aber sehr stark verblaßt und zT. stark grün verfärbt (Moose)«.
[623] FERRUA, Le pitture (o. Anm. 455) 51 Taf. 95.

[624] S. o. S. 10$_{25}$ und 11$_{31}$. Da beide Autoren die Einzeldarstellungen des Raumes nur kurz aufzählen, ist ihre Deutung zwar nicht ausdrücklich auf dieses Arkosol bezogen, aber durch die sichere Lokalisierung der anderen genannten Bilder erschließbar.

bestimmen ist. Außer von Resten der hellblauen Grundfarbe ist dann erst wieder links an der dreieckförmigen Schadstelle ein (rötliches) Farbkompartiment zu finden. – In der Mitte der Bildfläche erhebt sich deutlich ein 22 cm hoher, oben ganz leicht nach links geneigter, schwärzlicher Stamm. Von diesem zweigt etwa auf halber Höhe rechts ein längerer, bräunlicher Strang ab. Da dieses Gebilde erhaben ist und nicht organisch an den Stamm anbindet, bleibt unklar, ob hier – wie HEMPEL annahm – ein »Baum« mit einem seitlichen Ast gemeint ist. Links neben dem unteren Stammende befindet sich eine rote bis leicht orangefarbene, maximal 1,5 cm breite und bis zu 2,3 cm hohe Farbfläche (Taf. 4a), die HEMPEL als »Reste eines Frauen(?)-Kopfes« ansah. Diese Fläche steht mit einer rechts neben dem Stamm zT. etwas höher aufragenden, karminroten Gestalt in direkter Verbindung. Von daher, aber auch nach einem Formen- und Größenvergleich mit dem deutlich bei dieser Gestalt erkennbaren (ovalen) Kopf, der max. 2,5 cm breit und 3,5 cm hoch ist, muß die Deutung HEMPELS offenbleiben. Bei einer gewissen Schrägbeleuchtung des Kopfes erkennt man heute gerade noch Schemen einer Mund- und (linken) Augenpartie. Außerdem ist der schräg nach oben ausladende Hinterkopf – eine besondere Frisur? – hervorzuheben. Wie an vielen anderen Stellen der Malerei bedecken dicke Kalkflecken den größten Teil des Gesichts so, daß eine weitere Charakterisierung ohne eine Restaurierung des Bildes nicht möglich ist. Von der Gestalt selbst ist nur der (wohl nackte) Oberkörper erhalten. Deutlich läßt sich heute (Taf. 4a) wie auch auf einem Dia von 1961 (Taf. 2b) die innere rotbraune Brustfläche von den – ähnlich dem Kopf – karminroten, leicht gewellten Außenpartien unterscheiden (nur verschiedener Erhaltungszustand der Farbflächen?). Auffallend ist außerdem eine Art Ausbuchtung an der rechten unteren Seite der Figur. Nicht weit darunter verläuft nach rechts eine dunkelbraune horizontale Schicht (Schatten?) über einer ockerbraunen Farbzone, die sich ebenfalls nach rechts, aber auch weiter nach links unterhalb der Figur erstreckt (anscheinend die Bodenzone). Danach sieht es so aus, als ob die Gestalt einst in einer sitzend-liegenden Haltung wiedergegeben war (größte Breite der Gestalt von der Ausbuchtung bis zum Ende der Farbfläche links neben dem Stamm 8,8 cm; Höhe vom Kopf bis zum letzten damit noch zusammenhängenden unteren Farbrest 9,5 cm). – Rechts neben dieser Gestalt findet man auf einer Breite von 4 cm und einer Höhe von 13 cm etwas hellere (karminrote) Farbreste, die nach der Beschreibung und den zwei Dias von HEMPEL (Taf. 2b. 5a) früher einmal wohl rotbraun waren. Nur mit Hilfe der alten Aufnahmen lassen sich hier die Grundzüge einer Figur erkennen. Auf den Dias ist noch deutlich eine ovale Kopffläche auszumachen, die heute nur in geringen Resten faßbar ist, aber immerhin eine 2,5 cm breite und 3 cm über den Körper hinausragende Vertiefung aufweist (Taf. 4a). Derartige leichte Vertiefungen des Malgrundes findet man sonst auch bei Teilen des Stammes und der sitzend-liegenden Gestalt und ebenso bei Körperpartien im Arkosolbild von Adam und Eva (Taf. 1. 32a)[625] – bei der Figur selbst kommen sie noch bei den Konturlinien ihrer rechten Körperseite und ihres rechten, nach vorne ausgestreckten Armes vor. Unmittelbar daneben erstrecken sich auf einer Breite von 5,5 cm und einer Höhe von ca. 12 cm zahlreiche fleischfarbene (rotbraune) Farbflecken. Da auf den Dias von 1961 auch hier ein Kopf und vielleicht ein (nach rechts) ausgestreckter Arm vorhanden zu sein scheinen, und HEMPEL – anders als sonst – ohne Vorbehalt von zwei kleineren Gestalten spricht (s. o.), könnte es sich um die Reste einer weiteren (nackten?) Person handeln; sicher zu bestimmen ist dies aber nicht

[625] S. o. Anm. 166.

mehr. – Auf der übrigen stark von Moos befallenen Bildfläche finden sich nur noch hellblaue Farbspuren; teilweise erscheinen hier wie auch an anderen Stellen des Bildes hellbraune Flecken. Der rote Rahmen des Arkosolbildes, der einst ungefähr 4–5 cm breit war, ist schon 1961 stark beschädigt gewesen; seine Farbwirkung ist heute aber nur noch sehr schwach[626].

Zur veröffentlichten Deutung HEMPELS – die Stammeltern mit Kain und Abel – ist folgendes anzumerken: Es ist nicht gesichert, daß links neben der »sitzend-liegenden« Gestalt noch eine weitere Person vorhanden war. Bei den zu vermutenden zwei kleineren Gestalten spräche außerdem die (mögliche) Nacktheit gegen eine Deutung auf Kain und Abel; mW. sind beide in der Antike immer nur bekleidet dargestellt[627]. Darüber hinaus muß man beim einzigen (sicher späteren) Vergleichsbeispiel in der frühchristlichen Kunst, auf das HEMPEL hinweist, beachten, »daß vermutlich Teile zweier ursprünglich selbständiger Darstellungen zu diesem neuen Bild zusammengefügt wurden«[628] (Taf. 51a), von Unterschieden – wie dem dortigen Fehlen eines hohen Stammes und einer anderen Aktion der Arme der (kleineren) Gestalten in Cimitile – einmal abgesehen.

HEMPELS unveröffentlichter und mit großer Skepsis gemachter Vorschlag »die Predigt des Jonas« führt auch nicht direkt weiter, da die wenigen vergleichbaren Denkmäler aus der Antike eine völlig andere Ikonographie zeigen[629]; dennoch ist bei dem Hinweis auf eine Jonasgeschichte anzumerken, daß es einige spätantike Denkmäler gibt, auf denen eine Person mit dem unter einer Staude liegenden, nackten Jonas in Beziehung steht[630]. Da es jedoch – mit allem Vorbehalt – eher so aussieht, daß einst zwei kleine Gestalten hinzutraten, und der »Stamm« – wie etwa bei einem Baum – sehr hoch hinaufragt, ist leider auch ein solcher Hinweis nicht weiterführend.

Was schließlich die neueste Deutung als Noe-Episode anbelangt, so könnte es sich mE. nur um die Szene der Trunkenheit (Gen 9,20f) handeln. Im Vergleich zu den von L. KÖTZSCHE-BREITENBRUCH ausführlich behandelten Denkmälern fällt auf, daß sich für das Liegen des trinkenden Noe anscheinend nur ein Beispiel in der Antike und im Mittelalter finden läßt: Es handelt sich um ein von ihr und A. FERRUA so gedeutetes Bild in der Kammer A der via Latina-Katakombe in Rom (Taf. 51b), das »sicher dem in der römischen Sepulkralkunst weit verbreiteten Schema der Totenmahldarstellung« folgt[631]. Abgesehen von einer gewissen Unsicherheit bei der Deutung des betreffenden Bildes[632] ist die völlige

---

[626] Zum möglichen Grund für den schlechten Erhaltungszustand des Bildes s. o. S. 28[126].

[627] Für die neueste Literatur s. o. S. 55[116].

[628] So KOROL (o. S. 54[113]) 187[69f]; KÖTZSCHE-BREITENBRUCH, Via Latina 48f.

[629] Vgl. dazu S. 136f[560f].

[630] MITIUS (o. Anm. 556) 61 Abb. 2; BENOIT (o. Anm. 291) 46f Pl. XVI, 3; NARKISS (o. Anm. 554) 68 Fig. 8. Von den von NARKISS in seiner Anm. 55 genannten Denkmälern fällt eines heraus, da es sich um eine Fälschung handelt (VOLBACH [o. Anm. 262] 111 nr. 175; für ein anderes Stück s. ebd. nr. 125). Bei NARKISS' weiterem Beispiel (ein unter einer Kürbisstaude ruhender Jonas mit einem daneben stehenden Trompeter; aO. 75[78]) wurde schon in der Erstpublikation darauf hingewiesen, daß der Trompeter »isoliert« und von Jonas abgewandt steht, also wahrscheinlich gar nicht

dazugehört; P. ORSI, La catacomba di S. Lucia. Esplorazioni negli anni 1916–1919: NotScav 1918, 270/85, bes. 279 Fig. 5. – Für mittelalterliche Beispiele s. WESSEL (o. Anm. 582) 653f. Die stehende Beifigur, die meist einen oder beide Arme zu Jonas hin ausgestreckt, ist auf diesen Monumenten – wie auch bei den Elfenbeindarstellungen – deutlich als Engel charakterisiert.

[631] KÖTZSCHE-BREITENBRUCH, Via Latina 55f. 104 Taf. 5a. c; FERRUA, Le pitture (o. Anm. 455) 43 Taf. 9. – Weitere Lit. zu Totenmahldarstellungen o. Anm. 499.

[632] Während sich auf der Eingangswand in den oberen Bildfeldern AT-Darstellungen finden (FERRUA, Le pitture Taf. 5. 10), zeigt die rechte untere Seite nur einen springenden Ziegenbock; auf der gleichen Stelle links der Tür befindet sich dann unsere an Totenmahldarstellungen erinnernde Szene (zur Verteilung

Bekleidung der Gestalt und das Fehlen sowohl eines »Stammes«[633] als auch weiterer Gestalten hervorzuheben. Während man als Erklärung für die zumindest teilweise vorliegende Nacktheit des Liegenden im Bild in Cimitile an ein Zusammenziehen der beiden Phasen des genannten Bibelberichtes denken könnte (vgl. dazu Taf. 51f), müßte es sich bei den zwei kleinen Figuren entweder um Söhne Noes oder – wegen der vermutlichen Nacktheit – eher um Gestalten (etwa Eroten) aus einer zB. in den Oktateuchen bei dieser Episode vorkommenden Kelter-Szene handeln (Taf. 51d)[634]. Das von HEMPEL als Frauenkopf gedeutete rundliche Gebilde (Taf. 4a) wäre dann als nach vorne gehaltener Trinkbecher anzusehen (vgl. Taf. 51c. d.), der »Stamm« in Analogie zu den Vergleichsbildern (ebd. und Taf. 51f) als hoher Rebstock; letzterer ist zumindest in den heute sichtbaren Teilen unbelaubt. Da diese ähnlich wie die Jonasszene (Taf. 2a) kleinteilige Darstellung möglicherweise breiter angelegt war – man vergleiche die Striche auf der linken Seite des Bildes –, und die Konturlinien des rechten ›Armes‹ der Gestalt in ihrer welligen Form nicht direkt zu einem nach vorne ausgestreckten Arm passen, bleiben auch bei einer Deutung als Noe-Szene einige Fragen offen, so daß sich eine derartige Erklärung des Bildes ebenfalls nicht weiter sichern läßt, auch wenn manches für sie spräche. Grundsätzlich ist anzumerken, daß die Identifizierung eines so frühen Bildes schon wegen der zu erwartenden unkanonischen Darstellungsform (vgl. S. 75) Schwierigkeiten bereitet.

2.2 Die Malereireste im Grabbau 14

Das von Westen aus gesehen erste Bild auf der Nordwand des Raumes 14 zeigt heute in seiner rechten Hälfte fast keine Farben mehr (Abb. 25; Taf. 7a). Die übrige Fläche ist durch starke Versinterung und mehrere Einschläge stark verunklärt. So ist verständlich, daß in der Literatur bis auf HEMPELS kurze Bemerkung nichts weiter dazu geschrieben wurde[635]: »[66 cm] Reste einer Opferung Isaaks [?]«.

Die Gesamtbreite des Bildes einschließlich der schwarzen Vertikalrahmen beträgt durchschnittlich 67 cm. Links wird die Darstellung von einem ockerbraunen und einem schwärzlichen Streifen gerahmt (beide um die 5,5 cm breit). Rechts gibt es nur einen schwärzlichen Rahmen, dessen genaue Ausdehnung bis zur roten Leiste des nächsten Bildes unklar ist. Die untere, unterschiedlich schwarze Horizontalrahmung besteht aus drei Teilen: einem oberen, bis zu 4,8 cm breiten Streifen und zwei dünneren darunterliegenden Linien (1,8 und 0,6 cm), die sich links bis zur Ecke erstrecken (vgl. S. 133f).

Von der Darstellung ist nur noch weniges klar zu erkennnen. Fast in der Mitte des Bildes sieht man über einer bräunlichen Bodenzone den Unterkörper einer Gestalt, die

der Bilder auf dieser Wand KÖTZSCHE-BREITENBRUCH, Via Latina Anhang 2), die anscheinend keine direkten Parallelen innerhalb der Noe-Ikonographie besitzt.

[633] In der via Latina findet man nur spärliche Reste eines grünlichen, geschwungenen Bandes in der linken Hälfte des Bildes bzw. am oberen Rand – so nach meinen Beobachtungen am Original im Jahre 1978. Ob es sich um eine Weinranke handelt, wie KÖTZSCHE-BREITENBRUCH, Via Latina 55 vermutet, oder eine Blumengirlande (so FERRUA, Le pitture 43), ist unklar.

[634] Für die Annahme, daß eine derartige Szene auch in der Cotton-Genesis vorhanden war, s. KÖTZSCHE-BREITENBRUCH, Via Latina 55[346] und WEITZMANN, Genesis

mosaics (o. Anm. 121) 122; für weitere derartige Szenen R. DAUT / Red., Art. Noe (Noah): LCI 4 (1972) 618 nr. 9 Abb. 3. – Im Gegensatz zur hier abgebildeten Szene aus dem Vat. gr. 746 fol. 58[r] zeigt die sonst sehr ähnliche Darstellung im früheren Vat. gr. 747 fol. 31[v] keinen (hohen) Baum; so nach einer Abbildung im Index of Christian Art/Utrecht.

[635] ZAW 73 (1961) 302; darauf verwiesen bei H. J. GEISCHER, Heidnische Parallelen zum frühchristlichen Bild des Isaak-Opfers: JbAC 10 (1967) 129[10]. – Ich habe keine alten Fotografien von diesem Bild finden können.

rot gewandet und im Laufschritt nach rechts wiedergegeben ist. Auf Grund von rötlichen
Farbspuren oben rechts von ihr könnte man annehmen, daß diese Person zumindest
einen Arm ausgestreckt hatte. Direkt vor ihr befinden sich nur noch mehrere ocker-grüne
und rot-braune Farbpartien (Reste eines Gegenstandes oder einer Gestalt). Weiter rechts
am heutigen oberen Bildrand erkennt man außerdem eine rote, schräg verlaufende
Farbfläche. – Im Anschluß an die rot gewandete Person erstreckt sich links eine schräg
gemalte Fläche, die in ihrer oberen Hälfte einheitlich dunkelbraun wirkt und in den
unteren Partien dunkler umrahmte Farbkompartimente bzw. -streifen über einer grün-
braunen Zone aufweist (Gegenstände oder Lebewesen vor Hintergrundangaben?). Die
übrige Bildfläche weist bis auf einen vertikal verlaufenden dunkelbraunen bis schwarzen
Streifen (und einen rotbraunen daneben) nur noch stark abgeriebene hell- bzw. dunkelbraune Zonen und karminrote Flecken auf. Alles in allem kann man auf Grund dieser
vielen Farbflächen vermuten, daß der linke Teil des Bildes mehr Bilddetails beherbergte
als der rechte. So läßt sich nachvollziehen, wie HEMPEL etwa bei einem Vergleich mit einer
Abrahamsszene aus dem wohl ebenfalls aus dem 5. Jh. stammenden Bilderzyklus von St.
Paul in Rom (Taf. 52b) zu einer Deutung auf das Opfer des Abraham kam[636]. Da jedoch,
bis auf die Figur, alle übrigen Bildelemente mehr oder weniger zerstört sind, ist der
Malereibestand zu gering, um eine derartige Deutung zu sichern.

Das an die Adam-und-Eva-Darstellung (Taf. 5c) rechts anschließende Bild auf der
Nordwand ist mit Hilfe des Dias von 1961 (Taf. 7b)[637] noch einigermaßen zu rekonstru-
ieren. HEMPEL erwähnt als erster die Hauptmerkmale[638]: »[78 cm] Reste eines zweirädrigen
Wagens und ein [rechts] danebenstehendes Pferd: Durchzug oder Josefsgeschichte?«. –
FINK konnte schon 1975 nur noch »Malreste von Beinen von Mensch und Pferd«
erkennen[639].

Die erhaltene Bildfläche mit der Einrahmung besitzt eine Breite von 78 cm. Das Bild
wird links von einem 6,5 cm und rechts von einem bis zu 7 cm breiten, schwarzen
Rahmen eingefaßt; beide sind durch ein etwa gleichfarbiges, ca. 6 cm breites, horizontales
Band verbunden. Direkt unter diesem Band verläuft eine bis zu 2 cm breite schwarze
Leiste, die unten mit einer 0,6 cm breiten Linie abschließt. Unmittelbar rechts vom linken
Rahmen verlaufen Reste von ockerfarbenen Vertikalstrichen (Binnenrahmung?). Nach
einigem Abstand folgen rechts auf einer durchlaufenden gelb-braunen Bodenzone nach
oben gehende fleischfarbene Spuren von 1–2 cm Breite, die nach ca. 4 cm ein Pendant
von ungefähr 2 cm Breite besitzen (Reste einer Gestalt?). Von dieser zweiten Vertikallinie
etwa 8,5 cm entfernt erstreckt sich nach einer hellbraunen Farbfläche ein senkrecht
verlaufender, bräunlicher (fleischfarbener?) Bereich (noch ca. 1 cm breit). Daneben ist
deutlich ein schräg gestelltes Rad zu sehen, dessen Innenteil offenbar schattiert ist. Von
diesem Rad verläuft dann quer nach oben rechts eine braune Fläche mit dunklen
Binnenlinien (Partien eines ehemals wohl zweirädrigen Karrens). Vom Vorderteil des
Wagenrades 16,5 cm entfernt erscheinen zwei, von rechts geschattete, fleischfarben

---

[636] Für die Ikonographie des Abraham-Opfers s.
zuletzt KÖTZSCHE-BREITENBRUCH, Via Latina 61/5; U.
SCHWAB, Zum Verständnis des Isaak-Opfers in literari-
scher und bildlicher Darstellung des Mittelalters: Frühmittelalterliche Studien 15 (1981) 435/94; J. GUTMANN,
The sacrifice of Isaac: Θίασος τῶν Μούσων, Festschr.
J. Fink (Köln 1984) 115/22; B. BAGATTI, La posizione

dell'ariete nell'iconografia del sacrificio di Abramo:
Liber Annuus 34 (1984) 283/98. Zu St. Paul s. o. S. 56.
[637] Nach diesem Dia scheinen die Vertikalrahmen der
beiden Nachbarbilder in einem unterschiedlichen Rot
gemalt gewesen zu sein.
[638] ZAW 73 (1961) 302.
[639] FINK, Bildfrömmigkeit 58₂₃₈.

wirkende Beine (wohl eines Zugtieres), die nach unten zu dünner werden; sie sind oben noch zusammen 4,3 cm breit. Direkt neben den Beinen schließt eine mittelbraune, breite Farbfläche an (Reste eines Gegenstandes oder einer Gestalt?). Bis zum Vertikalrahmen, der nur in den unteren Teilen erhalten ist, scheint der Hintergrund dann ockerfarben. – Anzumerken ist, daß große Teile der Malfläche von einer hellgrauen Farbe bedeckt werden, die man auch auf anderen Bildern des Raumes findet (spätere Malschicht?)[640].

Da in der Antike eine Darstellungsform mit einem einzigen an Land stehenden Gefährt für eine Szene des Durchzugs durch das Rote Meer untypisch ist[641], käme HEMPELS zweiter Vorschlag – eine »Josephsgeschichte« – für eine Deutung eher in Frage, zumal in diesem Raum schon zwei Josephsepisoden wiedergegeben sind (Abb. 32. 33). Es böten sich zum Vergleich Darstellungen der Szene des Einzugs Jakobs in Ägypten an (Gen 46,5/7; zB. Taf. 52a)[642]; das einzige besser erhaltene Bilddetail, der zweirädrige Wagen mit dem Zugtier, ist aber zu wenig charakteristisch, als daß sich von daher nur diese eine Szene als Bildparallele heranziehen ließe. Es sei nur an eine in der Komposition und in den wenigen dargestellten Bildelementen ebenso vergleichbare, spiegelverkehrt wiedergegebene Josephsszene (nach Gen 41,43) auf den mittelalterlichen Reliefplatten in S. Restituta im nahen Neapel erinnert (Taf. 51e)[643].

Zum nächsten Bildfeld findet sich in der Literatur keine Äußerung. HEMPEL erwähnt es nur kurz in seinem Manuskript: »68 cm undeutbare Reste«. – Am Erhaltungszustand des Bildes hat sich nicht sehr viel gegenüber der Zeit um 1961 (Taf. 3b) geändert. Das Bildfeld hat, einschließlich der Rahmung, eine Breite von etwa 72 cm; die Malfläche selbst erstreckt sich auf ca. 61 cm. Der linke, nur noch in Teilen erhaltene rote Rahmen ist ca. 5,1 cm, der rechte 4,7 cm breit. Parallel zum rechten Vertikalrahmen verläuft zT. noch ein ca. 1,5 cm breiter, schwarzer Streifen. Durch rote, horizontal verlaufende Farbspuren oben und einen roten Farbrest am unteren Bildende ist auch die einstige Höhe der Darstellung von etwa 60 cm zu bestimmen (vgl. Abb. 25). – Der Hintergrund weist zumindest auf der rechten Hälfte des Bildes nur eine einheitlich braun-beige Farbe auf, die in der Standzone mehr rötlich-braun erscheint. Fast in der Mitte des Bildes erstreckt sich eine schräggestellte, fleischfarbene Fläche von noch ca. 9 cm Höhe und maximal 3,2 cm Breite. Auf der linken Seite ist sie dunkelbraun gehalten, was eine Art Schattenwirkung hervorruft. Alles in allem wirkt diese Farbfläche bei einem Vergleich mit Darstellungsdetails aus anderen Bildern wie der Rest eines schräggestellten Beines einer relativ großen Gestalt. Nur noch links davon finden sich, etwa 10 cm entfernt, weitere rotbraune Farbreste, die sich in Spuren nach oben und nach unten hin erstrecken und jeweils in etwa gleicher Höhe wie das ›Bein‹ abbrechen. Durch gelbgrünliche Verfärbungen und die fast gänzliche Zerstörung der Malschicht in diesem Teil des Bildes lassen sich weitere Einzelheiten nicht mehr erkennen. Auf der darunterliegenden Bodenzone befinden sich noch deutlich zahlreiche fleischfarbene Reste (zT. mit schwarzen Konturen, Binnenlinien

[640] So schon CHIERICI: RendicPontAcc 29 (1958) 141. Für die Nachbarbilder s. o. Anm. 3. 15. 17 und S. 159.
[641] Zuletzt zu dieser Ikonographie KÖTZSCHE-BREITENBRUCH, Via Latina 79/83 Taf. 18f; DECKERS, SMM 159/71; BRENK, SMM 84/7.
[642] Ausführlich zu diesen Beispielen KÖTZSCHE-BREITENBRUCH, Via Latina 73f.

[643] É. BERTAUX, L'art dans l'Italie méridionale 2 (Paris 1903) 775/8 Taf. XXXIV, XII. – Für den in der Spätantike verbreiteten Typus des Gespanns s. zB. KÖTZSCHE-BREITENBRUCH, Via Latina 74; für ein Denkmal aus Campanien s. C. L. CHEAL, The Salerno fountain basin: Revue des archéologues et historiens d'art de Louvain 15 (1982) 164/70 Fig. 2. 4.

oder Punkten), die in drei Fällen möglicherweise als Reste von Gliedmaßen gedeutet
werden können. Im linken Bildfeld ist es eine leicht gebogene, etwa 8 cm lange und bis zu
2,5 cm breite, rotbraune Fläche. Von ihrem unteren, dunkler wirkenden Teil scheint eine
mehr bräunliche, von dunklen Linien durchteilte Fläche schräg nach unten links
abzugehen. Etwas weiter rechts überkreuzen sich zwei spitz zulaufende Objekte, die zT.
durch helle Binnenlinien aufgelockert werden. Rechts davon erstreckt sich schräg im Bild
der untere (?) Rest eines länglichen Gebildes, das einem Bein mit dem in einer Sandale
steckenden Fuß ähnelt. Bemerkenswert ist, daß im Gegensatz zur übrigen Bodenzone
rechts von diesem liegenden ›Bein‹ keine weiteren fleischfarbenen Reste erkennbar sind.
Als einzige besondere Merkmale finden sich in dieser Bildhälfte nur noch eine dunkelbraune, weit nach oben führende Schräglinie und oben an der roten Vertikalrahmung
eine fast dreieckförmige, rotbraune Farbfläche.

Trotz des äußerst geringen Bildbestandes kann man, unter der Voraussetzung, daß es
sich bei den fleischfarbenen Gebilden um Gebeine (oder Teile davon) handelt, zum
Vergleich etwa auf Darstellungen von Samson, der die Philister erschlagen hat (Judc 15,15;
Taf. 52c)[644], oder noch eher auf Szenen der Totenerweckung nach Ez 37 (Taf. 52d oben)[645]
verweisen und damit die möglichen Deutungen näher eingrenzen.

Das letzte Bildfeld vor der nordöstlichen Ecke des Raumes 14 ist noch in seiner ganzen
Höhe erhalten (Abb 25; Taf. 25a). CHIERICI erwähnt es nur sehr allgemein in seiner
ähnliche Bildmotive zusammenfassenden Beschreibung von 1957[646]: »raggrupati in capan-
nelli«.

Ansonsten hat nur HEMPEL dieses Bild beschrieben[647]: »[72 cm] Amalekiterschlacht?
(vgl. das entspr. Bild in Sta. Maria Maggiore in Rom): [links] ein erhöht stehender [bärtiger]
Palliatus [mit roten Clavi, 21 cm hoch], dessen erhobene Arme von zwei kleineren,
[unbärtigen], ebenfalls weiß gekleideten Figuren [18 cm hoch] gehalten [gestützt] werden;
im gleichen Bildfeld unten rechts 2 weitere Figurengruppen, zT. weiß, zT. purpurfarbig?
bekleidet [= Reste von 3? Figuren, weißgekleidet, in Schreitbewegung auf die ›erhöht
stehende‹ Gruppe zu, und weiter rechts weitere Gruppe von Figuren unbestimmbarer
Zahl, dabei eine oder zwei? in Purpurkleidern? Grund unten rosé, dann gelbgrüne Zone,

[644] J. F. KENFIELD III, An Alexandrian Samson. Observations on the new catacomb on the Via Latina:
RivAC 51 (1975) 190f; KÖTZSCHE-BREITENBRUCH, Via Lati-
na 92f; dies.: Age of Spirituality 472f nr. 423 (vgl. dazu
H. BUSCHHAUSEN, Die Katakombe an der via Latina zu
Rom: JbÖsterrByz 29 [1980] 298f; B. BJÖRNBERG-PARDO,
Simsons ikonografi i fornkristen och bysantinsk konst:
Katolsk årsskrift 1982, 81/267. Auf diesen Darstellungen dominieren meist aber nicht einzelne Gebeine wie
in Cimitile, sondern die Körper von gefallenen Soldaten (anders bei K. WEITZMANN, The miniatures of the
Sacra Parallela [Princeton 1979] 68 Taf. 26,96). – Eine
Szene nach Job 1,19 (vgl. ders., Study [o. Anm. 411]
17/21 Fig. 14f) wird es wohl nicht gewesen sein, da
keine Teile eines eingestürzten Hauses auszumachen
sind. Ebensowenig kommt wohl eine Szene nach Num
14, 35 (vgl. etwa HESSELING Abb. 228) in Frage, da in
der Bodenzone keine kompletten Körper vorhanden
sind.
[645] Dazu M. Q. SMITH / Red., Art. Ezechiel: LCI 1 (1968)
716/8; W. NEUSS, Das Buch Ezechiel in Theologie und

Kunst bis zum Ende des 12. Jh. (Münster 1912) 141/54.
180/8. 203/27. 261/3; C. NAUERTH, Vom Tod zum
Leben. Die christlichen Totenerweckungen in der
spätantiken Kunst = Göttinger Orientforsch. 2,1
(Wiesbaden 1980) 77/105; KAISER-MINN 16f. 77/81. Es
ist jedoch in Cimitile zu wenig erhalten, um genauere
Vergleiche mit den zT. sehr unterschiedlichen Bildbeispielen anstellen zu können. Allgemein läßt sich
immerhin anmerken, daß eine auf einer Seite neben
›Gebeinen‹ (und zuweilen auch darüber) stehende
Gestalt (Ezechiel) mehrfach belegt ist, wodurch ein
Vergleichspunkt zumindest zur Komposition des Bildes in Cimitile – soweit ermittelbar – gegeben ist (zur
Frage der anders als in Ez 37,2/7 noch von der Haut
bedeckten Gebeine s. schon E. R. GOODENOUGH, Jewish
symbols in the Greco-Roman period 10 [New York
1964] 181f. Vgl. jedenfalls Paulinus, carm. 31,311/23
(zur Ezechielvision).
[646] RivAC 33 (1957) 119.
[647] ZAW 73 (1961) 302.

Himmel lichtblau. Dieses Bild reichte tiefer hinunter als die vorangehenden; erhaltene Höhe bis zur oberen roten Abschlußlinie 65 cm]«.

Da die Bilddetails wegen eines starken Moosbefalls bereits 1979 nur mit Mühe in ihrer Gesamtheit zu erkennen waren, lege ich der anschließenden Beschreibung hauptsächlich meine vor Ort gemachten Notizen und das Dia von 1961 (Taf. 3a) zugrunde.

Neben der linken roten Vertikalrahmung und einem kaum noch sichtbaren bräunlichen, ca. 4,5 cm breiten Rahmen (?) verlaufen auf einer stark zerstörten Malfläche zwei dunkelbraune, noch bis zu 49 cm hohe Parallellinien, die 5 cm auseinanderliegen (dazwischen hat sich nur eine weißliche Farbfläche erhalten). Als Deutung bietet sich etwa ein Architekturkomplex an. Auffallend ist, daß dieses Gebilde in der Höhe abbricht, in der auch das übrige Bild in seiner Farbigkeit aufhört. Ob diese Wirkung eines horizontalen Abschlusses durch den zufälligen Erhaltungszustand oder einen späteren Einbau an dieser Stelle des Raumes (vgl. Abb. 9/11) bedingt ist, kann ich ohne eine Restaurierung der ganzen Malfläche nicht entscheiden. Bemerkenswert ist jedoch, daß auch der Moosbewuchs und die linke rote Rahmenleiste ungefähr auf derselben Horizontallinie abbrechen. Außerdem verläuft der untere rote Horizontalrahmen des darüberliegenden Bildes erheblich höher als diese Abbruchlinie (Abb. 25). Im gelblichen Bereich dazwischen war schon 1961 nichts mehr zu erkennen. Einzig die rechte ockergelbe Rahmenleiste reicht in diese Bildzone hinein. Wie bei den meisten anderen Rahmen besitzt diese 6–6,5 cm breite Leiste an der linken Seite einen 1,5–2 cm breiten, nur noch schwach sichtbaren, dunklen Innenrahmen. – Das etwa 66 cm breite und einst ca. 62 cm hohe[648] Gesamtbildfeld ist durch einen horizontalen und einen schmaleren vertikalen Einbruch zu etwa einem Drittel zerstört. Trotzdem hat sich so viel erhalten, daß die Hauptelemente der Darstellung bestimmbar sind.

Rechts neben den vertikalen Parallellinien stehen ziemlich hoch im Bild noch drei Gestalten. Wie in Resten deutlich sichtbar, waren sie weiß gekleidet (Taf. 4c). Bei der mittleren Figur – wie auch zT. auf der erhaltenen Schulter der linken Gestalt – ist dieses weiße Gewand mit roten Clavi versehen. Es muß mittellang gewesen sein, da Partien der Beine unterhalb der Gewandkonturen zu sehen sind. Durch Gewandführung, Falten und rotbraune Farbreste ist eine leicht nach rechts ausgestreckte Haltung des rechten Armes dieser Gestalt ablesbar. Ihr linkes Bein, das durch aufgesetzte Lichter deutlich modelliert wird, ist dagegen nach links gewandt, wie die Fußstellung zeigt. – Von den Armen und Beinen der anderen beiden Figuren haben sich weniger Spuren erhalten. Bei der linken Gestalt sind es Reste ihres linken Beines und ihres wohl am Körper herunterhängenden linken Armes. Daß bräunliche Farbspuren an ihrer rechten Seite zu einem herunterhängenden Arm gehörten und daß die Gestalt einst stehend und kleiner (vgl. HEMPELS Beschreibung) oder eher in einer anderen Stellung als die mittlere Person wiedergegeben war, läßt sich dagegen nur vermuten: Die bestimmbare Gesamthöhe beträgt noch 18,5 cm, bei der mittleren Gestalt immerhin 20,5 cm; die Höhe vom Halsausschnitt bis zum sichtbaren Beinansatz 10 cm, bei der Mittelfigur dagegen fast 11,5 cm. Der Kopf der linken Gestalt ist jedoch eindeutig größer: Höhe 3,7 cm und max. Breite 3,3 cm gegenüber einer erschließbaren Höhe wie Breite von 2,5 cm. Von der rechten Figur sind zwar nur ganz geringe Reste des weißen Gewandes und des Kopfes übriggeblieben, doch

---

[648] Von einer unteren horizontalen Rahmenleiste ist nichts mehr zu erkennen; in Analogie zum benachbarten Bild hat sie sich wohl knapp unterhalb der heutigen Bildabbruchkante erstreckt.

läßt sich für letzteren ermitteln, daß er einst sicher auch größer als der Kopf der mittleren Gestalt war (meßbare Höhe 3,3 cm, die Breite ca. 3 cm). Bräunliche Farbspuren an ihrer rechten Körperseite bzw. nahe der mittleren Gestalt könnten vielleicht noch zu ihrem rechten Arm gehört haben. – Der Kopf der mittleren Figur ist bis auf die zerstörte Haarpartie gut erhalten. Durch aufgesetzte weiße Lichter und eine starke Abschattung der linken Seite und der Halspartie – was HEMPEL zuerst als Bart ansah – wirkt der in etwa en face gegebene Kopf wie leicht nach rechts oben gewandt. Während Augen, Nase, Mund, Kinn und Halsausschnitt durch dunkelbraune Striche angedeutet werden, sind die Hautflächen hellbraun gemalt. Eine ähnlich dunkelbraune Umrandung des Halses läßt sich noch gerade bei der linken und sogar (schwach) auf fast gleicher Höhe bei der rechten Figur erkennen. Es scheint also, daß sich die beiden inneren Gestalten einst – zumindest in ihrer oberen Partie – auf etwa gleicher Höhe befunden haben. Die äußere Figur links steht dagegen eindeutig tiefer als die beiden anderen. Ihr Kopf ist deutlich in Dreiviertel-ansicht und anscheinend leicht schräg nach oben blickend wiedergegeben. Bis auf die zerstörte Augenzone ist das Gesicht ähnlich gut erhalten und mit den gleichen Malmitteln wie beim mittleren Kopf gestaltet. Darüber hinaus sind hier die dunkelbraunen Haare im Ansatz rechts oben erhalten[649]. – Etwa auf Höhe der Halsausschnitte der rechten und der mittleren Figur beginnt eine hellblaue Hintergrundzone, die in ihren unteren Partien zT. fast weißlich wirkt. Sie erstreckt sich mit Unterbrechungen deutlich bis nahe an die rechte ockerfarbene Rahmenleiste, wobei sie sich in der rechten Bildhälfte tiefer hinunter-zieht (Taf. 3a). Nach oben hin bricht diese Himmelszone[650], wie anfangs schon erwähnt, auf einer horizontalen Linie ab. – Unterhalb der drei Figuren, die vor einem weiß-lilafarbenen Hintergrund stehen, befindet sich eine stark beschädigte, braungelbe Farbflä-che über einer rosafarbenen Bodenzone. Links neben dem vertikalen Einbruch stehen zwei größere, weißgekleidete Gestalten etwa in der Mitte dieser Bodenzone. Die linke, noch ca. 27 cm hohe Figur scheint etwas tiefer als die rechte gestanden zu haben. Sie schritt und blickte wohl einst nach links (oben?), wie es die Reste ihrer beiden nach links gewandten (rot beschuhten) Füße und – unmittelbar unter dem Horizontalausbruch – die leicht schräge Halspartie (?) andeuten. Ihr rechter Arm liegt deutlich am Körper an. Ein weiterer, quer über ihren Leib geführter Arm ist entweder ihr linker oder der rechte Arm einer daneben stehenden Person. Nach den Proportionen, der Faltenführung und Position ihres linken Beines scheint mir die erste Möglichkeit die wahrscheinlichere. Eindeutig zu einer weiteren, von der ersten Gestalt vielleicht überschnittenen Figur gehören dagegen ein schräg am Körper anliegender Arm und Reste eines Beines. – Rechts neben dem Vertikaleinbruch sind noch zwei Gestalten deutlich erkennbar. Die rechte, noch 21 cm hoch erhaltene Person trägt ein purpurfarbenes Gewand und steht anscheinend höher auf der rosa Bodenzone als alle vor ihr angeordneten Gestalten. Durch die Art, wie ihre Beine wiedergegeben sind, könnte man vermuten, daß auch sie nach links ausgerichtet war. Eine nach links weisende Hand mit zwei nach vorne ausgestreckten Fingern und dem Ansatz eines Ärmels gibt dann den Hinweis auf eine weitere davorstehende Gestalt. Im betreffenden Bildbereich ist ansonsten nur noch eine ockergelbe Malzone über einer

---

[649] Darüber erhebt sich eine in etwa dreieckförmige, fast wie eine Zipfelmütze wirkende Schadstelle, die die gleiche Ockerfarbe wie ein um den mittleren Kopf herum führender (beschädigter) Bereich aufweist.

[650] Auf diesem blauen Hintergrund sind die oben erwähnten Köpfe in einer darüberliegenden Mal-schicht ausgeführt, wie es einzelne Farbpartien aufwei-sen.

dunkelrotbraunen Farbfläche auszumachen (ein Mantel über dem langen Untergewand einer Frau?).

Als wichtigstes Ergebnis der Beschreibung gilt es festzuhalten, daß sich mit dieser Darstellung die einzige in größerem Maße vielfigurige und eine Raumillusion schaffende Darstellung unter den Malereien des Grabbaus 14 erhalten hat. Letzteres wird hervorgerufen durch mehrere in der Farbe wechselnde Landschaftsangaben in Verbindung mit den verschieden hoch im Bild angeordneten Gestalten, die offensichtlich dann, wenn sie entfernter im Raum stehen, in kleinerem Maßstab wiedergegeben sind.

Gegen die einzige bisher vorliegende, aber nur mit Vorbehalt ausgesprochene Deutung dieser Szene auf eine dem Bild in S. Maria Maggiore (Taf. 53a) ähnliche Darstellung der Amalekiterschlacht (s. o.) lassen sich nun mehrere Argumente anführen. Die mittlere der erhöht stehenden drei Gestalten hat weder ihre Arme »erhoben«, noch werden diese von den zwei Nachbargestalten »gehalten«, wie HEMPEL schreibt. Im Gegensatz zum angeführten Vergleichsbild, aber auch zu anderen Darstellungen dieser Ikonographie[651], findet hier kein Kampf statt, abgesehen davon, daß auch keine der vorhandenen Figuren als Soldat gekennzeichnet ist.

Eine andere schlüssige Deutung kann ich nicht anbieten, sondern nur darauf verweisen, daß sich in S. Maria Maggiore (Taf. 53b), aber auch schon in der via Latina-Katakombe (Taf. 53d) vom Kompositionsschema her in etwa vergleichbare Darstellungen befinden, die als »Lied des Moses« (Deut 31,30/32,47) gedeutet werden[652]. Im Unterschied zum Bild in Cimitile steht aber dort jeweils nur eine Gestalt erhöht vor einer Gruppe von Zuhörern. Auch wenn zumindest in einem karolingischen, möglicherweise auf antike Vorlagen zurückgehenden Handschriftenbild in der Bibel von S. Paolo f.l.m., fol. 50v (Taf. 53c), das die gleiche Bibelszene illustriert, ebenfalls eine Architekturangabe und mehrere (drei) Personen unmittelbar neben dem erhöht stehenden Moses vorkommen, so sind doch die drei erhaltenen Gestalten in Cimitile zu wenig typisiert, als daß man sie zweifelsfrei ähnlich wie dort[653] benennen könnte, von gewissen Unterschieden zwischen beiden Darstellungen, wie zB. der Wiedergabe von bärtigen Gestalten und von Soldaten in der St. Paul-Bibel, einmal abgesehen.

Die mit dem Bild in Cimitile vergleichbare Kompositionsform bei den genannten Beispielen wurde in neueren Arbeiten einhellig auf den »in der römischen imperialen Kunst häufige(n) Bildtypus einer ›adlocutio‹« zurückgeführt[654] (vgl. Taf. 53e), so daß dieser

[651] Vgl. DECKERS, SMM 196/9 und BRENK, SMM 90f.

[652] Zu ersterem BRENK, SMM 94f. Für beides DECKERS, SMM 222/4 und KÖTZSCHE-BREITENBRUCH, Via Latina 87/9.

[653] Nach J. E. GAEHDE, Carolingian interpretations of an early Christian picture cycle to the Octateuch in the Bible of San Paolo fuori le mura in Rome: Frühmittelalterliche Studien 8 (1974) 371/5. 381 Fig. 86 und V. JEMOLO / M. MORELLI (Hrsg.), La Bibbia di S. Paolo fuori le mura, Ausstellungskat. Rom (1981) 19 Taf. IX handelt es sich um Abraham, Isaac und Jakob. Zum Bildvergleich s. auch KÖTZSCHE-BREITENBRUCH, Via Latina 88f Taf. 22c. – In Cimitile könnte rechts neben den drei Gestalten noch eine weitere dargestellt gewesen sein; diese müßte aber niedriger gestanden haben, da auf den erhaltenen Partien des »Himmels« keine Spuren vorhanden sind. Selbst bei der Annahme von vier

Personen bliebe jedoch ein Unterschied zum Handschriftenbild in der Anordnung der Gestalten. – Einen unbärtigen, jugendlichen Moses findet man immerhin im betreffenden Bild in S. Maria Maggiore; in den Mosaikdarstellungen dieser Kirche sind auch (nach I. EHRENSPERGER-KATZ, Les représentations de villes fortifiées dans l'art paléochrétien et leurs dérivées byzantines: CahArch 19 [1969] 5 Fig. 8. 10; vgl. BRENK, SMM 175) bisher zum ersten Mal in der christlichen Kunst die Stadtmauern bzw. Gebäude so stark disproportioniert wiedergegeben wie hier im Bild in Cimitile (ähnliches findet man aber schon auf dem Galeriusbogen: LAUBSCHER aO. [o. Anm. 291] Taf. 46f). Zum andersartigen und zeitlich früher entstandenen Stadtbild im Bau über dem Felixgrab s. S. 15$_{56}$.

[654] So DECKERS, SMM 223 mit Anm. 622; BRENK, SMM 94f; GAEHDE 374; weitere Beispiele bei BRILLIANT (o.

Anknüpfungspunkt von sich aus zu allgemein ist, um daraus die gleiche Deutung für das Bild in Cimitile abzuleiten. Ungeklärt bliebe dann nämlich, warum die mittlere der drei stehenden Gestalten[655] dort ein kleineres Gesicht besitzt, mithin möglicherweise als jüngere Person (vgl. Taf. 4c) charakterisiert ist.

Über dem zuletzt behandelten Bildfeld haben sich die Reste einer weiteren Darstellung erhalten (Abb. 25; Taf. 25a). Damit ist erwiesen, daß die aufgehende Wand einst mit mindestens zwei übereinanderliegenden Bildzonen geschmückt war. – Die Farben des Bildes sind heute so abgerieben und große Teile der Fläche mit Moos bedeckt, daß man kaum etwas sagen könnte, wenn nicht ein Foto von 1961 (Taf. 8d) und die Beschreibungen von CHIERICI und HEMPEL vorhanden wären. CHIERICI spricht zwar bloß allgemein von »seduti«, er kann sich damit aber neben der Jakobsszene auf der Südwand (Abb. 31) nur auf dieses Bild bezogen haben[656]. – HEMPEL ist wieder ausführlicher[657]: »[Darüber bis max. 28 cm Höhe erhalten weiteres Bildfeld mit links sitzendem Palliatus (mit roten Clavi) auf Thron mit hoher Lehne,] ganz rechts Reste einer teilweise nackten Figur«.

Die Breite des Bildfeldes mit den roten Rahmenleisten beträgt 62 cm, die Höhe noch max. 28 cm. Links wird das Bild von einem durchschnittlich 5 cm und rechts von einem 4,8 cm breiten roten Rahmen eingefaßt. Neben letzterem befindet sich eine weitere, etwa 7 cm breite ockerfarbene Rahmenleiste, die bis in die Raumecke reicht (das Gegenstück zur Rahmenleiste in der Westecke vor dem Nordarkosol; Abb. 25). Horizontal wurde das rechte Bildfeld von einer ebenfalls roten Leiste gerahmt, deren Breite aber nicht mehr zu bestimmen ist. Neben dem linken Vertikalrahmen schließt links noch eine weitere Bildfläche an, die nur noch eine bräunliche Grundfarbe, horizontale rötliche Farbflächen und rechts Reste einer wohl schwarzen Vertikalrahmung von ehemals vielleicht 7 cm Breite aufweist. Große Teile in der Mitte des rechten Bildes waren bereits im Jahre 1961 so zerstört, daß man nur noch Aussagen über den linken Bildteil machen kann. Die Bodenzone wird hier von einer breiten mittelbraunen Farbfläche gebildet. Die Fläche unmittelbar neben dem roten Rahmen und über der Bodenzone wirkt dagegen mehr weiß. Rechts daneben befindet sich ein Gebilde, das an einen Thron erinnert. Die relativ niedrige und noch schwach bräunliche Sitzgelegenheit war – nach ihren Konturresten zu urteilen – etwa 6,3 cm breit und bis zu 7 cm hoch. Die hohe braune Rückenlehne ist max. 2,3 cm breit und bis zu 10,5 cm hoch. Auf diesem »Thron« lassen sich verschiedene Farbflächen erkennen und als Umrisse einer sitzenden Gestalt bzw. von deren Gewand deuten: Links finden sich große Partien, die fast ausschließlich weiß gemalt sind – nur ein

---

Anm. 282) 119. 121. 167. KÖTZSCHE-BREITENBRUCH, Via Latina 87 verweist im Zusammenhang mit dem Bild in der via Latina auf eine Darstellung, die von ihr als »Gethsemanegebet« (bei WS 3, 292,3 als Bergpredigt) gedeutet und auf ähnliche Vorlagen zurückgeführt wird. Diese Darstellung unterscheidet sich von der in Cimitile darin, daß eine erhöht stehende Gestalt von mehreren Zuhörern regelrecht umringt wird; vgl. dazu in etwa die obere Szene in Rep. 773b, die von DECKERS, SMM 67[625] – auf Grund der bisherigen Deutung von Darstellungsresten bei Rep. 773a – ebenfalls als eine Moses-Szene (»Ansprache des Moses«) bezeichnet wird; für die Moses-Szene in Rep. 773a mit den »ausgezogenen« Sandalen hat jedoch N. HIMMELMANN: BonnJbb 179 (1979) 791[1] eine überzeugendere Deu-

tung auf eine Darstellung mit einem »Kranken oder Sterbenden auf einer Kline« gegeben.
[655] Für ein Bildschema mit drei unbärtigen Gestalten lassen sich Vergleiche in der Sarkophagplastik (zB. Rep. 684) oder bei einer wohl als Transfiguration zu deutenden Szene auf der Lipsanothek in Brescia (s. KOLLWITZ [o. Anm. 262] 29 und dagegen DELBRUECK [ebd.] 32/4. 143) finden, bei denen die Gestalt in der Mitte als Christus zu benennen ist. Von diesen Vergleichen her in Cimitile auf eine ähnliche NT-Szene zu schließen, ist wegen des Vorkommens weiterer Bildelemente (die unten stehende Figurenreihe und die Angabe einer Architektur) fraglich.
[656] RivAC 33 (1957) 119.
[657] ZAW 73 (1961) 302.

leicht schräg verlaufendes (Zier-)Band ist dunkelrot, der untere Abschluß der weißen Fläche außerdem mehr rosafarben (vgl. die Gewandpartie am rechten Ärmel der mittleren, weißgekleideten Gestalt des unteren Bildes, die auch rosafarben ist: Taf. 4c). Rechts von diesen weißen Flächen verlaufen – zT. parallel – schräg von unten nach oben rotbraune Striche, die auf einer bräunlichen, sich auch nach rechts ausbreitenden Grundfarbe zu sitzen scheinen (Faltenbahnen eines Übergewandes?). In ihrem oberen Teil bilden diese Striche ein Dreieck (eine Art Ausschnitt), während am unteren Ende neben einer weißlichen Fläche noch rötliche vertikale Farbspuren auftreten (wohl die Reste eines Beines). Von der dreieckförmigen Stelle führt eine durchgehende Linie, die sich in ihrem linken Teil von braun zu rot hin verändert, fast bis an die Rückenlehne heran (oberer Gewandabschluß?). Alles in allem war diese thronende Figur etwa 10,8 cm breit und bis zur ›Schulter‹ ca. 16,5 cm hoch. – Oberhalb dieser Figurenreste befinden sich nur noch unklare bräunliche und hellgraue[658] Farbspuren. Letztere erstrecken sich auch auf den Bereich weiter rechts, in dem sich die einzigen noch identifizierbaren Malereireste befinden. Es handelt sich einmal um einen fast 2 cm breiten und noch 6,7 cm hohen, braungelben Vertikalstreifen mit einer rötlichen ›Schattierung‹ auf der rechten Seite. Dieser vom Bein des Sitzenden etwa 8,5 cm entfernte Streifen scheint tiefer im Bild angeordnet zu sein, so daß der Eindruck entsteht, als ob der Thronende ein wenig höher dargestellt ist. Ca. 3,5 cm rechts davon haben sich noch in geringem Maße ähnliche Farbspuren erhalten, die sehr wahrscheinlich zu einem zweiten, ebenso breiten Vertikalstreifen gehören. Diese beiden Gebilde hat HEMPEL offensichtlich als »Reste einer teilweise nackten Figur« angesehen (s. o.). Von der geradlinig verlaufenden Form und der gelblichen Farbe her ist eine derartige Deutung jedoch eher auszuschließen. Da rechts von dieser Stelle die Malfläche abbricht, kann über die Darstellung insgesamt keine weitere Aussage mehr gemacht werden.

Die Malereireste der Ostwand (Abb. 27; Taf. 24a) beschreibt nur HEMPEL[659]: »Es folgten hier noch (auf die Ostwand übergreifend) zwei Bildfelder[660], deren Freilegung bisher nicht möglich war, da vor ihnen ein Stützpfeiler von dem späteren Kirchenbau steht«.

Die 2,77 m lange antike Ostwand wird auch heute noch von diesem pfeilerartigen Wandstück[661] der späteren Kapelle S. Giacomo Apostolo zum großen Teil verdeckt. In diesem hauptsächlich mit Tuffsteinen hochgemauerten[662] Wandstück sind von den Ausgräbern zwei verschieden große Suchstellen angelegt worden. Dabei kam rechts ein kleiner Teil der Ostwand fast unversehrt zum Vorschein. Deutlich zu sehen ist die Rahmung eines Bildes: außen mit einem hellbraunen, 5 cm breiten Farbband über einer fast gleichfarbigen (Sockel-)Zone und innen mit einer vertikal und horizontal verlaufenden roten Leiste (6 cm breit); hervorzuheben sind außerdem dünne (0,8–1 cm breite), schwarze und weiße Trennlinien. Etwa nach 45 cm ist – mit Hilfe eines Spiegels – im Nordteil der Ostwand eine senkrechte rötliche Fläche (Rahmen oder Bilddetail?) auszumachen. Ein zweites Loch – etwa in der Mitte der späteren Wand – gibt den Blick frei auf einen Teil

---

[658] Vgl. für eine ähnliche (späte?) Malschicht Anm. 640.

[659] ZAW 73 (1961) 302.

[660] Im Manuskript: »Hinter der Ecke setzt sich gleiche Teilung der Wand in Bildfelder fort, Reste nicht näher bestimmbar, da durch Einbau verdeckt«.

[661] Es ist unten bis zu 177 cm lang und etwa 60 cm tief.

[662] Einige Ziegel bzw. ziegelhaltige Mörtelbrocken und ein schräg vermauertes hellbeiges Verputzstück könnten dagegen noch vom antiken Gebäude stammen (vgl. Abb. 27: e).

des antiken Wandverputzes, der unten längliche rote und oben rechts hellblaue Flecken aufweist. Die gleiche hellblaue Farbe tritt in der gleichen Höhe links beim heute unverdeckten Teil der antiken Ostwand auf (wohl Himmelszone). Sonst ist auf dieser stark versinterten, zT. zerstörten Wandpartie, deren unterer Teil noch nicht ausgegraben wurde, nicht mehr viel zu erkennen: An der linken Ecke findet man wieder die Reste eines braunen und roten Vertikalrahmens von je 5–6 cm Breite. Rechts oben am Rand sind ein schwarzer (6,5 cm breiter) und ein roter (5 cm breiter) Vertikalstreifen sichtbar. An letzteren schließen am unteren Ende nach rechts rote, horizontal verlaufende Farbpartien an. Oberhalb davon sind dicke bräunliche Striche gemalt (Bodenzone über einem Rahmen?). Ansonsten findet man nur hier und da undefinierbare rote und braune Farbflecken.

Zu den Bildfeldern auf der Südwand westlich der Tür und auf dem daran anschließenden Stirnwandstück des Arkosolbogens gibt wiederum nur HEMPEL Hinweise (Abb. 26)[663]: »Auf der Südwand sind in den ersten Feldern (bis zu einem späteren Türdurchbruch) nur unbestimmbare Reste erhalten [Teilung des Bogens, Sockels und der Längswand, soweit erhalten, wie bei der rechten« (nördlichen) »Grabgruppe. Das 1. untere Bildfeld« der Südwand »blaugrundig, die obere Szene 50 cm hoch einschl. Rahmen, Inhalt nicht bestimmbar]«.

Die beschriebene Situation scheint weitgehend dem Erhaltungszustand zu entsprechen, den die 1942 veröffentlichte Fotografie (Taf. 23b) dokumentiert. Dieser Zustand hat sich bis heute nur geringfügig verändert (Taf. 23a. 25b). Nach einer größeren zerstörten Stelle lassen sich auf der Südwand über der gelblichen Sockelzone noch Reste eines Bildfeldes ausmachen. Von den Spuren einer dünnen schwarzen Horizontallinie aus gemessen[664] bis zu einem waagerechten oberen roten Rahmen (von ca. 5 cm Breite) hat das Bild eine Höhe von maximal 70 cm. Zu erkennen sind außer dem 6 cm breiten, ockerbraunen Vertikalrahmen nur noch einige mehr oder weniger große Farbspuren: Direkt an den Rahmen stoßen 3–4 cm breite, schwarz-blaue Malereipartien an (wohl ein zweiter Rahmen). Links davon verlaufen von oben nach unten rote Reste, die direkt an den Rahmen anschließen (Hintergrund?). Daneben haben sich noch nahe der Abbruchkante karminrote Flecken erhalten. Im oberen Bildteil wird außerdem deutlich eine hellblaue Fläche (Himmel) sichtbar.

Über dem fragmentarisch erhaltenen roten Horizontalrahmen liegt das nächste Bildfeld (43 cm hoch). Größere Partien werden von einer dicken Sinterschicht verdeckt. Dennoch sind zahlreiche rötliche und bräunliche Farbflecken oder -flächen[665] besonders in der Mittelzone zu erkennen. Nach oben und zur rechten Seite hin schließt das Bild mit einem roten Rahmen ab, der wiederum zT. nur in Fragmenten erhalten ist. Er war einst ca. 5 cm breit. Über dem oberen Horizontalrahmen befindet sich eine noch bis zu 13 cm hohe Putzschicht, die bis auf einen bräunlichen Flecken auf der rechten Seite (der Rest eines Rahmens?) keine Farben mehr aufweist (ehemals dritte Bildfeldzone?).

Am rechten Ende der eben beschriebenen Bildfelder schließt ungefähr im rechten Winkel die Stirnwand des südwestlichen Arkosolbogens an. Diese ist heute noch in zwei

---

[663] ZAW 73 (1961) 302.

[664] Eine darüberliegende Rahmenleiste ist nicht mehr festzustellen.

[665] Ob sich diese bei einer Restaurierung des Bildes noch zu einer deutbaren Darstellung zusammenfügen lassen, ist schwer zu sagen; große Hoffnung besteht – nach meinem Eindruck vor dem Original – jedoch nicht.

Felder unterteilt (Abb. 26B; Taf. 23): Das untere befindet sich direkt über dem Bogen. Gerahmt wird es unten von zwei dünnen dunklen Strichen und links von einer etwa 5 cm breiten ockerfarbenen Leiste. Den oberen Abschluß bildet eine horizontal verlaufende Ziegelkonstruktion, unter der sich noch Reste von blauer Farbe erhalten haben. Dieses durchschnittlich 14 cm breite Ziegelband war hellbraun verputzt und einst nach vorne vorspringend, wie es das erhaltene (abgetreppte) Profil auf der Südwand anzeigt (Taf. 25b). Man könnte es daher als eine Art durchlaufendes Konsolgesims bezeichnen. – Die darüberliegende Verputzfläche (noch 58 cm hoch) sitzt auf der Ostwand eines in Nord-Süd-Richtung gelegenen Hochgrabes (Abb. 26B; Taf. 8b. 23a). Über einem hellbraunen, etwa 6,5 cm breiten Rahmen ist deutlich eine dunkelbraune (Boden-)Fläche zu erkennen, die nach links hin ansteigt. Auf der erhöhten Stelle links sind zwei sich nach unten verjüngende, fleischfarbene Beine sichtbar, über denen sich Reste einer dunkelrotbraunen Fläche mit schwarzen, vertikalen Binnenlinien bis zu 24 cm hoch erstrecken (wohl das Gewand einer stehenden Gestalt – unten ca. 9 cm breit). Neben dieser Gestalt lassen sich aus rotbraunen Farbpartien die Reste zweier weiterer, anders geformter ›Beine‹ einer Gestalt oder (eher) eines Gegenstandes erschließen, die weiter auseinander und tiefer gestanden haben müssen. Schließlich sind rechts direkt über der Bodenzone noch zwei rötliche, schräg verlaufende Striche und daneben eine etwa 8 cm breite dunkelrote Farbfläche (wohl ein Gegenstand) und links an der Wandecke ein ca. 3,5 cm breiter, nach oben verlaufender, hellbrauner Rahmenstreifen identifizierbar.

Auf der Vorderseite des Mittelpfeilers der beiden Arkosolien findet man auch noch eine bemalte Putzschicht (Taf. 6b): Über der gelblichen Sockelzone und einem dünnen, schwarzen Horizontalstrich erstreckt sich ein bräunlicher Farbgrund, auf dem sich in der oberen Mitte rötliche, schräg von rechts unten nach links oben verlaufende Partien erhalten haben. Zu Zeiten von Chierici und Hempel existierte noch mehr vom Ansatz des linken Bogens, also auch von der Malfläche der Stirnwand (vgl. Taf. 6a. 23b). Leider kann man aus den vorhandenen Fotos nur noch einen weiteren Anhaltspunkt für die Art der einstigen Darstellung gewinnen: Den fast parallelogrammförmigen Farbpartien entsprach links ein etwas schrägeres, in die entgegengesetzte Richtung weisendes Gebilde von gleicher Farbe (s. besonders Taf. 6a). Beide Bilddetails zusammen bildeten wohl ein dreieckiges Objekt, das an Zeltdarstellungen erinnert, wie sie in militärischen Szenen auf der Arkadiussäule in Konstantinopel und aus der Ilias Ambrosiana und in alttestamentlichen Darstellungen aus der Wiener Genesis überliefert sind[666].

3. Entstehungszeit der Malereien

Den Ausgangspunkt für die Datierung der Malereien in den beiden Grabräumen 13 und 14 bilden die bei der Bauanalyse gewonnenen Ergebnisse. Danach läßt sich der Grabbau 14 – anders als in den bisherigen Publikationen (S. 8f) – nicht ins 2. oder 3., sondern ins 4. Jh. datieren, und zwar in einen Zeitraum nach dem ›Kirchenfrieden‹ und vor den umfassenden Baumaßnahmen des Paulinus von Nola am Anfang des 5. Jh. Ein

---

[666] Vgl. Becatti (o. Anm. 291) 225/7 Taf. 66. 75a/b. 80b. – In der bisherigen Literatur und in den Gra- bungstagebüchern gibt es keine Notiz zu diesen Darstellungsresten.

zeitlich genau bestimmbares Epitaph (Taf. 19a), das vermutlich eines der ursprünglichen Bodengräber in dem Bauten-Komplex schmückte, zu dem dieser Grabraum gehört (Abb. 9), zeigt darüber hinaus an, daß in den Monaten nach dem 16. 3. 455 in diesem Bereich anscheinend noch regulär Bestattungen vorgenommen wurden (S. 35). – Über den ursprünglichen, an der Westseite gerundeten Gräbern sind nachträglich gröber gemauerte, zT. eindeutig rechteckige Ziegelgräber sowohl im Raum 14 (Taf. 23a) wie auch in den Bauten 10 und 11 (Taf. 21a) errichtet worden; dabei wurde keine besondere Rücksicht auf die schon vorhandene, prächtige Wandmalereiausstattung genommen, diese zT. sogar zerstört (S. $31_{146/8}$). Mit diesen möglicherweise nach einer Veränderung der Besitzverhältnisse erfolgten Baumaßnahmen kann man sicher eine sehr späte Phase der Entwicklung fassen, die – nach der Art des Mauerwerks – wohl noch in antiker Zeit, d. h. irgendwann im 5. oder 6. Jh., anzusetzen ist. Allein aus dieser Periode sind noch datierbare Grabinschriften – und zwar in großer Zahl – für Cimitile überliefert (S. 24); die nachfolgende Zeit bis zum 9./10. Jh. bleibt dagegen historisch gesehen ziemlich im dunkeln[667]. In welchem zeitlichen Verhältnis nun die genannten höher gelegenen Gräber zu den ebenfalls späten Bodengräbern im Raum 13 (S. 28_{122}) stehen, ist schwer zu entscheiden; immerhin ist auffallend, daß letztere sehr unregelmäßig und noch gröber als die späten Gräber in 11 und 14 (Taf. 21a. 24a) gemauert sind (Abb. 20; Taf. 17b). Auch für den übrigen Grabbau 13, der bisher nur in wenigen Arbeiten auch unabhängig von seinen Malereien datiert wird, und zwar noch ins 2. Jh. nC. (S. 9_{16}), bieten sich nicht viele Anhaltspunkte für den Zeitpunkt seiner Errichtung. Auf Grund mehrerer Indizien ist zumindest gesichert, daß er – vielleicht nicht allzu lange Zeit – vor Raum 14 erbaut worden ist. Eine derartige Gebäudeform mit hervorragend gemauerten reinen Ziegelwänden, einer besonders ausgeführten Schauseite im Süden und ursprünglich nur sechs Arkosolgräbern und vielleicht sechs Hochgräbern ist einzigartig innerhalb der bisher ergrabenen Nekropole von Cimitile. So läßt sich ähnlich wie bei vergleichbaren Bauten in Ostia eine Entstehung innerhalb des 3. Jh. vermuten, und zwar wahrscheinlich vor der am Ende des Jahrhunderts erfolgten Errichtung des Felixgrabes und des darüber erbauten Gebäudes aus der Zeit zwischen 303 und 305 nC. (S. 29f. 35f).

Auf Grund dieser Anhaltspunkte und der jeweiligen historischen Situation (S. 18/24. 36_{180}) ist es möglich, den zeitlichen Rahmen genauer abzustecken, in dem die Malereien entstanden sind: Bei Raum 14 ist es ein Zeitraum von der konstantinischen Periode bis zur ersten Hälfte des 5. Jh., bei Raum 13 wohl eher nur das 3. Jh. Darüber hinaus lassen sich zahlreiche ikonographische Eigenheiten aufweisen, die eine Zuordnung der Malereien der beiden Grabräume zu der Kunst einer jeweils anderen Periode bestärken und zT. eine noch genauere Zeitbestimmung ermöglichen.

Beim chronologisch bisher weniger genau einzuordnenden Grabbau 13 finden sich hierbei Anhaltspunkte, die eine relativ frühe Entstehung bestätigen.

Die Schiffsdarstellung im Jonasbild (Taf. 2a) entspricht in ihrer Größe und im Detailreichtum der Darstellungsweise, die wir besonders bei Vergleichsbeispielen aus dem 3. Jh. finden, mit der Einschränkung, daß sowohl die Form des geblähten Segels als auch die sonst in der frühchristlichen Kunst nur selten vorkommende Vierzahl der Mannschaft

---

[667] Vgl. dazu Belting, Basilica 19/21; Ferrua; Leo e Lupinus (o. S. 24_{98}) 101/9; für die frühmittelalterliche Bauplastik zuletzt Pani Ermini (o. S. 9_{14}) 179/82.

nicht auf den frühesten Denkmälern in diesem Jahrhundert vorhanden sind (S. 144). Für die Darstellungsart des Meerwurfs selbst konnten wir erst Parallelen vom Ende des 3. Jh. ab anführen (S. 143$_{597f}$), wobei die Stirnglatze bei der Jonasgestalt (Taf. 4b) nur noch auf Denkmälern der Kleinkunst aus der zweiten Hälfte des 4. Jh. zu finden ist (S. 145$_{606}$). – Beim Adam-und-Eva-Bild (Taf. 32a) gibt es nun Merkmale (wie das Fehlen einer Schlange, die Art des Blätterschurzes und die Idealfrisur bei Eva), die zT. auf den frühesten und nur selten (als Einzelzug) bei späteren antiken Denkmälern gleicher Thematik, nicht aber bei denen aus der Wende vom 3. zum 4. Jh. vorkommen (S. 69/71). Im Gegensatz zu allen anderen antiken Vergleichsbeispielen ist darüber hinaus auffallend, daß kein Baum wiedergegeben ist (ebd.). Außerdem läßt sich der Sinn der Gestik der beiden nur durch ein Detail (die Blätterschurze) als Adam und Eva gekennzeichneten Personen, wie überhaupt die Aussage des Bildes, nicht eindeutig an Hand des Bibelberichtes bestimmen, ein Phänomen, das für zahlreiche Bilder der vorkonstantinischen Kunst charakteristisch und in unserem Fall durch eine stärkere Abhängigkeit von paganen Vorlagen bedingt ist (S. 75). Insgesamt zeigen der unkanonische Charakter der Darstellung und die Hinweise auf eine vielleicht erstmalige Umformung eines Vorbildes (S. 74), daß wir mit dieser Szene sicher noch am Beginn der frühchristlichen Kunst stehen; das ikonographisch am besten vergleichbare Bild stammt jedenfalls aus dem 3. Jh. nC. (S. 68f). Nimmt man noch die bei dem Jonasbild gewonnenen Aspekte hinzu, dann scheinen allein die in der Forschungsliteratur bisher gemachten Vorschläge zur Datierung der Malereien in die erste oder zweite Hälfte des 3. Jh. (S. 12) zuzutreffen, wobei die meisten genannten Merkmale der Darstellungen wohl mehr auf die zweite Jahrhunderthälfte deuten. Für die Entstehung eines derart aufwendigen, christlichen Mausoleums im 3. Jh. lassen sich zu all dem auch historisch wie kulturell günstige Rahmenbedingungen ermitteln (S. 36).

Demgegenüber weisen die Darstellungen in Raum 14 deutlich in eine spätere Zeit.

Das Bild des Meerwurfs und der Ausspeiung (Taf. 47a) bietet sich auf Grund des gleichen Motivs als bestes Vergleichsbeispiel zur Szene in Raum 13 an (Taf. 2a). Es liegen im Bild in Raum 14 nicht nur andere Typen des Seeungeheuers und der Jonasgestalt (S. 144f) vor, sondern auch die Art des Meerwurfes und die wahrscheinlich sehr kleine Darstellungsform des Schiffes sind typisch für Monumente seit dem 4. Jh. (S. 143f). Außerdem sind nur bei letzterem drei Phasen des Bibelberichtes in einem Bild nebeneinander dargestellt. Bei der Jonasruhe in Raum 14 (Taf. 8f) ist hervorzuheben, daß ein derart aufgerichtetes Liegen des Jonas nicht bei den frühesten Vergleichsbeispielen in Rom vorkommt (S. 145f); für eine Kombination dieser Haltung mit dem Motiv des sich Aufstützens mit nur einer Hand kann man dagegen auf (stilistisch jedoch verschiedene) Darstellungen des 4. Jh. aus der gleichen Gegend, und zwar aus der Januariuskatakombe in Neapel, verweisen (S. 146 Taf. 48. 49a). Was schließlich die Darstellung eines fest umrissenen Raumgefüges, in dem die Szenen beider Jonasbilder spielen, anbelangt, habe ich keine unmittelbaren Vergleichsbeispiele innerhalb der antiken Jonasikonographie finden können (S. 146$_{613}$). Doch gibt es unter den um 400 datierbaren Mosaiken des Baptisteriums von Neapel eine neutestamentliche Szene (Taf. 54a)[668], die zwar – vor allem in der flächigeren Körperwiedergabe – einige stilistische Unterschiede aufweist[669], sich

---

[668] J. WILPERT / W. N. SCHUMACHER, Die römischen Mosaiken der kirchlichen Bauten vom IV. – XIII. Jahrhundert (Freiburg 1976) 303/6, bes. 304 zu Taf. 10.

[669] Für SCHUMACHER 306 und BRANDENBURG bei BRENK, Spätantike (o. S. 10$_{26}$) 130 zu Abb. 22a zeigen die Mosaiken aus dem Baptisterium »Eigenarten eines wohl in Campanien entwickelten lokalen Stils«.

aber in der Raumdarstellung mit dem Bild des Meerwurfs und der Ausspeiung im Bau 14 (Taf. 47a) vergleichen läßt: Hier wie dort wird eine klar umrissene Wasserfläche, die zT. von hellen und dunklen Horizontallinien aufgelockert ist, scharf gegenüber dem Land, das sich auf beiden Monumenten nach links oben zu verjüngt, abgegrenzt; die Art der Begrenzungslinien ist dabei jedoch unterschiedlich. Oberhalb des Wassers erstreckt sich beide Male ein weiterer Landstreifen, über dem dann ein weißliches oder hellblaues Farbband ansetzt. Ob diese Himmelszone in Cimitile nur einfarbig gemalt war oder auch noch, wie in Neapel, in eine dunkle (blaue) Farbe überging, kann man wegen der weitgehenden Zerstörung dieser Stelle nicht mehr sagen. Bemerkenswert ist noch, daß bei beiden Monumenten bestimmte Bildelemente gleichsam auf dem unteren Rahmen zu ruhen oder zu stehen kommen (man vgl. die Position der Gestalt Christi im Mosaik in Neapel mit der des ruhenden Jonas und der des Seeungeheuers im Bild in Cimitile).

Einen weiteren möglichen Anhaltspunkt für eine nicht so frühe Datierung der Malereien dieses Raumes bietet das dortige Adam-und-Eva-Bild (Abb. 30). Die frühesten Monumente, die ähnlich wie in Cimitile eine Adam-und-Eva-Szene mit einer zusätzlichen (stehenden) Gestalt zeigen, stammen erst aus konstantinischer Zeit (S. 54); alle vorherigen christlichen Menschenpaardarstellungen weisen immer nur eine Komposition mit zwei stehenden Figuren auf (S. 43f. 70f).

Schließlich gibt es noch bei den beiden Josephsszenen auf der Südwand von Raum 14 (Abb. 32. 33) zwei Darstellungsdetails, die eine genauere zeitliche Eingrenzung der Entstehung der Bilder ermöglichen: Joseph trägt wohl beide Male eine purpurfarbene Tunika und Chlamys und darunter knielange Hosen. Zumindest bei einem Bild ist er außerdem mit einem um den Hals gelegten Torques ausgezeichnet (Abb. 32; Taf. 8e).

Bei der Oberbekleidung Josephs kann man nur allgemein feststellen, daß – abgesehen von der andersartigen Tracht beim Segensbild in Dura (Taf. 43) – keines der erhaltenen Denkmäler bis zum 5./6. Jh., auf denen Joseph nach seiner Erhöhung durch den Pharao dargestellt ist, den Patriarchen in einem purpurfarbenen ›Dienstkostüm‹ zeigt (S. 92). Ein historischer Überblick über das Vorkommen der knielangen Hosen in der römischen Kunst liefert genauere Anhaltspunkte für eine Datierung. Während noch im 1. Jh. nC. das Tragen von Hosen in Rom ziemlich verpönt war, kann seit dem Beginn des 2. Jh. sogar der Kaiser zumindest in knielangen Hosen dargestellt sein (S. 85$_{286f}$). Vom Ende des 3. bis zum ausgehenden 4. Jh. scheinen dann aber im Zusammenhang mit dem Militärgewand oder dem ›Dienstkostüm‹ selbst bei Kaiserdarstellungen – wenn überhaupt Beinkleider wiedergegeben sind – nur längere Hosen verbreitet zu sein; die knielangen Hosen kommen in Verbindung mit den genannten Gewändern mW. erst am Ende dieser Periode wieder in Mode und lassen sich noch vermehrt auf Denkmälern aus der ersten Hälfte des 5. Jh. finden; spätestens ab dem 6. Jh. werden die knielangen Hosen nicht mehr von besonders hochrangigen Persönlichkeiten, wenn sie in einem offiziellen Gewand abgebildet sind, getragen (S. 86$_{291}$. 93). Da die Malereien aus Raum 14 auf Grund zahlreicher Indizien nur noch frühestens im 4. und spätestens im 5. Jh. entstanden sein können, ergibt sich aus diesem Überblick, daß die Josephsszenen und damit die gesamte, einheitliche Malereiausstattung (S. 31) aus dem Zeitraum vom ausgehenden 4. Jh. bis ungefähr Mitte 5. Jh. stammen dürften.

Bestätigt wird dieser Zeitansatz durch die Untersuchung eines weiteren Darstellungsdetails, des Torques bzw. Maniakes. Seit Anfang des 4. Jh. nC. wird ein derartiges Halsband vermehrt von der Leibwache des Kaisers, seit Ende des Jahrhunderts auch von bestimmten Hofbeamten getragen; seit der zweiten Hälfte des 4. Jh. wird es sogar für die Krönung römischer Herrscher benutzt (S. 88f). Bestimmte Anzeichen sprechen jedoch dafür, daß in dieser Zeit – zB. von kirchlichen Kreisen – noch Widerstände gegen das Eindringen eines solchen ›barbarischen‹ Brauchs in den offiziellen Bereich vorhanden waren (S. 89[309]). In der spätantik-christlichen Kunst ist ein Torques sogar erst auf Denkmälern ab dem 6. Jh. überliefert (S. 89[310f]). Die beim Bild in Cimitile zu rekonstruierende weite, dünne und glatte Form des Halsbandes (mit ›Mitteljuwel‹) findet sich in der Spätantike mW. erst auf Denkmälern vom Ende des 4. Jh. an in größerer Zahl (S. 89f[312/4]; Taf. 39c; vgl. dagegen noch S. 388f[306. 313]; Taf. 39b).

Bei der durch alle genannten Aspekte aufgezeigten Spätdatierung der Malereien aus Raum 14 ist es nun möglich, gerade die zum ersten Male in der christlichen Kunst erhaltene Darstellung eines Torques in eine direkte Verbindung mit einer von Paulinus von Nola um 400 (?) verfaßten Schrift zu bringen; in diesem Text geht Paulinus ausführlich auf jenes Insigne Josephs ein und bezeichnet es – im Gegensatz zu der oben erwähnten Ablehnung durch kirchliche Kreise (aus dem Jahre 381) – sogar als eine für Christus angemessene Auszeichnung (S. 99). Da außerdem bei zwei Darstellungen bestimmte Einzelheiten nur auf eine sehr genaue Kenntnis des Bibeltextes zurückzuführen sind, man also mit einer theologisch vorgebildeten Person rechnen muß, die – vor der künstlerischen Ausgestaltung – diese Bilder in ihren Grundzügen erstmals entworfen hat (S. 97. 129), wird die Verbindung zu Paulinus bestärkt; andererseits ist damit ein Hinweis gegeben auf die Zeit seit der 2. Hälfte des 4. Jh., in der die christliche Kunst, besonders die Ausgestaltung szenischer Darstellungen, vermehrt unter den Einfluß kirchlicher Auftraggeber gerät, also eine »›Theologisierung‹ der Bildthemen« erfolgt[670]. Beim Wallfahrtsort Nola sind wir nun genau unterrichtet, daß im Zuge der durch die zahlreichen Aktivitäten des Paulinus hervorgerufenen kulturellen Hochblüte am Beginn des 5. Jh. nicht nur umfangreiche Baumaßnahmen erfolgt sind (S. 21), sondern auch mehrere Bauten umfassend ausgeschmückt wurden; das Besondere dabei waren zahlreiche, für verschiedene prominente Stellen konzipierte, in Verse gefaßte Inschriften[671] und eine Ausstattung bestimmter Gebäude, darunter die 401–403 neu errichtete Basilika (S. 99[359]), mit einer vielschichtigen, hochtheologischen Apsiskomposition[672] und mit szenischen Darstellungen aus dem Alten und Neuen Testament[673]. Allein in der neuen Basilika müssen wir bei dem dort nur auszugsweise genauer überlieferten AT-Zyklus des Obergadens mit mindestens zehn Bildern je Längsschiffseite rechnen, die zT. sogar mehrere Phasen des Bibelberichts wiedergaben[674].

---

[670] Vgl. zB. GERKE, Spätantike 162; BRENK, Spätantike 72; J. ENGEMANN: Gnomon 54 (1982) 77 (dort das Zitat) und o. Anm. 323.

[671] S. FERRUA, Cancelli (o. S. 20[76]) 50/68; KOROL aO. (o. S. 15[56]); ENGEMANN, Apsistituli 30f.

[672] Ebd. 21/34 zu Paulinus, ep. 32,10.

[673] Vgl. Paulinus, carm. 27,511/635; 28,15/27. 171/9.

[674] Letzteres nach DAHMEN (o. Anm. 359) 90f. Bisherige Lit. zu diesem AT-Zyklus o. S. 21[84] und Anm. 359. Nur noch in einigen neueren Arbeiten wird die Passage bei Paulinus, carm. 28,171/4 daraufhin gedeutet, daß hier gleichermaßen Szenen aus dem AT und NT dargestellt gewesen seien (so TESTINI 174; vgl. PANI ERMINI, Testimonianze 175[30]), oder sogar, daß in der alten Felixbasilika das AT wiedergegeben war (so G. DUMEI-

GE, Nizäa II [Mainz 1985] 52). – Falls sich die Bilder wie bei den nicht sehr viel später errichteten römischen Basiliken S. Maria Maggiore (DECKERS, SMM Abb. 4) und S. Paolo f.l.m. (N. M. NICOLAI, Della Basilica di San Paolo [Roma 1815] passim) nur jeweils über den Interkolumnien befanden, läßt sich nach den jüngsten Plänen von CHIERICI (Palladio 7 [1957] Fig. 1; Atti 3° Congresso ME Taf. I) und nach dem neuesten, offiziellen Grundriß der Soprintendenza ai Beni Ambientali e Architettonici della Campania/Napoli (hier Abb. 3) eine Anzahl von 10 Bildern pro Längsschiffseite errechnen (eine erneute Überprüfung der Säulenabstände vor Ort wäre aber vonnöten, da nur wenige Basen erhalten sind: Abb. 6). In der alten Felixbasilika erstreckten sich die in den Jahren 401/3 entstandenen

Wenn man sich nun vergegenwärtigt, daß die wohl kaum für den relativ engen Grabraum 14 erstmals konzipierten Bilder zT. deutliche Hinweise auf ihre Herkunft aus einem ausführlichen Zyklus geben (S. 60. 129), dann wird ein direkter Zusammenhang mit dem Wirken des Paulinus in Nola noch wahrscheinlicher, zumal unter den AT-Bildern der neuen Basilika wie im Grabraum eine Szene vom Anfang der Genesis und Jakobs- bzw. Josephsepisoden vorhanden waren[675]. Daß sich das Wirken des Paulinus nicht nur auf die von ihm konzipierten Anlagen erstreckte, zeigt seine Verfasserschaft einer Grabinschrift für den Sohn einer in Nola lebenden Witwe, der vermutlich aus einer noblen römischen Familie stammte[676]; außerdem sandte Paulinus seinem gallischen Freund Sulpicius Severus die Tituli und vielleicht auch zeichnerische Vorlagen der mehr oder weniger von ihm selbst entworfenen Apsisprogramme in Nola und Fundi, damit dieser sie als Modell für die Ausstattung seiner im Bau befindlichen Kirchenanlage benutzen könne[677]. Somit haben wir gute Gründe für die Annahme, daß Paulinus an der Gestaltung des Bildprogramms dieser nicht unmittelbar zum kirchlichen Komplex gehörenden Grabanlage (S. 34) maßgeblich beteiligt war.

Nimmt man alle genannten Aspekte zusammen, dann lassen sich die Malereien dieses Raumes mit einiger Sicherheit in die ersten Jahrzehnte des 5. Jh. datieren.

Bei einem Vergleich mit Denkmälern aus der ersten Hälfte des 5. Jh., wie der Quedlinburger Itala[678], dem Vergilius Vaticanus[679] und den Mosaiken von S. Maria Maggiore[680], ist es möglich, zahlreiche verwandte (teilweise jedoch nur allgemein-spätantike) Stilmerkmale aufzuweisen, von denen wir manche schon im Rahmen der Einzelanalysen der Malereien dieses Raumes ermitteln konnten.

Zusammenfassend läßt sich sagen: Der Hintergrund der Bilder ist meist in drei bis vier übereinandergelegte Farbzonen aufgegliedert, wobei der untere mehr oder weniger schmale Streifen entweder als Bodenzone oder als Wasserfläche dient (Abb. 31/3; Taf. 3a. 7c. 47a. b). Auf diesem agieren vielfach nahe am unteren Rand und meist auf leicht verschiedenen Ebenen die Personen (vgl. dazu auch Taf. 5c. 7b. 8b. d. f), während bestimmte Objekte zum Teil etwas höher im Bild stehen (Abb. 30. 32. 33; Taf. 6a; anders 6b. 8b. d). Die wenigen auch im oberen Bildteil noch erhaltenen Szenen (Abb. 31. 33; Taf. 4c .6c. 7c. 47b) zeigen immerhin, daß dort der Übergang von einer zur anderen Farbzone entweder wellenförmig oder in einer klaren Horizontallinie gestaltet sein kann. Eine solche »Streifenkomposition« mit Figuren in vorderster Ebene« wird von B. Brenk als »typisch für die Spätzeit« bezeichnet[681]. Man findet sie auch in zahlreichen Szenen bei den drei genannten Vergleichsbeispielen, wobei das Verhältnis der Figuren und Objekte zur gesamten Bildfläche in Cimitile zwischen der Darstellungsart in der Quedlinburger Itala einerseits (Taf. 54c. d) und der im Vatikanischen Vergil (Taf. 32c. 55a) bzw. in S. Maria

---

NT-Szenen dagegen zT. sicher auch noch auf den oberhalb der Säulen ansetzenden Wandbereich (s. dazu demnächst Korol aO. [o. S. 15₅₆]).
[675] Paulinus, carm. 27,608f. 620/9. – Vgl. hier S. 99. 172₈!
[676] S. o. S. 25₁₀₄; Walsh, Poems 2, 345. 421.
[677] Engemann, Apsistituli 21₂f; E. Kitzinger, The role of miniature painting in mural decoration: The place of book illumination in Byzantine art (Princeton 1975) 109f₂₆. Vgl. Paulinus, ep. 32,9. 10. 17.
[678] Zuletzt ausführlich dazu I. Levin, The Quedlinburg Itala fragments, Diss. New York (1971) 106/61; danach

Datierung in die 20er/30er Jahre des 5. Jh.; Weitzmann, Buchmalerei 14. 40: frühes 5. Jh.
[679] De Wit, Miniaturen 151/7, Stevenson (o. Anm. 266) 112/4, Levin 156, D. H. Wright, Vergilius Vaticanus. Commentarium (Graz 1984) 11f und Kötzsche-Breitenbruch, Via Latina 41₂₃₄ (weitere Lit.): entweder spätes 4. Jh. bzw. um 400 oder 1. Drittel 5. Jh.
[680] Deckers, SMM 2f. 281/92; Brenk, SMM 1f. 133/51: »432–40«. Zu allen drei Monumenten vgl. E. Kitzinger, Byzantinische Kunst im Werden (Köln 1984) 131/58.
[681] AO. 151.

Maggiore andererseits (Taf. 53b. 55c)[682] eingeordnet werden kann. Bei den zuletzt genannten Beispielen kommt auch der für alle erhaltenen Malereien in Cimitile typische hellblaue Himmel vor, der zumindest in zwei Fällen (Taf. 4c. 7c) wie bei einigen Bildern in S. Maria Maggiore (Taf. 53a. 55c) von einer fast weißen in eine mehr blaue Zone übergeht[683]. – An der Gestaltung der Figuren fällt auf, daß in Cimitile bei einer Gruppierung die Personen zT. schon – nur nicht so stark – wie bei einigen Bildern im Vergilius Vaticanus (Taf. 38c. 55a) oder in den genannten Mosaiken (Taf. 53a. b. 55c) zusammengeschoben sind (Taf. 3a. 8a)[684]; der Umriß der Einzelfigur ist dadurch nicht mehr so gut ablesbar, worin sich zB. die Adam-und-Eva-Szene (Abb. 30) von fast[685] allen genannten motivisch vergleichbaren Beispielen aus früherer Zeit unterscheidet (Taf. 26b. 27a/c. 29b). Ein direkter Figurenvergleich ist wegen des schlechten Erhaltungszustandes der Bilder in Cimitile sehr erschwert. Die Gestalten in der Quedlinburger Itala (Taf. 54c. d) sind jedenfalls durchweg schlanker proportioniert und weisen eine andere Wiedergabe des Inkarnats auf; in diesen Punkten liegen daher mehr Beziehungen zu einigen Darstellungen im Vatikanischen Vergil (Taf. 32c. 55a) vor[686]. Die weitgehende Frontalität und die Aneinanderreihung der zwei steif dastehenden Enkelkinder Jakobs (Taf. 5b) wie auch die Vorliebe für kürzere Gewänder zeigen hingegen wieder eine engere Verbindung zur Darstellungsweise in der Quedlinburger Itala (Taf. 54c. d)[687]. Bei einem Vergleich zwischen Sitzfiguren fällt die stärker in die Breite gehende Form der sehr blockhaft wirkenden Figuren in S. Maria Maggiore (Taf. 55c) gegenüber Darstellungen in Cimitile (Taf. 7c. 8d) und im Vergilius Vaticanus (Taf. 55a) auf. Eine mehr oder weniger starke Hervorhebung bestimmter Gesten ist allen diesen Monumenten eigen[688]: Man vergleiche nur den abgespreizten, etwas überlängten rechten Arm Sauls bei der Opferszene auf Taf. 54d mit dem Schwurarm Josephs auf Taf. 7c, außerdem die Redegesten bei den vier Denkmälern, und in Cimitile noch besonders die Bedeutungsgröße der Segenshände Jakobs (Taf. 6c). – Für einen Vergleich der Kopfform kann man in Cimitile nur auf wenige, zT. stark zerstörte Beispiele zurückgreifen. Das für viele Personen in der Quedlinburger Itala charakteristische ovale Gesicht mit einer knappen, bei den Ohren endenden Haarkalotte, hoher Stirn, einer weiten Schläfen- bzw. Wangenpartie und relativ spitz zulaufendem Kinn (Taf. 54c. d)[689] ist auch in Cimitile anscheinend dominierend (Taf. 4c.

---

[682] Vgl. die Charakterisierung bei LEVIN (o. Anm. 678) 108. 118. 122; BRENK, SMM 149. Ähnlich wie bei der Quedlinburger Itala, aber im Gegensatz zu der Mehrzahl der Bilder bei den anderen zwei Beispielen (ausführlich dazu DECKERS, SMM 286f), blieb über den Köpfen der Figuren in Cimitile wohl meist noch ein ziemlich hoher Bildraum übrig (Abb. 25f. 30/3).

[683] Farbtafeln bei H. KARPP, Die frühchristlichen und mittelalterlichen Mosaiken in S. Maria Maggiore zu Rom (Baden-Baden 1966). Der noch bei einem Bild in Cimitile (wie auch bei den anderen drei Beispielen) vorkommende Wechsel des Horizontes von helllila zu blau (S. 156 Taf. 4c) hat allgemein schon Vorläufer in der Malerei des 4. Jh. (LEVIN 121f). – Die zweiteiligen Rahmenleisten der Bilder in Cimitile erinnern u. a. an Bildrahmungen in der Quedlinburger Itala bzw. im Vergilius Vaticanus; vgl. WEITZMANN, Buchmalerei Taf. 1/5.

[684] Ein etwas isolierteres Nebeneinanderstehen und eine Tendenz, Überschneidungen zu vermeiden, fin-

den sich dagegen in der Quedlinburger Itala (Taf. 54c. d); LEVIN 119 und DECKERS, SMM 285/7. – Das weniger dichte Aneinanderreihen von Gestalten zB. in Pict. 6 im Vergilius Vaticanus (Taf. 4,2 bei DE WIT, Miniaturen) hängt möglicherweise mit den verschiedenen Malern in dieser Handschrift (LEVIN 116$_{14}$) zusammen.

[685] Allein bei dem Sarkophagbild Taf. 29a gibt es eine ähnliche Überschneidung. Durch die Staffelung der zwei Gestalten dort wird aber die Geschlossenheit der Gruppe gesprengt.

[686] Vgl. LEVIN 106. 109; DECKERS, SMM 285f. Für Farbabb. s. WEITZMANN, Buchmalerei Taf. 3/5.

[687] Vgl. LEVIN 106f. 163; anders aber in S. Maria Maggiore (BRENK, SMM 141); zur verwandten Art der Wiedergabe von Architekturen s. aber o. Anm. 653.

[688] DECKERS, SMM 288 sieht dies weniger stark ausgeprägt bei einem Bild der Quedlinburger Itala. Für die generelle Tendenz dort s. aber schon LEVIN 107.

[689] Ebd. 108f. 116.

6c)[690]. Man findet derartiges ebenfalls auf dem Mosaik im Baptisterium in Neapel (Taf. 54a) und, wenn auch nicht so verbreitet, im Vergilius Vaticanus (Taf. 38c. 55a)[691]. Das von I. LEVIN für eine genauere Datierung dieser Kopfform herangezogene Vergleichsmonument, das Probianus-Diptychon in Berlin (Taf. 54b)[692], kann mE. schon wegen der Problematik eines Stilvergleichs zwischen zwei so verschiedenen Gattungen nur allgemein zeigen, daß am Anfang des 5. Jh. derartige auch in anderen Zeiten geläufige Kopftypen (zB. Taf. 53d) verbreitet gewesen sind.

Die angeführten Stilmerkmale der Malereien in Cimitile, die auch für andere, ähnlich narrative Darstellungen aus dieser Periode der Kunst typisch sind, können somit die schon auf anderen Wegen gewonnene Datierung der Bilder aus Raum 14 in die ersten Jahrzehnte des 5. Jh. stützen. Bei der Aufstellung einer Entwicklungsreihe nehmen die Malereien in Cimitile wegen der auf verschiedene (anscheinend nicht gleichzeitig entstandene) Denkmäler weisenden Stiltendenzen eine Position zwischen der Quedlinburger Itala und dem Vergilius Vaticanus bzw. den Mosaiken von S. Maria Maggiore ein.

Auf dem Wege des Stilvergleichs läßt sich auch noch kurz zeigen, daß sowohl die Malereien der beiden Grabräume verschieden sind, als auch die bisher in der Literatur angeführten Parallelbeispiele für eine Datierung in severische Zeit selbst gegenüber den frühen Darstellungen aus Raum 13 mehr Unterschiede als Gemeinsamkeiten aufweisen.

Eine Motivverwandtschaft zwischen den nackten Gestalten Adams und Evas (Taf. 1 gegenüber Taf. 8a) und zwischen den Jonasfiguren (Taf. 4b gegenüber 6a. b und 47a) erleichtert den Vergleich der Grabmalereien untereinander. Direkt auffallend sind die viel schlankeren, grazileren Proportionen der frei im (abstrakten) Bildraum und nicht auf einer durchgehenden Bodenzone (S. 63) stehenden Stammeltern in Raum 13. Durch eine größere Farbnuancierung erhalten die Körper hier eine noch stärkere plastische Qualität (vgl. dazu auch die Jonasgestalten)[693]. Die Pinselführung wirkt lockerer, so daß kein derart gleichmäßiger Farbauftrag wie in Raum 14 vorhanden ist. Überhaupt ist die Illusion von Räumlichkeit konsequenter durchgehalten, wenn man die divergierenden Elemente in der Jonasruhe in Raum 14 (S. 135 Taf. 6a) gegenüber den fein ausgetüftelten Darstellungsdetails des Bootes beim Meerwurf in Raum 13 (S. 130f Taf. 2a) betrachtet. Nimmt man dann noch die zahlreichen ikonographischen Unterschiede hinzu (S. 162/4), dann können die Malereien nicht, wie bisher häufig angenommen (S. 12), in die gleiche Zeit datiert werden.

Bei den in der Literatur mehrfach für die Adam-und-Eva-Szene aus Raum 13 in Cimitile (Taf. 32a) angeführten Vergleichsbeispielen aus der Januariuskatakombe in Neapel und dem Aurelierhypogäum in Rom[694] läßt sich folgendes sagen:

---

[690] Für die leicht wellige Frisur und die niedrige Stirn des Jonas (Taf. 47a) vgl. einige Gestalten auf Taf. 53a. 54c.

[691] Anders als bei der Quedlinburger Itala (vgl. LEVIN 108f; zu einer gewissen Ausnahme ebd. 109) ist hier – in etwa ähnlich wie in Cimitile (vgl. S. 102. 156) – das Inkarnat in hellere, zT. noch aufgelichtete Partien und schmalere, dunkle Bereiche aufgeteilt, die Stirnpartie meist aber etwas niedriger (vgl. dazu auch DE WIT, Miniaturen Taf. 4,2. 5,1. 11. 18,2).

[692] LEVIN 116 (mit weiteren Vergleichen).

[693] Eine ähnliche Charakterisierung des Stils schon bei BRENK, Spätantike (o. S. 10₂₆) 32.

[694] S. Lit. o. Anm. 198; außerdem FASOLA/TESTINI (o. S. 12₃₄) 132; die dort erwähnten »significative coincidenze con la struttura delle tombe« zwischen Aurelierhypogäum und Grabraum 13 lassen sich, was das Mauerwerk anbetrifft, nicht nachvollziehen (vgl. hier Tab. 1 Taf. 17a. 18a und 28 [Ziegeldicke 3–4 cm, Mörteldicke 1,5–3 cm; so nach eigener Untersuchung 1983]). Die Form der *zwei* Arkosolien (vgl. Lit. o. S. 36₁₇₈) ist dagegen zu allgemein verbreitet, um allein darin eine enge Verwandtschaft zu sehen.

Im Deckenbild in Neapel (Taf. 34b) sind deutlich die Proportionen der ähnlich großen Figuren Adams und Evas (S. 68[199]) gedrungener und die Körper kräftiger gestaltet. Auch die Malweise dieses in der Datierung umstrittenen Bildes (S. 66[184f]) ist eine völlig andere. Mit dicht nebeneinandergesetzten Pinselstrichen wird eine farblich gleichmäßigere Oberfläche geschaffen; Glanzlichter kommen nicht vor, und nur an wenigen Stellen findet man dünne Schattenkonturen. In viel geringerem Maße entsteht dadurch Körpervolumen. Insgesamt gesehen stehen die Figuren hier in einem fester umrissenen Raumgefüge (vgl. Abb. 22; Taf. 32a. 34a). Nach dieser Analyse kann man vermuten, daß die vorhandenen ikonographischen Vergleichspunkte (S. 68f) dazu verleitet haben, auch stilistische Ähnlichkeiten zu behaupten, wo nur motivische zu finden sind.

Es zeigt sich auch bei dem anderen zitierten Vergleich, der etwa in die Zeit des Caracalla datierbaren Malerei aus dem Aurelierhypogäum in Rom (S. 46[52]), daß sowohl der Stil der Menschenpaardarstellung aus dem oberen Cubiculum (Taf. 28a) als auch der Stil der drei Jünglinge aus der Unterweltsdarstellung des tiefer liegenden Raumes III[695] andere Merkmale aufweisen. Wenn man wegen des schlechten Erhaltungszustandes bei der Stilanalyse dieser Malereien alte und neue Aufnahmen gleichermaßen berücksichtigt, dann lassen sich folgende Unterschiede zum Bild in Cimitile (Taf. 32a) herausstellen: Bei den nackten Figuren im Aurelierhypogäum sind die Oberkörper gedrungener; die männlichen Gestalten besitzen eine erheblich schmalere Schulterpartie. Die Hände und vor allem die Köpfe wirken im Verhältnis zum Körper kleiner bzw. (letztere) nicht so länglich geformt; die Gliedmaßen sind meist rundlicher und zuweilen relativ unorganisch abgespreizt. Was die Malweise anbetrifft, so findet man keine so starke bzw. dunkle Abschattung gleicher Körperpartien. Statt dessen liegen große, ziemlich gleichmäßig verlaufende Glanzlichtzonen zwischen dunkleren, farblich weniger differenzierten Teilen des Inkarnats. Schließlich sind hier die Figuren, im Gegensatz zu Cimitile, fest eingebunden in eine reale Landschaft.

Um die Problematik einer Frühdatierung der Malereien des Raumes 13 in Cimitile weiter aufzuzeigen, soll noch eine kurze Gegenüberstellung mit einem Denkmal aus der gleichen Kunstlandschaft Campanien folgen. Es handelt sich um den Teil der Ausmalung des Mithräums von Capua, der in neueren Arbeiten in frühseverische Zeit datiert wird (Taf. 56a. b)[696]. Die Gestalten in Cimitile wirken demgegenüber etwas mehr überlängt, die Köpfe sind kleiner, die Haarangabe – soweit erkennbar – geschlossener, und die Armhaltung ist zT. hölzerner (Taf. 1). Während das Inkarnat der Gestalten in den Malereien in Capua gegenüber denen im Deckenbild in Neapel (Taf. 34b) farblich um einiges differenzierter wiedergegeben wird, ist die Darstellung von Körperpartien in Cimitile (besonders Taf. 1b. 4b) noch etwas mehr changierend bzw. unruhiger als in Capua.

Durch all diese Stilvergleiche wird deutlich, daß sich zumindest an Hand der genannten Beispiele keine Anhaltspunkte für eine Frühdatierung der Malereien aus Raum

---

[695] Zu letzteren s. o. Anm. 67. Für ähnliche Stiltendenzen s. das Beispiel o. Anm. 37.

[696] Während M. J. Vermaseren, Mithriaca I. The Mithraeum at S. Maria Capua Vetere (Leiden 1971) 50f Taf. III/XI eine Datierung in antoninische Zeit vorschlägt, wird von Borda 300; Dorigo, Pittura 100[10]; Mielsch, Wandmalerei 218f eine etwas spätere Entstehung, wohl gegen Ende des 2. Jh., angenommen (nach

P. G. P. Meyboom: M. J. Vermaseren, Mithriaca III. The Mithraeum at Marino [Leiden 1982] 44f »between 180 and 190«). – Eine Grabmalerei aus Caivano (heute in Neapel) wohl aus der 1. Hälfte des 2. Jh. nC. läßt sich stilistisch noch weniger vergleichen; O. Elia, L'ipogeo di Caivano: Monumenti Antichi 34 (1931) 421/91 Taf. I/VIII; zur Datierung vgl. Mielsch, Wandmalerei 222.

13 ermitteln lassen. Bei einem Vergleich mit einer nach H. MIELSCH erst »in spätseverischer Zeit« ausgeführten Architekturmalerei auf der Süd- und Südwestwand einer Portikus in den sog. Sosandrathermen von Baiae kann ich aber auch keine engeren stilistischen Beziehungen feststellen: Die innerhalb von (ebenfalls rot gerahmten Bildfeldern) völlig frei schwebenden Gestalten weisen bewegtere Körperkonturen auf; trotz der meist stark abgeriebenen Farbflächen kann man an verschiedenen Stellen noch deutlich eine mehr einfarbige, zT. dunkler gehaltene Ausmalung[697] der etwas stämmigeren nackten Körper erkennen (Taf. 56d), was der Malweise der Adam-und-Eva-Darstellung in der Neapler Katakombe etwas näherkommt (Taf. 34b). Die von CHIERICI angenommene zeitliche Stellung des Adam-und-Eva-Bildes in Cimitile vor der vergleichbaren Darstellung in Neapel läßt sich also möglicherweise umkehren, wie schon FINK angedeutet hat[698]. Da es in der Malerei »nur für den Beginn des 3. Jh. ... noch außerstilistische Anhaltspunkte in größerer Zahl« gibt, sich »verwandte Stilphasen in verschiedenen Zeiten wiederholen« und gerade »im fortgeschrittenen 3. Jh. ... fast alle Zeitansätze ... Vermutungen sind und auch bleiben werden, solange nicht mehr sichere Anhaltspunkte« bzw. neue Gesamtuntersuchungen zu Darstellungen aus diesem Zeitraum vorliegen[699], ist man zu großer Zurückhaltung gezwungen gegenüber einer genauen Datierung im 3. Jh., die allein auf Stilvergleichen beruht. ›Späte‹ – in ihrer Malweise jedoch andersartige – Darstellungen aus dem schon erwähnten Mithräum in Capua (zB. Taf. 56c)[700] können zeigen, daß etwa die überlängten Proportionen auch noch in nachseverischer Zeit in der Malerei Campaniens vorkommen. Da mir zu alledem sonst keine figürliche Malerei aus dem ausgehenden 3./Anfang 4. Jh. in dieser Landschaft bekannt ist[701], kann ich die für die Fresken aus Raum 13 vorgeschlagene Datierung, die 2. Hälfte des 3. Jh. (S. 163), auf dem Wege des Stilvergleichs nicht weiter stützen[702].

[697] Vermutlich durch die zahlreichen Fehlstellen bei den Farbflächen wurde MIELSCH (Wandmalerei 211. 227/9 Abb. 34 [Gesamtansicht]) dazu verleitet, hier von »stark fleckig aufgelösten« Körperflächen bzw. von »breiten Schattenkonturen« zu sprechen. Vor Ort kann man nur bei einigen wenigen besser erhaltenen Figuren eine Aufteilung der Körperfläche in (zusammenhängende) hellere und dunklere Farbpartien erkennen. Die Darstellung eines Ketos aus der untersten Bildzone einer ähnlich gestalteten Architekturmalerei aus einem separaten Raum dort (Taf. 55b) weist dagegen eine fleckige und nur summarisch ausgeführte Malweise auf (anders in Raum 13 in Cimitile: Taf. 2a. 4b).

[698] CHIERICI: RivAC 33 (1957) 113/5; FINK, Bildfrömmigkeit 60[239]. Vgl. hier S. 66/8.

[699] So MIELSCH, Wandmalerei 219f. 230f, der in einem demnächst erscheinenden Buch (»Römische Wandmalerei«) ausführlicher auf diese Fragen eingehen wird. Vgl. auch die grundsätzlichen Bedenken bei BRENK, SMM 134 und ders., Spätantike (o. S. 10[26]) 27. In einem längeren Gespräch mit H. MIELSCH konnte ich die Frage der stilistischen Einordnung der betreffenden Malereien in Cimitile und Neapel noch einmal Anfang 1985 diskutieren. Er stimmte mit mir überein, daß man wohl eine Datierung beider Denkmäler ins ausgehende 2. Jh. oder in severische Zeit ausschließen kann; sein Hinweis auf »eher ... in frühseverischer

Zeit« entstandene Malereien in Ostia verdeutlicht dies noch weiter: trotz mancher Vergleichspunkte wirken die Gestalten dort noch schlanker und das Inkarnat ist gleichmäßiger gemalt (Lit. bei MIELSCH, Wandmalerei 217); vgl. auch die stilistisch andersartigen Malereien in der o. Anm. 195 genannten Literatur.

[700] Während VERMASEREN, Mithriaca I (o. Anm. 696) 50f Taf. XXI/XXVIII (»Period III«) und BORDA 300 sie in die erste Hälfte des 3. Jh. datieren, spricht sich MIELSCH, Wandmalerei 219 »für einen möglichst späten Ansatz« aus.

[701] Generell für einige Monumente aus dieser Zeit s. S. 21f[85]. 36[180]. Man vergleiche auch die Malereireste in den von FASOLA noch ins 3. Jh. datierten Bereichen der Januariuskatakombe in Neapel: FASOLA, Catacombe 21f. 29/33 Fig. 8. 16f Taf. III und ACHELIS (o. Anm. 183) 42/4. 57 Taf. 14 (zT. locker in Bildfelder eingestreute Elemente wie Vögel, Vasen, Blumengirlanden etc.).

[702] Als Vergleichsbeispiel für die mit einem roten Rahmen und einer weißen Trennleiste eingefaßten blauen Bildfelder der Arkosolmalereien sei nur allgemein auf die konstantinischen Deckenmalereien in Trier verwiesen; W. WEBER, Constantinische Deckengemälde aus dem römischen Palast unter dem Dom = Bischöfliches Dom- und Diözesanmuseum Trier, Museumsführer 1 (Trier 1984) 16 Abb. auf S. 18/24. 35.

III. ZUSAMMENFASSUNG

Die vorliegende Untersuchung ist in erster Linie der Malereiausstattung zweier Bauten gewidmet, deren Bedeutung für unsere Kenntnis von spätantik-christlicher Malerei im wesentlichen schon 1961 F. GERKE und H. L. HEMPEL erkannt haben. Ohne die von ihren Veröffentlichungen ausgehenden Impulse wären diese Monumente vermutlich weitgehend in Vergessenheit geraten; wegen der Kürze dieser Berichte und dem Mangel an Abbildungen sind jedoch viele Fragen offengeblieben, die selbst in den zahlreichen nachfolgenden Erwähnungen nur wenig Klärung erfahren haben. Das durch die bisherigen, zT. weitreichenden Bewertungen der beiden Denkmäler entstandene Bild von den Anlagen und ihren Malereien muß nun, nach der im Rahmen dieser Arbeit erfolgten Bestandsaufnahme und Analyse, in zahlreichen Punkten relativiert oder neu gezeichnet werden.

Im Bereich einer in der Spätantike bedeutenden Nekropole der Stadt Nola, in der die Errichtung eines *quadratischen* ›Mausoleums‹ über dem Grab eines verehrten »Confessors« (Felix) sich auf die Zeit zwischen 303 und 305 eingrenzen und damit dieser Komplex als bisher frühestes bekanntes Beispiel seiner Art ausweisen ließ, wurden zwei Grabbauten – die Anlagen 13 und 14 in den Veröffentlichungen des Ausgräbers G. CHIERICI – nebeneinander errichtet und mit figürlichen und rein dekorativen[1] Malereien ausgeschmückt. Zu keiner Zeit in der Antike läßt sich für diese zwei Bauten eine andere Funktion als die genannte ermitteln.

Von der Größe des ursprünglich nur für sechs (zT. noch freizulegende) Arkosolgräber und vielleicht sechs Hochgräber angelegten Raumes 13 und von dessen prächtiger innerer wie äußerer Ausstattung her kann man annehmen, daß die ersten Besitzer aus begüterten Kreisen stammten und vielleicht einer Familie angehörten. Da es derzeit für die einzigen bisher deutbaren Darstellungen in den Arkosolien, Adam und Eva nach dem Sündenfall und der Meerwurf des Jonas, mW. keine Vergleichsbeispiele in eindeutig jüdischem, sondern nur in christlichem oder ›neutralem‹ Kontext in der Antike gibt, ist es sehr wahrscheinlich, daß die Besitzer Christen waren. Bei der in neueren Arbeiten fast einhellig angenommenen Datierung dieser Malereien ins 3. Jh. kämen wir in eine Zeit, in der schon reichere Mitglieder einer christlichen Gemeinde für Nola literarisch bezeugt sind. Während man eine Datierung in severische Zeit eher ausschließen kann, läßt sich die in der vorliegenden Untersuchung vorgenommene zeitliche Eingrenzung auf die zweite Hälfte des 3. Jh. nicht weiter durch Stilvergleiche absichern, da die Entwicklung der Malerei im betreffenden Zeitraum noch immer zu den ungelösten Fragen der Archäologie gehört.

Im Gegensatz dazu müssen auf Grund zahlreicher Indizien der bislang ebenfalls immer sehr früh angesetzte Grabbau 14 sicher ins 4. Jh. und seine einheitliche Malereiausstattung an den Anfang des 5. Jh. datiert werden[2]. Somit lassen sich verschie-

---

[1] Eine in etwa ähnlich ockerbraune Sockelzone wie bei Raum 14 findet man in einer frühchristlichen Basilika aus der gleichen Landschaft, S. Restituta auf Ischia; J. CHRISTERN, Il cristianesimo nella zona dei Campi Flegrei: Convegno internazionale: I Campi Flegrei nell'archeologia e nella storia = Atti dei Convegni Lincei 33 (Roma 1976/1977) 215 Fig. 2 nr. 7 (ohne Abb.; Fotos verdanke ich P. DAHMEN).

[2] Für die zeitliche Lücke, die zwischen der Errichtung des Grabbaus im Laufe des 4. Jh. und dessen Aus-

dene bisher an Hand dieses Denkmals getroffene Feststellungen nicht mehr auf die Anfangszeit der christlichen Kunst beziehen. Dennoch bleibt als ungewöhnliche Tatsache bestehen, daß dieser relativ kleine Grabraum einst bei zwei übereinanderliegenden Bildregistern mit etwa 27, bei einer Annahme von drei Registern sogar mit ca. 41 Bildern ausgeschmückt war, von denen ich noch fünf sicher und drei vermutungsweise als alttestamentliche Darstellungen deuten konnte. Der übrige derzeit zugängliche Bildbestand ist so gering oder schlecht erhalten, daß ich – ähnlich wie bei dem nordöstlichen Arkosolbild aus Raum 13 (Noes Trunkenheit?) – weder bisher gegebene Benennungen bestätigen noch neue Deutungen finden konnte. Es ist also nicht ausgeschlossen, daß auch neutestamentliche Szenen – etwa im heute fast völlig zerstörten zweiten (niedrigeren) Bildregister – dargestellt waren. Da beim Entwurf einzelner Bilder offensichtlich eine theologisch vorgebildete Person bestimmend war und sich bei den Bildaussagen oder -details zT. direkte Verbindungen zu schriftlichen Äußerungen des Paulinus von Nola herstellen lassen, ist eine maßgebliche Beteiligung des Paulinus bei der Ausgestaltung dieses Raumes mit biblischen Szenen sehr gut möglich. Sicher ist, daß sein gestalterisches Wirken nicht allein auf die Anlagen im Bereich des Felixgrabes beschränkt war. Außerdem mußte gerade er für seine – nur literarisch überlieferte – Ausstattung bestimmter Bauten in Cimitile mit szenischen Darstellungen aus dem Alten und Neuen Testament entweder Vorlagen aus der Buchmalerei bzw. einem monumentalen Bilderzyklus oder eigene Entwürfe[3] besessen haben, die immerhin am gleichen Ort und etwa zur gleichen Zeit als Quelle für die Malereiausstattung von Raum 14 zur Verfügung standen. Auch wenn bei drei Bildern aus diesem Grabraum die Mehrzahl thematisch vergleichbarer Szenen aus illustrierten Handschriften stammt, habe ich keine völlig eindeutigen Kriterien dafür finden können, daß die Darstellungen letztlich auf eine Buchmalereivorlage zurückgehen, wie HEMPEL meint[4]. Ob für die Auswahl der in ihrer Ikonographie zT.

schmückung mit diesen Malereien in den ersten Jahrzehnten des 5. Jh. klafft, konnte ich keine überzeugende Erklärung finden.

[3] Bemerkenswert ist, daß Paulinus bei der Erklärung für seine Ausmalung »sanctas ... domos animantibus adsimulatis« (S. 165[673f]) darauf hinweist, daß derartiges ein ungewöhnlicher Brauch sei (»raro more«: carm. 27,542/4; das Bilderverbot im Kanon 36 [8 VIVES] des Konzils von Elvira setzt aber wohl schon ähnliches um 306 nC. in Spanien voraus; vgl. dagegen BRENK, SMM 131f). Falls er, wie zuweilen vermutet, in den 90er Jahren des 4. Jh. Bischof Ambrosius von Mailand besucht hat (LIENHARD 26[58] und GIORDANO [o. S. 18[65]] 3; dagegen DESMULLIEZ [S. 20[76]] 53f), könnte er dort zB. in S. Aquilino die Wandmosaiken (vgl. dazu etwa BRENK, Spätantike [o. S. 10[26]] 72. 130 Taf. 24. 26) gesehen und generell Anregungen erfahren haben (vgl. CHIERICI, Sant' Ambrogio 328 und ders., Paolino 941; die Zuschreibung von bestimmten Tituli an Ambrosius ist dagegen umstritten: E. DINKLER, Das Apsismosaik von S. Apollinare in Classe [Köln/Opladen 1964] 34[72f]). Über die neuesten Kunstströmungen in Rom konnte er jedenfalls – wegen seiner jährlichen Reisen dorthin (vgl. hier S. 22f[88]) – sicher informiert sein. – Als eine mögliche Erklärung, warum die Malereiausstattung von Grabbau 14 in den zahlreichen Schriften des

Paulinus keine Erwähnung findet, bietet sich die Tatsache an, daß einerseits manche Briefe verlorengegangen sind und andererseits uns von Paulinus aus den Jahren 410 bis 431 kaum noch etwas überliefert ist (s. WALSH, Letters 1, 2f; LIENHARD 31f; vgl. dazu die stilistische Einordnung der Malereien hier auf S. 166/8; zu den Auswirkungen des Westgoteneinfalls [410 nC.] s. S. 23f).

[4] ZAW 73 (1961) 302. Während zB. K. WEITZMANN, The illustration of the Septuagint: ders., Studies in classical and Byzantine manuscript illumination (Chicago/London 1971) 49 meint, »each ›narrative‹ cycle may be traced to an illustrated book«, weist ENGEMANN: Gnomon 54 (1982) 76 darauf hin, daß »noch nicht das letzte Wort über Einzelindizien der Abhängigkeit narrativer Darstellungen von Handschriften und über Umfang und Art früher Bibelillustrationen gesprochen ist«; vgl. auch die von BRENK, Spätantike (o. S. 10[26]) 73 und ders., SMM 128 eingenommene vorsichtige Haltung diesem Problemkreis gegenüber. – Den Malern in der Grabkammer 14 haben wohl nur sog. »pictorial guides« vorgelegen oder Malanweisungen, wie sie in der Quedlinburger Itala oder für einen Kirchenmaler des 6. Jh. überliefert sind: KITZINGER, Role of miniature painting (o. S. 166[677]) 109/13. 135[77]; LEVIN (o. 166[678]) 164.

sehr eigenwilligen Szenen (s. u.) auf den Wänden des Grabraumes ein übergeordneter Sinnzusammenhang maßgeblich war und daher ein einheitliches Bildprogramm und nicht nur größtenteils »eine additive Zusammenstellung«[5] von (unterschiedlich großen) Einzelbildern vorlag, ist wegen des zu geringen erhaltenen Bildbestandes nicht mehr zu entscheiden[6]. Auffallend ist jedoch, daß gerade Jonasszenen gegenüber den anderen Bildthemen dadurch hervorgehoben sind, daß sie an prominenter Stelle, und zwar über den Kopfenden der westlichen Bodengräber in reich ausgeschmückten Arkosolien angebracht wurden. Auf Grund der besonderen Position dieser Bilder und der dargestellten Einzelheiten läßt sich hier ein deutlicher Bezug zum Sepulkralbereich ausmachen und als Gesamtaussage eine Auferstehungshoffnung gemäß Mt 12,40 vermuten, die in der Entstehungszeit dieser Malereien zB. von Paulinus von Nola in Verbindung mit der Jonasgeschichte ausdrücklich geäußert wird. Welch große Bedeutung das Jonasthema auch sonst noch in der betreffenden Zeit für den Sepulkralbereich hatte, zeigt sein Vorkommen im nahegelegenen Capua innerhalb der mit Mosaiken ausgeschmückten Grabkammer des dortigen Bischofs Symmachus, der mit Paulinus näher bekannt gewesen sein muß[7]. – Alle genannten Aspekte sprechen beim Grabbau 14 dafür, daß die sicher christlichen Besitzer bzw. die Auftraggeber der Malereien einen engeren Kontakt zu Paulinus hatten. Von der Art und Qualität der Darstellungen her ist anzunehmen, daß es sich bei ihnen um begüterte und gebildete Leute handelte, die sich einerseits mehrere[8] derart herausragende Künstler leisten konnten, und die andererseits gerade an einer solch ungewöhnlichen Auswahl und Fülle von Bildern interessiert waren[9]. Es stellt sich somit die Frage, ob es sich hier nicht vielleicht sogar um Mitglieder der zusammen mit Paulinus am Wallfahrtsort lebenden Gemeinschaft handelte[10].

Was nun die Bildthemen aus beiden Grabräumen im einzelnen anbetrifft, so bot sich auf Grund der wenigen sicher identifizierbaren Darstellungen die Gelegenheit, bei der ikonographischen Analyse einzelnen Fragen ausführlicher nachzugehen.

---

[5] Vgl. dazu J. ENGEMANN, Art. Bildprogramm: LexMA 2 (1983) 183f.

[6] Der seltsam breite Rahmen im Osten der Südwand (S. 100; vgl. S. 155) könnte immerhin ein Hinweis für eine Konzeptionsänderung sein oder verschiedene Arbeitsgänge anzeigen: 1) Aufteilung der Wandfläche in Bildfelder – man beachte deren unterschiedliche Breite (S. 31; vorlagenbedingt?); 2) Ausmalung mit Szenen. – Vgl. S. 129 u.

[7] S. JOHANNOWSKY (o. S. 22[85]) 150[9] nach G. P. PASQUALE, Historia della prima chiesa di Capua ovvero di Santa Maria Maggiore (Napoli 1666) 36f; als figürliche Szenen sind dort nur das Verschlingen und die Ausspeiung überliefert. Bemerkenswert ist, daß dieser Bischof den kranken Paulinus vor dessen Tod im Jahre 431 besucht hat (vgl. ep. 1 Uranii Presb. de obitu S. Paulini ad Pacatum: PL 53, 86 [dazu A. PASTORINO, Il de obitu sancti Paulini di Uranio: Augustinianum 24 (1984) 115/41]; BOVINI [o. S. 21[84]] 38f; für eine Grabinschrift in Cimitile von einem »VRANI PRESB«! s. CIL 10,1, 156 nr. 1385; vgl. dazu die Erwähnung eines Kuriers »Uranius« bei Paulinus, ep. 19,1). Für weitere Beziehungen des Paulinus zu Capua s. WALSH, Letters 1, 63. 146. 218. 242.

[8] Wegen des geringen und schlecht erhaltenen Bildbestandes ist die genaue Anzahl der Künstler nicht mehr zu ermitteln. Die gegenüber den Gestalten Adams und Evas etwas plumpere Malweise und andere Farbgebung der Jonasgestalten geben zumindest einen Hinweis auf einen anderen Künstler (s. S. 31[143f.] 39[6]).

[9] Daß gebildete, in Nola oder an der Wallfahrtsstätte selbst (S. 21[83]) wohnende Personen bei einem bestimmten Interesse an biblischen Themen ständig den Bibeltext konsultieren konnten, wenn sie ihn nicht selbst besaßen, ist dadurch erwiesen, daß von Paulinus eine Inschrift »a sinistra [absidae]« der neuen Basilika überliefert ist, in der der Zweck dieses Raumes beschrieben wird: »si quem sancta tenet meditandi in lege voluntas hic poterit residens sacris intendere libris« (ep. 32,16).

[10] Vgl. S. 22[87]. – Aus ep. 32,12 des Paulinus (aus den Jahren 402/4 [s. o. S. 99[359]]) wissen wir wenigstens, daß die längs der neuen Basilika angebauten Räume (»cubicula« bzw. »cellae«; vgl. dazu auch carm. 19,477/80. 531/4; 28,15 und Abb. 3) »praeterea memoriis religiosorum ac familiarum accommodatos ad pacis aeternae requiem locos praebent«.

Zusammenfassend läßt sich sagen: Das Adam-und-Eva-Bild in Raum 13 zählt zu den frühesten Darstellungen dieser Ikonographie. Zusammen mit dem in mehreren Punkten sehr verwandten Bild aus der Januariuskatakombe in Neapel und der typologisch andersartigen Szene in der Hauskirche in Dura ist damit nun sicher erwiesen, daß Darstellungen des ersten Menschenpaares außerhalb Roms sowohl im Osten wie im Westen des römischen Reiches zum ältesten christlichen Bildbestand gehören. Zahlreiche Eigenarten der Szene in Cimitile, die man nur zT. auf anderen christlichen Vergleichsmonumenten finden kann, weisen diese als Produkt eines frühen künstlerischen Tastens nach einer neuen Ikonographie aus und lassen außerdem nur eine allgemeine Benennung zu. Beim Vergleich dieser Szene mit der sehr verwandten Darstellung in Neapel oder ähnlichen (späteren) Adam-und-Eva-Szenen, aber auch bei einem Vergleich der andersartigen Darstellungen in Dura und auf dem Sarkophag von Le Mas d'Aire untereinander, wird deutlich, wie verschieden die Stadien der Adaption bzw. Umformung paganer Bildvorlagen sein können.

Beim anderen Arkosolbild dieses Raumes, dem Meerwurf des Jonas, wird – wie auch bei den Jonasszenen aus dem Grabbau 14 – in zahlreichen Aspekten sichtbar, daß die Darstellungen nicht wesentlich von der bekannten Ikonographie dieses Themas abweichen. Einige Besonderheiten lassen aber immerhin auf eine Lokaltradition schließen.

Im Grabbau 14 konnten darüber hinaus noch sechs weitere Bilder identifiziert bzw. in ihrer Deutung näher eingegrenzt werden. Bei dreien muß eine Festlegung auf eine bestimmte alttestamentliche Szene mehr oder weniger offenbleiben (eine Josephsepisode mit einem Wagen, die Totenerweckungsvision des Ezechiel und das ›Lied‹ des Moses). Von den drei übrigen sicher deutbaren Bildern sind zwei – ähnlich wie einige der von Paulinus erwähnten alttestamentlichen Darstellungen im Kirchenkomplex von Nola[11] – die ersten und bis zum Mittelalter einzig erhaltenen Darstellungen der betreffenden Ikonographie: die in sehr ähnlicher Form in der karolingischen Grandval-Bibel vorkommende Szene des Verbots Gottes an Adam und Eva und die als Josephs Schwur vor Jakob zu deutende Darstellung. Für das zuletzt genannte Bild und die thematisch wie räumlich sehr naheliegende Szene des Segens an Ephraim und Manasse konnten keine direkten Parallelen oder Nachfolgebeispiele gefunden werden. Hingegen lassen gerade diese beiden Szenen auf die Existenz eines Genesiszyklus schließen, der keiner der bisher bekannten Bildrezensionen zugerechnet werden kann. Dadurch wird die Annahme bestärkt, daß es in der Spätantike eine größere als die bislang bekannte Anzahl von Erstillustrationen biblischer Texte gegeben hat[12].

---

[11] Paulinus, carm. 27,529/36. 618f; 28,22/7 (außer Job; s. S. 91). So nach DAHMEN (o. S. 99₃₅₉) 79f. 88. 97/9.

[12] So KOROL (o. S. 54₁₁₃) 190₈₆; DECKERS, SMM 272/7. Die von VILEISIS (o. S. 82₂₇₁) 2. 148/50 genannten vier ursprünglichen Bildrezensionen (Cotton-Genesis, Wiener Genesis, Oktateuche und eine weitere, erschließbar aus dem AT-Zyklus in S. Maria Antiqua und dem Joseph-Zyklus im Paris. gr. 510 [vgl. BRUBAKER (o. S. 82₂₇₃) 431]; vgl. auch WEITZMANN, Roll and codex 130f. 134) waren sicher nicht die einzigen Vertreter ihrer Art. Man vergleiche nur die ganz eigenständige Bildfassung des Jakobssegens im Ashburnham-Pentateuch mit denjenigen, die zumindest noch in drei dieser Bildrezensionen erhalten sind (s. S. 122f). Zur Eigenständigkeit von Bildfassungen anderer spätantik-früh-

mittelalterlicher Monumente s. DECKERS, SMM 273/9; G. JEREMIAS, Die Holztür der Basilika S. Sabina in Rom = Bilderh. d. DAI Rom 78 (Tübingen 1980) 40; K. WEITZMANN, The miniatures of the Sacra Parallela, Parisinus Graecus 923 = Studies in manuscript illumination 8 (Princeton 1979) 258. – Korrekturzusatz: Erst nachträglich bin ich bei M. SOTOMAYOR, Sarcófagos romano-cristianos de España (Granada 1975) 46 auf eine (nicht im Index vermerkte) Notiz gestoßen. Der Autor teilt darin mit, daß er bei einem Besuch der Grabbauten von Cimitile »la existencia de un verdadero ciclo del que apenas pueden verse dos escenas« feststellen konnte. Seine fast nur stichwortartig gegebene Deutung zweier Szenen (Josephs Schwur vor Jakob und Jakobs Segen über Ephraim und Manasse)

Was nun die zB. von Hempel angesprochene generelle Abhängigkeit derartiger Bilder von jüdischen Quellen betrifft, ließ sich bei keiner in dieser Arbeit ausführlicher behandelten Einzelszene einer der in der Forschungsliteratur angeführten Belege für den Einfluß jüdischer Text- oder Bildquellen sichern. Entweder stand der Wortlaut der angegebenen Texte im Widerspruch zur Bildaussage des jeweiligen christlichen Monuments oder eine Hinzuziehung derartiger Schriften war nicht unbedingt notwendig, da es für die Erklärung von ikonographischen Besonderheiten ebenso christliche, zT. sogar weit verbreitete pagane Abhandlungen oder genügend Anhaltspunkte schon in bestimmten Bibeltextversionen gab. Verschiedene jüdische Überlieferungen (ich verweise nur auf den berühmten Joseph-und-Aseneth-Roman) waren auch den Christen bekannt und in einem wohl nicht unbeträchtlichen Teil sogar in ihr Gedankengut eingeflossen[13]; in solchen Fällen kann man daher allenfalls von einer indirekten Beeinflussung sprechen. Da ein Großteil der herangezogenen jüdischen Literatur erst verhältnismäßig spät schriftlich fixiert wurde, wären das genaue Alter und der Grad der Verbreitung der darin zusammengefaßten Überlieferungen in den Fällen unbedingt zu klären[14], in denen ein direkter Einfluß auf eine frühe biblische Darstellung angenommen wird. Schließlich hat sich gezeigt, daß man aus methodischen Gründen erst einmal alle Bildelemente auf dem Hintergrund der antiken, im gesamten römischen Reich geläufigen Bildsprache untersuchen muß, bevor man außerbiblische Texte zur Deutung einer Darstellung heranzieht. Selbst bei einem oft zitierten Beispiel für die Abhängigkeit christlicher Bilder von jüdischen Darstellungen, bei der Szene des Jakobssegens aus der Synagoge von Dura-Europos, ließ sich aufweisen, daß manche Vergleichspunkte allein schon auf Grund der in der Antike allgemein verbreiteten Gestaltungsprinzipien oder wegen der begrenzten Darstellungsmöglichkeiten, die bei der Umsetzung eines Themas in die Bildsprache mit ihren eigenen, zT. schon vorgeprägten Bildvokabeln gegeben waren, vorhanden sind. Außerdem muß generell berücksichtigt werden, daß eindeutig vom Bibeltext beeinflußte Neuschöpfungen auch unabhängig voneinander in derselben oder in verschiedenen Regionen von verschiedenen Künstlern entwickelt werden konnten. Beide Aspekte zusammengenommen lassen es mE. nicht unbedingt zwingend erscheinen, ikonographische Ähnlichkeiten zwischen jüdischen und christlichen Kunstwerken immer nur auf eine direkte Beeinflussung zurückzuführen. Für die Darstellungen des Segens über Ephraim und Manasse in Cimitile und auf den Vergleichsmonumenten in Rom ließen sich jedenfalls genügend Gründe für eine von jüdischen Quellen unbeeinflußte Entstehung finden[15]. Meist sind es – wie auch bei allen anderen in

bestätigt immerhin meine gegenüber der übrigen Forschungsliteratur erzielten Ergebnisse in der ikonographischen Untersuchung dieser Szenen. Zu seiner Annahme, daß die Linksläufigkeit derartiger Bildfolgen »presupone un modelo pictórico de un manuscrito hebreo« (ebd. 45), s. aber hier S. 129[528].
[13] Außer den o. S. 106f[390/3]· 108[401]· 141[585f] genannten Hinweisen s. auch Ulrich (o. S. 55[116]) 86f.
[14] S. dazu u. a. die aus der Forschungsliteratur übernommenen Datierungen der in unserem Zusammenhang maßgeblichen jüdischen Schriften o. S. 55[116]· 104[379]· 105[381f]· 108[397]· 108f[401· 403]· 109[405]· 139[578]. – K. Schubert: Kairos NF 16 (1974) 92 weist darauf hin, daß »unter den Juden Roms griechisch und nicht aramäisch die Umgangssprache« war. Seiner Meinung nach dürften sie deshalb »zumindest in ihrer überwiegen-

den Mehrheit die Midrashim rein sprachlich nicht verstanden haben«. Daraus folgert er jedoch, daß zB. »die Vermittlung von Midrash-Motiven an die christlichen Freskanten der Katakombe der Via Latina ... nur den Weg über illuminierte Bibelhandschriften oder andere Bildvorlagen genommen haben« kann (ähnlich zB. P. Maser: JbAC 26 [1983] 235; skeptisch demgegenüber zB. Busschhausen [o. S. 154[644]] 297/301).
[15] Vgl. S. 118/20, 125/8 und 127[514]. – In den Fällen, in denen – wie bei den Oktateuchen – vermehrt Vergleichspunkte zu verschiedenen Bildern in Dura vorhanden sind (vgl. auch zB. Weitzmann, Study [o. S. 110[411]] 52 Fig. 42f), kann eine Klärung der Frage einer möglichen Abhängigkeit nur im Rahmen einer größeren Untersuchung erfolgen (vgl. S. 117[450]· 128[518]).

dieser Untersuchung ausführlicher behandelten Darstellungen – enge formale, zT. sogar inhaltliche Beziehungen zu paganen Darstellungen aus dem römischen Kulturkreis; man vergleiche die Totenmahldarstellungen mit einigen der Segensszenen, die Ringkampfdarstellungen mit der Jakob-Engelkampf-Ikonographie, die Darstellungen des neben einem Seeungeheuer liegenden Okeanos mit den Bildern des neben einem Ketos ruhenden Jonas, die asymmetrischen Menschenpaardarstellungen mit dem Bild des Verbots Gottes an Adam und Eva und schließlich die nicht sicher gedeutete Mosesszene aus Raum 14 mit adlocutio-Darstellungen. Diese Abhängigkeit vom römisch-paganen Motivrepertoire kann so weit gehen, daß bei einzelnen Szenen wichtige Details vom Bibeltext abweichen bzw. sich nicht durch ihn erklären lassen, so etwa bei verschiedenen Adam-und-Eva-Darstellungen, die von Darstellungen des Heraklesabenteuers bei den Hesperiden oder von ›Elysium-Szenen‹ abhängig sind. Zwei Bilder aus dem späten Raum 14 in Cimitile (der Schwur Josephs und der Segen Jakobs) sind hingegen nur durch einzelne gängige Bildvokabeln mit der nichtchristlichen antiken Kunst verbunden.

Für die These einer Abhängigkeit der Darstellungen in Cimitile von der Kunst der östlichen Reichshälfte – wie sie von H. Brandenburg ausgesprochen wurde[16] – gibt es weder bei den paganen Vorbildern noch bei den christlichen Vergleichsbeispielen Anhaltspunkte. Die scheinbar engere Bindung eines Bildes aus Raum 14 (Josephs Schwur) an den Text der Vetus Latina[17] weist demgegenüber eher auf eine Entstehung im Westen des römischen Reiches, zumal auch ein Bilddetail (der Torques) möglicherweise auf einen direkten Einfluß des Paulinus von Nola auf die Bildgestaltung zurückzuführen ist. Bei einer anderen Darstellung aus diesem Raum (Gottes Verbot gegenüber Adam und Eva) und einer weiteren aus dem Grabbau 13 (die Stammeltern nach dem Sündenfall) lassen bestimmte Bildelemente ebenfalls an eine Entstehung des Bildtypus' im geographischen Raum des heutigen Staates Italien denken.

Als eines der Nebenresultate dieser Arbeit im Zusammenhang mit der Frage nach dem Einfluß einer hypothetischen frühen Genesisillustration kann noch die Beobachtung angeführt werden, daß auch die Cotton-Genesis ikonographische Formulierungen bei einigen Adam-und-Eva-Szenen aufweist, die schon im 3. bzw. am Anfang des 4. Jh. nC. im paganen und christlichen Bildrepertoire vorhanden und zT. nur aus der westlichen Hälfte des römischen Reiches überliefert sind[18].

Die ungewöhnlich qualitätvolle malerische Ausschmückung der beiden Grabbauten 13 und 14 in Cimitile/Nola kann somit ein Zeugnis dafür geben, daß die große Malereitradition Campaniens bis in die Spätzeit der Antike hinein wirksam war, und diese Landschaft auch im Bereich der christlichen Kunst bedeutende, eigenständige Bildschöpfungen hervorgebracht hat, wie jüngst auch U. Fasola an Darstellungen aus der Januariuskatakombe in Neapel nachweisen konnte[19].

[16] S. o. S. 10₂₅f, vgl. auch S. 72₂₂₉.

[17] Für die Problematik bei der Festlegung auf nur eine Textversion verweise ich auf eine Beobachtung, die R. Stichel in einem am 20. 1. 1981 in Bonn gehaltenen Vortrag (»Fragen zur Kontinuität zwischen Judentum und Christentum«) angeführt hat: Die von Deckers (SMM 240f. 269) ausgesprochene Vermutung einer bestimmten Textvorlage (Vetus Latina) für das Bild nach Jos 5,13/5 in S. Maria Maggiore in Rom hat er damit relativiert, daß auch das hebräische Wort für das entscheidende Bilddetail (»Lanze«) eine »vielschichtigere« Übersetzung erfahren hat. Dadurch sei auch der hebräische Bibeltext nicht von vornherein als Textvorlage für dieses Bild auszuschließen.

[18] S. o. S. 43₃₂. 52₁₀₄. 60₁₄₈, besonders aber 61₁₅₁; ähnliches konnte auch bei karolingischen Genesisszenen aufgezeigt werden: S. 61₁₅₀f.

[19] Fasola, Le raffigurazioni (o. S. 68₁₉₈) 763/76, bes. 771f. Vgl. zur Mosaikkunst Campaniens Bovini (S. 21₈₄) 62. – Die Behauptung W. Wischmeyers (ZKG 91 [1981] 267), daß die »Clevelandstatuetten ... die qualitätvollste Arbeit der vorkonstantinischen christlichen Kunst überhaupt« seien, läßt sich hiernach nicht mehr aufrechterhalten. – Zur Ortsbezeichnung Cimitile s. S. 7₁.

SOMMARIO

In primo luogo il presente studio è dedicato agli affreschi di due edifici, la cui importanza per la nostra conoscenza della pittura tardo-antica cristiana è stata già riconosciuta nel 1961 da F. Gerke e H. L. Hempel. Senza gli impulsi provenuti dalle loro pubblicazioni questi monumenti sarebbero caduti probabilmente nell'oblio; ma a causa della loro brevità e della mancanza di illustrazioni, tante questioni sono rimaste aperte senza che gli studi seguenti potessero contribuire al chiaramento. Dopo l'inventario e l'analisi avvenuti nell'ambito di questo studio è necessario relativizzare o ri-»disegnare« in numerosi punti l'immagine degli edifici e delle sue decorazioni, finora formatasi in base alla valutazione complessiva di tutti e due i monumenti.

Nella cerchia di una importante necropoli tardo-antica della città di Nola è stato possibile delimitare cronologicamente la costruzione di un piccolo mausoleo *quadrato*, sopra la tomba di un venerato »confessore« (S. Felice), tra il 303 e il 305; esso viene perciò ad essere il primo esempio del suo genere finora conosciuto. Ivi furono costruiti anche due altri edifici sepolcrali – vani 13 e 14 negli studi del benemerito scavatore G. Chierici – l'uno accanto all'altro, ornati ciascuno con una pittura figurata e con un' altra solamente decorativa. In nessun altro periodo dell'antichità è rintracciabile un'altra funzione di questi due edifici oltre a quella già sopra indicata.

A giudicare dalla grandezza del mausoleo 13, originariamente progettato soltanto per sei tombe ad arcosolio (in parte ancora da dissotterare) e forse per sei tombe cosidette »pensili«, e dalla sontuosa decorazione sia interna che esterna, si ritiene possibile che i primi proprietari provenissero da un ambiente benestante, e che forse fossero membri di una sola famiglia. Siccome, per quanto ne so, per le uniche rappresentazioni negli arcosoli finora interpretabili – i Protoparenti dopo il peccato originale e Giona gettato nel mare – attualmente non sono conosciuti confronti antichi in ambiente chiaramente ebraico, ma soltanto in un contesto cristiano o »neutrale«, è assai verosimile che i proprietari fossero cristiani. Tenendo conto che negli studi più recenti questa pittura viene datata quasi unanimemente nel terzo secolo, ci troveremo in un'epoca in cui nella letteratura antica sono già tramandati alcuni membri più ricchi di una comunità cristiana a Nola. Mentre è possibile escludere una datazione severiana, la delimitazione cronologica, proposta nel presente studio, alla seconda metà del terzo secolo stilisticamente non si lascia assicurare per altri paragoni perchè lo sviluppo stilistico della pittura in questo periodo è sempre una delle insolute questioni dell'archeologia.

Al contrario si deve datare – a causa di numerosi indizi – il vano 14, finora fissato comunque in un tempo abbastanza remoto, sicuramente nel quarto secolo, mentre la sua omogenea decorazione pittorica all'inizio del quinto secolo. Di conseguenza, le diverse osservazioni finora risultanti solamente dal superficiale studio di questo monumento non possono più referirsi agli inizi dell'arte cristiana. Tuttavia rimane il fatto insolito che questo edificio sepolcrale relativamente piccolo era ornato una volta da due registri figurativi sovrapposti: in tutto con 27 immagini circa o, supponendo tre registri, addirittura con circa 41 immagini, delle quali ho potuto interpretare soltanto cinque con sicurezza e presumibilmente altre tre come scene veterotestamentarie. L'altro inventario figurativo per ora accessibile è così scarso o mal conservato che – come nel caso della rappresentazione nell'arcosolio N-E del Mausoleo 13 (l'ubriachezza di Noè?) – non ho potuto nè confermare le denominazioni correnti nè trovare delle nuove interpretazioni. Non è dunque escluso che vi fossero delle scene del Nuovo Testamento – per esempio nel secondo (meno alto) registro figurativo, oggi quasi completamente distrutto. Poichè per la progettazione delle singole rappresentazioni fu ovviamente decisiva una persona teologicamente educata e siccome è possibile collegare i messaggi o i dettagli delle rappresentazioni in parte direttamente ai commenti scritti del Paolino da Nola, è molto probabile un'autorevole partecipazione di Paolino al modo di decorare questo vano con scene bibliche. È certo che la sua attività creativa non fu limitata agli edifici nella cerchia immediata della tomba di S. Felice. Inoltre, proprio Paolino doveva possedere, per la sua decorazione di certi edifici cimiteliani con episodi dal V. e N. Testamento, o dei modelli presi da illustrazioni di libri oppure presi da un ciclo monumentale o dei progetti personali di scene bibliche che pur sempre nello stesso luogo, circa nello stesso tempo, furono a disposizione come fonte per la decorazione pittorica del vano 14. Anche se nel caso di tre rappresentazioni di questo ambiente la maggior parte di scene tematicamente comparabili proviene da manoscritti illustrati, non ho potuto trovare nessun criterio assolutamente evidente per affermare che queste rappresentazioni si ispirino ad un'originale tratto da una illustrazione di un libro, come pensa l'Hempel. Se per la selezione delle scene in parte da una iconografia singolare (vedi sotto) sulle pareti dell'edificio sepolcrale fosse normativo un senso in un contesto superiore e se perciò esistesse un programma figurativo organico e non soltanto in maggior parte una composizione additiva di singole rappresentazioni di grandezza varia, non si può decidere a causa dello scarso inventario figurativo conservato. Però colpisce che proprio le scene con Giona, in confronto con gli altri temi, sono state poste in rilievo sopra le testate delle tombe terragne occidentali in arcosoli molto ornati. A causa della posizione speciale di queste scene e dei particolari ivi illustrati, si può stabilire un chiaro riferimento all'ambito sepolcrale e supporre come messaggio totale una speranza di risurrezione secondo Matteo 12,40, per esempio espressa esplicitamente da Paolino da Nola nel contesto della storia di Giona nel periodo dell'origine di questa pittura. Quale altra importanza grande nell'ambito sepolcrale il tema di Giona abbia avuto in questo periodo, lo dimostra la sua presenza nella vicina città di Capua nel sepolcro ornato dai mosaici del vescovo locale Simmaco che doveva essere stato conosciuto da Paolino. Riguardando il vano 14, tutti gli aspetti indicati parlano a favore di un contatto più stretto tra dei proprietari sicuramente cristiani oppure tra dei committenti delle pitture e Paolino. Tenendo conto del modo e della qualità delle rappresentazioni è supponibile che si sia trattato di persone benestanti e di una cerchia colta, che da una parte poteva permettersi più artisti così eminenti e dall'altra si interessava proprio di una tale selezione e di una tal quantità di rappresentazioni. Si pone la domanda se forse si tratti perfino di membri della comunità che viveva con Paolino nel famoso luogo di pellegrinaggio.

Per quel che in particolare riguarda i temi delle rappresentazioni dei due edifici sepolcrali, a causa delle poche rappresentazioni sicuramente identificabili, si è offerta la possibilità di dedicarsi ampiamente a questioni particolari dell'analisi iconografica.

Riassumiamo: La scena dei Progenitori nell'ambiente 13 è una delle prime rappresentazioni di questa iconografia. Insieme con la rappresentazione nella catacomba di S. Gennaro a Napoli, simile a quella di Nola sotto molti aspetti, e con la raffigurazione nella »domus ecclesia« di Dura Europos, tipologicamente diversa dalle altre due scene, è stato ora provato con sicurezza che le rappresentazioni della prima coppia Adamo ed Eva sono parte del più vecchio repertorio figurativo cristiano trovato fuori Roma sia ad est che ad ovest dell'impero romano. A Cimitile numerosi particolari della scena che sono reperibili soltanto in parte in altri monumenti cristiani paragonabili, la identificano come prodotto di una sperimentazione artistica per una nuova iconografia ed inoltre permettono solo una denominazione generale. Paragonando non solo questa scena con la rappresentazione molto affine di Napoli o con scene simili posteriori di Adamo ed Eva, ma anche paragonando in relazione fra loro le rappresentazioni di Dura e sul sarcofago di Le Mas d'Aire, eterogenee dalle prime, si dimostrano le possibilità e le diversità delle fasi dell'adattamento oppure della traduzione di un originale pagano.

Sotto numerosi aspetti, l'altra rappresentazione identificabile di questo mausoleo – Giona gettato nel mare –, come anche le scene di Giona nel vano 14 fanno vedere che queste rappresentazioni cimiteliane non differiscono essenzialmente dall'iconografia conosciuta di questo tema. Da alcuni particolari si conclude comunque che essa si riallaccia come una tradizione locale.

Inoltre, nel vano 14 si potevano identificare ancora sei altre immagini oppure si poteva almeno delimitare più esattamente il loro significato. Tre di queste sono riferibili con difficoltà a determinate scene veterotestamentarie (un episodio di Giuseppe con un carro, la visione di Ezechiele del risveglio dei morti ed il »canto« di Mosé). Due rappresentazioni delle rimanenti tre chiaramente interpretabili sono – similmente ad alcune scene veterotestamentarie menzionate da Paolino per il complesso basilicale di Cimitile – le prime e fino al medioevo le uniche rappresentazioni conservate di tale iconografia: la scena della proibizione divina ad Adamo ed Eva, molto simile a quella nella bibbia di Grandval del nono secolo, e la rappresentazione interpretabile come il giuramento di Giuseppe davanti a Giacobbe. Per l'ultima rappresentazione e la scena della benedizione di Efraim e Manasse, poste molto vicine sia tematicamente sia spazialmente, non si è potuto trovare nessun parallelo diretto o esempio successivo. Al contrario si può desumere da queste due scene l'esistenza di un ciclo della Genesi non attribuibile ad alcuna recensione finora conosciuta. Così è confermata l'ipotesi che nell'età tardo-antica esistesse un numero più grande di quanto finora si creda di rappresentazioni originali di testi biblici.

Per quel che riguarda la dipendenza generale di tali immagini da fonti ebraiche, notata per esempio da HEMPEL, non si è potuta accertare per nessuna scena singola, svolta in esteso in questo lavoro, una delle prove addotte nella letteratura scientifica per l'influenza delle fonti ebraiche o di testo o di rappresentazione. Sia perchè il tenore dei testi era contrario al contenuto figurativo del rispettivo monumento cristiano, sia perchè la consultazione di tali testi non era assolutamente necessaria, visto che per le spiegazioni di particolari iconografici esistevano già trattati cristiani, in parte anche trattati pagani molto diffusi oppure punti d'appoggio sufficienti in certe versioni del testo biblico. Siccome varie tradizioni ebraiche – rimando solo al famoso romanzo di Giuseppe ed Aseneth – erano note anche ai cristiani, ed in una parte considerevole, si versavano nel loro patrimonio ideale, in tali casi si può parlare tutt'al più di un'influenza indiretta. Poichè la maggior parte della letteratura ebraica consultata è stata fissata per iscritto abbastanza tardi, sarebbe da chiarire l'età esatta ed il grado della diffusione delle tradizioni ivi riassunte nei casi di una supposta influenza diretta su una prima rappresentazione biblica. In fine si è dimostrato che per ragioni di metodo si devono analizzare tutti gli elementi figurativi sullo sfondo del linguaggio figurativo corrente in tutto l'impero romano prima di consultare testi non biblici per l'interpretazione di una rappresentazione. Perfino l'esempio citato molto spesso per la dipendenza delle rappresentazioni cristiane da quelle ebraiche, la scena della benedizione di Efraim e Manasse nella sinagoga di Dura-Europos, dimostra che esistevano alcuni punti paragonabili già a causa della diffusione generale dei principi compositivi nell'antichità o a causa delle possibilità limitate per rappresentare un certo soggetto, che entrambi erano disponibili per la traduzione di un tema nel linguaggio figurativo con i loro propri »vocaboli figurativi«, in parte già preconiati. Inoltre, si deve generalmente considerare che le creazioni, chiaramente influenzate del testo biblico, si potevano sviluppare anche indipendentemente l'una dall'altra nello stesso luogo oppure in regioni diverse ad opera di artisti diversi. I due aspetti presi insieme non fanno, a mio avviso, apparire assolutamente necessario ricondurre somiglianze iconografiche tra le opere d'arte ebraiche e cristiane sempre soltanto ad un'influenza diretta. Per le rappresentazioni della benedizione di Efraim e Manasse a Cimitile e nei monumenti paragonabili a Roma, comunque, si potrebbero trovare ragioni sufficienti di una creazione non influenzata da fonti ebraiche. In genere sono rapporti molto stretti di forma ed in parte anche di contenuto – come vale anche per le altre rappresentazioni trattate in estesa in questa ricerca – con rappresentazioni pagane dell'ambito culturale romano; si confrontino le rappresentazioni della cosidetta cena dei morti con alcune delle scene di benedizione, le rappresentazioni di lotta con l'iconografia della lotta tra Giacobbe e l'angelo, le rappresentazioni dell'Oceano messo accanto ad un mostro marino con Giona riposto accanto ad un »cetus«, le rappresentazioni asimmetriche di una coppia con quella del divieto divino per Adamo ed Eva, e finalmente la non sicuramente interpretata scena di Mosè del vano 14 con le rappresentazioni della »adlocutio«. Questa dipendenza dal repertorio di motivi romani-pagani si estende in tal modo che qualche importante dettaglio di scene particolari differisce dal testo biblico oppure non è spiegabile attraverso questo, come per esempio in diverse rappresentazioni di Adamo ed Eva che sono dipendenti da rappresentazioni dell'episodio di Eracle con le Esperidi, oppure da cosidette scene dell'elisio. Due pitture nel tardo vano 14 a Cimitile (il giuramento di Giuseppe e la benedizione di Efraim e Manasse) al contrario sono collegate soltanto per alcuni »vocaboli figurativi« comuni con monumenti antichi non cristiani.

Per la tesi di una dipendenza delle rappresentazioni di Cimitile dall'arte della parte orientale dell'impero romano – espressa da H. BRANDENBURG – non ci sono punti d'appoggio nè nei modelli pagani nè negli esempi di paragone cristiani. Il legame apparentemente più stretto di una rappresentazione nel vano 14 (il giuramento di Giuseppe) col testo della »Vetus Latina« ne indica al contrario l'origine più probabile nell'ovest dell'impero romano, tanto più che anche un dettaglio della scena (il »torques«) si può attribuire forse all'influenza diretta di Paolino da Nola sulla composizione. Certi elementi figurativi di altre rappresentazioni in questo vano (il divieto divino per Adamo ed Eva) e nel mausoleo 13 (i Protoparenti dopo il peccato originale) fanno pensare parimenti ad un'origine del tipo figurativo nel territorio della penisola, oggi politicamente Italia.

Come uno dei risultati secondari di questo studio, nel contesto della questione dell'influenza di una prima illustrazione ipotetica della Genesi, si può addurre l'osservazione che anche la Genesi Cotton mostra delle formulazioni iconografiche di alcune scene di Adamo ed Eva che esistevano già nel terzo o all'inizio del quarto secolo d.C. nel repertorio figurativo pagano e cristiano e che in parte sono tramandate soltanto nella parte occidentale dell'impero romano.

Quindi la decorazione pittorica di straordinaria qualità dei due edifici sepolcrali 13 e 14 di Cimitile/Nola testimonia che la grande tradizione di pittura in Campania era attiva ancora nella tarda antichità e che questa regione ha prodotto anche in ambito cristiano delle importanti creazioni figurative autonome come recentemente ha anche potuto dimostrare U. FASOLA sulla base delle rappresentazioni della catacomba di S. Gennaro a Napoli.

VERZEICHNIS DER ABKÜRZUNGEN UND DER ABGEKÜRZT ZITIERTEN LITERATUR

Abkürzungen

AbhDüsseldorf	Wissenschaftliche Abhandlungen der Arbeitsgemeinschaft für Forschung des Landes Nordrhein-Westfalen (Köln/Opladen) bzw. Abhandlungen der Rheinisch-Westfälischen Akademie der Wissenschaften (Opladen)
AbhMainz	Akademie der Wissenschaften und der Literatur, Abhandlungen der geistes- und sozialwissenschaftlichen Klasse (Wiesbaden)
AGF NRW G	Arbeitsgemeinschaft für Forschung des Landes Nordrhein-Westfalen, Geisteswissenschaften (Köln/Opladen)
AmJournArch	American Journal of Archaeology (o. O.)
ArchAnz	Archäologischer Anzeiger (Berlin)
ArtBull	The Art Bulletin (New York)
ASTL	Archivio Storico di Terra di Lavoro (Caserta)
AthMitt	Mitteilungen des Deutschen Archäologischen Instituts, Athenische Abteilung (Berlin)
Boll. d'Arte	Bollettino d'Arte (Roma)
BonnJbb	Bonner Jahrbücher des Rheinischen Landesmuseums in Bonn und des Vereins von Altertumsfreunden im Rheinlande (Köln/Bonn/Kevelaer)
BullAntBesch	Bulletin van de Vereeniging tot Bevordering der Kennis van de antieke Beschaving te 's-Gravenhage (Leiden)
ByzZs	Byzantinische Zeitschrift (München)
CahArch	Cahiers Archéologiques (Paris)
CRAcInscr	Comptes rendus des séances de l'Académie des Inscriptions et Belles Lettres (Paris)
DACL	Dictionnaire d'archéologie chrétienne et de liturgie, publié par F. CABROL et H. LECLERCQ (Paris 1907–1953)
DenkschrWien	Österreichische Akademie der Wissenschaften, philosophisch-historische Klasse. Denkschriften (Wien)
DizPatr	Dizionario patristico e di antichità cristiane 1/2 (Roma 1983)
DOP	Dumbarton Oaks Papers (Washington D.C.)
EAA	Enciclopedia dell'arte antica, classica e orientale (Roma 1958–1966. 1973)
GazBA	Gazette des Beaux-Arts (Paris)
HELBIG, Führer⁴	W. HELBIG, Führer durch die öffentlichen Sammlungen klassischer Altertümer in Rom. Vierte, völlig neu bearbeitete Auflage, herausgegeben von H. SPEIER (Tübingen 1963–1972)
JbAC	Jahrbuch für Antike und Christentum (Münster)
JbInst	Jahrbuch des Deutschen Archäologischen Instituts (Berlin)
JbÖsterrByz	Jahrbuch der Österreichischen Byzantinistik (Wien)
JournRelHist	Journal of Religious History (Sydney)
JournWarbInst	Journal of the Warburg and Coutauld Institutes (London)
KairMitt	Mitteilungen des Deutschen Archäologischen Instituts, Abteilung Kairo (Wiesbaden)
KlPauly	Der Kleine Pauly. Lexikon der Antike. Herausgegeben von K. ZIEGLER und W. SONTHEIMER (Stuttgart 1964–1975)
LCI	Lexikon der christlichen Ikonographie. Herausgegeben von E. KIRSCHBAUM (Rom/Freiburg/Basel/Wien 1968–1976)
LexMA	Lexikon des Mittelalters (München/Zürich 1980ff)
MélÉcFrançRome Antiquité	Mélanges de l'École Française de Rome, Antiquité (Rome)
MemAmAc	Memoirs of the American Academy in Rome (Rome)

MemPontAcc	Atti della Pontificia Accademia Romana di Archeologia (Serie III). Memorie (Roma)
MWPr	Marburger Winckelmann-Programm (Marburg)
NotScav	Notizie degli Scavi di Antichità (Roma)
NuovBullArchCrist	Nuovo Bullettino di Archeologia Cristiana (Roma)
ProcAmPhilosSoc	Proceedings of the American Philosophical Society (Philadelphia)
PW	Paulys Realencyclopädie der classischen Altertumswissenschaft. Neue Bearbeitung. Herausgegeben von G. WISSOWA (Stuttgart 1893–1980)
RAC	Reallexikon für Antike und Christentum. Herausgegeben von TH. KLAUSER (Stuttgart 1950ff)
RBK	Reallexikon zur byzantinischen Kunst. Unter Mitwirkung von M. RESTLE, herausgegeben von K. WESSEL (Stuttgart 1966ff)
RDK	Reallexikon zur deutschen Kunstgeschichte. Herausgegeben von O. SCHMITT (Stuttgart 1937ff)
RGG³	Die Religion in Geschichte und Gegenwart. Handwörterbuch für Theologie und Religionswissenschaft. Dritte, völlig neu bearbeitete Auflage, herausgegeben von K. GALLING (Tübingen 1957–1965)
RendicNapoli	Rendiconti dell'Accademia di Archeologia, Lettere e Belle Arti di Napoli (Napoli)
RendicPontAcc	Atti della Pontificia Accademia Romana di Archeologia (Serie III). Rendiconti (Roma)
Rep.	Repertorium der christlich-antiken Sarkophage. Erster Band: Rom und Ostia. Herausgegeben von F. W. DEICHMANN, bearbeitet von G. BOVINI und H. BRANDENBURG (Wiesbaden 1967)
RevArch	Revue Archéologique (Paris)
RevBibl	Revue Biblique (Paris)
RevÉtLat	Revue des Études Latines (Paris)
RevHistRel	Revue de l'Histoire des Religions (Paris)
RivAC	Rivista di Archeologia Cristiana (Città del Vaticano)
RömMitt	Mitteilungen des Deutschen Archäologischen Instituts, Römische Abteilung (Mainz)
RömQS	Römische Quartalschrift für christliche Altertumskunde und Kirchengeschichte (Rom/Freiburg/Wien)
VetChr	Vetera Christianorum (Bari)
VigChr	Vigiliae Christianae (Amsterdam bzw. Leiden)
WMK	J. WILPERT, Die Malereien der Katakomben Roms (Freiburg 1903)
WMM	J. WILPERT, Die römischen Mosaiken und Malereien der kirchlichen Bauten vom IV. bis XIII. Jahrhundert (Freiburg 1916)
WS	G. WILPERT, I sarcofagi cristiani antichi = Monumenti dell'Antichità Cristiana 1 (Roma 1929. 1932. 1936)
ZAW	Zeitschrift für die alttestamentliche Wissenschaft und die Kunde des nachbiblischen Judentums (Berlin)
ZKG	Zeitschrift für Kirchengeschichte (Stuttgart)
ZNW	Zeitschrift für die neutestamentliche Wissenschaft und die Kunde der älteren Kirche (Berlin)
ZsKunstwiss	Zeitschrift für Kunstwissenschaft (Berlin)

Abgekürzt zitierte Literatur

(Die weitere benutzte Literatur ist in den Anmerkungen aufgeführt; vgl. auch o. S. 13₄₅)

Age of Spirituality. Late antique and early Christian art, third to seventh century. Catalogue of the exhibition at The Metropolitan Museum of Art, November 19, 1977, through February 12, 1978. Ed. by K. WEITZMANN (New York 1979)

BELTING, H., Die Basilica dei Ss. Martiri in Cimitile und ihr frühmittelalterlicher Freskenzyklus = Forschungen zur Kunstgeschichte und christlichen Archäologie 5 (Wiesbaden 1962)
– Studien zur beneventanischen Malerei = Forschungen zur Kunstgeschichte und christlichen Archäologie 7 (Wiesbaden 1968)

BORDA, M., La pittura romana (Milano 1958)

BRANDENBURG, H., Überlegungen zum Ursprung der frühchristlichen Bildkunst: Atti del IX Congresso Internazionale di Archeologia Cristiana, Roma 21–27 settembre 1975, 1 (Città del Vaticano 1978) 331/60

BRENK, B., Die frühchristlichen Mosaiken in S. Maria Maggiore zu Rom (Wiesbaden 1975) (zitiert BRENK, SMM)

CHIERICI, G., Di alcuni risultati sui recenti lavori intorno alla basilica di S. Lorenzo a Milano e alle basiliche paoliniane di Cimitile: RivAC 16 (1939) 59/72 = Atti del IV Congresso Internazionale di Archeologia Cristiana, 16–22 ottobre 1938, II (Città del Vaticano 1948) 36/47
– Sant'Ambrogio e le costruzioni paoliniane di Cimitile: Ambrosiana. Scritti di storia, archeologia ed arte pubblicati nel XVI centenario della nascita di sant'Ambrogio (Milano 1942) 315/331
– Cimitile: Palladio N.S. 3 (1953) 175/7
– Cimitile I. La necropoli: RivAC 33 (1957) 99/125
– Cimitile: Palladio N.S. 7 (1957) 69/73
– Metodo e risultati degli ultimi studi intorno alle basiliche paleocristiane di Cimitile: Rendiconti della Pont. Accad. Rom. d'Arch. 29 (1956/57 [1958]) 139/49
– Cimitile. La seconda fase dei lavori intorno alle basiliche: Atti del 3° Congresso Internazionale di Studi sull'Alto Medioevo, Benevento–Montevergine–Salerno–Amalfi 14–18 ottobre 1956 (Spoleto 1959) 127/37
– Cimitile: ASTL 2,2 (1959 [1960]) 159/69
– Art. Paolino: EAA 5 (1963) 940f

CHIERICI, G. / Red., Art. Cimitile: EAA 5 (1963) 538f

DASSMANN, E., Sündenvergebung durch Taufe, Buße und Martyrerfürbitte in den Zeugnissen frühchristlicher Frömmigkeit und Kunst = Münsterische Beiträge zur Theologie 36 (Münster 1973)

DECKERS, J. G., Der alttestamentliche Zyklus von S. Maria Maggiore in Rom. Studien zur Bildgeschichte = Habelts Dissertationsdrucke, Reihe Klassische Archäologie 8 (Bonn 1976) (zitiert DECKERS, SMM)

DORIGO, W., Pittura tardoromana (Milano 1966)

ENGEMANN, J., Untersuchungen zur Sepulkralsymbolik der späteren römischen Kaiserzeit = JbAC Erg.-Bd. 2 (Münster 1973)
– Zu den Apsis-Tituli des Paulinus von Nola: JbAC 17 (1974) 21/46

FABRE, P., Saint Paulin de Nole et l'amitié chrétienne = Bibliothèque des Écoles Françaises d'Athènes et de Rome 167 (Paris 1949)

FASOLA, U., Le catacombe di S. Gennaro a Capodimonte (Roma 1974)

FINK, J., Bildfrömmigkeit und Bekenntnis (Köln/Wien 1978)

FISCHER, B. (Hrsg.), Genesis = Vetus Latina 2 (Freiburg 1954)

FLEMMING, J., Die Ikonographie von Adam und Eva in der Kunst vom 3. bis zum 13. Jahrhundert, ungedr. Diss. Jena (1953)

GEBHARDT, O. VON, The miniatures of the Ashburnham Pentateuch (London 1883)

GERKE, F., Spätantike und frühes Christentum (Baden-Baden 1967)

GERSTINGER, H., Die Wiener Genesis. Faks. der griechischen Bilderbibel aus dem 6. Jh. n. Chr., Cod. Vindob. theol. graec. 31, I.II (Wien 1931)

GINZBERG, L., The legends of the Jews 1/6[7/10] (Philadelphia 1954/1959)

GRABAR, A., Die Kunst des frühen Christentums. Von den ersten Zeugnissen christlicher Kunst bis zur Zeit Theodosius' I. (München 1967)

HEMPEL, H. L., Zum Problem der Anfänge der AT-Illustration: ZAW 73 (1961) 299/302 = J. GUTMANN (Hrsg.), No graven images (New York 1971) 110/3

HESSELING, D. C., Miniatures de l'octateuque grec de Smyrne. Manuscrit de l'école évangélique de Smyrne = Codices graeci et latini photographice depicti duce Scatone de Vries, Suppl. 6 (Leiden 1909)

KAISER-MINN, H., Die Erschaffung des Menschen auf den spätantiken Monumenten des 3. und 4. Jahrhunderts = JbAC Erg.-Bd. 6 (Münster 1981)

KAUFFMANN, C. M., Art. Jakob: LCI 2 (1970) 370/83

KIRSTEN, E., Süditalienkunde 1. Campanien und seine Nachbarlandschaften (Heidelberg 1975)

KLAUSER, TH., Art. Engel X (in der Kunst): RAC 5 (1962) 258/322

KÖTZSCHE-BREITENBRUCH, L., Die neue Katakombe an der via Latina in Rom² = JbAC Erg.-Bd. 4 (Münster 1979)

KRAELING, C. H., The synagogue. With contributions by C. C. TORREY, C. B. WELLES and B. GEIGER = The Excavations at Dura-Europos, Final Report 8, 1² (New Haven 1979)

LIENHARD, J. T., Paulinus of Nola and early western monasticism = Theophaneia 28 (Köln/Bonn 1977)

MAZAL, O., Wiener Genesis. Vollfaks. des Codex theol. gr. 31 aus der Österreichischen National-bibliothek Wien (Frankfurt a. M. 1980)

MIELSCH, H., Funde zur Wandmalerei der Prinzipatszeit von 1945 bis 1975, mit einem Nachtrag 1980: Aufstieg und Niedergang der römischen Welt 2,12,2 (Berlin/New York 1981) 158/207

NEUMANN, G., Gesten und Gebärden in der griechischen Kunst (Berlin 1965)

OUSPENSKY, T., L'Octateuque de la bibliothèque du Serail à Constantinople = Iswestja des Russischen Archäologischen Instituts in Konstantinopel 12 (Sofia 1907)

PANI ERMINI, L., Testimonianze monumentali di Paolino a Nola: Atti del convegno XXXI cinquante-nario della morte di S. Paolino di Nola (431–1981), Nola, 20–21 marzo 1982 (Roma o.J.) 161/81

ROBERT, C., Die antiken Sarkophag-Reliefs 3,1/3. Einzelmythen (Berlin 1897/1919) (zitiert ROBERT, ASR)

SABATIER, P., Bibliorum sacrorum latinae versiones antiquae seu vetus Italica 1/3 (Paris 1739/1751)

TESTINI, P., Cimitile. L'antichità cristiana: L'art dans l'Italie méridionale. Aggiornamento dell'opera di Émile Bertaux sotto la direzione di Adriano Prandi 4 (Rome 1978) 163/176

TOSCANO, G./MOLLO, G., Contributo allo studio della basilica di San Felice in Pincis a Cimitile (sec. IV–V): 2° Convegno Gruppi Archeologici di Campania, Maddaloni 24–25 aprile 1981 (Napoli o. J.) 157/169

TSUJI, S., Un essai d'identification des sujets des miniatures de la Genèse de Cotton: »Bijutsushi«: Journal of the Japan Art History Society 66/67 (1967) 35/94

VENDITTI, A., Architettura bizantina nell'Italia meridionale 2 (Neapel 1967)

WALSH, P. G., Letters of St. Paulinus of Nola 1.2 = Ancient Christian Writers 35/36 (New York 1966 und 1967)

– Poems of St. Paulinus of Nola = Ancient Christian Writers 40 (New York 1975)

WEITZMANN, K., Illustrations in roll and codex. A study of the origin and method of text illustration = Studies in Manuscript Illumination 2² (Princeton, N.J. 1970)

– Spätantike und frühchristliche Buchmalerei (München 1977)

WIT, J. DE, Die Miniaturen des Vergilius Vaticanus (Amsterdam 1959)

ABBILDUNGSNACHWEIS

Abbildungen: *1* Kirsten, Campanien 610 Abb. 91; *2/3* Soprintendenza per i Beni Ambientali e Architettonici della Campania, Napoli; *4* Chierici: RivAC 33 (1957) 105 Fig. 3 (mit Ergänzungen des Verf.); *5* Chierici: RendicPontAcc 29 (1958) 141 Fig. 1 (mit Ergänzungen des Verf.); *6* Soprintendenza per i Beni Ambientali e Architettonici della Campania, Napoli (Neg.-Nr. B 1895); *7* Nachlaß Chierici (mit Ergänzungen des Verf.); *8* Chierici: RivAC 33 (1957) 116 Fig. 8; *9/14* Soprintendenza per i Beni Ambientali e Architettonici della Campania, Napoli (mit Ergänzungen des Verf.); *15/22* Verf.; *23* Nachlaß Chierici; *24* Chierici: RivAC 33 (1957) 119 Fig. 11 (mit Ergänzungen des Verf.); *25/27* Verf.; *28* G. Calza, La necropoli del porto di Roma nell'Isola Sacra (Roma 1940) Taf. III; *29/32* S. Schwitter; *33* J. Weber; *34* Nachlaß Chierici (Kompilation aus drei Zeichnungen).

Tafeln: *1a. b* Verf.; *2a* Nachlaß Gerke; *2b* Fotothek des Kunsthistor. Instituts, Mainz; *3a. b* ebd.; *3c. d* Verf.; *4* Verf.; *5a* Nachlaß Gerke; *5b* Verf.; *5c* Fotothek des Kunsthistor. Instituts, Mainz; *6a* Nachlaß Gerke; *6b. c* Verf.; *7a. c* Verf.; *7b* Fotothek des Kunsthistor. Instituts, Mainz; *8a. b. c. e. f. g* Verf.; *8d* Fotothek des Kunsthistor. Instituts, Mainz; *9* Verf.; *10a. b* Soprintendenza per i Beni Ambientali e Architettonici della Campania, Napoli (Neg.-Nr. B 1882; B 1890); *11/13* Verf.; *14a. b* Verf.; *14b* G. Urban; *15/22* Verf.; *23a* Verf.; *23b* Chierici, Sant'Ambrogio Taf. 48; *24/25* Verf.; *26a. b* Kaiser-Minn Taf. 34a. b; *27a* PCAS Mar S 9; *27b* Kaiser-Minn Taf. 35a; *27c* K. D. Dorsch; *28a* J. Wilpert: MemPont Acc 1,2 (1924) Taf. I; *28b* Kaiser-Minn Taf. 23a; *29a* Verf.; *29b* Wilpert aO. Fig. 4; *30a. c. e* Verf.; *30b* M. Sotomayor, Sarcófagos romano-cristianos de España (Granada 1975) Taf. 2,2; *30d* Sotomayor aO. Taf. 39,1; *30g* O. Demus, The mosaics of San Marco in Venice 2,2 (Washington 1984) Taf. 126; *31a. b* Demus aO. Taf. 123. 125; *31c* Bibliothèque Nationale, Paris; *31d* F. Mütherich / J. E. Gaehde, Karolingische Buchmalerei (München 1976) Taf. 20; *32a. b* Verf.; *32c* de Wit, Miniaturen Taf. 12,2; *33a* M. I. Rostovtzeff (Hrsg.), The excavation at Dura Europos (1934) Taf. 44; *33b* C. H. Kraeling, The Christian building (New Haven 1967) Taf. 31; *34a* H. Achelis, Die Katakomben von Neapel (Leipzig 1936) Taf. 7; *34b* Dt. Archäol. Inst., Abt. Rom, Neg.-Nr. 83. 1608 (Fotovorlage für Taf. 8 bei Achelis aO.); *35a* Th. Klauser, Frühchristliche Sarkophage in Bild und Wort (Olten 1966) Taf. 5,1; *35b* J. Jacopi: RömMitt 79 (1972) Fig. 2; *35c* Achelis aO. Taf. 4; *35d* H. P. L'Orange / A. v. Gerkan, Der spätantike Bildschmuck des Konstantinsbogens (Berlin 1939) Taf. 35f; *36a. b* Kaiser-Minn Taf. 16. 36b; *37a* A. de Franciscis: EAA 1 (1958) 125 Fig. 182; *37b* H. Cohen, Description historique des monnaies-médailles imperiales 2 (Paris 1880) 389 Nr. 1158; *37c* C. Robert, ASR 3, 1 Taf. 31,113c; *37d* Rep. Taf. 8,25a; *38a* Kötzsche-Breitenbruch, Via Latina Taf. 12d; *38b* Gerstinger, Wiener Genesis Pict. 23; *38c* Kaiser-Minn Taf. 38b; *38d* A. Kracher (Hrsg.), Millstätter Genesis und Physiologus Handschrift (Graz 1967) fol. 45ʳ; *38e* W. de Grüneisen, Sainte Marie antique (Rome 1911) 358 Fig. 287; *38f* Hesseling, Miniatures Nr. 111; *39a. c* Verf.; *39b* A. Effenberger u. a., Spätantike und frühbyzantinische Silbergefäße aus der staatlichen Ermitage Leningrad (Berlin 1978) Taf. 1; *39d* I. S. Ryberg. MemAmAc 22 (1955) Taf. 42, 89a; *39e* Weitzmann, Buchmalerei Taf. 21; *39f* R. Brilliant MemAmAC 29 (1967) Taf. 80a; *40a* Rep. Taf. 19,61; *40b* K. Weitzmann, Die byzantinische Buchmalerei des 9. und 10. Jh. (Berlin 1934) Taf. 85,534; *40c* Verf.; *40d* Gerstinger, Wiener Genesis Pict. 46; *40e* Hesseling, Miniatures Nr. 83; *40f* Tsuji, Genèse de Cotton Abb. 136; *41a* Biblioteca Apost. Vaticana, Reparto fotografico; *41b* Tsuji, Genèse de Cotton Abb. 147; *41c* G. Folena / G. L. Mellini, Bibbia istoriata padovana della fine del trecento (Venice 1962) Taf. 72, 281; *41d* Hesseling, Miniatures Nr. 143; *41e* C. R. Dodwell / P. Clemoes, The old English illustrated Hexateuch (Copenhagen 1974) fol. 69ᵛ; *41f* K. Stejskal (Hrsg.), Velislai Biblia Picta (Prag 1970) fol. 50ᵛ; *42a* Yale University Art Gallery, Dura-Europos Collection, Neg.-Nr. F-I-24; *42b* Verf.; *43a* Yale University Art Gallery, Dura-Europos Collection (Fotovorlage für Kraeling, Synagogue Taf. 74); *43b* ebd., Inv.-Nr. 1936.127.1 (von H. J. Gute); *44a* Kraeling, Synagogue Taf. 66; *44b* R. Horn: Samos 12 (1972) Taf. 86,142; *44c* A. Mercogliano; *44d* H. Sichtermann / G. Koch, Griechische Mythen auf römischen Sarkophagen (Tübingen 1975) Taf. 17,9; *44e* M. A. R. Colledge, The art of Palmyra (London 1976) Taf. 102; *44f* Biblioteca Apost. Vaticana, Reparto fotografico; *45a. b* Verf.; *45c* M. Ribbert; *45d* Bibliothèque Nationale, Paris; *45e* Tsuji, Genèse de Cotton Abb. 148; *45f* Gerstinger, Wiener Genesis Pict. 45; *46a* J. M. Tuchscherer / G. Vial, Le Musée Historique des Tissus de Lyon (Lyon 1977) Taf. 8; *46b*

Abegg-Stiftung Bern in Riggisberg, Inv.-Nr. 589; *46c* HESSELING, Miniatures Nr. 144; *46d* KÖTZSCHE-BREITENBRUCH, Via Latina Taf. 16d; *47a* CHIERICI, Sant'Ambrogio Taf. 50; *47b* Verf.; *47c* WMK Taf. 47,2; *48a* Dt. Archäol. Inst., Abt. Rom, Neg.-Nr. 83.1609; *48b* Verf.; *49a* Dt. Archäol. Inst., Abt. Rom, Neg.-Nr. 83.1605; *49b* WMK Taf. 233; *49c* Rep. Taf. 11,35; *50a* R. GARRUCCI, Storia dell'arte cristiana 6 (Prato 1880) Taf. 465,3; *50b* Verf.; *50c. d* Age of Spirituality Nr. 384. 465; *51a. b. e* Verf.; *51c* DEMUS aO. Taf. 169; *51d* KÖTZSCHE-BREITENBRUCH, Via Latina Taf. 5d; *51f* GERSTINGER, Wiener Genesis Pict. 6; *52a* KÖTZSCHE-BREITENBRUCH, Via Latina Taf. 15c; *52b* ebd. Taf. 9d; *52c* ebd. Taf. 25a; *52d* F. FREMERSDORF, Die röm. Gläser mit Schliff, Bemalung und Goldauflagen aus Köln 9 (1967) Taf. 298; *53a. b* Christlich Archäol. Seminar, Bonn; *53c* MÜTHERICH/GAEHDE aO. Taf. 43; *53d* Verf.; *53e* C. CAPRINO u. a., La colonna di Marco Aurelio (Roma 1955) Taf. 52,103; *54a* WMM 3 Taf. 31; *54b* W. F. VOLBACH, Elfenbeinarbeiten der Spätantike und des frühen Mittelalters[3] (Mainz 1976) Taf. 34; *54c* V. SCHULTZE, Die Quedlinburger Itala-Miniaturen (München 1898) Taf. 5; *54d* WEITZMANN, Buchmalerei Taf. 5; *55a* DE WIT, Miniaturen Taf. 24,1; *55b* Verf.; *55c* Christlich Archäol. Seminar Bonn; *56a* M. J. VERMASEREN, Mithriaca I (Leiden 1971) Taf. 9; *56b. d* Verf.; *56c* VERMASEREN aO. Taf. 21.

Den aufgeführten Einzelpersonen sowie den Vertretern der Institute, Museen und Altertümerverwaltungen, die Fotografien zur Verfügung stellten und deren Abdruck gestatteten bzw. die Publikationserlaubnis für Aufnahmen des Verf. erteilten, sei auch an dieser Stelle herzlich gedankt.

REGISTER

1. Stellenregister

a) Altes und Neues Testament

Gen 2,16f: 41f.59; 3,3: 42.59; 3,6f: 64; 3,8/10: 42; 24,1/3.9: 97; 32,23/33: 82_{272}.84; 41,42: 90_{316}.92_{328}; 47,29/31: 93; 47,31: 97_{348}; 48,1/20: 103f

Ps 104(103),26: 139_{580}

Job 2,11 (LXX): 91_{323}; 3,8 (LXX): 139_{580}; 40,25 (LXX): 139_{580}; 42,17e (LXX): 91_{323}

Weish 10,12: 84

Hos 12,3f: 82; 12,4f: 84

Jon 1,1/16: 135f; 2,1/11: 136; 3,1/10: 136; 4,1/11: 136

Mt 1,2/16: 115_{438}; 12,40: 136_{554}.147

Lk 3,23/38: 115_{438}

Hebr 11,21: 94_{338}.96_{345}

b) Jüdisch

Joseph-und-Aseneth-Roman 106/8

Midrasch GenRabba 104_{380}.108_{397}.109_{405}

Midrasch Jonah $139_{577/80}$.140_{582}

Midrasch NumRabba 104_{380}

Midrasch Tanchuma 105_{382}

Pesiqta Rabbati $105_{382.385}$.108_{397}.109_{405}

Pirqe de Rabbi Elieser 55_{116}

Targume zu Gen 48,14: 104_{379f}

Targum Pseudo-Jonatan 104f$_{381}$.108

Vita Adae et Evae 59_{141}

c) Christlich

Ambrosius, ep. 2(10),9: 89_{309}

Augustinus, civ. Dei 1,10: 23_{90}.25_{104}; 16,42: 105_{385}; c. Iulian. 5,2/6: 53_{111}; cur. mort. 16,19: 23_{90}; ep. 71,3: 138_{572}; ep. 82,5: 138_{572}; ep. 102,6,30f: 140_{582}; quaest. in hept. 1,136: 106_{390}; serm. 122,3: 84_{281}

Ausonius, epigr. 79,5: 21_{82}

Cassiodorus, var. 4,50: 24_{104}

Cena Cypriani 141_{586}

Cod. Theod. 14,10,2f: 86_{291}

Conc. Eliberritanum, cn. 36: 172_3

Constantinus Porphyrogenitus, adm. imp. 27: 24_{95}

Cyrill, com. in Jon 2,11: 141_{586}; glaph. Gen 6: $108_{398.400/2}$.129_{523}

Gregorius Magnus, dial. 3,1: 23_{94}

Hieronymus, ep. 64,10: 85_{285}

Hilarius, in Ps 59,10: 115_{438}

Hippolyt, bened. Isaac et Iacob 26: 105_{385}

Iordanes, Getica 156: 23_{90}

Isidor, etym. 19,22,29: 85_{285}; 19,31,11: 89_{313}

Georgios Kedrenos, hist. compend. P. 38: 94_{338}

Laktanz, mort. pers. 26,7: 22_{85}

Novatian, trin. 112/4: 84_{281}

Origenes, c. Cels. 7,53: 138_{573}.141_{583}; in Gen 41,45: 106_{390f}; in Gen hom. 1: 115_{438}

Passio antiquior SS. Sergii et Bacchi 89_{310}

Paulinus von Nola, ep. 5,13f: 22_{86}; 5,19: 128_{516}; 13,11f: 37_{183}; 15,3: 22_{85}; 19,1: 173_7; 23,41: $129_{522f.525}$; 23,44: 60_{148}; 24,8: 129_{524}; 29,1: 60_{148}; 30,4: 60_{148}; 31,4f: 37_{183}; 32,9: 166_{677}; 32,10: 37_{183}.166_{677}; 32,12: 173_{10}; 32,13: 33_{155}.37_{183}; 32,15: 33_{156}.37_{183}; 32,16: 173_{10}; 32,17: 166_{677}; 46,3: 129_{522}; 47,2: 129_{522}; 49,10: 147_{619}; carm. 14,97f: 20_{76}; 15,108/361: 18_{66}; 15,221: 18_{65}; 16,229f: 18_{65}; 16,229/53: 18_{66}; 16,237/42: 18_{65}; 16,298: 18_{68}; 18,92: 17_{60}; 18,110: 18_{68}; 18,119/55: 18_{70}; 18,131/7: 20_{78}; 18,167/76: 19_{72f}; 18,178: 37_{183}; 19,477/80.531/4: 173_{10}; 21,60/3. 89. 203/6. 266/9. 281. 326/30. 477/80: 22_{87}; 21,148f: 18_{69}; 21,533: 18_{68}; 21,574: 19_{72}; 21,586/624: 17_{60}; 21,621/5: 20_{76}; 21,636f: 17_{60}; 23,85f: 20_{76}; 24,205: 147_{619}; 24,783f.791/4.813: 99_{361}; 27,360: 20_{78}; 27,370/84.393f: 37_{183}; 27,382: 33_{156}; 27,542/4: 172_3; 27,511/635: 165_{673}; 27,608f.620/9: 166_{675}; 28,15: 173_{10}; 28,15/27.171/9: 165_{673}; 28,171/4: 165_{674}; 28,196/213: 37_{183}; 28,266: 20_{78}

Paulus Diaconus, hist. misc. 14: 21_{82}.24_{95}

Philostorgius, hist. eccl. 12,3: 23_{90}

Procopius, b. Vand. 1,5: 24_{96}

Prudentius, ditt. 4: 64_{172}.71_{220}

Rufinus, apol. 2,39: 138_{572}

Schatzhöhle 55_{116}

Tertullian, de bapt. 8,2: 115_{439}; idol. 18,2: 92_{330}

Uranius Presb., ep. 1: 20_{75}.173_7

Zonaras, ann. 1,10: 92_{330}

2. Allgemeines Register

Abraham
- Opfer $126_{506}.152_{636}$
- Schwur des Oberknechtes 97_{351}

Adam und Eva
- Verbot Gottes 55.57/61
- Sündenfall
- - Adam, sich abwendend 43_{32}; fruchtpflükkend $72_{229}.74_{239}$
- - Anordnung, asymmetrische 43f.48/53. 53_{108}; symmetrische 71_{222}
- - mit Baum ohne Früchte 49_{80}. 52_{103}
- - ohne Baum 63.71
- - Bedecken der Scham, ohne Blätter 50_{91}; mit einem Blätterschurz $70f_{219}$; mit beiden Händen 50_{89}
- - mit Beifiguren (im 4. Jh.) 54f
- - Eva, fruchtpflückend (zusammen mit Adam) 72_{229}; Frisur $71_{221.223}$; in Haltung der Venus pudica $74f_{237f.242f}$
- - von Herakles-Hesperiden-Szenen abhängig $72_{230}.74f_{242}$
- - mit Schlange (neben einem Baum) 40_{14}. $65f_{181}$
- - ohne Schlange $51_{103}.69f$
- Gott ruft (nach dem Sündenfall) 55/7.60
- Arbeitszuweisung $54_{113.115}.55_{117}$
- Vertreibung $54_{113}.61_{150}$

Aemilius 22_{87}
Alarich $23f_{102}$
Albina 22_{87}
Alexandria, Grabmalerei (Jonasruhe) $138_{575}.146_{610}$
Alkestis, Sterbeszene auf Sarkophagen 125f
Amalekiterschlacht 157_{651}
Ambrosius 172_3
Anastasius (Märtyrer) 22_{75}
Anastasius (Papst) 22
Antoninus-Pius-Medaillon, Herakles bei den Hesperiden $73_{234}.74$ (Taf. 37b)
Aquileia, Bodenmosaik der ›Südhalle‹ (Jonasdarstellung) 146_{613}
Archelais 20_{80}
Aseneth, in der Kunst $119_{469}.120/2$; in der Literatur 104/8
Asklepia 20

El-Bagawat, ›Exodus‹-Mausoleum, Kuppelmalereien
- Adam und ZΩH 42_{23}
- Jonasschiff 144_{601}
Baiae, ›Sosandrathermen‹ (Portikusmalereien) 169f
Bedeutungsgröße $74_{240}.114_{434}.119_{464}.167$

Begegnungsszenen 83_{277f}
Berlin (West)
- Staatsbibl., Probianus-Diptychon 168 (Taf. 54b)
- Staatl. Museen, Frühchristl.-Byzant. Slg.
- - Holzdeckenkassette 87_{295}
- - Tonschale (Inv. nr. 10/72), Jonasszenen 145_{607f}
Bildthemen, theologische Einflüsse $75_{245}.92_{323}.165_{670}$
Blütenstreumuster in Grabmalereien 147_{614}
Bote, göttlicher 87_{295f}
Botenkostüm $85_{284}.87f$
bracae $85_{285f}.86_{291}$
Brescia, Museo Civico Cristiano
- Lipsanothek
- - Jakobsepisoden $79/81.84_{281}$
- - Transfiguration 158_{655}
- Kapitell aus S. Salvatore (Jakob-Engelkampf) 88_{302}

Campanien
- im 3. Jh. nC. $36_{180}.170_{701}$
- im 4. Jh. nC. $21f_{85}$
- Juden $127f_{516}$
Capua Vetere
- Baptisterium der »basilica costantiniana«, Mauerwerk 29_{128}
- S. Maria Maggiore, Jonasmosaik in Grabkammer des Symmachus 173_4
- Mithräum, Malereien $196_{696}.170_{700}$
- S. Prisco, Kuppelmosaik mit Darstellung des hl. Felix 21_{84}
Chlamys, purpurfarben 84/6
Christus, in einem kürzeren Gewand 58_{138}
Christus-Logos $54f_{115}$
Cimitile (s. auch Nola)
- Arkosolformen in den Grabbauten $30_{138}.35_{175}$
- »aula« über dem Felixgrab (mit NT-Szenen) $15_{56}.33_{156}.37_{183}.166_{674}$
- Neue Basilika des Paulinus
- - AT-Zyklus $165_{673f}.174_{11}$; Adam-und-Eva-Szene 166_{675}; Jakob auf der Flucht vor Esau 99.166_{675}; Joseph flieht vor der Frau des Potiphar 99.166_{675}
- - Errichtungszeitraum 99_{359}
- - Nebenräume (Funktion) 173_{10}
- - Seitenapsis 173_9 (Funktion); 34 (Mauerwerk)
- Bogen »16«
- - Graffiti 16_{59}
- - Malereidekoration 15_{56}

– cancelli über dem Felixgrab $20_{76}.33$ (Abb. 34)
– ›Felixgrabbau‹ (Bau »A«) $15/20.32$f
– – Bischofsgräber 18_{65}
– – Errichtungszeitraum 19_{72f}
– – Felixgrab 16/20
– – Malereidekoration 16
– – Marmorplatte mit Darstellung eines Tierträgers $16f_{60}$
– – höher gelegenes Ziegelgrab (Datierung) 32f
– Grabbauten »B« und »C« $15/7.19$f
– – Bischofsgrab in »B« $18_{65}.32_{153}$
– – Malereidekoration $15f.147_{614}$
– – retro sanctos $17f_{64}.20_{75}$
– Grabbau »2« $30_{138}.34$f
– Grabbau »10« $16_{59}.29.30_{139}.31f_{148}.34$; Malereiausstattung 29_{132}
– Grabbau »11« 29/34; Malereiausstattung $29f_{133}.78_{258}.147_{614}$
– Grabbau »12« $29f.33$f
– Grabbau »13« $25/8.35$f
– – ›Basilica dei Ss. Martiri‹ $7/9.32.37.73_{230}$
– – mittelalterliche Blockaltäre 34_{169}
– – Datierung $29f.35f.162$
– – Eingangsanlage (mit Malerei) 26_{111}
– – späte Gräber $27f_{122}$
– – Malereiausstattung $27f_{125}$ (allgemein). 61/4 (Adam und Eva). 130/2 (Jonas). 148/51 (Noe?); Entstehungszeit $162f.170$; Stil 168/70
– Grabbau »14« $29/35.78$
– – ›Cappella di S. Giacomo Apostolo‹ 32.159
– – Datierung $29f.32/5.161$f
– – Malereiausstattung 31.172 (allgemein). $133.135.147_{614}$ (Blütendekor in Arkosolien). 38/41 (Adam und Eva). 76/9 (Josephs Schwur). 100/3 (Jakobssegen). 132/5 (Jonasbilder). 151f (Abrahamsopfer?). 152f (Josephsepisode mit Wagen?). $153f_{645}$ (Totenerweckung nach Ez 37?). 154/8 (›Lied‹ des Moses?). 158f (thronende Gewandfigur). 159f (undeutbare Reste). 160f (Gestalt neben Gegenständen?). 161 (Zeltdarstellung?); ›Bildprogramm‹ 129.147.173; Entstehungszeit 163/6. 172_5; Künstler 173_8; Malvorlagen 172_4; Stil 166/8
– späte Gräber in »10/14« 31.134_{545}
– Grabbau »15« $15_{55}.30_{138}.34.36_{175}$
– Grabbau »x« $8_6.29_{127.132f}$ (Malerei). $30_{137.139}.34.36_{176}$
– Gräber, ›pagane‹ $14_{46}.33_{159}$; christliche 33_{159}
– Inschriften
– – in Bauten des Paulinus 165_{671}
– – von Gräbern (4./6. Jh. nC.) $20_{81}.24_{104}.34f_{170f}$

– Kirchenkomplex $8f.21_{84}.37_{183}$; AT/NT-Bilder $165_{673f}.172_3.174_{11}$
– Namensform 7_1
– Nullpunkt CHIERICIS, Lage 16_{60}
– Pfarrkirche des 18. Jh., Datierungsanhaltspunkt 15_{54}
– Totenmahlrelief 126_{508}
Cleveland-Statuetten $140_{582}.143_{597f}.176_{19}$
Constantine, Privatbesitz, Tonschale mit Jonasszenen 75_{242}
Cotton-Genesis-Rezension (s. auch Handschriften, London) $56_{123f}.57_{125}.59_{139}.95_{340}$
Cyrill von Alexandria 108
Cynegius $25_{104}.166_{675}$

Dal Pozzo, Zeichnung eines Herakles-Sarkophags (Taf. 37c) 73f
Darstellungen, narrative (in der frühchristl. Kunst) $52_{104}.60_{148}.172_4$
Deckenmalereien des 2./3. Jh. nC. 66/8
Dura-Europos
– ›Baptisterium‹, Malereien (Adam und Eva) 65f.70/2
– Synagoge, Malereien
– – Salbung Davids 100.103
– – Segnungen Jakobs $98_{353}.109/18.120.122_{485}.123_{487.490}.124/8$; Vorlagen $116_{442}.124_{498}$

Egeria 106_{390}
Engeldarstellungen $55_{116}.84.87f.90$
Ephraim und Manasse (Darstellungsweise) 115. $117/9.121.122_{485}.124_{497}.128_{521}$
Erstillustrationen biblischer Texte 110.126/8. 174_{12}
Eunomia 22_{87}

Felix von Nola
– Auffindung des Grabes (1955) $16f_{60}$
– Bestattung 18_{68}
– Confessor 20_{75}
– Mosaikdarstellungen 21_{84}
– Reliquien $16f_{60}$
– Todeszeit $18_{68/70}.19_{73}$
– Vita $18_{66/9}$
feminalia 85_{285}
foramina in Grabplatten $16f_{60}$

Geiserich 23f
Gestik
– Abwehr $64_{169}.69_{204}.73_{235}.74f_{242f}$
– deiktische Gesten $45_{47}.69_{202}.74$
– dextrarum iunctio 43_{27}
– Erschrecken 50_{87}
– Frieren 51_{95}

– Handauflegung als Segensgeste 103.112/5. 117_{449}.118.120/2
– Nachdenken (Zweifel, Ratlosigkeit) 119_{468}. 121_{480}
– Redegesten 74_{24}.167
– Ringergriffe $79f_{264f}$
– Schamgestus 50/4
– Schwur 93.95
– Segen 82_{271}.83_{279}
– Überraschung 47_{60}
– Verlegenheit 57_{128}.119_{468}
Gottvater 56_{116}.$58_{135.138}$
Gregor Thaumaturgos 20_{75}

Handschriften
– Amiens, Bibl. munic., Cod. Lat. 108 (Pamplona-Bibel), fol. 36^r: 95_{340f}.96_{342}
– Berlin (Ost), Deutsche Staatsbibl., Cod. theol. lat. fol. 485 (Quedlinburger Itala) 166/8 (Stil)
– Istanbul, Serail-Bibl., Cod. 8 (Oktateuch), fol. 90^v: 97_{351}; fol. 114^v: $82f_{276}$; fol. 140^v: 95_{340}.96_{344}.98_{352}; fol. 141^v: 124_{496}
– Klagenfurt, Museum Rudolfinum, Cod. VI,19 (Millstätter Genesis), fol. 45^r: 81_{270}; fol. 75^v: 95_{340}.$96_{342.344}$.98_{352}; fol. $76^{r/v}$: 123_{486}
– London, British Library
– – Add. 10546 (Grandval-Bibel), fol. 5^v: 57/9. 61
– – Cotton Claud. B IV (Aelfric-Paraphrase), fol. 69^v: 95f.98; fol. 70^v: 121_{479}
– – Cotton Otho B VI (Cotton-Genesis) 56_{122f}. 61_{151} (Archetyp); 43_{32}.52_{104} (mögliche Vorlagen); 92_{329}.96_{346} (Josephsszenen); fol. 24/9: 84_{284}; fol. $63^{r/v}$: 79_{263}; fol. 90^r: 122_{481}; fol. 106/34: 94_{339}.120_{474}
– – Royal 2 B VII (Queen Mary's Psalter), fol. 19^v: 95_{340f}.96_{342}.98_{357}
– München, Bayer. Staatsbibl., gall. 16 (Königin-Isabella-Psalter), fol. 45^v: 96_{346}
– Oxford, Bodleian Library, Cod. 270b (Bible moralisée), fol. 33^v: 95_{340}.96_{342}.98_{352}
– Paris, Bibl. Nationale
– – gr. 543, fol. 116^v: 59_{139}
– – gr. 510 (Homilien des Gregor von Nazianz) 174_{12}; fol. 69^v: 90_{316}; fol. 174^v: 82_{273} (Taf. 38c)
– – gr. 1208 (Homilien des Mönches Jakobos) 58_{136}
– – lat. 1 (Vivian-Bibel), fol. 10^v: 57
– – nouv. acq. lat. 2334 (Ashburnham-Pentateuch), fol. 25^r: 98_{354}; fol. 44^r: 107_{395}; fol. 50^r: 92f.122/4.128_{520}.174_{12}
– Prag, Universitätsbibl., Cod. XXIII C 124 (Velislav-Bibel), fol. 50^v: 95_{340}.96_{342}.98_{358}; fol. 51^r: 96_{343}

– Rom, Abtei von S. Paolo f.l.m. (Bibel von S. Paolo f.l.m.), fol. 50^v: 157_{653}
– Rovigo, Accad. dei Concordi, Cod. 212 (Bibel), fol. 33^v: 96_{346}; fol. 36^v: 90_{316}.95_{340}.96_{346}
– ehemals Smyrna, Evang. Schule, Cod. A I (Oktateuch), fol. 36^r: 97_{351}; fol. 46^{v}II: 82f; fol. 58^r: 95_{340}.$96_{342/4}$.98 (Taf. 41d) ; fol. 58^v: $116f_{449}$.119.123 (Taf. 46c)
– ehemals Straßburg, Bibl. Nationale, Hortus Deliciarum (Harrade de Landsberg), fol. 17^r: 59_{139}
– Vatikan, Bibl. Apostolica
– – Barb. lat. 4406 (Nachzeichnungen von Malereien in S. Paolo f.l.m.) 56.57_{132}. 58_{135}.60_{145}.152
– – Vat. gr. 746 (Oktateuch), fol. 58^r: 151_{634}; fol. 108^v: 82f; fol. 109^r: 83_{278}; fol. 134^v: 95_{340}. $96_{342.344}$.98_{352}; fol. 135^r: $116f_{449}$.119; fol. 136^r: 124_{496f}
– – Vat. gr. 747 (Oktateuch), fol. 31^v: 151_{634}; fol. 55^r: 82_{274}; fol. 66^v: 95_{340}.96_{343f}.$116f_{449}$.118. 123; fol. 67^v: 115.124_{496f}
– – Vat. gr. 749, fol. 38^r: 91 (Taf. 40b)
– – Vat. gr. 1162 (Homilien des Mönches Jakobos) 58_{136}
– – Vat. lat. 3225 (Vergilius Vaticanus) 166/8 (Stil); pict. 20: 125_{500}.127_{514}; pict. 33: 51_{96}; pict. 36: 80_{266}.93; pict. 48f: 93_{333}
– Wien, Österr. Nat.-Bibl., Cod. theol. gr. 31 (Wiener Genesis) 42_{23}.107_{394f}.$108f_{403f}$.174_{12}; pict. 23: 79/81.84_{281}; pict. 32: 86_{290}; pict. 36: 89_{312}; pict. 45: 120/4.126; pict. 46: 97_{349}; pict. 45/8: 89_{311}
Herakles bei den Hesperiden 72/5
Hildesheim, Dom, Bronzetür, Vertreibungsszene 61_{150}
Hosen
– knielang 85f.93_{333}.164
– knöchellang 86.93_{332}.164
Huna, R. 109_{405}

Ischia, S. Restituta, Sockelmalerei 171_1
Istanbul, Theodosiusobelisk, Relief der Basis 89_{312}.165 (Taf. 39c)
Italien 61.176

Jairus' Tochter, Erweckung 126_{506}
Jakob (s. auch Joseph)
– Typus 93.95f.98.117
– Flucht vor Esau 99.166_{675}
– Ringkampf mit dem Unbekannten
– – christliche Deutung 84_{281}
– – antike Denkmäler 79/81.83_{277}.84
– – mittelalterliche Beispiele 81/3.88_{302}
– – Vorlagen 79_{264}.80_{266}.81_{270}.82_{274}

– Segnung Ephraims und Manasses
– – jüdische Interpretationen 104/9.113$_{425}$. 115$_{438}$
– – christliche Deutungen 108.109$_{404}$.113$_{425}$. 118$_{458}$.129
– – antike Denkmäler 109/23.128
– – mittelalterliche Beispiele 110.116f.117$_{448}$. 121$_{478}$.123
– – Vorlagen 115f.119$_{469}$.124$_{498}$.125f.127$_{511.514}$
– Segnung der Söhne 122f$_{486.489}$.124$_{496f}$. 124$_{498}$ (Vorlage)
– Tod 94.124$_{496}$
Job 91f$_{322/4}$.154$_{644}$.174$_{11}$
Jonas
– Archetyp 137$_{563}$.142$_{593}$
– Ausspeiung, Vorbilder 144$_{604}$
– bekleidet 137$_{560}$.140$_{582}$
– Bußpredigt 137.150
– Darstellungen, ›jüdische‹ 142$_{591}$
– Einfluß jüdischer Text- oder Bildquellen 139$_{577f}$.140$_{582}$.141$_{586}$
– Heros, christlicher 140f$_{583}$
– kahlköpfig 141$_{584/6}$.144f
– Meerwurf
– – früheste Monumente 143$_{597}$
– – spätere Darstellungen 143$_{598}$
– – mit den Füßen zuerst verschlungen 143$_{597f}$
– – Ketos/Fisch 136$_{554}$.139$_{580}$; Vorlagen 144$_{603}$
– – Schiffsdarstellung 143f; Vorlagen 144$_{603}$; vier Seeleute 144$_{601}$
– Nacktheit 138.140$_{582}$
– Ninive 137$_{560}$
– auf Reliefkeramik (nordafrikanischer) 141$_{584}$. 143$_{595}$.145$_{605/8}$
– Ruheszene
– – mit Beifigur 150$_{630}$
– – sepulkrale Bezüge 141f$_{589}$.147
– – Efeu 136$_{556}$.138$_{570}$
– – halb sitzend 146$_{610f}$
– – Hervorhebung der Ruheszene 143$_{595}$.147
– – mit Ketos (auf pagane Vorbilder zurück-gehend) 138$_{575}$.146
– – Kürbislaube/-staude 138$_{570f}$
– – ›Kürbispflanze‹ 136$_{556}$.138$_{570.572}$.139
– – waches Lagern 137f.145$_{609}$
– – Vorbilder 137$_{568}$
– – Zeichen der Auferstehung Christi 147$_{619f}$
Joseph, Patriarch (s. auch Jakob, Segnungen)
– Typus 92f
– Episoden mit Wagen 153$_{642f}$
– Flucht vor der Frau des Potiphar 99.166$_{675}$
– Schwur vor Jakob 94.98f (in Antike); 95/8 (im Mittelalter)

Juden und Christen (Kontakte, Beeinflussungen) 106f$_{390/3}$.108$_{401}$.113$_{425}$.115$_{438}$.127f.139$_{577}$.140$_{582}$. 141$_{586}$.175
Julianus von Aeclanum 53$_{111}$

Kain und Abel 55$_{116}$.150
Klinenmahldarstellungen 115f.125.126$_{508}$
Köln, Röm.-German. Museum
– Glasschale mit Adam-und-Eva-Darstellung 44. 52f.61$_{151}$
– Tonschale mit Jonaszyklus 145$_{607}$

Leningrad, Ermitage, ›Schale Constantius' II.‹ 86$_{291}$.88/90.165 (Taf. 39b)
Leptis Magna, Severusbogen
– ›Genius Senatus‹ 84$_{282}$
– Viktorien 67$_{193}$
Linksläufigkeit von Bildzyklen 129$_{526/8}$.175$_{12}$
London, Brit. Museum
– Elfenbeintafel mit Jakobssegen 117$_{448}$.121$_{478f}$. 122$_{486}$.124$_{496}$
– Goldglasschale von St. Ursula (Köln), AT-Szene (Ez 37) 154 (Taf. 52d oben)
Lyon, Musée Hist. des Tissus, koptischer Stoff 96.121f.123$_{492}$

Marusinac, Mausoleum der Asklepia 20$_{75}$
Märtyrer, 40 (von Sebaste) 51$_{95}$
Mailand
– S. Aquilino, Wandmosaiken 172$_3$
– Dom, Schatzkammer, Silberkasten von S. Nazaro 85$_{284}$
Mainz, Röm.-German. Zentralmuseum, Ton-schalen mit Jonasszenen 145$_{607f}$
Maximianus Herculius 22$_{85}$
Melania die Jüngere 22$_{87}$.24$_{99}$
Menschenpaardarstellungen, pagane 42.44/53
Merkur 87$_{296}$
Moses
– Amalekiterschlacht 154.157
– Durchzug durch das Rote Meer 153
– ›Lied‹ 157f$_{652/4}$
– Sandalen lösend 158$_{264}$
Monreale, Kathedrale, Mosaiken 56$_{120}$.82$_{273}$.88$_{302}$

Neapel
– Dom, Baptisterium, Mosaiken 163f.168
– Januariuskatakombe
– – Adam und Eva 66.68/75 (Ikonographie); 168/70 (Stil)
– – Christus 58$_{138}$ (Taf. 32)
– – Deckenmalerei 66/9
– – Jonasdarstellungen 146$_{611}$
– S. Restituta, Reliefplatten mit Josephsszenen 96$_{346}$.153$_{643}$

Nicosia, Cyprus Museum, Silberplatte mit Darstellung eines Boten 87
Nimbus, goldener 58.87_{295}
Noe
- Segen 120_{473}
- Trunkenheit 150f
Nola (s. auch Cimitile)
- Entwicklung im 4. Jh. nC. 21_{82}
- Kirchengemeinde im 3. Jh. $18_{65}.20_{80}$
- Monumente aus dem 2./3. Jh. nC. $20_{80}.36_{180}$
- Schäden durch Vesuvausbruch 24_{104}
- Verwüstung durch die Westgoten 23f
- angebliche Zerstörung durch die Vandalen 23f
- Zenturiation des Gebietes 14

Oktateuch-Rezension $82_{273f}.83.95_{340}.96_{344}.97.110.116.117_{448/50}.120.123/8$
opus listatum (in Cimitile) $29_{128}.34$
Orientierung von Gräbern $29_{130}.33_{159}$
Ostia, Isola Sacra, Grabbauten 36_{178}

Palermo, Cappella Palatina, Mosaiken $56_{120}.82_{273}$
Palmyra, Totenmahldarstellungen 116_{442}
Pankration 80_{264f}
Paris, Louvre, Relieffragment aus der Villa Albani (Rom) $42_{25}.72$
Paulinus von Nola
- Bauaktivitäten $15_{56}.21_{84}.37_{138}.99_{359}.165f$
- Gefangennahme durch die Westgoten 23_{90}
- Mönchsgemeinschaft 22_{87}
- Pilgerfahrten nach Rom $22f_{88}$
- gesellschaftliche Position $21f.23_{88}$
Paulinus iunior 24
Pinianus, Valerius 22_{87}
Prudentius, ›Bildbeschreibungen‹ $64_{172}.71_{220}$

Quodvuldeus-Epitaph $34f_{170/3}$

Riggisberg, Abegg-Stiftung Bern, koptischer Stoff $96.121/3.124_{496}$
Ringkampf, in der Antike $79/82_{264/7.270.274}$
Rom
- Aurelierhypogäum
- - Cubiculum mit Adam-und-Eva-Darstellung $46/8.51_{103}$ (Ikonographie); 168f (Stil); 168_{694} (Mauerwerk)
- - Kammer III, Malerei $44_{37}.47_{67.69}$
- Callixtuskatakombe, Jonasbilder in den ›Sakramentskapellen‹ A 3: 137_{560}; A 6: 135.144 (Taf. 47c)
- Caracallathermen, Deckenmalerei des darunterliegenden Hauses $67f_{195}$
- Cyriaka-Katakombe, Jonasbild 142_{589}

Kapitolin. Museum, ›Kapitolin. Venus‹ 50.74 (Taf. 37a)
- Katakombe SS. Pietro e Marcellino
- - Kammer 51 (NESTORI), Deckenmalerei mit Jonaszyklus 135.143f (Taf. 49b)
- - Kammer 57f (NESTORI), Wandmalereien (Adam und Eva) 69_{209}
- Konstantinsbogen, Darstellungsdetails 67. $86_{291}.88_{306}$
- Lateran
- - Deckenmalerei unter S. Giovanni 66_{185}
- - ›Konstantinskreuz‹ $56_{120}.58_{132}.81_{270}$
- S. Maria Antiqua, AT-Bilder $82_{271}.83_{279}$ (Segnung Jakobs durch den Engel); 174_{12} (Josephsszenen)
- S. Maria Maggiore, Mosaiken
- - Amalekiterschlacht 154.157
- - ›Lied‹ des Moses 157
- - Stil 166/8
- - Wiedergabe von Hosen 93_{333}
- Marc-Aurel-Säule, Adlocutio 157 (Taf. 53e)
- ehemals Museo Kirchereano, Frgm. einer Tonschale mit Jonasszene 145 (Taf. 50a)
- Grab der Octavia Paulina, Elysium 45_{47}
- ›Pincio-Grab‹, Unterweltsdarstellung 44_{39}
- Praetextatkatakombe, Januariuskammer, Jonas' Meerwurf 143_{597}
- Priscillakatakombe, Cappella greca, Malereien $11_{f33}.30_{133}$
- San Sebastiano-Katakombe, Loculusmalerei $44/6.51_{103}.53$
- Severusbogen, Darstellung des Kaisers mit seinem Gefolge 85 (Taf. 39f)
- Vatikan-Nekropole, Juliergruft, Jonasbild 143_{598}
- via Latina-Katakombe
- - Kammer A: $74f_{242}$ (Adam und Eva); 157.168 (›Lied‹ des Moses); $150f_{632f}$ (Noes Trunkenheit)
- - Kammer B: 61_{150} (Vertreibung Adams und Evas); $118_{461}.148.150$ (Kain und Abel); 117f. $120.123.126.127_{514}$ (Jakobssegen)
- - Kammer C: $50.74f_{242}$ (Adam und Eva; Taf. 30c)
- - Kammer F: 154_{644} (Samson erschlägt die Philister; Taf. 52c)
- - Kammer M: 71_{224} (Adam und Eva)
- - Kammer N: 90 (Taf. 40c; Sitzmotiv des Admet)

Samos-Vathy, Museum, Totenmahlrelief 125_{499} (Taf. 44b)
Samson erschlägt die Philister 71_{224}
Sarkophage

– Aire-sur-l'Adour, Église Sainte Quitterie (S. von Le Mas d'Aire) 70f (Adam und Eva); 143$_{597}$ (Jonas)
– Arles, Musée d'art chrétien
– – Deckel mit Adam-und-Eva-Szene 54.72$_{229}$ (Taf. 30a)
– – zweizoniger Fries-S. mit Adam-und-Eva-Darstellung 75$_{242}$
– Brescia, Museo Civico Cristiano, S.frgm. mit Darstellung Jobs 91f$_{323}$
– Cimitile, S. Felice
– – Endymion-S. 14$_{46}$
– – Persephone-S. 14$_{46}$
– London, Brit. Museum, Jonas-S. 138$_{570}$.145$_{609}$
– Madrid, Real Acad. de la Historia (S. aus Layos), Adam-und-Eva-Darstellung 51.74$_{239}$ (Taf. 30b)
– Narbonne, Musée lapidaire, S.frgm. mit Hirtenszene 79$_{263}$
– Neapel, Museo Nazionale, Cyriaka-S.deckel (Adam und Eva) 69$_{209}$
– Nola, Landgut, kleinasiatischer S. 20$_{80}$
– Paris, Louvre
– – Baum-S. mit Segensszene 118.120 (Taf. 45c)
– – Prometheus-S. aus Arles, Menschenpaardarstellung 43.51$_{103}$
– Rom
– – Callixtuskatakombe, S.frgm. (Rep. 1 nr. 397) 118$_{462}$ (Abrahamsszene?); 118/21.123.125f.128 (Jakobssegen)
– – Coemeterium des Marcus und Marcellianus, S.deckel mit Adam-und-Eva-Szene (Rep. 1 nr. 636) 43$_{31/3}$.52$_{104}$
– – Kapitolin. Museum, Prometheus-S. 43$_{32}$. 48/51. 70$_{218}$
– – Museo Nazionale 143$_{597}$ (S.deckel mit Jonasszene; Rep. 1 nr. 795); 158$_{654}$ (polychrome Frgm.; Rep. 1 nr. 773a/b)
– – San Sebastiano-Katakombe, Fries-S. mit Vertreibungsszene (Rep. 1 nr. 188) 61$_{150}$
– Trier, Rhein. Landesmuseum, ›Agricius-S.‹ 54$_{112}$.70$_{210}$.85$_{289}$ (Adam-und-Eva-Darstellung; Hosentracht)
– Vatikan
– – Museo Pio Clementino, Helena-S., Hosentracht 86$_{291}$
– – Museo Pio Cristiano, Fries-S., mit Adam-und-Eva-Szenen: 50$_{89}$ (Rep. 1 nr. 8); 54.

75$_{244}$ (Taf. 37d; Rep. 1 nr. 25a); mit Jonasdarstellungen: 143f (Taf. 49c; Rep. 1 nr. 35); Baum-S. mit Jobszene 91 (Taf. 40a; Rep. 1 nr. 61)
– Velletri, Museo Comunale
– – S. mit Unterweltdarstellungen 45$_{47}$.72 (Taf. 36b)
– – Reliefplatte mit Adam-und-Eva-Darstellung 43f.70f
– Zaragoza, St. Engracia, S.nebenseite mit Darstellung der Arbeitszuweisung 55$_{116f}$ (Taf. 30d)
Sergius und Bacchus 89$_{310}$.90$_{313}$
Sopoćani, Kirche der hl. Jungfrau, Wandmalerei (Jakobssegen) 117$_{448}$
Stabformen 86/8
Stadtdarstellungen 15$_{56}$.157$_{653}$
Sulpicius Severus 166
Susanna beim Bade 75$_{243}$
Symmachus (Bischof von Capua) 173$_7$
Symmachus (Consul von 391 nC.) 21

Theatermasken in röm. Deckenmalerei 66$_{186}$
Therasia 22$_{87}$
Thessaloniki, Galeriusbogen 86$_{291}$ (Hosentracht); 157$_{653}$ (Stadtdarstellung)
Torques 88/90.99.164f
Totenerweckung nach Ez 37: 154$_{645}$
Trier
– Bischöfl. Museum, Deckenmalerei aus dem Kaiserpalast 170$_{702}$
– St. Paulin, Silberbeschlag des Paulinus-S., Adam-und-Eva-Szene 72$_{229}$
tumulus (bei Paulinus) 19$_{71}$

Uranius 173$_7$

Valens, Julianus 89$_{309}$
Venedig, S. Marco, Narthexkuppelmosaik 43$_{32}$.52$_{104}$.56$_{122/4}$.57$_{132}$.59$_{143}$.60$_{145}$.71$_{220}$ (Adam-und-Eva-Szenen); 90$_{316}$.120.151 (Taf. 51c; Noeszenen)
Venus pudica 50f.52f$_{111}$.74$_{237}$
Vetus Latina 59.97.128$_{520}$.176$_{17}$
Viktorien 67

Weltchronik (alexandrinische), Jonasdarstellung 146$_{613}$

ANHANG

TABELLEN

Tab. 1. Cimitile. Vergleichstabelle zum Ziegelmauerwerk[1] von Grabbauten.

Raum	x^2	11	13[3]	12 und 14	A
Datierung	4. Jh.	4. Jh.	3. Jh.	4. Jh.	303/5 nC.
Ziegeldicke	4–5 cm	4/meist 4,5 cm	4/öfter 4,5 cm	3,5–5 cm	4,5–5 cm
Mörteldicke	2–2,5 cm	1,5–2,5 cm	1/max. 2 cm	2–2,5 cm	2,5–3 cm

[1] Zu den Bauten A, 10 und 12 s. S. 29[128].
[2] Mit Ausnahme des Südteils der Ostmauer (Ziegel: 4 cm hoch; Mörteldicke: 1–3 mm).
[3] Zur Außenseite der Südwand vgl. Tab. 2.

Tab. 2. Ebd. Vergleichstabelle zum Ziegelmauerwerk von Gräbern und der Südwand von Bau 13.

Ortsangabe	Südwand von 13[3]	Felixgrab	hochgelegenes Grab im Felix-Mausoleum	11	x, 12 und 14
Datierung	3. Jh.	Ende 3. Jh.	4. Jh.	4. Jh.	4. Jh.
Ziegeldicke	4–4,3 cm	meist 4/ max. 4,5 cm	4–4,5 cm	3,5–4,5 cm	3,5–4,8 cm
Ziegelfarbe	rot[1]	hellrot[2]	karminrot[2]	karminrot[2]	karminrot[2]
Mörteldicke	meist 1 mm	durchschnittl. 5 mm	1–3 mm	1/max. 5 mm	1–3 mm

[1] So gut wie keine Einschlüsse.
[2] Mit schwarzen Einschlüssen.
[3] Zum Mauerwerk der Gräber s. S. 37[181].

Tab. 3. Ebd. Niveauangaben[1] aus verschiedenen Bauten.

Raum	x	10	11	12	13	14	Felixgrab (Bau A)	Mosaik-arkade
Oberfläche der Einfassung[2] bei den ursprünglichen Gräbern	ca. −2,18	−2,17	−2,46	−2,61	−1,77	−2,60	−2,35	
Türschwelle	?	?	−2,04	?	?	−2,13	−1,97	
Marmorboden					ca.−1,80[3]			−1,86

[1] In Meter und auf den 0-Punkt von CHIERICI bezogen (vgl. Abb. 6). – Fast alle Angaben nach den Grabungstagebüchern von CHIERICI.
[2] Darüber befinden sich Bipedale (von 8–9 cm Stärke) oder Marmorplatten (von 5–5,5 cm Stärke), die gleichermaßen als Abdeckplatten für die Gräber und als Fußbodenplatten dienen (letzteres nicht bei Raum 13, wo es ursprünglich nur Arkosolgräber gab).
[3] Eingangsbau im Süden von 13 (der Fußboden innerhalb von 13: einst vielleicht bei −1,85).

ABBILDUNGEN

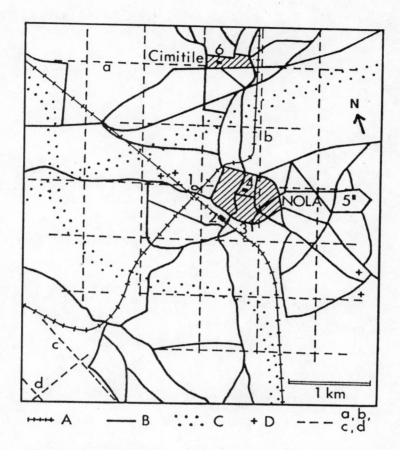

Abb. 1. Antike Landvermessung und heutiges Straßennetz um Nola.

A Kleinbahn, B Landstraßen und Wege, C Autostrada, D Gräber; a, b und
c, d Limitations-Linien; 1 Amphitheater, 2 Tempel beim Bahnhof, 3 Theater,
4 Dom, 5 Seminar mit Inschriften-Sammlung, 6 Felixbasilika.

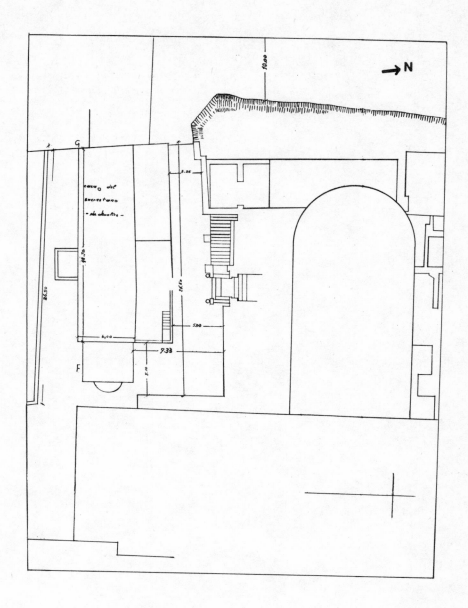

Abb. 2. Cimitile. Schematischer Plan der Bauten im Bereich der Felixbasilika
(vor der Ausgrabung).

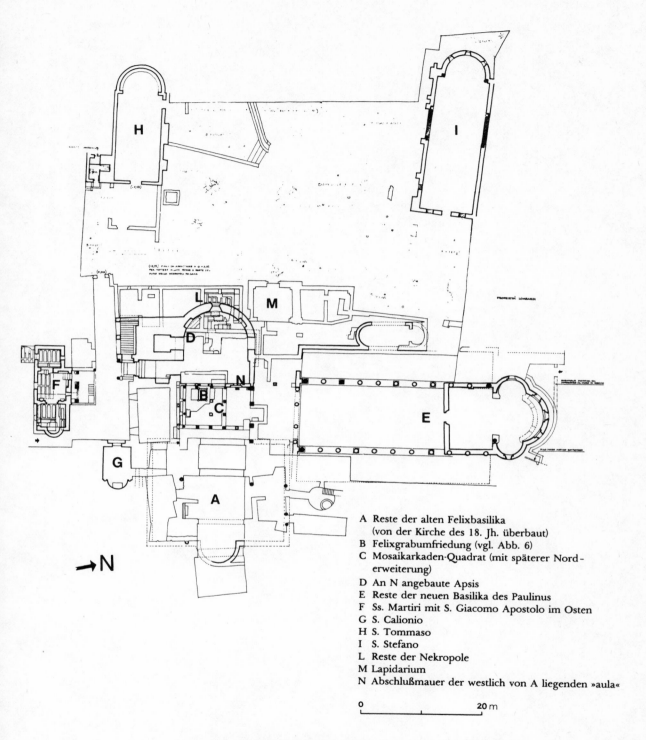

→N

A Reste der alten Felixbasilika
  (von der Kirche des 18. Jh. überbaut)
B Felixgrabumfriedung (vgl. Abb. 6)
C Mosaikarkaden-Quadrat (mit späterer Nord-
  erweiterung)
D An N angebaute Apsis
E Reste der neuen Basilika des Paulinus
F Ss. Martiri mit S. Giacomo Apostolo im Osten
G S. Calionio
H S. Tommaso
I S. Stefano
L Reste der Nekropole
M Lapidarium
N Abschlußmauer der westlich von A liegenden »aula«

0   20 m

Abb. 3. Cimitile. Plan des Grabungsgeländes (1967).

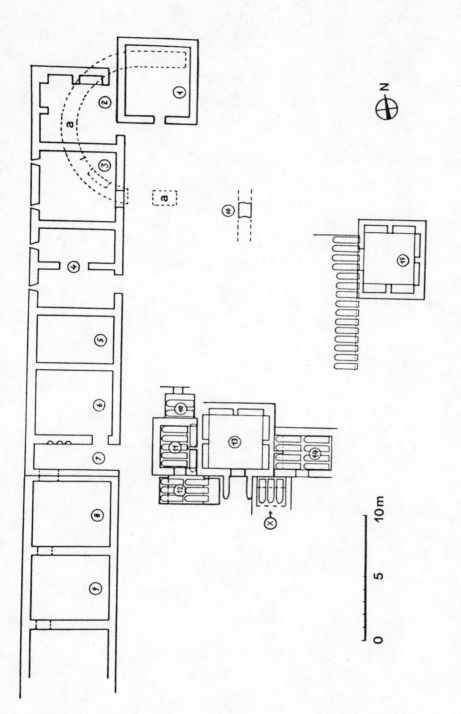

Abb. 4. Plan der Nekropole in Cimitile
(ohne die Bauten beim Felixgrab; a: Verlauf der ›West-Apsis‹ der Felixbasilika; 1–9: ›pagane‹ Grabbauten;
10–14, 15[?], x: christliche Grabbauten; 16: Bogenrest).

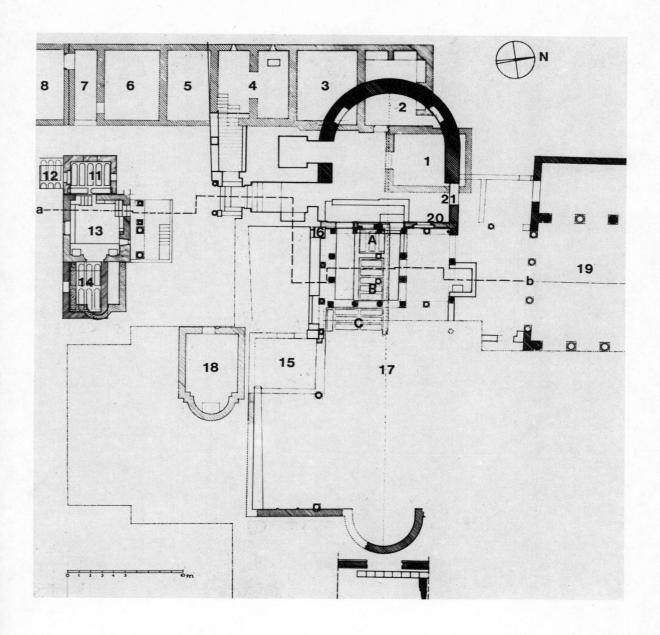

Abb. 5. Cimitile. Die Bauten im Bereich des ›Felixmausoleum‹ A
(Grabungsstand 1956; 1–15, A–C: Grabbauten; 16: Bogenrest; 17: alte Felixbasilika; 18: S. Calionio;
19: neue Basilika des Paulinus; 20: Abschlußmauer der westlich von 17 liegenden »aula« [vgl. Abb. 7:
a/b.e]; 21: später an 20 angebaute Apsis; a–b: Aufriß Abb. 6).

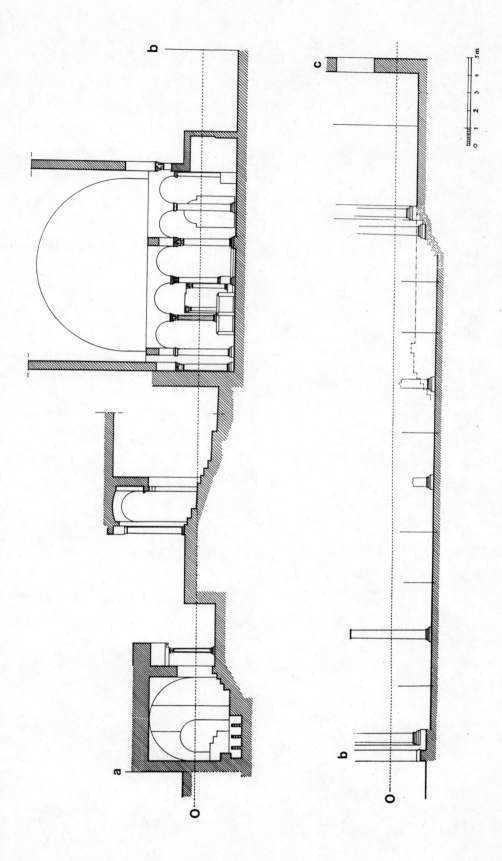

Abb. 6. Cimitile. Nord/Süd-Längsschnitt durch die ergrabenen Bauten
(vgl. Abb. 5: a–b; b–c: neue Basilika des Paulinus [E in Abb. 3]; 0 = 0-Punkt Chiericis).

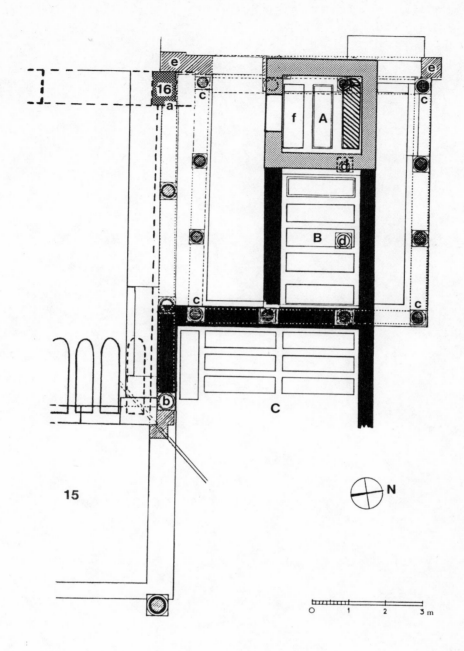

Abb. 7. Cimitile. Bereich um das Felixgrab f (a–b: Triforium aus dem 4. Jh.; c: Mosaikarkaden-Quadrat aus dem 6. Jh.; d: Säulen einer mittelalterlichen Arkadenreihe; e: Tuffmauer aus dem 4. Jh.; A–C, 15: im 4. Jh. überbaute Grabgebäude; 16: Bogenansatz).

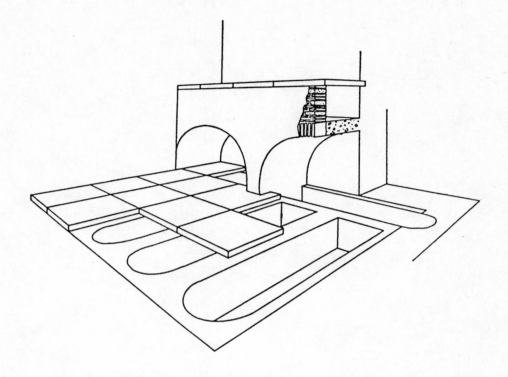

Abb. 8. Cimitile. Rekonstruktion der Gräber in Bau 11.

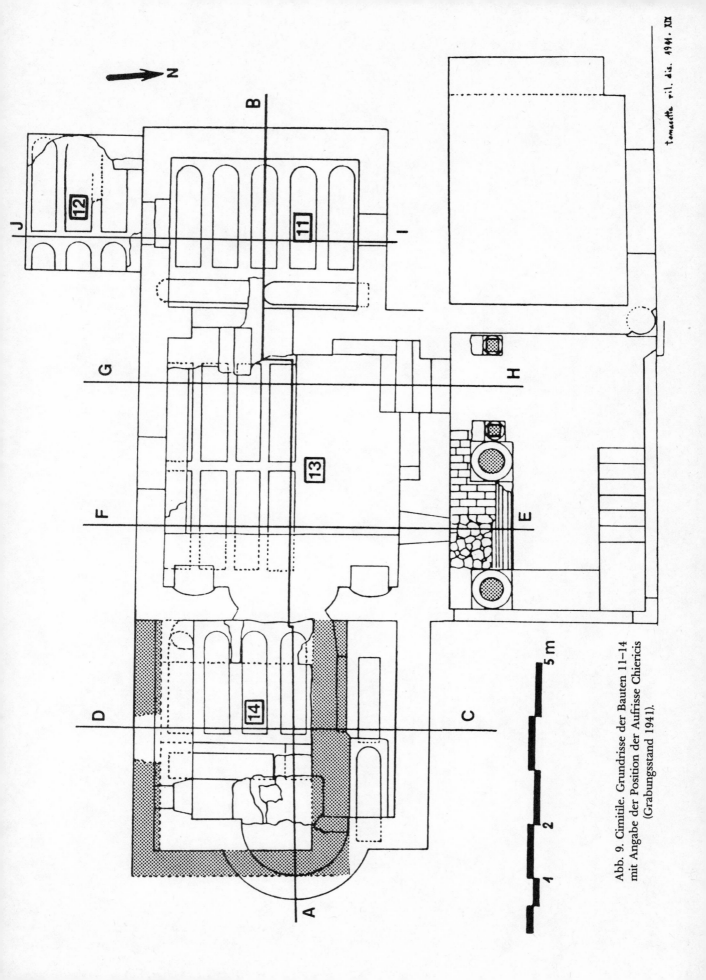

N

12

11

B

J

I

G

H

13

F

E

D

14

C

A

5 m

2

4

Abb. 9. Cimitile. Grundrisse der Bauten 11–14
mit Angabe der Position der Aufrisse Chiericis
(Grabungsstand 1941).

tomaette ril. dic. 1941. XX

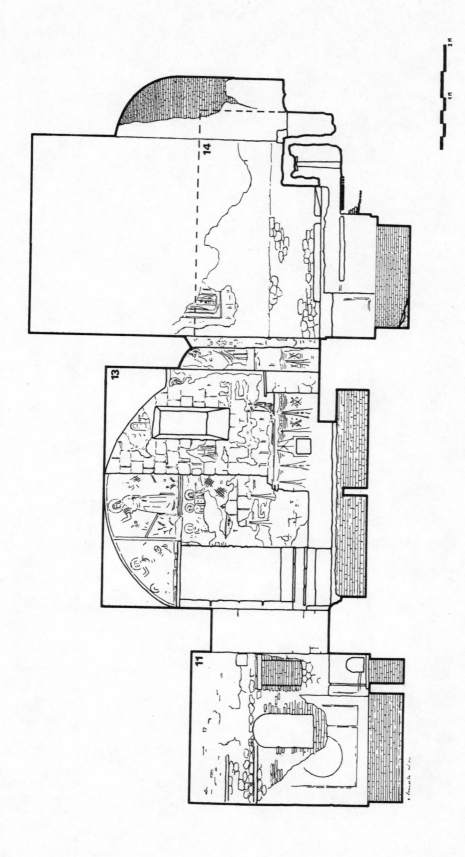

Abb. 10. Cimitile. Nordwände der Bauten 11, 13 und 14. Aufriß B – A (Zustand 1941).

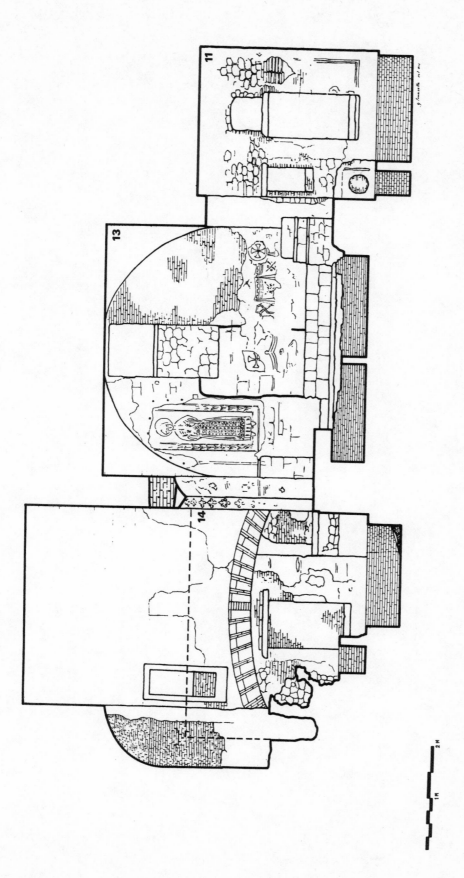

Abb. 11. Cimitile. Südwände der Bauten 14, 13 und 11. Aufriß A – B (Zustand 1941).

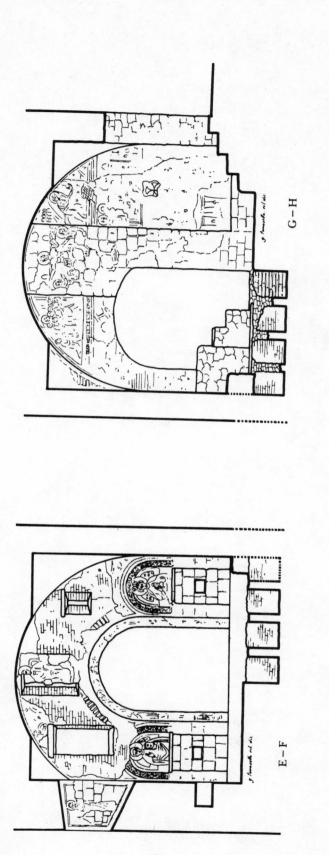

G–H

E–F

Abb. 12. Cimitile. Ost- und Westwand von Ss. Martiri / Grabbau 13 (Zustand 1941).

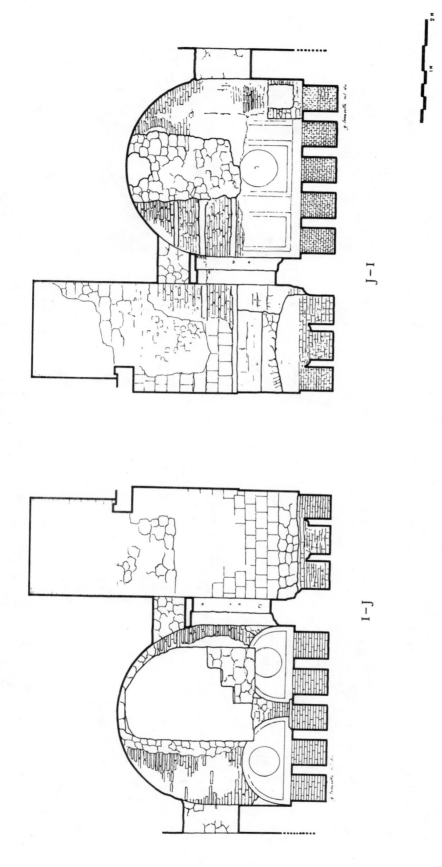

J–I

I–J

Abb. 13. Cimitile. Ost- und Westwände der Bauten 11 und 12 (Zustand 1941).

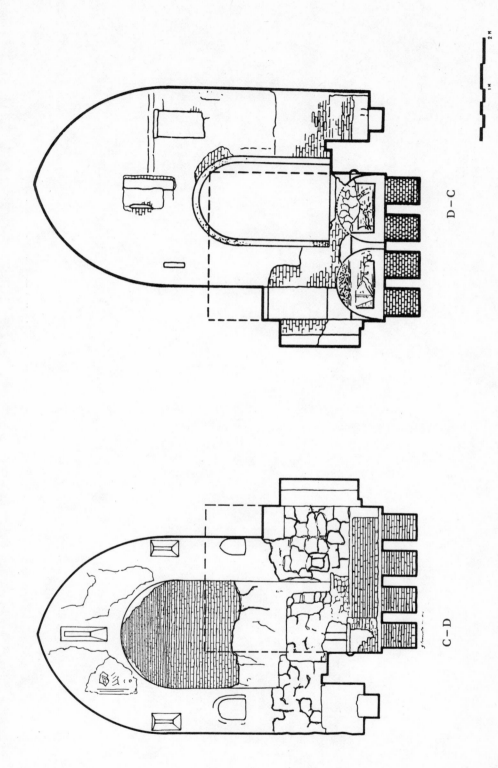

D–C

C–D

Abb. 14. Cimitile. Ost- und Westwand der Cappella di S. Giacomo Apostolo (mit Angabe der Arkosolmalereien und der etwaigen Höhe des Grabbaues 14; Zustand 1941).

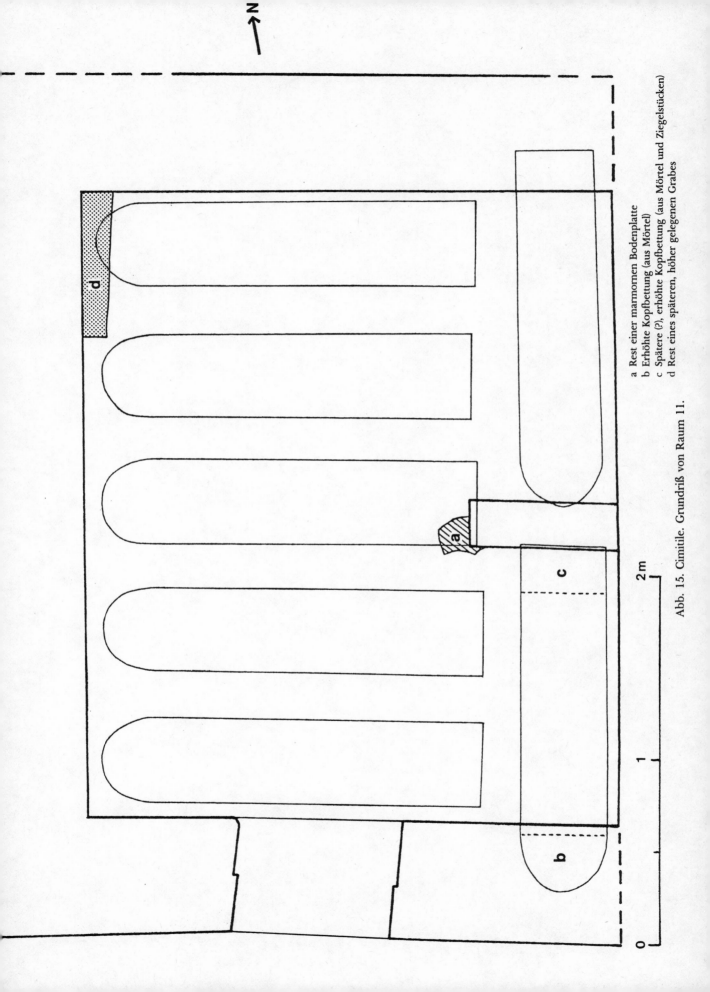

N

a Rest einer marmornen Bodenplatte
b Erhöhte Kopfbettung (aus Mörtel)
c Spätere (?), erhöhte Kopfbettung (aus Mörtel und Ziegelstücken)
d Rest eines späteren, höher gelegenen Grabes

Abb. 15. Cimitile. Grundriß von Raum 11.

d

a

c

b

2 m

1

0

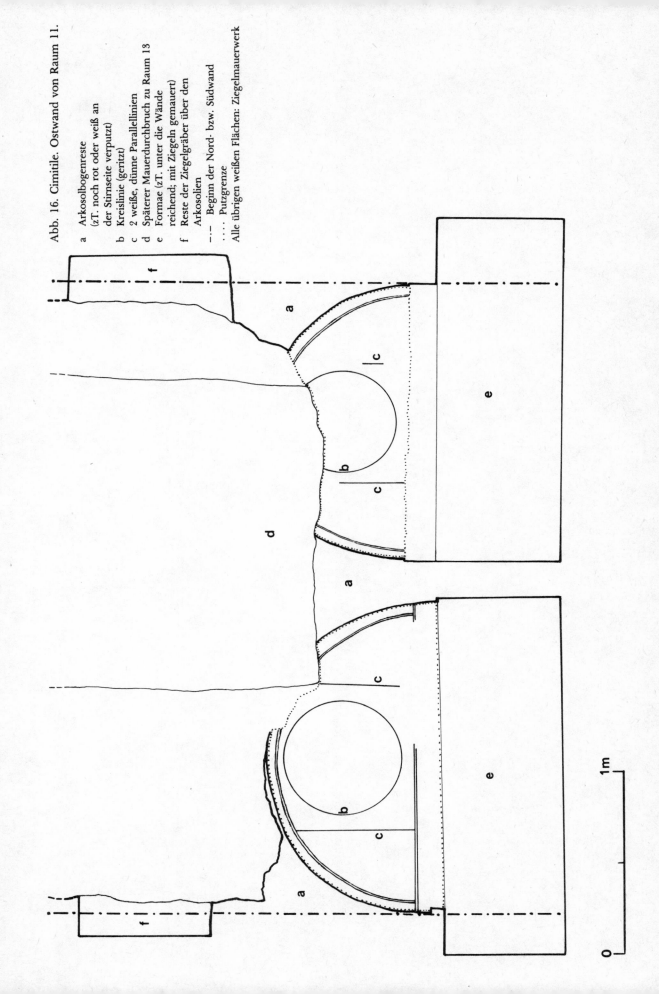

Abb. 16. Cimitile. Ostwand von Raum 11.

a Arkosolbogenreste
   (zT. noch rot oder weiß an
   der Stirnseite verputzt)
b Kreislinie (geritzt)
c 2 weiße, dünne Parallellinien
d Späterer Mauerdurchbruch zu Raum 13
e Formae (zT. unter die Wände
   reichend; mit Ziegeln gemauert)
f Reste der Ziegelgräber über den
   Arkosolien
–·– Beginn der Nord- bzw. Südwand
···· Putzgrenze
Alle übrigen weißen Flächen: Ziegelmauerwerk

1m

0

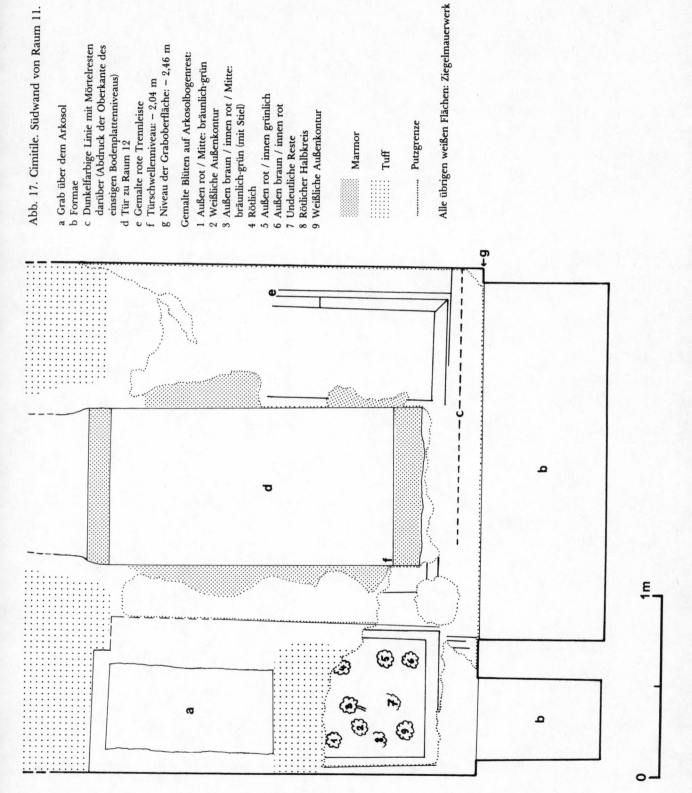

Abb. 17. Cimitile. Südwand von Raum 11.

a Grab über dem Arkosol
b Formae
c Dunkelfarbige Linie mit Mörtelresten
    darüber (Abdruck der Oberkante des
    einstigen Bodenplattenniveaus)
d Tür zu Raum 12
e Gemalte rote Trennleiste
f Türschwellenniveau: – 2,04 m
g Niveau der Graboberfläche: – 2,46 m

Gemalte Blüten auf Arkosolbogenrest:

1 Außen rot / Mitte: bräunlich-grün
2 Weißliche Außenkontur
3 Außen braun / innen rot / Mitte:
    bräunlich-grün (mit Stiel)
4 Rötlich
5 Außen rot / innen grünlich
6 Außen braun / innen rot
7 Undeutliche Reste
8 Rötlicher Halbkreis
9 Weißliche Außenkontur

Marmor

Tuff

Putzgrenze

Alle übrigen weißen Flächen: Ziegelmauerwerk

1 m

0

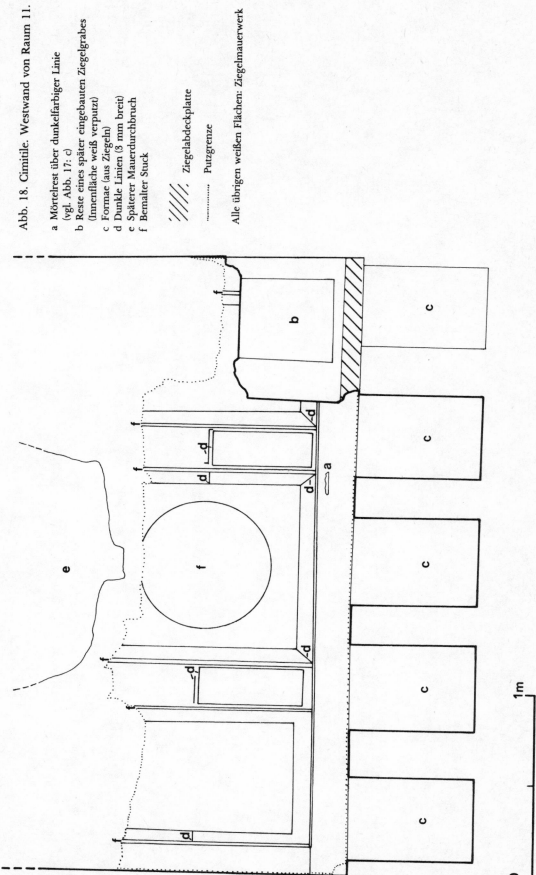

Abb. 18. Cimitile. Westwand von Raum 11.

a Mörtelrest über dunkelfarbiger Linie
  (vgl. Abb. 17: c)
b Reste eines später eingebauten Ziegelgrabes
  (Innenfläche weiß verputzt)
c Formae (aus Ziegeln)
d Dunkle Linien (3 mm breit)
e Späterer Mauerdurchbruch
f Bemalter Stuck

///// Ziegelabdeckplatte

.... Putzgrenze

Alle übrigen weißen Flächen: Ziegelmauerwerk

0   1m

Abb. 19. Cimitile. Nordwand von Raum 11.

a Späteres Fenster (nachträglich mit Zement verschlossen)
b Ziegelgrab über dem Arkosol
c Formae (aus Ziegeln)
d Reste eines später eingebauten Grabes
  (Außenseite weiß verputzt)
e Bemalter Stuck

Malerei auf Arkosolbogenrest:
1 Rote Blüten
2 Beigefarbene Blüte

///// Ziegelabdeckplatten

⋮⋮⋮⋮ Tuff

········· Putzgrenze

Alle übrigen weißen Flächen: Ziegelmauerwerk

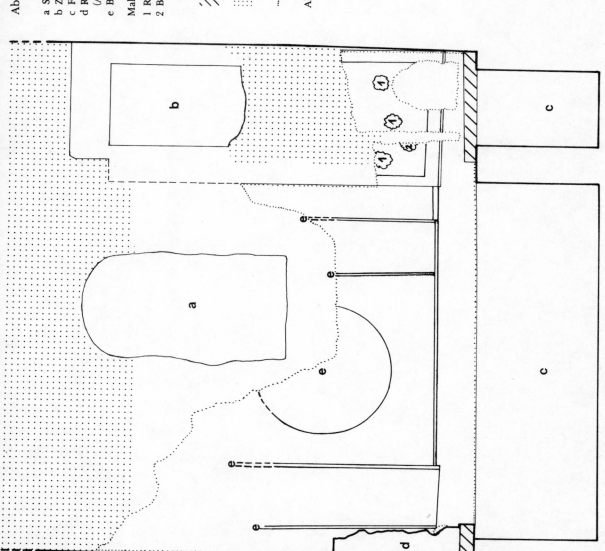

0   1m

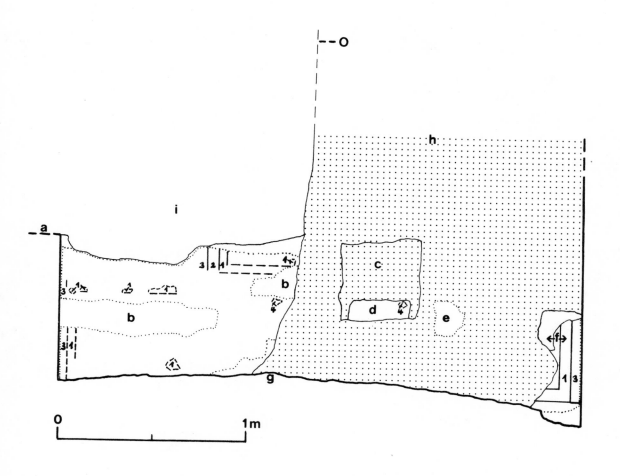

a Abbruchkante der Nordwand
b Spätere Zerstörung durch Grabplatten
c Suchstollen der Ausgräber
d Verputz der antiken Ostwand
e Antikes Putzstück (hellbeige)
f Grabungsloch
g Grabungshorizont
h Nachantike Wand (vorgebaut)
i Apsis der Cappella di S. Giacomo Apostolo (vgl. Abb. 14 C – D)

0 Markierter Nullpunkt Chiericis

Malereireste: 1 rot
                2 schwarz
                3 braun
                4 blau

Tuff

Putzgrenze

Alle übrigen weißen Flächen: Ziegelmauerwerk

Abb. 27. Cimitile. Ostwand von Raum 14.

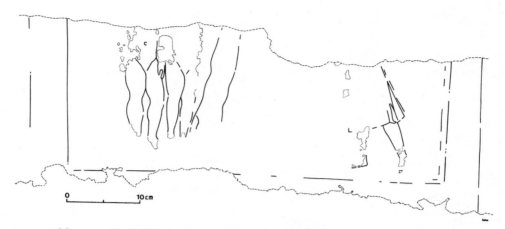

Abb. 29. Cimitile, Grabbau 14. Umzeichnung des Bildes auf der Nordwand
(nach Taf. 5c). Adam und Eva hören das Gebot Gottes.

Abb. 30. Rekonstruktion nach Abb. 29.

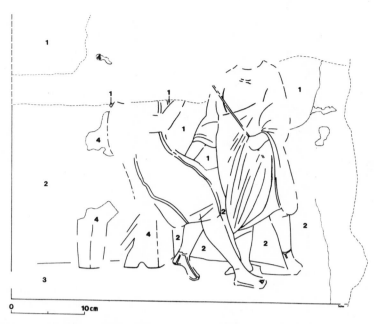

Abb. 31. Cimitile, Grabbau 14. Umzeichnung des Bildes auf der Südwand.
Josephs Schwur (nach Taf. 7c; Hintergrundfarben: 1 = blau;
2 = oben dunkel- unten z. T. beigebraun; 3 = hellbraun;
4 = dunkelbraune Teile eines Sitzmöbels).

Abb. 32. Rekonstruktion nach Abb. 31.

Abb. 33. Cimitile, Grabbau 14. Umzeichnung und Rekonstruktion des Bildes auf der Südwand. Jakobssegen (nach Taf. 5b und 6c; Hintergrundfarben: 1 = blau, 2 = rosa, 3 = rosabraun).

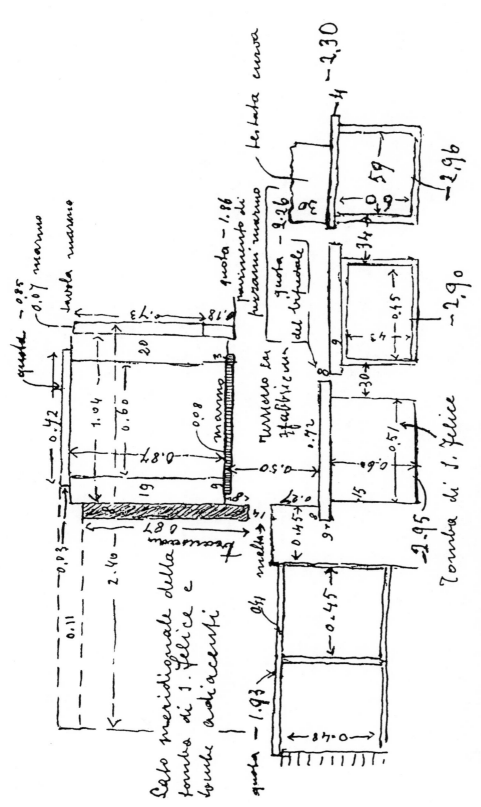

Abb. 34. Cimitile, Felixbasilika. Grabungsskizze von den Gräbern unter der ›ara veritatis‹
(Doppelumrahmung = Marmorverkleidung; für den genauer wiedergegebenen Nordteil
des Altars vgl. Taf. 10a; zum Zustand vor der Ausgrabung s. RivAC 16 [1939] 67 Fig. 13
bzw. Palladio 3 [1953] 176 Fig. 4).

TAFELN

b. Ebd. Adam.

a. Cimitile, Grabbau 18. Arkosolmalerei (Zustand 1979). Eva.

a. Cimitile, Grabbau 13. Arkosolmalerei (Zustand 1961). Meerwurf des Jonas.

b. Ebd. Arkosolmalerei (Zustand 1961). Trunkenheit Noes?

a. Cimitile, Grabbau 14. Bild auf der Nordwand (Zustand 1961). »Lied« des Moses?

d. Cimitile, Grabbau 13.
Bemalte Verputzstücke.

b. Ebd. Totenerweckungsvision des Ezechiel?

c. Cimitile, Grabbau 11. Blütenstreumuster im Südost-Arkosol
(Zustand 1979).

b. Ausschnitt aus Tafel 2 a (Zustand 1979).

c. Ausschnitt aus Tafel 3 a (Zustand 1979).

a. Ausschnitt aus Tafel 2 b (Zustand 1979).

b. Cimitile, Grabbau 14. Bild auf der Südwand (Zustand 1979).
Jakobssegen.

a. Cimitile, Grabbau 13. Arkosolmalerei
(Zustand 1961). Trunkenheit Noes?

c. Ebd. Bild auf der Nordwand (Zustand 1961). Adam und Eva hören das Gebot Gottes.

a. Cimitile, Grabbau 14. Malereien der Lunette und des Pfeilers des Südwest-Arkosols (1961).

b. Ebd. Arkosolpfeiler mit Malereiresten (1979).

c. Ausschnitt aus Tafel 5 b.

c. Ebd. Bild auf der Südwand (Zustand 1979). Josephs Schwur.

a. Cimitile, Grabbau 14. Bildreste am Westende der Nordwand (Zustand 1979).

b. Ebd. Bild auf der Nordwand (Zustand 1961). Joseph-Episode?

a. Ausschnitt aus Tafel 5 c (Zustand 1979).

b. Cimitile, Grabbau 14. Bemalte Wand über dem Südwest-Arkosol (Zustand 1979).

c. Ebd. Blüten im Nordwest-Arkosol (Zustand 1979).

e. Ausschnitt aus Tafel 7 c.

d. Ebd. Bildrest am oberen Ostende der Nordwand (Zustand 1961). Sitzende Gestalt.

f. Ausschnitt aus Taf. 6 a (Zustand 1979).

g. Cimitile, Grabbau 11. Westwand (Detail; Zustand 1979).

c. Ebd. Wand im Westen vor der Mosaikarkade (a) und Reste des Bogens 16 (b).

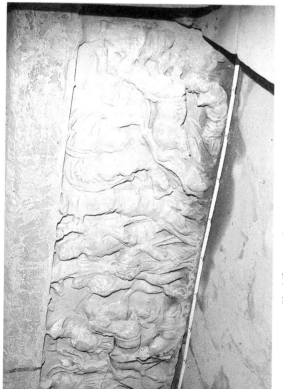

a. Cimitile, S. Felice. Persephone-Sarkophag.

b. Ebd. Grabbau B. Malereirest auf der Nordwand.

a. Cimitile, S. Felice. Mosaikarkaden und Altar über dem Felixgrab (während der Ausgrabung).

b. Ebd. Grabbauten A und B (während der Ausgrabung).

d. Ebd. Eine der Ziegelabdeckplatten des Felixgrabes mit eingelassenem Gefäß und darüberliegender Marmorplatte.

e. Ebd. Erhöhtes Kopfende des Felixgrabes.

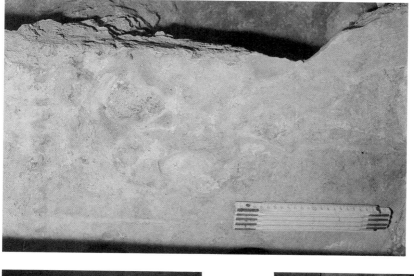

c. Ausschnitt aus b. Tierträger.

a. Cimitile, S. Felice. Bezirk um das Felixgrab (Zustand 1983; weißer Pfeil hier und im folgenden = Nordrichtung).

b. Ebd. Marmorplatte über dem Felixgrab.

a. Cimitile, S. Felice. Felixgrab und Mauerreste bzw. Türschwelle (rechts) von Bau A.

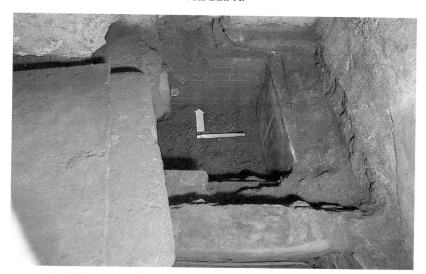

b. Ebd. Das mittlere mit Marmor verkleidete Grab in Bau A.

c. Ebd. Ostmauer von Bau A und Gräber in Raum B.

a. Cimitile, S. Felice. Bau A. Nördliches Marmorgrab und späteres Ziegelgrab.

b. Ebd. Partien des Ziegelgrabes und Nordwand von Bau A (mit bemaltem Verputz).

c. Cimitile, neue Basilika des Paulinus. Apsismauerwerk.

a. Cimitile. Ausgrabungsgebiet südlich von Ss. Martiri (Grabbauten 8 und 11–14; Zustand 1984).

b. Cimitile. Gebäude über Ss. Martiri und
Campanile von S. Felice (Zustand vor 1960).

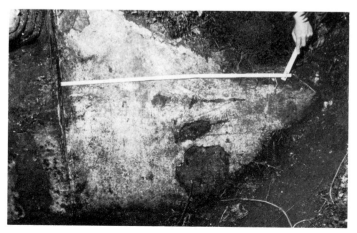

c. Ebd. Ostwand von Grabbau x (mit bemaltem Verputz;
Zustand 1979).

b. Ebd. Grabbauten 8, 11 und 12 (Blick von Osten; 1984).

a. Cimitile. Grabbauten 13, 14 und x (Zustand 1984).

a. Cimitile. Bemalte Ostwand des Eingangsvorbaues von Grabgebäude 13 (Zustand 1979).

b. Ebd. Südseite von Grabbau 13 mit Eingangsvorbau (E/E) und Grabgebäude 12 (Zustand 1984).

a. Cimitile. Grabbau 13 (Ss. Martiri). Nordwand (Zustand 1979).

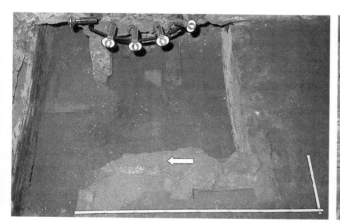

b. Ebd. Überreste von Bodengräbern in der Nordhälfte des Baues (Zustand 1979).

c. Ebd. Grabbau 2. Arkosolgrab im Nordwesten (Zustand 1979).

a. Cimitile, Grabbau 13 (Ss. Martiri). Westwand mit Durchblick zum Grabgebäude 11 (1979).

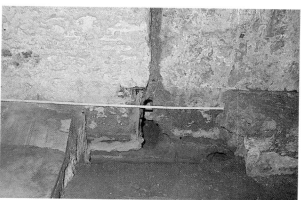

b. Ebd. Mauerreste des Südwest-Arkosols (1979).

c. Ebd. Zugemauerter Eingang (rechts) und Fundamentansatz auf der Südwand (1979).

a. Cimitile, Grabbau 13. Epitaph auf dem mittelalterlichen Nordaltar.

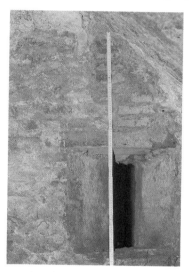

b. Ebd. Antikes Fenster
(Ostwand).

c. Ebd. Südostecke (innen).

d. Ebd. Südseite mit Westmauer des Eingangsvorbaues (1979).

a. Ostia, Nekropole auf der Isola Sacra. Grabbau 43.

b. Ausschnitt aus a.

c. Cimitile, Grabbau 13. Südostecke.

a. Cimitile, Grabbau 11. Westwand mit Durchblick zum Grabgebäude 7 (Zustand 1979).

b. Ebd. Ostteil mit Westwand von Grabgebäude 13 (Zustand 1979).

a. Cimitile, Grabbau 11. Nordwand (Zustand 1979).

b. Ebd. Südwand mit Tür zu Grabbau 12 (Zustand 1979).

a. Cimitile, Grabbau 14. Gesamtansicht (Zustand 1983).

b. Ebd. Westteil (Zustand 1941).

a. Cimitile. Grabbau 14 (S. Giacomo Apostolo). Antike und mittelalterliche Ostwand (Zustand 1979).

b. Ebd. Nordmauer von Bau 14 (außen).

c. Ebd. Mauerwerk der antiken Bodengräber.

d. Ebd. Mauerwerk der Bodengräber im Grabbau 11.

e. Ebd. Mauerwerk des hochgelegenen Ziegelgrabes im Grabbau A.

a. Cimitile, Grabbau 14 (S. Giacomo Apostolo). Überreste der antiken Nordwand (Zustand 1983).

b. Ebd. Überreste der antiken Südwand (Zustand 1979).

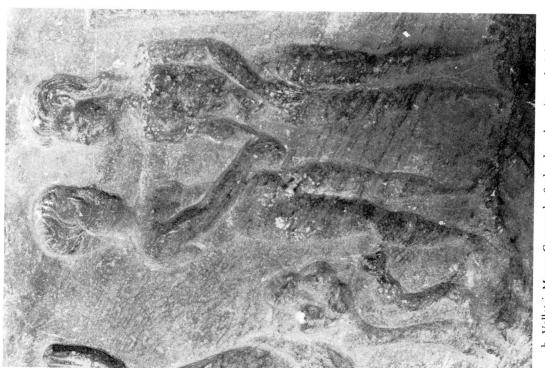

b. Velletri, Museo Comunale. Sarkophagplatte (Ausschnitt). Adam und Eva.

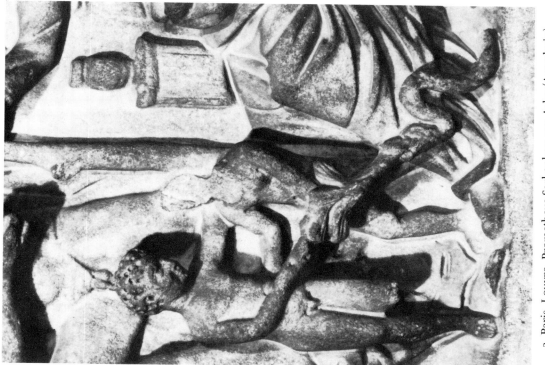

a. Paris, Louvre. Prometheus-Sarkophag aus Arles (Ausschnitt). Menschenpaar.

a. Rom, Marcus-und-Marcellinus-Katakombe. Sarkophagdeckel
(Ausschnitt).

b. Köln, Römisch-Germanisches Museum.
Glasschale. Adam und Eva.

c. Rom, S. Sebastiano-Katakombe. Loculusmalerei mit Unterweltszenen (Ausschnitt).

a. Rom, Aurelier-Hypogäum. Oberes Cubiculum (Rückwand).

b. Rom, Kapitolinisches Museum. Prometheus-Sarkophag.

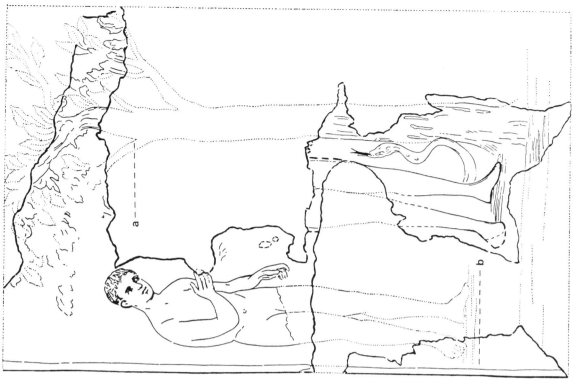

b. Umzeichnung der linken Szene Taf. 28a
(a.b = maximale Größe der Figuren).

a. Rom, Kapitolinisches Museum. Prometheus-Sarkophag.
Linke Nebenseite.

a. Arles, Musée d'art chrétien.
Sarkophagdeckel (Ausschnitt).

b. Madrid, Real Acad. de la
Historia. Sarkophag aus
Layos (Ausschnitt). Adam
und Eva.

c. Rom, via Latina-Katakombe. Kammer C.
Adam und Eva.

d. Zaragoza, St. Engracia.
Sarkophagnebenseite. Arbeitszuweisung.

e. Trier, Landesmuseum. ›Agricius-Sarkophag‹ (Ausschnitt).

f. Rom, S. Paolo f.l.m. Langhausfresko
(Nachzeichnung). Gott ruft Adam und Eva.

g. Venedig, San Marco. Narthex-Kuppelmosaik.
Gott ruft Adam und Eva.

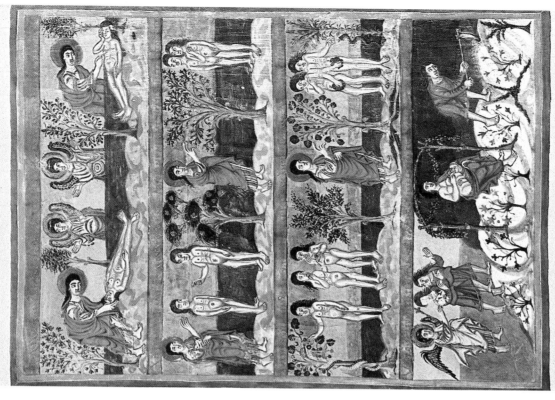

d. London, Brit. Library, Add.Ms. 10546, fol. 5ᵛ (Grandval-Bibel).
Adam-und-Eva-Szenen.

b. Ebd. Adam und Eva bedecken sich
die Scham.

a. Venedig, San Marco.
Narthex-Kuppelmosaik. Versuchung Evas.

c. Paris, Bibl.Nat.Lat. 1, fol. 10ᵛ (Vivian-Bibel).
Gott ruft Adam und Eva.

a. Cimitile, Grabbau 13. Arkosolmalerei. Adam und Eva.

b. Neapel, untere Januarius-Katakombe.
Kammer B 17. Deckenmalerei
(Ausschnitt). Christus.

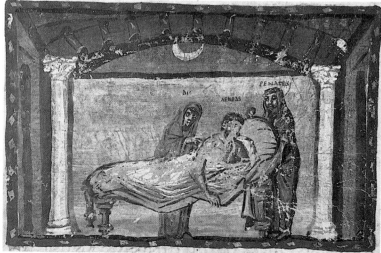

c. Città del Vaticano, Bibl. Apost. Vergilius Vaticanus, Pict. 20.
Traum des Aeneas.

a. Dura-Europos, Hauskirche. Lunettenmalerei (Grabungsfoto).

b. Originalpause von der Malerei in a.

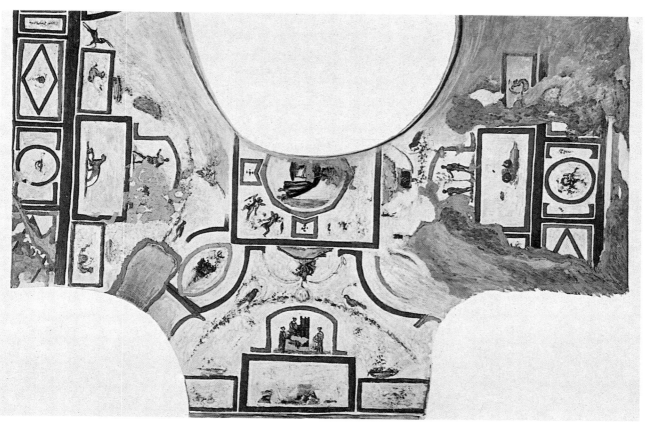

a. Neapel, obere Januarius-Katakombe. Decke von Raum A 1 (Zustand vor 1936).

b. Ausschnitt aus a. Adam und Eva (Fotografie vor 1936).

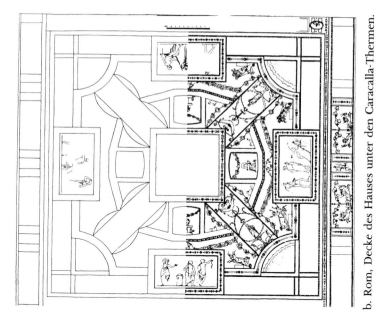

b. Rom, Decke des Hauses unter den Caracalla-Thermen.

d. Rom, Konstantinsbogen (Nordseite). Viktoria.

a. Aire-sur-l'Adour, Église Sainte-Quitterie. Sarkophag.

c. Neapel, untere Januarius-Katakombe. Decke von Raum B 2.

a. Paris, Louvre. Reliefplatte aus der Villa Albani in Rom.
Erschaffung des Menschen.

b. Velletri, Museo Comunale. Sarkophag (Ausschnitt). ›Elysiumszene‹.

b. Medaillon des Antoninus Pius
(Revers). Herakles beim Raub der
Hesperidenäpfel.

a. Rom, Kapitolinisches Museum.
›Kapitolinische Venus‹.

c. Zeichnung eines Sarkophagdeckels mit Heraklestaten (von Dal Pozzo).

d. Città del Vaticano, Museo Pio Cristiano. Sarkophag.

a. Brescia, Museo Civico Cristiano. Elfenbeinkasten (Ausschnitt). Jakobs Kampf mit dem Unbekannten.

b. Wien, Nat. Bibl. Cod. theol. gr. 31, fol. 12ʳ. Jakobsszenen.

c. Città del Vaticano, Bibl. Apost. Vergilius Vaticanus, Pict. 36. Elysium.

d. Klagenfurt, Museum. Cod. VI, 19, fol. 45ʳ. Jakobs Kampf mit dem Engel.

e. Paris, Bibl. Nat. Ms. gr. 510, fol. 174ᵛ Jakobsszenen.

f. Ehemals Smyrna, Evang. Schule. Cod. A I, fol. 46ᵛ II. Jakobs Kampf mit dem Engel.

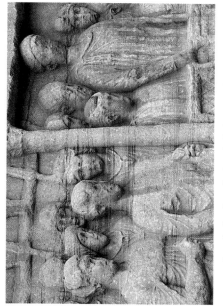

c. Istanbul, Theodosiusobelisk. Relief der Basis (Ausschnitt).

f. Rom, Severusbogen (Ausschnitt).

b. Leningrad, Ermitage. ›Schale Constantius' II‹.

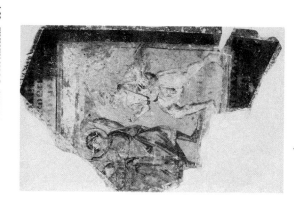

e. London, Brit. Library. Cod. Cotton Otho B VI, fol. 26ᵛ.

a. Nicosia, Cyprus Museum. Silberplatte.

d. Leptis Magna, Severusbogen (Ausschnitt).

c. Rom, via Latina-Katakombe. Kammer N.
Herakles und Admet.

f. Cotton Genesis. Verschollenes
Einzelblatt (Nachzeichnung).
Joseph und seine Brüder.

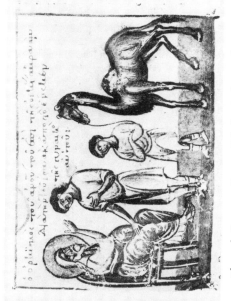

e. Ehemals Smyrna, Evang. Schule. Cod. A I, fol. 36r.
Der Schwur des Knechtes Abrahams.

b. Ebd. Bibl. Apost. Vat. gr. 749, fol. 38r.
Die drei Freunde vor Job.

a. Città del Vaticano. Mus. Pio
Crist. Sarkophag (Ausschnitt).
Job und seine Frau.

d. Wien, Nat. Bibl. Cod. theol. gr. 31, fol. 23v (pict. 46).
Jakob und seine Söhne.

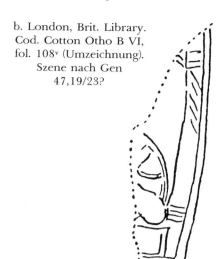

a. Città del Vaticano, Bibl. Apost. Vat. gr. 747, fol. 66ʳ.
Jakob verbeugt sich vor Joseph.

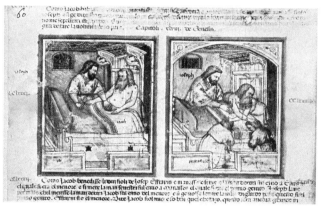

c. Rovigo, Accad. dei Concordi. Cod. 212, fol. 36ᵛ,
Jakob-Joseph-Szenen.

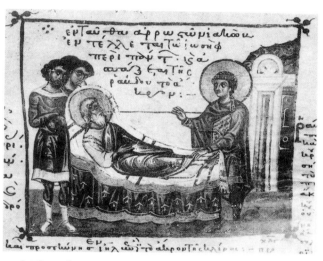

d. Ehemals Smyrna, Evang. Schule. Cod. A I, fol. 58ʳ.
Josephs Schwur vor Jakob.

e. London, Brit. Library. Cotton Claud. B IV,
fol. 69ᵛ. Josephs Schwur vor Jakob.

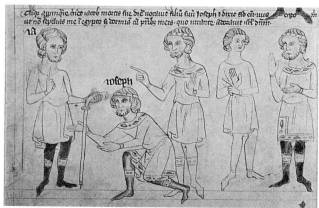

f. Prag, Universitätsbibl. Cod. XXIII C 124, fol. 50ᵛ.
Josephs Schwur vor Jakob.

a. Dura-Europos, Synagoge. Malerei über der Thoranische. Jakobssegen (Zustand 1933).

b. Umzeichnung der unteren Bildhälfte von a (2. Malphase).

a. Dura-Europos, Synagoge. Malerei über der Thoranische (vor 1956). Jakobssegen.

b. Farbzeichnung von a (vor 1936).

b. Samos-Vathy, Museum. Totenmahlrelief.

a. Dura-Europos, Synagoge. Wandmalerei.
Salbung Davids.

c. Cimitile. Relieffragment (verschollen). Totenmahl.

d. Rom, Villa Albani. Alkestis-Sarkophag
(Ausschnitt).

f. Città del Vaticano, Bibl. Apost. Vat.
gr. 747, fol 67ᵛ. Segnung der Söhne
Jakobs.

e. Palmyra, Grab der Maqqai. Klinensarkophage.

c. Paris, Louvre. Sarkophag (Ausschnitt). Jakobssegen?

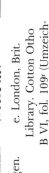

f. Wien, Nat. Bibl. Cod. theol. gr. 31, fol. 23r. Jakobssegen.

b. Rom, Callixtus-Katakombe. Sarkophagdeckel (Ausschnitt). Jakobssegen.

e. London, Brit. Library. Cotton Otho B VI, fol. 109r (Umzeichnung). Szene nach Gen 47,31 oder Gen 48,1/5.

a. Rom, via Latina-Katakombe. Kammer B. Jakobssegen.

d. Paris, Bibl. Nat. Cod. nouv. acq. Lat. 2334. fol. 50r. Jakobssegen.

b. Riggisberg, Abegg-Stiftung. Kopt. Stoff. Josephsszenen.

c. Ehemals Smyrna, Evang. Schule.
Cod. A I, fol. 58ᵛ. Jakobssegen.

d. Città del Vaticano, Bibl.
Apost. Vat. gr. 747, fol.
66ᵛ. Jakobssegen.

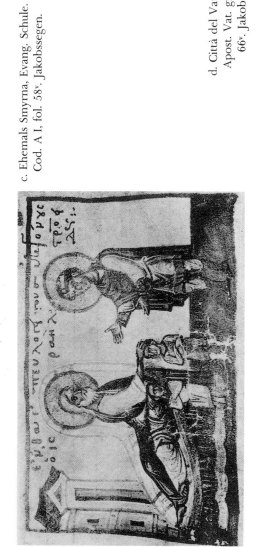

a. Lyon, Musée Hist. des Tissus. Kopt. Stoff. Josephsszenen.

a. Cimitile, Grabbau 14. Arkosolmalerei (Zustand 1941). Meerwurf und Ausspeiung des Jonas.

b. Umzeichnung von a (unter Zuhilfenahme von Farbaufnahmen).

c. Rom, Callixtus-
Katakombe. ›Sakra-
mentskapelle‹ A 6.
Jonaszyklus.

a. Neapel, untere Januarius-Katakombe. Ostwand einer Grabkammer (Zustand 1936). Jonasruhe.

b. Ebd. Kammer B 52.
Ostwand. Jonasruhe.

b. Rom. Katakombe Ss. Pietro e Marcellino. Deckenmalerei. Jonaszyklus.

c. Città del Vaticano, Museo Pio Cristiano. Sarkophag.

a. Neapel, untere Januarius-Katakombe. Kammer 19 (Zustand 1936). Jonasruhe.

a. Rom, ehemals Museo Kirchereano. Fragment
einer Tonplatte. Jonasruhe.

b. Köln, Römisch-Germanisches Museum. Tonschale.
Jonaszyklus.

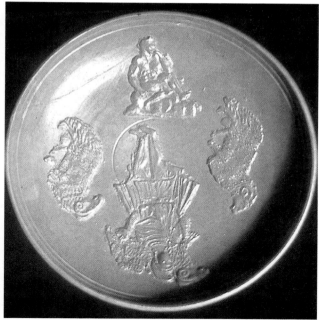

c. Mainz, Römisch-Germanisches Zentralmuseum.
Tonschale. Jonaszyklus.

d. Ebd. Tonschale. Sitzender Jonas und Schafträger.

a. Rom, via Latina-Katakombe. Kammer B.
Die trauernden Stammeltern und Kain u. Abel.

b. Ebd. Trunkenheit Noes?

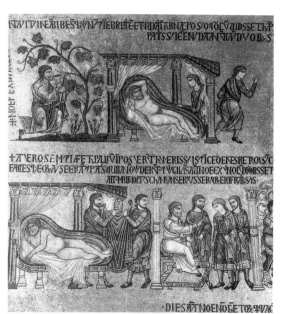

c. Venedig, S. Marco. Narthex-Kuppelmosaik.
Noeszenen.

d. Città del Vaticano, Bibl. Apost. Vat. gr. 746, fol.
58ʳ. Trunkenheit des Noe.

e. Neapel, S. Restituta. Reliefplatte.
Wagenfahrt Josephs.

f. Wien, Nat. Bibl. Cod. theol. gr. 31, fol. 3ᵛ.
Trunkenheit des Noe.

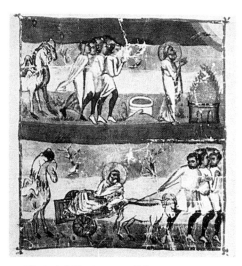

b. Rom, S. Paolo f.l.m. Langhausfresko
(Nachzeichnung). Opfer Abrahams.

a. Città del Vaticano, Bibl. Apost. Vat. gr.
747, fol. 64ᵛ. Jakobs Reise nach Ägypten.

c. Rom, via Latina-Katakombe. Kammer F. Samson erschlägt die Philister.

d. London. Brit. Museum. Goldglasschale von St. Ursula (Köln).

a. Rom, S. Maria Maggiore. Langhausmosaik.
Amalekiterschlacht.

b. Ebd. Das ›Lied‹ und der Tod des Moses.

d. Rom, via Latina-Katakombe. Kammer A. Moses
spricht zu den Israeliten(?).

c. Rom, Abbazia di S. Paolo f.l.m. Bibel, fol 50ᵛ.
Das ›Lied‹ und der Tod des Moses.

e. Rom, Marc-Aurel-Säule. Adlocutio.

a. Neapel, S. Giovianni in fonte. Kuppelmosaik (Ausschnitt).

b. Westberlin, Staatsbibliothek.
Probianus-Diptychon (Ausschnitt).

c. Ostberlin, Staatsbibl. Cod.
theol. lat. fol. 485, fol. 3ᵛ. Illustr.
zu Samuel 2.

d. Ebd. fol 2ʳ. Illustrationen zu Samuel 1.

a. Città del Vaticano, Bibl. Apost. Vat. lat. 3325, Pict. 42.

b. Baiae, ›Sosandrathermen‹. Sockelmalerei in der Südwestecke der Piscina-Terrasse. Ketos.

c. Rom, S. Maria Maggiore. Langhaus-mosaik. Jakobsszenen.

a. Capua vetere, Mithräum. Ausschnitt vom gemalten
Kultbild. Sol.

b. Ebd. Wandmalerei an der Wand
gegenüber dem Kultbild
(Ausschnitt). Luna.

c. Ebd. Malerei der Podienwand. Initiationsszene.

d. Baiae, ›Sosandrathermen‹. Wandmalerei in der
Südwestecke der Piscina-Terrasse.